Maxi prénoms du monde

FIRST
Editions

Remerciements à Héloise Martel pour sa contribution à l'enrichissement de l'ouvrage.

ISBN 978-2-7540-0746-7

Dépôt légal : 2ᵉ trimestre 2008.
Imprimé en Italie
Mise en page : KN Conception

Nous nous efforçons de publier des ouvrages qui correspondent à vos attentes et votre satisfaction est pour nous une priorité. Alors, n'hésitez pas à nous faire part de vos commentaires :

Éditions First
2 ter, rue des Chantiers
75005 Paris – France
Tél : 01 45 49 60 00
Fax : 01 45 49 60 01
e-mail : firstinfo@efirst.com

En avant-première, nos prochaines parutions, des résumés de tous les ouvrages du catalogue. Dialoguez en toute liberté avec nos auteurs et nos éditeurs. Tout cela et bien plus sur Internet à www.efirst.com

C'est un garçon

AARON (hébraïque) Noble ou exalté. Frère aîné de Moïse, il fut chargé par Dieu de veiller sur lui. Dérivés : Aarao, Aharon, Arek, Aron, Aronek, Aronne, Aronos, Arran, Arren, Arrin, Arron, Haron, Haroun.

ABBA (hébraïque) Père.

ABBAD (hébraïque) Adorateur.

ABBAS (arabe) Sévère.

Oncle de Mahomet.

ABBOTT (hébraïque) Père.

ABBOU (arabe) L'homme.

ABDA (arabe) Piété.

ABDAL ATI (arabe) Serviteur d'Allah. Dérivé : Abdel Ati.

ABDAL AZIZ (arabe) Celui qui sert le Tout-Puissant. Dérivés : Abdel Aziz, Abdul Aziz.

ABDAL FATTAH (arabe) Celui qui sert l'homme qui procure la nourriture. Dérivé : Abdel Fattah.

ABDAL HADI (arabe) Celui qui sert un chef. Dérivé : Abdel Hadi.

ABDAL HAKIM (arabe) Celui qui sert l'homme intelligent. Dérivé : Abdel Hakim.

ABDAL HALIM (arabe) Celui qui sert l'homme patient. Dérivé : Abdel Halim.

ABDAL HAMID (arabe) Celui qui sert le croyant. Dérivés : Abdel Hamid, Abdul Hamid.

ABDAL JABIR (arabe) Celui qui sert celui qui réconforte. Dérivés : Abdal Jabbar, Abdul Jabir.

ABDAL JAWWAD (arabe) Celui qui sert l'homme noble. Dérivé : Abdel Gaw-wad.

ABDAL KARIM (arabe) Celui qui sert l'homme généreux. Dérivés : Abdel Kerim, Abdel Krim.

ABDAL LAFIF (arabe) Celui qui sert l'homme bien-veillant. Dérivés : Abdel Lafif, Abdul Lafif.

ABDAL MAJID (arabe) Celui qui sert l'homme glorieux. Dérivés : Abdul Magid, Abdul Majid, Abdul Medjid, Abdul Mejid.

ABDAL MALIK (arabe) Celui qui sert le roi. Dérivé : Abdel Malik.

ABDAL MUFI (arabe) Celui qui sert l'homme charitable. Dérivé : Adbel Mufi.

ABDAL MUSHIN (arabe) Celui qui sert l'homme mi-séricordieux. Dérivé : Abdul Mushen.

ABDAL QADIR (arabe) Celui qui sert l'homme compé-tent. Dérivés : Abdal Kadir, Abdel Adir, Abdel Kadir, Abdel Qadir, Abdul Qader.

ABDAL RAHIM (arabe) Celui qui sert l'homme compatis-sant. Dérivés : Abder Rahim, Abdul Rahim.

ABDAL RAHMAN (arabe) Celui qui sert l'homme gé-néreux. Dérivés : Abdar Rah-man, Abder Rahman, Abdul Rahman, Abdur Rahman.

ABDAL RAUF (arabe) Celui qui sert l'homme bon.

ABDAL RAZIQ (arabe) Celui qui sert le pourvoyeur. Dérivés : Abdal Razzaq, Abder Razi, Abder Razza, Abdur Razzaq.

ABDAL SALAM (arabe) Celui qui sert la paix. Dérivés : Abdel Salam, Abdul Salam, Abdus Salam.

ABDAL WAHAB (arabe) Celui qui sert l'homme généreux.

ABDALLAH (arabe) Ceux qui servent Allah. Dérivés : Abdalla, Abdulla, Abdullah.

ABDELAZIZ (arabe) Serviteur du Tout-Puissant.

ABDELBADI (arabe) Celui qui sert l'inventeur de toutes choses.

ABDELBAR (arabe) Serviteur du bienveillant.

ABDELBASSIR (arabe) Celui qui sert la personne qui voit tout.

ABDELBATIM (arabe) Serviteur du secret.

ABDIAS (hébraïque) Serviteur de Yavé.

ABDON (hébraïque) Petit serviteur.

ABDUL (arabe) Serviteur.

ABDUL HAFEEZ (arabe) Serviteur du maître. Dérivé : Abdul Hafiz.

ABDUL HAKIM (arabe) Celui qui sert l'homme avisé. Dérivés : Abdul Hakeem, Abdul Hakeen.

ABDUL HAMID (arabe) Celui qui sert l'homme respectable.

ABDUL JABBAR (arabe) Celui qui sert l'homme compatissant.

ABDUL KARIM (arabe) Celui

qui sert l'homme généreux. Dérivé : Abdul Kareem.

ABDUL LATIF (arabe) Celui qui sert l'homme charitable. Dérivé : Abdul Lateef.

ABDUL MAJID (arabe) Celui qui sert l'homme glorieux. Dérivé : Abdul Majeed.

ABDUL QADIR (arabe) Celui qui sert l'homme compétent. Dérivé : Abdul Kadir.

ABDUL RAHMAN (arabe) Celui qui sert l'homme compatissant. Dérivés : Abdul Rehman, Abdur Rahman, Abdur Rehman.

ABDULLAH (arabe) Serviteur de Dieu.

ABDUR RAHIM (arabe) Celui qui sert l'homme bon.

ABDUR RASHID (arabe) Celui qui sert l'homme intègre.

ABEEKU (africain) Né un mercredi.

ABEL (hébraïque) Souffle. Dans la Bible, Abel est le deuxième fils d'Adam et Ève, le frère de Caïn. Dérivés : Abeau, Abelain, Abelin, Avel, Avelain, Avelig.

ABÉLARD (germanique) De haute naissance. Ce prénom fut rendu célèbre par le philosophe breton Abélard, précepteur de la jeune Héloïse, nièce de Fulbert, chanoine à Paris au XIIe siècle. Abélard séduit Héloïse qui met au monde un fils, il l'épouse, mais le chanoine, furieux d'avoir été trahi, le fait émasculer. Abélard devient moine, Héloïse devient abbesse, et ils s'écriront jusqu'à la fin de leur vie.

ABIA (hébraïque) Le Seigneur est mon Dieu.

ABID (arabe) Celui qui vénère Allah. Dérivé : Abbud.

ABIEL (hébraïque) Dieu est mon père. Dérivé : Aviel.

ABNER (hébraïque) Père de lumière. Personnage biblique. Dérivés : Aviner, Avner.

ABONDANCE (latin) Richesse. Dérivé : Abundio.

ABRAHAM (hébraïque) Père de la multitude. Ce prénom, qui symbolise pour la plupart d'entre nous un homme très âgé, connaît pourtant un grand succès en Amérique ; de très nombreux parents n'hésitent pas aujourd'hui à appeler ainsi leur bébé. Dérivés : Aapo, Aba, Abarran, Abe, Aberham, Abey, Abie, Abrahamo, Abrahan, Abram, Abrami, Abramo, Abran, Abrao, Apraham, Avraham, Avram, Avrum, Ibrahim.

ABSALON (hébraïque) Père de la paix. Le beau prince. Dérivés : Abishalom, Absalom.

ACACE (grec) Innocence.

ACE (anglais) Un, as. Nom que l'on donne à une personne excellant dans une certaine discipline.

ACESTE (grec) Roi légendaire de Troie.

ACHAB (hébraïque) Oncle. Achabe fut le septième roi d'Israël. Dérivé : Ahab.

ACHAIUS (irlandais) Cavalier.

ACHARIE (grec) Remède.

ACHARON (hébraïque) Dernier.

ACHATE (grec) Personnage de la mythologie, fidèle ami d'Énée.

ACHAZ (grec) Innocent.

ACHAZYA (hébraïque) Ce que Dieu a pris. Dérivés : Achazia, Achaziah, Achazyahu, Ahaziah, Ahaziahu.

ACHBAN (hébraïque) Frère de l'homme habile.

ACHÉLOÜS (grec) Dieu du Fleuve. Personnage de la mythologie vaincu par Hercule.

ACHER (hébraïque) Autre.

ACHÉRON (grec) Rivière de la mythologie.

ACHIDA (hébraïque) Frère rusé.

ACHILLE (grec) Héros mythique de l'*Iliade* de Homère qui a vaincu les Troyens. Sa mère, pour le rendre invulnérable, le plongea dans les eaux du Styx, en le tenant par une cheville. Cette partie du pied devint son seul point faible, d'où l'expression « talon d'Achille ». C'est aussi le nom anatomique de cette partie du pied. Dérivés : Achiléus, Achill, Achiléos, Achillée, Achilléo, Achilles, Achillios, Akil, Akilles, Akileo, Akileos, Akiles, Aquiles.

ACHIMELECH (hébraïque) Le roi est mon frère. Dérivé : Ahimelech.

ACHISAR (hébraïque) Le prince est mon frère.

ACHISHAR (hébraïque) Mon frère est une chanson. Dérivé : Ahishar.

ACHIYA (hébraïque) Dieu est mon frère. Dérivés : Achiyahu, Ahia, Ahiah.

ACHMED (arabe) Avantageux.

ACHOUR ((arabe) Dixième jour du mois.

ACHRAF (arabe) Très grand.

ACTÉON (grec) Personnage de la mythologie, transformé en cerf par la déesse Artémis.

ADAD (grec) Dieu des Tempêtes et des Inondations.

ADAEL (hébraïque) Ornement de Dieu. Dérivé : Adiel.

ADAIAH (hébraïque) Témoin de Dieu. Dérivés : Adaia, Adaya.

ADALARD (germanique) Noble et courageux. Dérivé : Adélard.

ADALBALD (germanique) Hardi.

ADALBERON (germanique) Ours noble.

ADALBERT (germanique) Brillant. Dérivé : Adalverto.

ADALFRIED (germanique) Généreux.

ADALGIS (germanique) Noble et sage.

ADALRIC (Germanique) Tout puissant. Dérivé : Adalrik, Alrik.

ADAM (hébraïque) L'homme sur la terre rouge. Adam fut le premier homme et son nom est populaire dans de très nombreux pays et dans plusieurs religions. Très répandu aux États-Unis, surtout depuis les années 1960, son succès reste modeste en Europe. Dérivés : Adamako, Adame, Adamec, Adamek, Adameko, Adamet, Adamh, Adamik, Adamka, Adamko, Adamo, Adamot, Adams, Adamson, Adamsson, Adan, Adanet, Adao, Adda, Addam, Addams, Addamson, Addie, Addis, Addy, Adhamh, Adenot, Adnet, Adnot, Aza.

ADAMNAN (irlandais) Petit Adam. Dérivé : Adhamhnan.

ADAPA (grec) Personnage légendaire.

ADAR (syrien) Souverain ou prince.

ADDAE (africain) Soleil du matin.

ADDISON (anglais) Fils d'Adam. Dérivé : Adisson.

ADEL (hébraïque) Stable.

ADELIN (germanique) Noble et doux.

ADELPHE (germanique) Frère.

ADEODAT (latin) Donné par Dieu.

ADESIOS (latin) Consacré à Dieu.

ADHEMAR (germanique) Noble maison. Dérivés : Aldemar, Azémar, Valdemar.

ADHÉMAR (germanique) Noble maison.

ADIB (arabe) Cultivé.

ADIËL (hébraïque) Ornement de Dieu.

ADIL (arabe) Bel homme.

ADIN (hébraïque) Séduisant. Dérivé : Aden.

ADIR (hébraïque) Noble.

ADIV (hébraïque) Doux.

ADJUTOR (latin) Secours. Dérivés : Adjuteur, Adjutus, Atoutre, Ayoutre.

ADLAI (hébraïque) Justice divine.

ADLER (anglais) Aigle.

ADMIËL (hébraïque) Terre de Dieu.

ADMON (hébraïque) Pivoine rouge.

ADNAN (arabe) Installé, sédentaire.

ADOLPHE (germanique) Noble loup. Dérivés : Adolf, Adolfino, Adolfo, Adolph, Adolphus.

ADON (hébraïque) Seigneur.

ADONIAH (hébraïque) Le Seigneur est mon Dieu. Dérivés : Adonias, Adonijah, Adoniya, Adoniyah.

ADONIS (grec) Beau. Personnage de la mythologie, symbole de la beauté, amant d'Aphrodite et de Perséphone.

ADRIEL (hébraïque) Troupeau de Dieu.

ADRIEN (latin) Noir, sombre. Dérivés : Adrean, Adren, Adrian.

ADULF (germanique) Loup.

ADVNTOR (latin) Événement.

AEDUS (irlandais) Feu.

AEGEUS (grec) Bouclier de Zeus recouvert d'une peau de chèvre. Dérivé : Aegis.

AEL (grec) Messager. Forme bretonne d'Ange.

AELRED (germanique) Conseil.

AENEAS (grec) Celui qui est couvert d'éloges. Dérivé : Eneas.

AEOLUS (grec) Celui qui change.

AESON (grec) Personnage mythologique, roi d'Iolcos, en Thessalie, père de Jason.

AETIOS (grec) Aigle.

AFFANASSI (grec) Immortel.

AFONI (grec) Généreux.

AGAPE (grec) Amour. Dérivés : Agapet, Agapios.

AGATHIAS (grec) Bon. Dérivés : Agathange, Agathon.

AGATHOPODE (grec) Bon pied.

AGENOR (grec) Vaillant. Personnage de la mythologie, roi de Phénicie.

AGGEE (hébraïque) En fête. Dérivé : Hagaï.

AGILBERT (germanique) Otage illustre.

AGIMAR (germanique) Renommée.

AGMONN (hébraïque) Roseau.

AGNAN (grec) Chaste. Dérivés : Agnel, Agnello, Aignan.

AGOBART (germanique) Dure lance.

AGOSTINO (latin) Imposant.

AGRICOLE (grec) Qui vient des champs. Dérivé : Agricola.

AGRIPPA (latin) Originaire de la famille Agrippa, noble famille romaine. Dérivé : Agrippin.

AGYEÏ (africain) Messager de Dieu.

AHMED (arabe) Digne d'éloges. Dérivé : Ahmad.

AIAKOS (grec) Fils de Zeus.

AIBERT (germanique) Puissante maison.

AIDAN (irlandais, gaélique) Chaud. Ce prénom est devenu très populaire dans les pays de langue anglaise. C'est aussi le nom d'un saint irlandais en l'an 600.

AIKO (germanique) Palais.

AILBHE (latin) Brillant. Forme irlandaise d'Alban.

AILILL (irlandais) Lutin.

AILPEAN (écossais) *Définition inconnue*. Dérivés : Ailpein, Alpine.

AIMABLE (latin) Qui mérite d'être aimé.

AIMÉ (latin) Aimé.

AIMERIC (germanique) Influent.

AINEAS (grec) Qui fait l'éloge. Dérivé : Aeneas.

AINMIRE (irlandais) Puissant seigneur.

AIOLOS (grec) Changement.

AIRY (germanique) Grande maison.

AITOR (basque) Père des basques.

AITZURI (basque) Pierre blanche.

AJAX (grec) Personnage de l'*Iliade*.

AKBAR (arabe) Grand.

AKE (scandinave) Ancêtre. Dérivé : Age.

AKEF (arabe) Pieux.

AKEMI (japonais) Beauté de l'aube.

AKHILLEUS (grec) Héros de l'Iliade.

AKIHIKO (japonais) Brillant petit garçon.

AKIHIRO (japonais) Garçon brillant.

AKIM (russe) Dieu.

AKIRA (japonais) Intelligent.

AKIVA (hébraïque) Talon. Dérivés : Akavia, Akaviah, Akavya, Akiba, Kiba, Kiva.

AKRAM (noble).

ALA (arabe) Supérieur.

ALADIN (arabe) Très fidèle.

ALAIN (celtique) Juste, beau. Alain est un prénom qui fut très en vogue dans les années 1950-1960. Aujourd'hui, les parents lui préfèrent Alan ou Allan. Parmi les célébrités portant ce prénom, on compte Alain Delon, le chanteur breton Alan Stivell et l'acteur américain Al Pacino. Dérivés : Ailean, Ailin, Al, Alan, Aland, Alanic, Alano, Alanson, Alao, Alaon, Alen, Alin, Allan, Allayne, Allen, Alleyn, Allin,

Allon, Allyn, Alon, Alun.

ALAN (celtique) Pierre.

ALARD (germanique) Aristocrate.

ALARIC (germanique) Chef suprême. Dérivés : Alarik, Alary.

ALASTAIR (grec) Celui qui gouverne.

ALATZ (basque) Prodige.

ALAWN (gallois) Harmonie.

ALBAN (latin) Blanc. Dérivés : Albane, Albin, Albino, Auban, Aubanel, Aubin.

ALBANO (latin) Blanc.

ALBANY (anglais) Ville.

ALBÉRIC (germanique) Tout puissant. Dérivé : Alberico, Albérigo, Alberik, Alvaro, Aubry.

A L B E R T (g e r m a n i q u e) Brillant. Dérivés : Adalbert, Albéric, Alberto, Albie, Albin, Albrecht, Aubert, Au-bertin, Oberon, Alberz, Alpertti, Aelbrecht, Aoperzh.

ALBIN (latin) Blanc.

ALBION (latin) Montagne blanche.

ALBOIN (latin) De la famille des Alboinus.

ALCESTE (grec) Force active.

ALCIBIADE (grec) Nom d'un homme politique grec au Ve siècle avant J.-C.

ALCYONEUS (grec) Martin-pêcheur.

ALDEBERT (germanique) Tout puissant.

ALDEMAR (germanique) Noble et célèbre.

ALDO (germanique) Âgé. Forme italienne d'Aldous.

ALDOUS (germanique) Âgé. Dérivé : Alden

ALDRIC (germanique) Noble roi. Dérivé : Amalric.

ALDWIN (germanique) Vieil ami. Dérivés : Adalwin, Alden, Adelwin, Aldin, Alouarn, Audouin, Elden, Eldin, Eldwin.

ALEANDRO (grec) Refouler.

ALEAUME (germanique) Casque.

ALEX (grec) Diminutif d'Alexandre et Alexis qui est aujourd'hui attribué comme prénom à de nombreux petits garçons en Europe.

ALEXANDRE (grec) Protecteur et défenseur de l'Humanité. Alexandre est l'un des grands prénoms qui ont, de tous temps, été en vogue, symbolisant la puissance et la gloire. Parmi les Alexandre célèbres, citons Alexandre le Grand, l'écrivain Alexandre Soljenitsyne ou les acteurs Alec Baldwin et Alec Guiness. Dérivés : Alasdair, Alastair, Alaster, Alec, Alejandro, Alejo, Alek, Alekos, Aleksander, Aleksandr, Alesandro, Alessandre, Alessandri, Alessandro, Alex, Alexander, Alexandra, Alexandro, Alexandros, Alexei, Alexia, Alexio, Alexis, Alik, Alisander, Alissander, Alissandre, Alistair, Alister, Alistir, Allistair, Allister, Allistir, Alsandair, Alsandare, Aixandre, Alastar, Alastrann, Alastrom, Aleix, Aleksanteri, Alesander, Alexandru, Allastair, Alxander, Aslandair, Aslander, Sacha, Sande, Sander, Sanders, Sanderson, Sandey, Sandie, Sandor, Sandy, Sascha, Sasha, Sashenka, Sashka, Saunders, Saunderson.

ALEXIS (grec) Protecteur et défenseur de l'Humanité. Dérivés : Alekseï, Aleksi Aleksiz Aleksy ,Alès Alesko, Alessi, Alessio, Alessin, Alexko.

ALFONSO (germanique) Aristocrate.

ALFRED (germanique) En paix. Dérivés : Alfredo, Alfret, Alfried, Alfie, Aofred, Manfred.

ALGIS (germanique) Lance.

ALGOT (scandinave) Nom de famille.

ALI (arabe) Supérieur. Gendre de Mahomet.

ALITZ (hébraïque) Heureux. Dérivé : Aliz.

ALIJOSCHA (grec) Se protéger.

ALLARD (anglais) Brave, noble.

ALLON (hébraïque) Chêne. Dérivé : Alon.

ALLOWIN (germanique) Grand ami. Le fête d'Allowin est devenue populaire en Europe voici quelques années.

ALMAR (germanique) Célèbre pour sa noblesse.

ALMAS (arabe) Diamant.

ALMUT (germanique) Noble courage.

ALONZO (germanique) Prêt pour la bataille. Forme espagnole d'Alphonse.

ALOYS (germanique) Glorieux combattant. Dérivé : Aloïs.

ALPHÉE (grec) Personnage de la mythologie, dieu du fleuve Elide.

ALPHONSE (germanique) Celui qui est prêt à combattre. Peu courant aujourd'hui, il était pourtant très à la mode du temps de nos grands-parents. Quelques Alphonse célèbres : Alphonse de Lamartine, Alphonse Daudet. Dérivés : Alfonse, Alfonso, Alfons, Alfontso, Alfonze, Alfonzo, Alonzo, Alphonso.

ALROY (irlandais) Enfant aux cheveux roux.

ALTAIR (grec) Oiseau.

ALTON (anglais) Celui qui vit dans une ancienne ville.

ALVIN (germanique) Ami. Dérivés : Ailwyn, Alion, Aluin, Aluino, Alva, Alvan, Alven, Alvie, Alvino, Alvy, Alvyn, Alwin, Alwyn, Alwynn, Aylwin.

ALVIS (scandinave) *Définition inconnue.*

AMADIS (latin) Qui aime Dieu.

AMADO (latin) Aimé.

AMAL (hébraïque) Labeur.

AMALBERT (germanique) Illustre étranger.

AMALRIC (germanique) Noble roi.

AMALRIK (germanique) Noble au combat.

AMANCE (latin) Qui aime. Dérivé: Amans

AMAND (latin) Amoureux.

AMAR (arabe) Bâtisseur.

AMARIAH (hébraïque) Dieu a parlé. Dérivés : Amaria, Amariahu, Amarya, Amaryahu.

AMASA (hébraïque) Épreuve. Dérivés : Amasai, Amasia, Amasiah, Amasya.

AMATEUR (latin) Celui qui aime.

AMAURY (latin) Maure. Ce prénom, qui a la même origine que Maurice, est un grand classique depuis 1990.

Dérivés : Aimery, Amauri, Amérigo, Amorey, Amory.

AMBROISE (grec) Être immortel. Ce prénom a été rendu célèbre par le médecin de la Renaissance Ambroise Paré. Il est assez apprécié aujourd'hui par les futurs parents. Dérivés : Abrossim, Amber, Ambros, Ambrose, Ambrosi, Ambrosio

AMÉDÉE (latin) Celui qui aime Dieu. Sa forme latine Amadeus a été popularisée par le film des années 1980 *Amadeus* qui retraçait la vie de Mozart. Dérivés : Amadeo, Amadeus, Amado, Amadour, Amadeu, Amador.

AMICHALOM (hébraïque) Peuple de paix.

AMIEL (hébraïque) Seigneur du peuple.

AMIN (arabe) Digne de confiance.

AMIR (hébraïque) Commandeur.

AMIRAM (hébraïque) Contrée puissante.

AMJAD (arabe) Glorieux.

AMJAD (arabe) Plus gratifiant.

AMMAR (arabe) Longue vie.

AMMIEL (hébraïque) Peuple de Dieu. Dérivé : Amiel.

AMNON (hébraïque) Loyal. Amnon était le fils aîné du roi David. Dérivé : Aminon.

AMON (hébraïque) Secret. Dérivé : Ammon.

AMORY (germanique) Chef.

AMOS (hébraïque) Celui qui est fort. Amos était un prophète et ses oracles figurent dans un livre de l'Ancien Testament. Dérivés : Amotz, Amoz.

AMPAH (africain) Vérité.

AMPHION (grec) Personnage de la mythologie.

AMRAM (hébraïque) Peuples nombreux.

AMRAN (arabe) Prospérité.

AMYCUS (grec) Amical.

ANACLET (grec) Qui célèbre la grâce. Dérivés : Anacleto, Anacletus, Anakletos, Cletus, Kletos.

ANAIAH (hébraïque) Dieu répond. Dérivés : Anaia, Anaya.

ANASTASE (grec) Résurrection. Dérivés : Anastasio, Anastasius, Anastas, Anastasii, Anastass, Anastassi, Anasztaz, Stacey.

ANATOLE (grec) Aurore. Dérivés : Anaiola, Anatol, Anatoli, Anatolius, Tola, Tolia.

ANCEL (germanique) Protecteur du dieu Ans. Dérivé : Ancelin.

ANCHAIRE (germanique) Lance du dieu Ans. Dérivés : Anskar, Oscar.

ANCHISE (grec) Personnage de la mythologie, père d'Énée.

ANDEOL (grec) Homme.

ANDOR (scandinave) Aigle et Thor.

ANDRÉ (grec) Homme. Dérivés : Andéol, Andréa, Andrée, Andréi, Andres, Andreu, Andrev, Andrew, Andros, Andy, Aindrea, Aindreas, Ander, Andrio, Andriu, Anders, Andolin, Andor, Andreas, Andreï, Andrej, Andries,

ANDRONIK (grec) Vainqueur.

ANGE (grec) Messager. Dérivés : Angel, Angel, Aingeru,

Angelin, Angelo, Angelon, Anyelo, Archangel.

ANGILRAN (germanique) Lance de corbeau.

ANGUS (écossais, gaélique) Seul choix. Pour de nombreuses personnes, ce prénom évoque une pièce de bœuf ou un homme en kilt jouant de la cornemuse, mais Angus Og est aussi un dieu celtique qui a fait profiter les hommes de sa sagesse et de son intelligence. Dérivé : Aengus.

ANGWYN (gallois) Très beau.

ANICET (grec) Invaincu. Dérivé : Aniketos.

ANKER (scandinave) Moissonneur.

ANLUAN (irlandais) Grand champion. Dérivé : Anlon.

ANNAEG (celtique) Grâce.

ANNAR (scandinave) Second.

ANOUAR (arabe) Remarquable. Dérivé : Anwar.

ANSEGISEL (germanique) Flèche du dieu Ans.

ANSELME (germanique) Protecteur du dieu Ans. Dérivés : Anthime, Anzelm, Asselin, Aycelin.

ANSFRID (germanique) Paix du dieu Ans.

ANSGAR (germanique) Mis au rang des dieux.

ANSON (anglais) Fils d'Anne ou encore fils de Dieu. Dérivés : Annson, Ansson.

ANSWALD (germanique) Gouverneur avec la protection des dieux.

ANTAEUS (grec) Ennemi. Dérivé : Antaios.

ANTHEAUME (germanique)

Protecteur du dieu Ans. Dérivé : Anthelme.

ANTHEME (latin) Camomille.

ANTHONY (latin) Estimable. Forme anglo-saxonne d'Antoine. En Amérique, Anthony évoque souvent Little Italy, le quartier italien de New York, et les années 1950. C'est l'un des prénoms préférés des vingt-cinq dernières années dans ce pays, et au nombre des Anthony connus, on trouve Anthony Quinn, Anthony Hopkins, Anthony Perkins.

ANTOINE (latin) Estimable, précieux. Ce prénom est l'un des grands classiques des années 1990. Saint Antoine de Padoue, prédicateur et professeur de théologie en Italie

au XIIe siècle, est le patron des pauvres gens. Dérivés : Anthony, Antin, Anton, Antonello, Antoney, Antoni, Antonin, Antonino, Antonio, Antonius, Antons, Antony, Antos, Akoni, Andon, Andoni, Anttoni, Antoinon, Antolin, Antonien, Titouan, Toni, Tonio, Tony.

ANTONIN (latin) Estimable. Le dérivé d'Antoine prend son relais au hit-parade des prénoms en vogue.

AODH (irlandais) Feu. Dérivés : Aodha, Aodhaigh, Aodhan, Aodhfin, Aodhgan, Aoidh.

AODREN (celtique) Royal. Dérivés : Aodran, Aodrenn, Aoldren, Audrain, Audran.

APOLLINAIRE (grec) Relatif à Apollon. Dérivés : Apollinari, Apollodoro, Apolonio.

APOLLON (grec) Grand destructeur. Dieu de la Lumière et des Arts, il est l'un des principaux dieux grecs. On le représente souvent traversant le ciel sur son char et son oracle, à Delphes, était connu de toute la Grèce. Dérivés : Apollo, Apollonius, Apollos, Apolo.

APOSTOLOS (grec) Apôtre.

AQIL (arabe) Sage.

AQUILA (latin) Aigle.

AQUILON (grec) Vent du nord.

ARACH (hébraïque) Prêt.

ARCADIE (grec) Qui vient d'Arcadie. Dérivé : Arkadi.

ARCAS (grec) Personnage mythologique, fils de Zeus et de Callisto, transformé en étoile par son père.

ARCHIBALD (germanique) Très audacieux. Dérivés : Archambault, Archie, Archy, Archambaud, Archibaldo, Arcibaldo

ARCHIL (scandinave) Chaudron de l'aigle.

ARCHIMÈDE (grec) Ce à quoi il faut penser en premier.

ARDAL (irlandais) Valeur. Dérivés : Ardhgal, Artegal, Arthgallo.

ARDAN (irlandais) De haute inspiration.

ARDEN (celtique) Fervent.

ARDON (hébraïque) Hâlé, bronzé.

ARE (scandinave) Aigle.

ARÉION (grec) Dans la mythologie, cheval doté de la parole.

ARES (grec) Dieu de la Guerre, fils de Zeus et de Héra.

ARGAN (araméen) Fils de Tolomé. Dérivé : Argantael.

ARGUS (grec) Brillant.

ARI (hébraïque) Lion. Dérivé : Arie.

ARIEL (hébraïque) Lion de Dieu, farfadet. Dérivés : Arel, Ari, Arielle.

ARIES (grec) Bélier.

ARIF (arabe) Qui détient la connaissance.

ARII (tahitien) Roi.

ARIIHAU (tahitien) Roi de la paix.

ARIIHERE (tahitien) Roi de l'amour.

ARIINUI (tahitien) Roi suprême.

ARIOCH (hébraïque) Royal. Dérivé : Aryoch.

ARISTAEUS (grec) Noble.

ARISTIDE (grec) Le meilleur. Dérivés : Aristarque, Aristion.

ARISTOTE (grec) Supérieur. Le philosophe grec fut l'Aristote le plus célèbre jusqu'à ce que Jacqueline Kennedy épouse le grand armateur grec, Aristote Onassis. Dérivés : Ari, Arie, Aristoklès, Arri, Ary.

ARKHIPPOS (grec) Cavalier.

ARLEN (irlandais, gaélique) Promesse, serment. Dérivés : Arlan, Arlin, Arlyn.

ARLES (hébraïque) Promesse. Dérivés : Arlee, Arleigh, Arley, Arlie, Arlis, Arliss, Arly.

ARLO (italien) Laurier.

ARMAND (germanique) Homme d'armes. Des Armand célèbres : Armand Duplessis, duc de Richelieu, Armand Salacrou. Dérivés : Arman, Armando, Armin, Armon, Armond, Armondo.

ARMEL (celtique) Prince des ours. Dérivés : Armael,

Arzel, Armahel, Armoel, Arzhael, Arzhaelig Arzhel, Arzhelig, Arzhvael, Arzhvaelig, Hermel.

ARMON (hébraïque) Lieu élevé.

ARMSTRONG (anglais) Celui qui a un bras robuste.

ARNALL (germanique) Fort comme un aigle.

ARNAUD (germanique) Fort comme un aigle. Ce prénom médiéval dérivé d'Arnold eut un grand succès dans les années 1970. Dérivés : Arnal, Arnec, Aulnay.

ARNBJORN (scandinave) Aigle.

ARNOLD (germanique) Fort comme un aigle. L'un des Arnold les plus célèbres de notre époque, Arnold Schwarzenegger, porte bien ce nom. Dérivés : Arnald, Arnaud, Arne, Arnie, Arno, Arnorlde, Arnoldo.

ARNON (hébraïque) Torrent tourbillonnant.

ARNOST (tchèque) Déterminé.

ARNOUL (germanique) Aigle et loup. Dérivés : Arnoult, Arnulf.

ARNST (germanique) Réfléchi.

ARRIO (espagnol) Redoutable, belliqueux. Dérivés : Ario, Arryo, Aryo.

ARSÈNE (grec) Viril, masculin. Dérivés : Arsénio, Arsinoé.

ARTEMON (grec) Divin. Dérivés: Ardem, Artem

ARTEMUS (grec) Celui qui accompagne Artémis, la déesse grecque de la Chasse. Dérivés : Artemas, Artemis, Artimas, Artimis, Artimus.

ARTHAUD (germanique) Celui qui gouverne avec énergie.

ARTHFAEL (gallois) Fort comme un ours.

ARTHUR (celtique) Ours. Ce prénom médiéval longtemps oublié connaît maintenant un beau succès. Quelques Arthur célèbres : Arthur Rimbaud, Arthur Rubinstein, le joueur de tennis Arthur Ashe. Dérivés : Art, Artair, Arte, Artek, Artie, Artis, Arto, Artur, Arturo, Artus, Arty, Atur, Arthus, Arzhul, Atzul, Arzhulig, Arzhurig.

ARTIZAR (basque) Etoile du berger.

ARUN (cambodgien) Soleil.

ARUNDEL (anglais) Vallée de l'aigle.

ARVAD (hébraïque) Exil.

ARVE (norvégien) Héritier.

ARVEL (gallois) Colline.

ARVID (norvégien) Aigle dans un arbre.

ARVIN (germanique) Ami du peuple. Dérivés : Arv, Arvid, Arvie, Arvy, Arwin, Arwyn.

ARWYSTLI (gallois) Bon conseil.

ARYEH (hébraïque) Lion.

ARZE (basque) Grâce.

ARZHUL (celtique) Combattant.

ARZONE (hébraïque) Petit cèdre.

ASA (hébraïque) Docteur. Dérivé : Ase.

ASAD (arabe) Audacieux. Dérivé : Assad.

ASADEL (arabe) Couronné de succès.

ASAPH (hébraïque) Assemblée. Dérivés : Asaf, Asif, Asiph.

ASARIEL (grec) Gardien des Poissons.

ASCAGNE (grec) Personnage de la mythologie, fils d'Énée.

ASCOT (anglais) Cottage à l'est. Dérivé : Ascott.

ASER (hébraïque) Heureux. Aser, dans la Bible, est l'un des fils de Jacob. Ce prénom, dans sa version anglaise, Asher, possède un diminutif très courant, Ash, lié à une croyance : la légende dit que si on donne un peu de sève de frêne (*ash tree*) à boire à un bébé, il vivra heureux jusqu'à la fin de ses jours. Dérivés : Anschel, Anshel, Anshil, Ashu.

ASHBY (anglais) Ferme du frêne. Dérivés : Ash, Ashbey, Ashbie, Ashburn.

ASHFORD (anglais) Gué près des frênes. Dérivés : Ash, Ashenford.

ASHLEY (anglais) Prairie plantée de frênes. Dérivés : Ashlea, Ashlee, Ashleigh.

ASHLIN (anglais) Frênes entourant une mare. Dérivé : Ashlen.

ASHRAF (arabe) Plus noble.

ASHTON (anglais) Ville aux frênes.

ASIM (arabe) Gardien. Dérivé : Assim.

ASMUND (scandinave) Dieu protège.

ASRIEL (hébraïque) Prince de Dieu.

ASSAËL (hébraïque) Dieu a fait.

ASSIL (arabe) D'origine noble.

ASSIM (arabe) Protecteur.

ASSKILL (scandinave) Chaudron des dieux. Dérivés : Anquetil, Anskill

ASSUR (assyrien) Dieu de la Guerre ; (arabe) Mont Assur.

ASTON (anglais) Ville de Grande-Bretagne.

ASTRAEUS (grec) Celui qui est étoilé.

ASTYANAX (grec) Personnage mythologique, fils d'Hector et d'Andromaque.

ASULF (scandinave) Loup guerrier des dieux.

ASWAD (arabe) Noir.

ASWIN (anglais) Ami avec une lance. Dérivés : Aswinn, Aswyn, Aswynn.

ATAIAH (hébraïque) Dieu nous aide. Dérivé : Ataya.

ATHANASE (grec) Immortel. Dérivé : Atanasio.

ATHELSTAN (anglais) Roche noble.

ATHERTON (anglais) Ville près du ruisseau.

ATIAH (arabe) Prêt.

ATIF (arabe) Affectueux.

ATIK (arabe) Aristocrate.

ATLEY (anglais) Prairie. Dérivés : Atlea, Atlee, Atleigh, Attlee, Attleigh, Attley.

ATRÉE (grec) Personnage de la mythologie, père d'Agamemnon et de Ménélas.

ATWATER (anglais) Eau.

ATWELL (anglais) Puits.

ATWOOD (anglais) Bois.

ATWORTH (anglais) Ferme.

ATZEL (hébraïque) Noble. Dérivé : Azel.

AUBERI (germanique) Illustre.

AUBIN (latin) Blanc.

AUBREY (anglais) Maître des elfes.

AUDOIN (germanique) Fier ami. Dérivé : Aldwin.

AUDRIC (germanique) Noble souverain.

AUFROY (germanique) Entier.

AUGUSTE (latin) Digne de respect. Dérivés : Agostino, Agosto, Aguistin, Agustino, Augie, Augustin, Augustinao, Augusto, Augustus, Augy, Agust, Agustin, Aguxtin, August, Awstin.

AUGUSTIN (latin) Digne de respect. Cette forme d'Auguste a les faveurs des futurs parents depuis les années 1990. Dérivés : Agosti, Agoston, Agusti, Aostin, Augustyn, Augoustin.

AULAY (écossais) Ancêtre.

AUREL (latin) En or. Dérivés : Aura, Aure, Aurek, Aurèle, Aurelian, Aurélien, Aurelio, Aurelius, Auriol, Auryn.

AURÉLIEN (latin) En or.

AURIEL (hébraïque) Lion de Dieu.

AUSTIN (anglais) Majestueux. Ce prénom, ainsi que ses dérivés, est très populaire outre-Atlantique, surtout dans l'ouest où il est considéré comme très « *british* », essentiellement grâce à l'écrivain Jane Austen. Dérivés : Austen, Austyn.

Aux États-Unis, une mode consiste à donner aux filles des prénoms généralement destinés aux garçons. Les noms géographiques se prêtent d'ailleurs très bien à ce stratagème.

AUXANE (grec) Hospitalier.

AUXENCE (latin) Qui grandit.

AVEL (celtique) Vent.

AVENTIN (latin) Arrivée.

AVERILL (anglais) Sanglier qui se bat. Dérivés : Ave, Averel, Averell, Averil, Averyl, Averyll, Avrel, Avrell, Avrill, Avryll.

AVERY (anglais) Conseiller. Ce prénom est l'exemple parfait des noms géographiques et, de plus, il convient aux filles comme aux garçons.

AVI (hébraïque) Mon Dieu.

AVIAH (hébraïque) Mon père est le Seigneur. Dérivés : Abia, Abiah, Abijah, Avia, Aviya.

AVIDAN (hébraïque) Dieu est juste. Avidan est l'un des chefs de la tribu de Benjamin.

AVIDOR (hébraïque) Père des hommes.

AVIEL (hébraïque) Mon Dieu est ma force. Aviel est le grand-père du roi Saül.

AVIKAR (hébraïque) Mon père est inestimable.

AVINOAM (hébraïque) Père aimable.

AVIRAM (hébraïque) Mon père est fort. Dérivé : Abiram.

AVISHAI (hébraïque) Cadeau de Dieu. Dérivés : Abishai, Avisha, Avshai.

AVITAL (hébraïque) Père de rosée. Dérivés : Abital, Avitul.

AVIUR (hébraïque) Père de feu.

AVIV (hébraïque) Printemps.

AWEN (celtique) Inspiré.

AWST (gallois) Grand.

AXEL (scandinave) Père de paix, récompense de Dieu. Ce prénom, très courant en Norvège et en Suède, connaît un succès grandissant en France. Dérivés : Aksel, Ax, Axe, Axelle, Axil,

Axill, Axl, Akseli, Assalone.

AYLWARD (anglais) Noble gardien.

AYMAN (arabe) Chanceux.

AYMAR (germanique) Grande maison. Dérivé : Aimar.

AYMERIC (germanique) Maison de roi. Dérivés : Aimeri, Émeric, Henri.

AYMON (germanique) Protection et conseil. Forme occitane de Raymond.

AZ (hébraïque) Puissant.

AZAD (turc) Libre.

AZAI (hébraïque) Force. Dérivé : Azzai.

AZANIAH (hébraïque) Dieu entend. Dérivés : Azania, Azaniya, Azanyahu.

AZARAEL (hébraïque) Dieu nous aide. Dérivés : Azareel, Azarel, Azaria, Azariah, Azariahu, Azarya, Azaryahu.

AZEDIN (arabe) Force et puissance de la religion. Dérivé : Azedine.

AZIEL (hébraïque) Dieu est ma force.

AZIM (arabe) Ami fidèle. Dérivés : Aseem, Asim, Azeem.

AZIZ (arabe) Chéri.

AZIZI (arabe) Précieux.

AZRAEL (hébraïque, grec) Aide de Dieu. Dérivé : Azriel.

AZRIEL (hébraïque) Dieu m'assiste. Dérivés : Azuria, Azuriah.

AZZAM (arabe) Décidé.

BACCHUS (latin) Dieu du Vin.

BACHIR (arabe) Porteur de bonnes nouvelles. Dérivé : Bechir.

BACHUR (hébraïque) Jeune homme.

BADAR (arabe) Pleine lune. Dérivés : Badir, Badr.

BADEN (anglais) Nom de famille.

BADER (arabe) Lumineux.

BADIE (arabe) Merveilleux.

BADR ALDIN (arabe) Conduit par Allah.

BADRI (arabe) Pleine lune. Dérivé : Badru.

BAHA (arabe) Brillant, magnifique.

BAHADDINE (arabe) Merveille.

BAHI (arabe) Très beau.

BAHIJ (arabe) En liesse. Joyeux.

BAHIR (arabe) Lumineux.

BAHJA (arabe) Arabe.

BAHJAT (arabe) Bonheur. Dérivé : Bahgat.

BAILEY (anglais) Ce prénom est devenu populaire pour les filles, dans les pays anglophones durant les dix dernières années. À l'origine, il signifiait contremaître ou huissier. Dérivés : Bailee, Bailie, Baillie, Baily,

Baylee, Bayley, Bayly.

BAINBRIDGE (anglais) Pont. Dérivés : Bain, Baynbridge, Bayne, Baynebridge.

BAIRD (irlandais) Barde. Dérivés : Bard, Barde, Barr, Bayerd, Bayrd.

BAKER (anglais) Celui qui fait du pain. Nom de famille devenu aussi prénom dans les pays anglophones. Dérivés : Bax, Baxter.

BAKIR (arabe) Précoce.

BAKR (arabe) Chameau. Dérivé : Bakor.

BALDER (scandinave) Prince. Dérivés : Baldur, Baudier.

BALDRIC (germanique) Souverain vaillant. Dérivés : Baldrick, Baudric.

BALDWIN (germanique) Ami courageux. Dérivés : Bald, Baldino, Baldomero, Baldovino, Balduccio, Balduin, Balduino, Baldwinn, Baldwyn, Baldwynn, Balldwin, Baudouin.

BALENDIN (latin) Féroce.

BALFOUR (gaélique) Pâture. Ville du nord de l'Écosse. Dérivés : Balfor, Balfore.

BALIR (arabe) Véhément.

BALLARD (germanique) Puissant.

BALTHAZAR (grec) L'un des trois Rois mages. Dérivés : Balta, Bautezar.

BANAN (irlandais) Blanc.

BANBHAN (irlandais) Porcelet.

BANCROFT (anglais) Pré, pâture. Dérivés : Bancrofft, Bankroft.

BANNING (gaélique) Petit garçon.

BAOTHGHALACH (irlandais) Orgueil insensé. Dérivés :

Behellagh, Beolagh, Boetius.

BAPTISTE (grec) Le baptisé. Après Jean-Baptiste qui eut un beau succès dans les années 1950, c'est Baptiste seul qui est à l'honneur depuis 1990. Dérivés : Bapper, Baptist, Baptistin, Bautille.

BAQIR (arabe) Riche.

BARAK (hébraïque) Lumière. Dérivé : Barrak.

BARAM (hébraïque) Fils du peuple.

BARBE (latin) Barbares.

BARCLAY (anglais) Vallée de bouleaux. Dérivés : Barcley, Barklay, Barkley, Barklie, Barrclay.

BARDOLF (germanique) Loup et hache. Dérivés : Bardo, Bardolph, Bardou, Bardoul, Bardulf, Bardulph.

BARDRICK (germanique) Soldat avec une hache. Dé-rivé : Bardric.

BAREND (scandinave) Ours sans peur.

BARKER (anglais) Berger.

BARLOW (anglais) Coteau. Dérivés : Barlowe, Barrlow.

BARNABÉ (hébraïque) Consolation. Barnabé est un apôtre de Jésus.

BARND (germanique) Ours.

BARNES (anglais) Des granges.

BARNETT (anglais) Baronnet.

BARNUM (anglais) Demeure du baron. Dérivé : Barnham.

BARON (anglais) Guerrier. Dérivé : Barron.

BARRA (irlandais) Blond.

BARRINGTON (anglais) Nom de famille. Très courant en Grande-Bretagne.

BARRY (gaélique) Lance. Ce prénom est féminin lorsqu'il

est orthographié Barrie. Dérivé : Barrymore.

BARTHÉLEMY (araméen) Fils de Tolomaï. Barthélemy est le nom de l'un des douze apôtres du Christ. Son diminutif Bart est en vogue dans les pays anglo-saxons. Dérivés : Argan, Argantaël, Bart, Bartel, Barth, Barthel, Barthelmy, Bartholomeo, Bartholomew, Bartholomé, Bartholomieu, Bartlett, Bartoli, Bartolo, Bartolomeo, Bartolieu, Bartram, Bertel.

BARTHOLD (germanique) Gouverne.

BARTON (anglais) Champ où pousse l'orge.

BARTRAM (anglais) Renommée.

BARUCH (hébraïque) Béni.

BASHA (hébraïque) Qui élève.

BASILE (grec) Royal. Saint Basile, moine orthodoxe en Asie Mineure au IVe siècle, est l'un des patrons de la Russie. Dérivés : Basil, Basilide, Basilio, Basilios, Basilius, Basille, Bazil, Bazyl, Vassili.

BASIM (arabe) Sourire. Dérivé : Bassam.

BASIR (turc) Beau.

BASKO (russe) Beau.

BASSAM (arabe) Souriant. Dérivés : Bassem, Bassim.

BASSETT (anglais) Homme de petite taille. Dérivé : Basset.

BASTIEN (grec) Honoré. Diminutif de Sébastien, qui aujourd'hui a pris sa suite au hit-parade des prénoms en vogue en Europe. Dérivés : Basch, Bast, Basten, Bastian, Bastin.

BAUDILE (germanique)
Combat audacieux.
BAUDOIN (germanique)
Amical.
BAUL (anglais) Escargot.
BAVOL (anglais) Vent.
BAYARD (anglais) Cheveux
bruns. Dérivés : Baiardo,
Bay, Bayarde.
BAZEL (arabe) Généreux.
BEACAN (irlandais) Petit.
Dérivés : Beag, Bec, Becan.
BEACHER (anglais) Près des
hêtres. Dérivés : Beach, Bea-
chy, Beecher, Beechy.
BEAGAN (gaélique) Petit en-
fant. Dérivés : Beagen, Bea-
gin.
BEAMAN (anglais) Apicul-
teur. Dérivés : Beamann,
Beamen, Beeman.
BEANON (irlandais) Bon.
Dérivés : Beinean, Beineon,
Binean.

BEARACH (irlandais)
Comme une lance. Dérivés :
Bearchan, Bercnan, Bergin.
BÉATTIE (gaélique) Celui
qui apporte la joie. Version
masculine de Béatrice. Déri-
vés : Béat, Béatus.
BECHAR (arabe) De bon au-
gure.
BECHER (hébraïque) Pre-
mier-né. Dérivé : Bechor.
BECK (anglais) Ruisseau.
BEDE (anglais) Prêcheur.
C'est aussi le nom d'un saint
du XVIIᵉ siècle.
BEDFORD (anglais) Nom de
famille. Nom de lieu.
BEDRICH (tchèque) Souve-
rain pacifique.
BEHIJ (arabe) Allégresse.
Dérivé : Behjat.
BEINISH (hébraïque) Fils de
la main droite.
BEIRCHEART (irlandais)

Armée étincelante.

BELA (tchèque) Blanc.

BELDON (anglais) Belle vallée. Dérivés : Belden, Beldin, Bellden, Belldon.

BELEN (grec) Flèche.

BELLAMY (anglais) Beau compagnon. Dérivés : Belamy, Bell, Bellamey, Bellamie.

BENAIAH (hébraïque) Dieu bâtit. Dérivés : Benaya, Benayahu.

BEN-AMI (hébraïque) Fils du peuple.

BENEAD (latin) Forme bretonne de Benoît.

BENEDIT (latin) Béni. Forme provençale de Benoît.

BENES (tchèque) Béni.

BÉNILDE (latin) Béni.

BENJAMIN (hébraïque) Fils de la chance. Dans la Bible, Benjamin est le plus jeune fils de Jacob et de Rachel. La personnalité de Benjamin Franklin a beaucoup fait pour la popularité de ce prénom aux États-Unis. Sa vogue est discrète mais constante en Europe. Dérivés : Ben, Benno, Benny, Benyamin.

BENNETT (anglais) Ancienne version de Benjamin. Dérivés : Benet, Benett, Bennet.

BENOÎT (latin) Béni. Quinze papes portèrent ce prénom. Saint Benoît, moine au Ve siècle en Italie, est le fondateur de la règle monastique bénédictine. Il est le patron de l'Europe. Dérivés : Bence, Benci, Bendek, Bendict, Bendix, Benedek, Benedetto, Benedick, Benedicto, Benedictus, Benedik, Benedikt, Benezet, Bénilde, Benito, Benniged, Bennon.

BENONI (hébraïque) Fils d'une mère affligée.

BENSON (anglais) Fils de Ben. Nom de famille. Dérivés : Bensen, Benssen, Bensson.

BENTLEY (anglais) Prairie. Bien que ce nom soit à l'origine masculin, quelques fillettes, dans les pays anglophones, s'appellent ainsi. Dérivés : Bentlea, Bentlee, Bentlie.

BENTON (anglais) Ville de Grande-Bretagne.

BENZI (hébraïque) Bon fils.

BERARD (germanique) Illustre et dur.

BERDY (russe) Très beau.

BÉRENGER (germanique) Ours, lance. Dérivés : Béran-gar, Béranger, Bérengario.

BERESFORD (anglais) Champ d'orge. Dérivé : Berresford.

BERG (germanique) Montagne. Dérivés : Bergh, Burg, Burgh.

BERGEN (scandinave) Habitant des montagnes. Dérivés : Bergin, Birgin.

BERK (turc) Stable.

BERKELEY (anglais) Nom de famille et ville de Grande-Bretagne. Ce prénom est parfois donné aussi à des filles. En Amérique, des parents, anciens élèves de la célèbre université du même nom, appellent ainsi leur enfant, en espérant peut-être l'inciter à faire de grandes études. Dérivés : Barcley, Barklay, Barkley, Barklie, Berkley.

BERNAL (germanique) Grand ours. Dérivés : Bernald, Bernhald, Bernhold, Bernold.

BERNARD (germanique) Ours fort. Bernard est un prénom classique très ancien qui a connu une immense popularité au début du XXᵉ siècle. Saint Bernard, fondateur de l'abbaye du Citeaux, a instauré la règle monastique cistercienne. Dérivés : Barnard, Barnardo, Barney, Barnhard, Barnhardo, Barnie, Barny, Bearnard, Bénard, Bernardas, Bernardel, Bernardin Bernardino, Bernardo, Bernardyn, Bernat, Bernhard, Bernhardo, Bernie, Berny, Burnard.

BERNEZ (germanique) Ours fort. Forme bretonne de Bernard.

BERNON germanique) Ours.

BERRY (anglais) Fleur.

BERT (anglais) Lumière brillante. Aux États-Unis, c'est son diminutif Burt qui est le plus courant. Parmi les Burt les plus connus, citons, Burt Reynolds, Burt Lancaster et le compositeur Burt Bachrach. Dérivés : Berthold, Bertie, Bertold, Bertolde, Berty, Burt, Burtt, Burty.

BERTHOLD (germanique) Force éblouissante. Un Berthold connu : Bertold Brecht. Dérivés : Berthoud, Berti, Bertold, Bertolde.

BERTIL (scandinave) Brillant. Dérivé : Bertel.

BERTIN (espagnol) Ami fidèle. Dérivé : Berton.

BERTRAM (germanique) Ours.

BERTRAND (germanique) Corbeau au plumage brillant. Dérivés : Bert, Bertram.

BERWIN (anglais) Ami à l'heure des moissons. Dérivés : Berwyn, Berwynn, Berwynne.

BERWYN (gallois) Cheveux blancs.

BÉRYL (Latin) Pierre.

BESSAM (arabe) Souriant.

BETHEL (hébraïque) Maison de Dieu. Dérivé : Bethell.

BEUZEG (celtique) Profit.

BEVAL (anglais) Comme le vent.

BEVAN (gallois) Fils d'Evan. Dérivés : Beavan, Beaven, Beven, Bevin, Bevon.

BEVERLY (anglais) Rivière aux castors. Dérivés : Beverlee, Beverleigh, Beverley.

BIAGIO (latin) Marmonne.

BIALAS (polonais) Blanc. Dérivé : Bialy.

BIBIAN (latin) Plein de vie. Dérivé : Vivian.

BIBLIS (grec) Livre.

BICHR (arabe) Gaîté.

BICKFORD (anglais) Ville de Grande-Bretagne.

BIENVENU (français) Bienvenu. Dérivés : Benvenuto, Bienvenido.

BIEUZI (celtique) Vivant. Dérivé : Bihui.

BILAL (arabe) Faveur. Dérivé : Bilel.

BILI (celtique) Brillant.

BILL (germanique) Bill est un diminutif anglais de William couramment utilisé aux États-Unis. Dérivés : Billie, Billo, Billy.

BING (germanique) Ce mot

signifie, littéralement, trou dans la terre, en forme de pot. Bien que le plus connu des Bing ait été le chanteur Bing Crosby, son vrai prénom en fait était Harry.

BINIDIG (celtique) Bien nommé.

BINIG (celtique) Blanc.

BIRCH (anglais) Bouleau. Prénom apprécié par les amoureux de la nature aux États-Unis. Dérivés : Birk, Burch.

BIRGER (norvégien) Secours. Dérivés : Birghir, Borge, Borje, Borre, Byrghir, Byrgir.

BIRK (germanique) Asile. Dérivé : Bosco.

BIRKETT (anglais) Lieu planté de bouleaux. Dérivés : Birket, Birkit, Birkitt, Burket, Burkett, Burkitt.

BIRKEY (anglais) Île plantée de bouleaux. Dérivés : Birkee, Birkie, Birky.

BIRLEY (anglais) Pré aux vaches. Dérivés : Birlie, Birly.

BIRNEY (anglais) Ruisseau avec une île au milieu. Dérivés : Birnie, Birny, Burney, Burnie.

BIRTLE (anglais) Colline aux oiseaux.

BISHOP (anglais) Évêque.

BIX (anglais) Diminutif de Bixby qui est aussi un nom de famille.

BIXENTE (basque) Vincent.

BJORN (scandinave) Ours.

BLACKBURN (anglais) Ruisseau sombre.

BLAEZ (celtique) Natte.

BLAGDEN (anglais) Sombre vallée.

BLAINE (gaélique) Mince.

C'est également un prénom féminin. Dérivés : Blain, Blane, Blayne.

BLAIR (anglais) Terre plate. Tout comme Blaine, il sied aussi bien aux filles qu'aux garçons. Dérivés : Blaire, Blayr, Blayre.

BLAISE (latin) Bègue. Dérivés : Blas, Blasius, Blaisian, Blaize, Blase, Blasioun, Blayse, Blayze, Blaze.

BLAKE (anglais) Ce prénom est doublement ambigu, car il est à la fois masculin et féminin et signifie aussi bien clair que foncé. Il est devenu populaire grâce au héros du feuilleton de *Dynastie*, Blake Carrington, joué par l'acteur John Forsythe. Dérivés : Blaike, Blayke.

BLAKELY (anglais) Prairie sombre ou lumineuse. Dérivés : Blakelee, Blakeley, Blakelie.

BLANCO (espagnol) Blanc.

BLANFORD (anglais) Gué de l'homme aux cheveux gris. Dérivé : Blandford.

BLAZEJ (tchèque) Bègue.

BLEDDYN (gallois) Loup héroïque.

BLISS (anglais) Joie.

BLYTHE (anglais) Heureux. Dérivé : Blithe.

BOB (anglais) Brillant, célèbre. Comme Bill, Bob figure rarement sur un acte de naissance. Il est le diminutif de Robert. Dérivés : Bobbey, Bobbie, Bobby.

BODIL (norvégien) Dominant.

BODMAËL (celtique) Profit. Dérivés : Bodvaël, Bozaël, Bozel.

BOÈCE (latin) Originaire de Boécie. Boèce est un philosophe latin du Ve siècle.

BOGISLAW (polonais) Gloire de Dieu. Dérivés : Bogufal, Boguslaw, Bogusz, Bohusz.

BOGUMIERZ (polonais) Dieu est grand.

BOGUMIL (polonais) Amour de Dieu.

BOHDAN (tchèque) Cadeau de Dieu. Dérivés : Bogdan, Bogdashka.

BOHUMIL (tchèque) Amour de Dieu.

BOHUMIR (tchèque) Dieu est grand.

BOHUSLAV (tchèque) Gloire de Dieu.

BOJAN (tchèque) Guerre. Dérivés : Bojanek, Bojek, Bojik.

BOLESLAV (tchèque) Gloire immense. Dérivé : Bolek.

BOLESLAW (polonais) Grande gloire.

BOLTON (anglais) Ville de Grande-Bretagne.

BONAVENTURE (latin) Bonne nouvelle.

BOND (anglais) Homme de la terre. Dérivés : Bonde, Bondon, Bonds.

BONIFACE (latin) Chanceux. Neuf papes ont porté ce prénom. Dérivés : Bonifacio, Bonifacius.

BOOKER (anglais) La Bible, en argot.

BOOTH (anglais) Maison. Dérivés : Boot, Boote, Boothe.

BOOZ (hébraïque) Force. Booz est un personnage assez méconnu de l'Ancien Testament. Il est l'époux de Ruth et l'aïeul de David. Dérivés : Bo, Boas, Boase.

BORDEN (anglais) Porcherie. Dérivés : Bordin, Bordon.

BORG (scandinave) Habitant du château.

BORHAN (arabe) Puissance.

BORIS (slave) Guerrier. Saint Boris est le patron de Moscou. Parmi les autres Boris connus, on peut citer Boris Pasternak, Boris Vian, Boris Yeltsin, Boris Becker. Dérivés : Boriss, Borris, Borys.

BORIVOJ (tchèque) Grand soldat. Dérivés : Bovra, Bovrek, Bovrik.

BORK (germanique) Fort.

BORR (suédois) Jeunesse.

BORROMEE (slave) Guerrier.

BORYSLAW (polonais) Gloire dans la bataille.

BOSCO (germanique) Refuge. Dérivé: Busso.

BOSTON (anglais) D'après le nom de cette ville.

BOTO (germanique) Souverain.

BOTOLF (anglais) Loup. Dérivés : Botolph, Botulf.

BOUAFIA (arabe) Généreux.

BOUALEM (arabe) Porte-drapeau.

BOUCHRA (arabe) Bonne nouvelle.

BOUJEMAA (arabe) Chef.

BOUZIAN (arabe) Élegant.

BOUZID (arabe) Fécond.

BOWEN (gaélique) Fils de petite taille. Dérivé : Bow.

BOWIE (gaélique) Blond. Le plus connu des Bowie, même s'il s'agit de son nom de famille, est sans aucun doute David Bowie.

BOY (anglais) Garçon.

BOYD (gaélique) Blonde.

Dérivé : Boid.

BOYNE (irlandais) Vache blanche. Dérivés : Boine, Boyn.

BOZEL (celtique) Victoire.

BOZIDAR (tchèque) Cadeau de Dieu. Dérivés : Bovza, Bovzek.

BOZYDAR (polonais) Don de Dieu.

BRADEN (anglais) Vaste prairie. Dérivés : Bradon, Braeden, Brayden, Braydon.

BRADFORD (anglais) Large ruisseau. Dérivés : Brad, Bradburn, Braddford, Bradfurd.

BRADLEY (anglais) Vaste prairie. Son diminutif Brad, très viril, doit certainement sa popularité aujourd'hui à l'acteur Brad Pitt. Dérivés : Brad, Bradlea, Bradlee, Bradleigh, Bradlie, Bradly.

BRADSHAW (anglais) Grande forêt.

BRADY (anglais) Grande île.

BRAHIM (arabe) Voir Abraham.

BRAINARD (anglais) Corbeau courageux. Dérivés : Bramm, Bran, Brann.

BRAM (anglais) Corneille. Dérivés : Bramm, Bran, Brann.

BRAMWELL (anglais) Ville de Grande-Bretagne. Dérivés : Brammell, Bramwel, Branwell.

BRAN (gallois) Corneille.

BRAND (anglais) Brandon.

BRANDEIS (germanique) Celui qui vit sur une terre brûlée.

BRANDON (anglais) Épée, en feu. Brandon fait partie de ces prénoms révélés récemment et très en vogue.

Dérivés : Bran, Brandan, Branden, Brandin, Brandyn.

BRANKO (slave) Gloire.

BRANT (anglais) Fier. Dérivé : Brannt.

BRASIL (irlandais) Guerre. Dérivés : Brazil, Breasal, Bresal, Bressal.

BRATISLAV (tchèque) Frère glorieux.

BRATUMIL (polonais) Amour fraternel.

BRAWLEY (anglais) Prairie.

BRAXTON (anglais) Littéralement, ville de Brock.

BREDE (scandinave) Glacier.

BRENCIS (tchèque) Couronne de laurier.

BRENDAN (irlandais) Corbeau. Brendan est le prénom d'un saint, surnommé le Voyageur et qui, selon la légende, aurait été le premier Irlandais à mettre le pied en Amérique. Dérivés : Breandan, Brenden, Brendin, Brendon.

BRENNAN (irlandais) Corbeau. Dérivé : Brennen.

BRENT (celtique) Sommet de la montagne. Dérivés : Breneon, Brentan, Brentin, Brenton, Brentyn.

BRETISLAV (tchèque) Bruit de gloire.

BRETT (anglais) Homme de Grande-Bretagne. Ce prénom, curieusement, est plus populaire en Australie qu'au Royaume-Uni. Il est, de nos jours, souvent donné à des filles mais, contrairement aux autres noms dits androgynes, il n'a rien perdu de sa notoriété en tant que prénom masculin. Dérivés : Bret, Brette, Bretton, Brit, Britt.

BREVALAER (celtique) Corbeau.

BREWEN (celte) Corbeau.

BREWSTER (anglais) Brasseur. Dérivé : Brewer.

BRIAC (celtique) Dignité. Dérivés : Brett, Briag, Briagen, Brivaël.

BRIAG (celtique) Irlandais.

BRIAN (celtique) Brave, vertueux. Ce prénom irlandais a été introduit en Angleterre au XIe siècle ; il est très en vogue aujourd'hui également dans les pays francophones. Dérivés : Briano, Brien, Brion, Bryan, Bryon, Bryn.

BRICE (celtique) Qui a des taches de rousseur. Dérivés : Bris, Brix.

BRIDGELY (anglais) Prairie près d'un pont. Dérivé : Bridgeley.

BRIDGER (anglais) Celui qui vit près d'un pont. Dérivé : Bridge.

BRIEC (celtique) Estime. Dérivé : Brieg.

BRIEUC (celtique) Élevé.

BRIGHAM (anglais) Village près d'un pont. Dérivés : Brigg, Briggs.

BRIGHTON (anglais) Ville de Grande-Bretagne.

BRINLEY (anglais) Bois brûlé. Dérivés : Brindley, Brinly, Brynley, Brynly.

BRISHEN (bohémien) Né durant des pluies torrentielles.

BROCK (anglais) Blaireau. Dérivés : Broc, Brockley.

BRODER (scandinave) Frère. Dérivés : Brolle, Bror.

BRODERICK (écossais) Frère. Dérivés : Brod, Broddy, Broderic, Brodic, Brodrick.

BRODNY (slave) Personne vivant près d'un ruisseau.

BRODY (écossais) Second fils. Dérivés : Brodee, Brodey, Brodi, Brodie.

BROEN (germanique) Bouclier.

BROLADRE (celtique) Corbeau.

BROMLEY (anglais) Ville de Grande-Bretagne.

BRONE (irlandais) Tristesse.

BRONISLAV (tchèque) Cuirasse étincelante. Dérivés : Branek, Branik, Branislav, Bronislaw.

BRONSON (anglais) Fils de l'homme aux cheveux bruns. Dérivés : Bron, Bronnson, Bronsen, Bronsin, Bronsonn, Bronsson.

BROOK (anglais) Ruisseau. Dérivés : Brooke, Brookes, Brooks.

BROUGHTON (anglais) Ville de Grande-Bretagne.

BROWN (anglais) Couleur.

BRUCE (anglais) Épais buisson. Dérivés : Brucey, Brucie.

BRUNO (germanique) Bouclier.

BRUNON (polonais) Brun.

BRYCHAN (gallois) Tacheté.

BRYDEN (anglais) Ville de Grande-Bretagne.

BRYNMOR (gallois) Grande colline. Dérivé : Bryn.

BRYSON (anglais) Fils du noble.

BUADHACH (irlandais) Victoire. Dérivés : Buach, Buagh.

BUCK (anglais) Cerf. Ce prénom, en raison de son association avec cet animal, est souvent boudé par les parents. Dérivés : Buckey, Buckie, Bucky.

BUCKLEY (anglais) Prairie où paissent les cerfs. Dérivés : Bucklie, Buckly.

BUDDY (anglais) Ami. Buddy, ainsi que tous ses dérivés, n'est pas un vrai prénom et il figure rarement sur les actes de naissance. Dérivés : Bud, Budd, Buddey, Buddie.

BUDIGTON (anglais) Région de Grande-Bretagne.

BUDISLAV (tchèque) Éveil éclatant. Dérivé : Budek.

BUDOG (celtique) Profit. Dérivés : Bodeg, Budeg.

BURCHARD (anglais) Château fortifié. Dérivés : Burckhardt, Burgard, Burgaud, Burkhart.

BURFORD (anglais) Ville de Grande-Bretagne.

BURGESS (anglais) Citoyen. Dérivés : Burges, Burgiss.

BURK (germanique) Asile. Dérivé : Burkhard.

BURL (anglais) Forêt.

BURLEIGH (anglais) Ville de Grande-Bretagne. Dérivés : Burley, Burlie, Byrleigh, Byrley.

BURNABY (norvégien) Terre du guerrier.

BURNE (anglais) Ruisseau. Ville de Grande-Bretagne. Dérivés : Bourn, Bourne, Burn, Byrn, Byrne, Byrnes.

BURNETT (anglais) *Définition inconnue*. Dérivés : Burnet, Burnitt.

BURNEY (anglais) Ville de Grande-Bretagne.

BURR (scandinave) Jeunesse.

BURTON (anglais) Forteresse. Dérivés : Bert, Burt.

BUSBY (écossais) Village dans la forêt.

BUSTER (anglais) *Définition inconnue*. Surnom.

BUTCHER (anglais) Boucher. Dérivé : Butch.

BYFORD (anglais) Ville de Grande-Bretagne.

BYRAM (anglais) Ville de Grande-Bretagne.

BYRD (anglais) Comme un oiseau. Dérivé : Bird.

BYRON (anglais) Étable à vaches. Dérivé : Biron.

CABLE (anglais) Celui qui fait des cordes. Dérivé : Cabe.

CACHI (espagnol) Celui qui apporte la paix.

CADBY (anglais) Domaine du soldat.

CADDOCK (gallois) Prêt pour la guerre.

CADELL (gallois) Petite bataille. Dérivés : Caddell, Cade, Cadel.

CADEOLD (germanique) Qui gouverne. Dérivé : Caldeold

CADHLA (irlandais) Beau.

CADI (arabe) Chance.

CADMAN (gallois) Soldat.

CADROE (celtique) Combat.

CADWAL (gallois) Celui qui mène la bataille. Saint Cadwall fut roi au Pays de Galles au VIIe siècle. Dérivés : Cadwalader, Cadwaladyr.

CADWALLON (gallois) Celui qui prépare le combat. Dérivé : Cadwallen.

CAEDMN (celtique) Sage combat. Dérivé: Caedmon.

CAELAN (irlandais) Féroce guerrier. Dérivés : Caelin, Calin, Caulan, Cealan.

CAELLACH (irlandais) Guerre. Dérivés : Ceallachan, Cillan, Cillian, Ceallach, Ceallagh, Keallach.

CAERWYN (gallois) Forteresse blanche. Dérivé : Carwyn.

CAESAR (latin) Coupé.

CAFFAR (irlandais) Casque.

CAHIR (irlandais) Guerrier. Dérivé : Cathaoir.

CAI (gallois) Joie. Dérivés : Cio, Caius.

CAILEAN (écossais) Qui a triomphé à la guerre.

CAIN (hébraïque) Lance.

CAIOMHIN (irlandais) Noble. Dérivés : Caoimhghin, Caemgen, Caoimhin.

CAIRBRE (irlandais) Celui qui conduit un char.

CALAIS (latin) Bûche.

CALBHACH (irlandais) Chauve. Dérivé : Callough.

CALDER (anglais) Ruisseau.

CALDWELL (anglais) Torrent, puits. Dérivé : Cal.

CALEB (hébraïque) Courageux. Ce prénom était très populaire aux États-Unis chez les puritains. Caleb, en effet, est dans la Bible l'un des explorateurs envoyés par Moïse dans le désert. Très répandu au XIXᵉ siècle, son usage s'est raréfié aujourd'hui. Dérivés : Cale, Kalb, Kaleb.

CALEPODE (grec) Au bon pied.

CALEY (irlandais) Élancé.

CALHOUN (irlandais) Petite forêt. Dérivés : Colhoun, Colquhoun.

CALLAGHAN (irlandais) Saint d'Irlande.

CALLINIQUE (grec) Belle victoire. Dérivé : Callinikos.

CALLISTE (grec) Le plus beau. Dérivés : Calixte, Calixto, Callisto, Callixte.

CALLISTRATE (grec) Qui commande bien.

CALLUM (celtique) Colombe. Forme irlandaise de Colombam. Dérivé : Calum.

CALOGERO (grec) Vieillard.

CALVERT (anglais) Celui qui garde les veaux. Dérivé : Calbert.

CALVIN (latin) Chauve. Depuis le début du XXᵉ siècle, plusieurs Calvin se sont rendus célèbres dans des domaines différents, dont le plus connu en Europe est certainement le couturier Calvin Klein. Dérivés : Cal, Calvino, Kalvin.

CAMDEN (anglais) Vallée sinueuse.

CAMERON (gaélique) Rivière. Dérivé : Camron.

CAMEY (irlandais) Champion. Dérivé : Camy.

CAMIL (arabe) Total.

CAMILLE (latin) Celui qui assiste le prêtre. Ce prénom, masculin à l'origine, devenu mixte, est maintenant plus généralement porté par des filles. Il est l'un des champions des années 1990 en France. Dérivés : Camillo, Camillus, Camil, Camilho, Camill, Camillu, Camilo, Camilus.

CAMLINE (latin) Chanson.

CAMLO (bohémien) Beau.

CAMPBELL (gaélique) Bouche tordue. Dérivés : Cam, Camp.

CAMUS (grec) Celui qui excelle.

CANDIDE (latin) Blanc.

CANICE (irlandais) Séduisant. Dérivé : Coinneach.

CANUTE (scand.) Nœud. Dérivé : Canut, Cnut, Knute.

CAOLAN (irlandais) Mince.

CAPPI (italien) Chance.

CAPTAIN (anglais) Celui qui a la charge.

CARADEC (gallois) Affection. Dérivés : Caradoc, Caradeg, Caradog, Karadec.

CARANTMAEL (gallois) Prince parent.

CAREL (germanique) Viril. Dérivé de Charles.

CAREY (gallois) Près d'un château. Dérivé : Cary.

CARIBERT (germanique) Prêt au combat. Dérivés : Chabert, Charibert

CARL (germanique) Homme. Forme originelle de Charles. Dérivé : Carlo, Carlos, Karl.

CARLETON (anglais) Terre du fermier. Dérivés : Carlton, Charleton.

CARLIN (gaélique) Jeune champion. Dérivés : Carling, Carly, Carolan, Carollan.

CARLISLE (anglais) Tour fortifiée. Ville de Grande-Bretagne. Dérivé : Carlyle.

CARLO (germanique) Viril. Forme italienne de Charles.

CARLOMAN (germanique) Homme fort.

CARLOS (germanique) Viril. Forme espagnole de Charles.

CARMEL (hébraïque) Jardin. Ce prénom mixte est donné de préférence à des filles.

CARMICHAEL (gaélique) Celui qui accompagne Michel.

CARMINE (anglais) Jardin. Dérivés : Carmel, Carmelo.

CARNEY (irlandais) Champion. Dérivés : Carny, Karney, Karny.

CAROL (germanique) Viril. Variante de Charles. Bien

que ce prénom soit plutôt féminin, il figure néanmoins en bonne place au palmarès des prénoms masculins dans les pays anglo-saxons et en Europe de l'Est. Dérivés : Caroll, Carolus, Carrol, Caryl, Karol.

CARR (anglais) Marais. Dérivés : Karr, Kerr.

CARSON (anglais) Le fils qui vit dans les marais. Dérivé : Karsen.

CARSTEN (latin) Chrétien.

CARSWELL (anglais) Cresson.

CARTER (anglais) Charretier. Aux États-Unis, ce nom de famille est devenu un prénom mixte après l'élection du président Carter.

CARTHACH (irlandais) Affectueux. Dérivés : Cartagh, Carthage.

CARTWRIGHT (anglais) Charron.

CARVER (anglais) Celui qui sculpte le bois.

CARY (anglais) Torrent.

CASE (anglais) Celui qui apporte la paix.

CASEY (irlandais) Observateur. Apprécié aussi bien pour les filles que pour les garçons aux États-Unis. Dérivés : Cacey, Cayce, Caycey, Kasey.

CASIMIR (polonais) Celui qui apporte la paix. Ce prénom commence à réapparaître discrètement à l'état civil. Dérivés : Casimire, Casimiro, Castimer, Kazimir.

CASPAR (anglais) Homme riche. Dérivés : Cash, Casper, Cass.

CASSIDY (irlandais) Séduisant. Très répandu aux

États-Unis depuis les années 1970, il est à la fois masculin et féminin. Dérivé : Cassady.

CASSIEL (grec) Ange gardien des Capricornes.

CASSIEN (grec) Issu du cassier (arbre tropical). Dérivés : Cassian, Cassiano, Cassianu, Cassio.

CASSIODORE (grec et latin) Don de la famille des Cassius.

CASSIUS (latin) Narcissique.

CASTLE (anglais) Château. Dérivé : Castel.

CASTOR (grec) Castor. Personnage de la mythologie, frère jumeau de Pollux, qui partage son existence entre la terre et l'Olympe.

CATER (anglais) Traiteur, restaurateur.

CATHAL (irlandais) Paré pour la guerre. Dérivé : Cahal.

CATMAEL (Breton) Guerrier. Dérivé: Catmel.

CATON (latin) Beau. Dérivé : Cato.

CATULLE (portugais) Pur. Dérivés : Castule, Castus.

CAVAN (irlandais) Séduisant.

CAW (gallois) Joyeux.

CAYETANO (latin) Gai. Dérivé : Cayo.

CAYO (latin) Joyeux.

CEARBHALL (irlandais) Homme.

CECIL (anglais) Aveugle. Parmi les Cecil connus, mentionnons le réalisateur américain Cecil B. de Mille. Dérivés : Cecilio, Cecillo, Cecillus, Celio.

CÉCILIEN (latin) Aveugle.

CÉDRIC (gallois) Chef de

guerre. Ce prénom fut très en vogue dans les années 1970. Dérivés : Cedrick, Cedrych.

CÉLESTE (latin) Céleste. Dérivés : Célestin, Célestino.

CELYN (gallois) Houx. Dérivés: Celynen, Celynin, Celynnen

CEMAL (arabe) Beauté.

CENON (grec) Celui qui a reçu la vie de Zeus. Dérivés : Xenon, Zénon.

CENZO (latin) Vainqueur. Dérivé : Cenzino.

CEPHAS (hébraïque) Roc.

CEPHEUS (grec) Personnage mythologique.

CERDIC (gallois) Aimé. Dérivés : Ceredig, Ceretic.

CEREK (slave) *Définition inconnue*.

Certains parents annoncent clairement leur intention : ils espèrent ainsi que le futur employeur de leur fille ne sera pas tenté de l'évincer à la simple lecture de son prénom sur son CV sous prétexte qu'elle appartient au sexe féminin, lorsqu'elle se présentera sur le marché du travail.

CERWYN (gallois) Bel amour.

CÉSAR (latin) Coupé. Ce prénom est né… d'une césarienne, opération pratiquée pour délivrer une mère de l'enfant qu'elle ne pouvait mettre au monde par les voies naturelles. Dérivés : Caesar, Caezar, Cesare, Cesareo, Cesario, Cesaro, Cezar, Cezary, Cezek, Césaire, Cesareu, Césari, Césarin, Cesarinu, Cesariu, Cesarius, Cesaru.

CESLAV (tchèque) Gloire et honneur. Dérivé : Ctislav.

CH (arabe) Aristocrate.

CHABTAI (hébraïque) Mon repos. Dérivés : Chabat, Chabtiel.

CHAD (celtique) Protecteur. Ce prénom monosyllabique, viril, a commencé à devenir populaire aux États-Unis entre 1960 et 1980. Dérivés : Chadd, Chadwick.

CHADI (arabe) Au chant mélodieux.

CHADLAY (hébraïque) Arrêt. Dérivé : Hadlai.

CHAFI (arabe) Consolateur, guérisseur.

CHAFIK (arabe) Guérisseur.

CHAFIR (arabe) Célèbre.

CHAGIAH (hébraïque) Fête. Dérivés : Chagia, Chagiya, Haggiah Hagia.

CHAGO (espagnol) Talon. Dérivé : Chango.

CHAHAN (perse) Roi des rois.

CHAHDER (arabe) Puissant.

CHAHIR (arabe) Célèbre.

CHAI (hébraïque) Vie. Dérivé : Hail.

CHAKER (arabe) Généreux.

CHAKIB (arabe) Récompense.

CHAKIR (arabe) Reconnaissant.

CHAL (bohémien) Garçon.

CHALFON (hébraïque) Changement. Dérivés : Chalfan, Halfon, Halphon.

CHALIL (hébraïque) Flûte. Dérivés : Halil, Hallil.

CHALMANE (hébraïque) Pacifique.

CHALMERS (écossais) Maître de maison. Dérivé : Chalmer.

CHAM (hébraïque) Chaud.

Dérivé : Ham.

CHAMAN (indien) Jardin.

CHAMGAR (hébraïque) Épée. Dérivé : Shamgar.

CHANANIAH (hébraïque) Bienveillance de Dieu.

CHANCE (anglais) Bonne fortune.

CHANCELLOR (anglais) Secrétaire.

CHANDLER (anglais) Fabricant de bougies.

CHANIEL (hébraïque) Grâce de Dieu. Dérivés : Channiel, Haniel, Hanniel.

CHANNING (anglais) Intelligent, homme d'église.

CHANOCH (hébraïque) Dévoué. Dérivés : Enoch, Hanoch.

CHANTI (espagnol) Usurpateur.

CHAPMAN (anglais) Colporteur. Dérivés : Chap, Chappy.

CHARAF (arabe) Honneur.

CHARIVALD (germanique) Viril et noble.

CHARLES (germanique) Viril. Ce prénom fort a donné naissance, au fil des siècles, à un grand nombre de dérivés, dans de nombreuses cultures. Son histoire est riche et variée. Parmi les Charles célèbres, citons Charlemagne (Carolus Magnus, c'est-à-dire Charles le Grand), le général de Gaulle, Charlie Chaplin, Charles Bronson, le scientifique Charles Darwin, l'écrivain Charles Dickens… Ce prénom a été au top de sa popularité en 1980 et continue à être apprécié par les futurs parents. Dérivés : Carl, Carlo, Carlos, Carel, Carol, Charley, Charlez,

Charlie, Charlig, Chas, Chaz, Chick, Chip, Chuck, Caerle, Carel, Carle, Carléli, Carles, Carlet, Carlettu, Carlinu, Carolus, Carrol, Charel, Charlélie, Charlet, Charléty, Charlot ,Charlou, Charloun, Charly, Crist, Cristian, Cristiano, Cristianu, Cristou, Karl, Karel, Karol.

CHARLTON (anglais) Maison où vit Charles. Dérivés : Carleton, Carlton.

CHASE (anglais) Chasseur. Dérivés : Chace, Chaise.

CHASID (hébraïque) Pieux. Dérivé : Chasud.

CHASIEL (hébraïque) Refuge de Dieu. Dérivé : Hasiel.

CHASIN (hébraïque) Fort. Dérivés : Chason, Hasin, Hassin.

CHAUNCEY (anglais) Chancelier. Dérivés : Chance, Chancey, Chaunce, Chauncy.

CHAVIV (hébraïque) Cher. Dérivés : Habib, Haviv.

CHAWDEB (arabe) Bel homme.

CHAWKI (arabe) Sympathique.

CHAWQI (arabe) Ardant.

CHAYIM (hébraïque) Vie. Dérivés : Chaim, Chaimek, Chayyim, Chayym, Haimm, Hayyim, Hayym.

CHAZAIAH (hébraïque) Dieu voit. Dérivés : Chazaya, Chaziel, Hazaia, Hazaiah, Haziel.

CHE (espagnol) Dieu ajoutera. Diminutif de Jospeh.

CHECHA (espagnol) Velu.

CHECHE (espagnol) Dieu ajoutera.

CHEDAD (arabe) Puissant.

CHEDID (arabe) Brave.

CHEILEM (hébraïque) Pouvoir. Dérivé : Chelem.

CHÉKIB (arabe) Généreux.

CHEM (hébraïque) Nom. Dérivés : Chéma, Chémi, Shem.

CHEMOUN (arabe) Plaisantin.

CHEMOUS (arabe) Serein.

CHEMS (arabe) Lumineux.

CHENCHE (espagnol) Conquérir.

CHENCHO (espagnol) Couronné de lauriers.

CHENEB (arabe) Belles moustaches.

CHEPE (espagnol) Dieu ajoutera. Dérivé : Chepito.

CHESLAV (russe) Camp.

CHESTER (anglais) Campement. Chester est un prénom évoquant l'Angleterre victorienne et le traditionnel thé à cinq heures. Dérivés : Cheston, Chet.

CHETWIN (anglais) Maison au bord d'une route sinueuse.

CHETZRON (hébraïque) Ville fortifiée. Dérivé : Hezron.

CHEU (celtique) Bon.

CHEYENNE (anglais) Ville du Wyoming, aux États-Unis. Marlon Brando, qui prénomma ainsi sa fille, lança la mode de ce prénom.

CHICK (germanique) Mâle. Dérivé : Chuck.

CHICO (espagnol) Garçon. Dérivé : Chicho.

CHIHEB (arabe) Étoile.

CHIK (bohémien) Terre.

CHILDEBERT (germanique) Célèbre combattant.

CHILDÉRIC (germanique) Combat de roi.

CHILO (espagnol) Français.

CHILPÉRIC (germanique) Roi combattant.

CHILTON (anglais) Ferme près d'un puits.

CHIP (anglais) Diminutif de Charles, parfois employé comme prénom.

CHIRAM (hébraïque) Frère ardent. Dérivé : Hiram.

CHIRAZ (arménien) Lion.

CHIRIL (grec) Divin.

CHISSE (arabe) Cadeau.

CHIZKIAH (hébraïque) Dieu rend riche. Dérivés : Chizkia, Chizkiya, Chizkiyahu, Hezekiah.

CHLODEBERT (germanique) Illustre boiteux.

CHOCHAM (hébraïque) Onyx.

CHOCHANA (hébraïque) Lys.

CHOKRI (arabe) Méritant. Dérivé : Choukri.

CHONEN (hébraïque) Gracieux.

CHOUAIB (arabe) Peuple.

CHOZAI (hébraïque) Prophète. Dérivé : Hozai.

CHRISTIAN (grec) Le Christ. Ce prénom fut un grand classique des années 1950. Dérivés : Chresta, Chris, Christen, Christiaan, Christiano, Christianos, Chrystian, Cris, Kris, Kriss, Kristian.

CHRISTMAS (anglais) Fête de Noël. Ce prénom était assez populaire dans les années 1800 aux États-Unis.

CHRISTOBAL (grec) Porte le Christ.

CHRISTODULE (grec) Serviteur du Christ.

CHRISTOPHE (grec) Celui qui porte le Christ dans son cœur. Le Christophe le plus célèbre est certainement Christophe Colomb. Saint Christophe est le patron des automobilistes. Ce prénom fut très prisé dans les années 1980. Aujourd'hui, c'est sa forme anglo-saxonne, Christopher, qui est préférée. Dérivés : Chris, Christof, Christofer, Christoff, Christoffer, Christoforus, Christoph, Christopher, Christophoros, Christos, Cris, Cristobal, Cristoforo, Christoffe, Christopherus, Chrystal, Cristau, Cristof, Cristofel, Cristofer, Cristofino, Cristol, Cristoli, Kit, Kitt, Kristofer, Kristofor.

CHRODEGANG (germanique) Gloire du corbeau. Dérivé : Chrodegand

CHRODOALD (germanique) Ancienne gloire. Dérivé: Chrodoare.

CHRYSANTHE (grec) Fleur en or. Dérivés : Chrysalde, Chrysale, Crisant, Crisante

CHRYSOGONE (grec) Né dans l'or.

CHRYSOLE (grec) En or. Dérivés: Chryseuil, Chryseul

CHRYSOPHORE (grec) Porteur d'or.

CHUMIN (espagnol) Seigneur. Dérivé : Chuminga.

CHUMO (espagnol) Jumeau.

CHUNG (chinois) Intelligent.

CHURCHILL (anglais) Église sur la colline.

CHWALIBOG (polonais) Louer Dieu.

CIAN (irlandais) Ancien, vieux. Dérivé : Cianan.

CIANO (latin) Clarté.

CIARAN (irlandais) Noir, cheveux noirs. Dérivés :

Ciardha, Ciarrai.

CIBOR (hébraïque) Fort.

CICÉRON (anglais) Pois chiche. Dérivé : Cicero.

CID (espagnol) Chef. Ce prénom est dérivé du mot arabe caïd.

CILLIAN (celtique) Eglise. Dérivés : Cilian, Cillin.

CIMBAETH (irlandais) Brigand.

CINEAD (irlandais) Né du feu.

CINNEIDID (irlandais) Tête casquée. Sa version anglaise est Kennedy. Dérivés : Cinneide, Cinneidigh.

CIONAOD (celtique) Charmant.

CIRO (espagnol) Trône.

CISCO (espagnol) François.

CLAIR (latin) Clair. Dérivés: Chiaro, Clarent

CLANCY (irlandais) Fils du soldat roux. Dérivé : Clancey.

CLARENCE (latin) Forme anglaise de Clair. Dérivés : Clarance, Clare, Clarey.

CLARK (anglais) Érudit. Dérivés : Clarke, Clerc, Clerk.

CLAUDE (latin) Celui qui boite. Claude est un prénom type des années 1940, mais il fut porté par de nombreux artistes, aux XVIe et XVIIe siècles, tels Debussy, Monteverdi et Monet. Dérivés : Claud, Claudic, Claudio, Claudius, C'hlaoud, Claudi, Claudien, Claudik, Claudin, Claudios, Claudius, Klaudio.

CLAUS (grec) Victoire du peuple. Forme alsacienne de Nicolas.

CLAY (anglais) Argile.

CLAYBORNE (anglais) Ruisseau près d'une glaisière.

Dérivés : Claiborn, Claiborne, Claybourne, Clayburn.

CLAYTON (anglais) Maison ou ville près d'une glaisière. Dérivés : Clay, Clayten, Claytin.

CLEARY (irlandais) Homme instruit.

CLEDWYN (gallois) Rustre et béni. Rivière du Pays de Galles.

CLÉMENT (latin) Doux. Ce prénom fut choisi par quatorze papes. Il est parmi les préférés aujourd'hui dans les pays francophones, en Allemagne et en Italie. On a coutume, dans les pays anglophones, de l'abréger en Clem. Dérivés : Clem, Cleme, Clemen, Clemens, Clemente, Clementius, Clemento, Clemmie, Clem-mons, Clemmy.

CLÉOMÈNE (grec) Esprit de gloire.

CLÉON (grec) Célèbre.

CLÉONIQUE (grec) Glorieuse victoire. Dérivé: Cléonice

CLÉOPHAS (grec) Qui célèbre le lever des étoiles.

CLEVELAND (anglais) Haute falaise.

CLIAMAIN (écossais) Gentil.

CLIFFORD (anglais) Gué près de la falaise. Dérivés : Cliff, Clyff, Clyfford.

CLIFTON (anglais) Ville près d'une falaise. Dérivés : Clift, Clyfton.

CLIM (latin) Compréhensif.

CLINTON (anglais) Village près de la colline. Ce mot naturellement est devenu célèbre grâce au président américain, Bill Clinton.

L'acteur Clint Eastwood a aussi grandement contribué à sa renommée dans les pays anglo-saxons. Dérivés : Clint, Clynt.

CLITANDRE (grec) Homme glorieux.

CLIVE (anglais) Falaise. Dérivé : Clyve.

CLODÉRIC (germanique) Grande maison royale.

CLODION (germanique) Gloire. Dérivé: Chlodion

CLODOALD (germanique) Qui gouverne avec gloire.

CLODOMIR (germanique) Grande gloire.

CLODULPHE (germanique) Gloire du loup.

CLOONEY (irlandais) Prairie.

CLOTAIRE (germanique) Aigle glorieux. Dérivés: Clotario, Clothaire.

CLOUD (germanique) Combattant glorieux. Il est l'un des dérivés de Clovis.

CLOVIS (germanique) Combattant glorieux. Clovis est la forme originelle de Louis. Ce prénom du haut Moyen Âge très longtemps oublié réapparaît discrètement depuis 1990. Dérivé : Clodwig, Clodoveo, Clodoveu.

CLUNY (irlandais) Prairie.

CLYDE (écossais) Nom d'une rivière d'Écosse.

CLYDOG (gallois) Discret.

CLYDWYN (gallois) Discret et brillant.

COB (hébreu) Celui que Dieu favorise. Dérivés : Cobb, Cobie, Cobbie.

CODY (anglais) Coussin. Au XIXe siècle, ce nom était celui d'une ville du Wyoming, aux États-Unis, ainsi que le prénom de bon nombre de hors-la-loi. Depuis le milieu des années 1990, il voit sa popularité grimper en flèche et sied aussi bien aux filles qu'aux garçons. Dérivés : Codey, Codie, Coty, Kodey, Kodie, Kody.

COEMGEN (celtique) Bien planté. Dérivés : Gauvain, Gavin, Kelvin, Kevin.

COILEAN (irlandais) Chiot. Dérivé : Cuilean.

COILIN (irlandais) Petit chef.

COINNEACH (irlandais) Beau.

COISEAM (écossais) Calme, ferme.

COLAS (grec) Victoire du peuple. Dérivé de Nicolas.

COLBERT (anglais) Célèbre navigateur. Dérivés : Colvert, Culbert.

COLBY (anglais) Ferme noire. Dérivé : Collby.

COLEMAN (celtique) Colombe. Le célèbre musicien Cole Porter popularisa ce prénom. Dérivés : Cole, Colman, Coloman.

COLIN (grec) Peuple triomphant. Ce prénom dérivé de Nicolas, longtemps rare, apparaît aujourd'hui dans les pays francophones. Aux États-Unis, le général Colin Powell qui s'est illustré durant la guerre du Golfe a remis ce prénom en faveur. Dérivés : Colan, Collin, Colyn.

COLLEY (anglais) Cheveux noirs. Dérivé : Collis.

COLLIER (anglais) Mineur de charbon. Comme Colin, il incite au respect, cette fois pour un métier difficile.

COLLINGWOOD (anglais) Forêt.

COLLINS (irlandais) Houx.

COLM (celtique) Colombe. Forme irlandaise de Colomban. Dérivés : Colum, Columba.

COLOMBAN (grec) Colombe. Dérivé : Colombano, Colombanu, Colomo, Colon, Columbano, Coulom, Koulman.

COLONEL (anglais) Grade militaire.

COLSTON (anglais) Terre au propriétaire inconnu. Dérivés : Colson, Colt.

COLTER (anglais) Troupeau de poulains.

COLTON (anglais) Celui qui vient d'une ville noire. Dérivés : Collton, Colt.

COLWYN (gallois) Rivière du Pays de Galles. Dérivés :

Colwin, Colwynn.

COMAN (arabe) Noble.

CÔME (grec) Univers. Côme, frère jumeau de Damien, est le saint patron de la ville de Milan et des médecins. Ce prénom est en vogue depuis 1990. Dérivés : Cos, Cosimo, Cosme, Cosmo, Como, Cosma, Cosmao, Cosmin, Costen.

COMHGHALL (irlandais) Otage. Dérivés: Comgall, Comghal

COMHGHAN (irlandais) Jumeau. Dérivé : Comdhan.

CONAIRE (irlandais) *Définition inconnue*. Dérivés : Conary, Connery, Conrey, Conroy, Conry.

CONALL (irlandais) Grand et fort. Dérivé : Connall, Connell.

CONAN (irlandais) Haut. Ce

prénom commence à acquérir un certain renom, peut-être à cause du film *Conan, le barbare*. Dérivé : Conant, Conon.

CONARY (irlandais) Nom de famille.

CONCETTO (italien) Fait référence à l'Immaculée Conception.

CONCHOBHAR (irlandais) Grand chien. Dérivés : Concobhar, Conquhare.

CONGHALL (irlandais) Promesse mutuelle.

CONLAN (irlandais) Héros. Dérivés : Con, Conlen, Conley, Conlin, Conlon, Connlyn.

CONN (irlandais) Sagesse.

CONNAN (gallois) Seigneur. Dérivé : Konnan.

CONNLAODH (irlandais) Feu pur. Dérivés : Connlaoi, Connlaoth.

CONNOR (irlandais) Grand désir. Ce nom, assez répandu, est à la fois prénom et nom de famille, et va aux filles comme aux garçons. Dérivés : Conner, Conor.

CONOGAN (celtique) Pure bravoure. Forme dérivée de Gwenegan.

CONRAD (germanique) Conseiller audacieux. Dérivés : Conn, Connie, Conny, Conrade, Conradin, Conrado, Corradino, Conrart, Corrado, Curd, Konrad, Kurt, Kurtis.

CONRARD (germanique) Ardi.

CONROY (irlandais) Homme avisé.

CONSTANTIN (anglais) Fidèle, sûr. Dérivés : Constant, Constantine, Constantino,

Constantinos, Costa, Costante, Costanzo, Costin, Constancio, Constanti, Costadino, Costantino, Konstantin, Konstanz.

CONWAY (gallois) Rivière sainte. Dérivé : Conwy.

COOK (anglais) Cuisinier.

COOPER (anglais) Tonnelier.

CORANN (irlandais) Couronne.

CORBET (anglais) Chevelure noire. Dérivés : Corbett, Corbin, Corbit, Corbitt.

CORBINIEN (latin) Corbeau.

CORCORAN (irlandais) Liège.

CORDELL (anglais) Cordier.

CORDERO (esp.) Agneau.

CORENTIN (celtique) Ouragan. Dérivés : Corentino, Kaoun, Kaourentin.

COREY (irlandais) Creux.

Dérivés : Corin, Correy, Cory, Korey.

CORLISS (anglais) Généreux. Dérivé : Corley.

CORMAG (écossais) Corbeau.

CORMICK (gaélique) Charretier. Dérivés : Cormac, Cormack.

CORNEILLE (latin) Corneille. Dérivés : Cornelious, Cornelius, Cornilius, Cornéli, Cornélien, Cornelio, Cornélis, Corneliu, Cornell, Cornély, Cornie, Cornille.

CORNELL (anlais) Nom de ville. Dérivés : Cornal, Cornall, Cornel.

CORT (germanique) Courageux. Dérivé : Kort.

CORTEZ (espagnol) Explorateur qui conquit une grande partie de l'Amérique du Sud.

CORVIN (latin) Corbeau.

CORWALLIS (anglais) Homme qui vient de Cornouailles, en Grande-Bretagne.

CORWIN (anglais) Ami de cœur. Dérivés : Corwyn, Corwynn.

CORYDON (anglais) Paré pour le combat.

CORYELL (anglais) Celui qui porte un casque.

COSGROVE (irlandais) Celui qui triomphe. Dérivé : Cosgrave.

COSIMO (grec) Enjolivure.

COSMAS (grec) Humanité.

COSTA (grec) Stable, ferme. Dérivé : Kosta.

COULETH (celtique) Dérivés : Coulitz, Kouled.

COULSON (anglais) Peuple triomphant. Dérivé : Colson.

COURTLAND (anglais) Terre faisant partie d'une ferme. Dérivés : Cortland, Cortlandt, Courtlandt.

COURTNEY (anglais) Celui qui vit dans la cour. Dérivés : Cortney, Courtenay, Courtnay.

COVELL (anglais) Colline avec une caverne.

COWAN (irlandais) Creux dans une colline. Dérivé : Coe.

COY (anglais) Forêt.

COYLE (irlandais) Soldat.

CRADDOCK (gallois) Affection.

CRAIG (gallois) Rocher. Très populaire aux États-Unis depuis quelques dizaines d'années. Dérivé : Kraig.

CRANDALL (anglais) Vallée où viennent les grues. Dérivés : Crandal, Crandell.

CRANLEY (anglais) Prairie

où se posent les grues. Dérivés : Cranleigh, Cranly.

CRANSTON (anglais) Colonie de grues.

CRAVEN (anglais) *Définition inconnue*.

CRAWFORD (anglais) Gué aux corneilles.

CREIGHTON (anglais) Contrée rocheuse. Dérivés : Crayton, Crichton.

CRÉON (grec) Prince. Personnage de la mythologie, frère de Jocaste.

CRÉPIN (latin) Cheveux bouclés. Dérivés : Crépinien, Crispen, Crispian, Crispin, Crispino, Crispo, Cripus, Chrispyn, Crespin, Crespinien, Crispe, Crispiaen, Crispianus, Crispijn, Crispinianus, Crispinu, Crispinus.

CRESSWELL (anglais) Rivière à cresson. Dérivé :

Creswell.

CRIOSTAL (grec) Qui porte le Christ.

CRISDEAN (écossais) Le Christ.

CROFTON (anglais) Groupe de cottages.

CROMWELL (anglais) Ruisseau sinueux.

CRONAN (irlandais) Noir de peau.

CROSBY (anglais) Près de la croix. Dérivés : Crosbey, Crosbie.

CROSLAND (écossais) Terre de la croix. Dérivé : Crossland.

CROSLEY (anglais) Prairie avec une croix. Dérivés : Croslea, Crosleigh, Crossley.

CROWTHER (anglais) Violoniste.

CTIBOR (tchèque) Bataille honorable. Dérivé : Ctik.

CUCUFA (arabe) Originaire de Kufa, ville d'Irak.

CUINN (irlandais) Sagesse.

CULLEN (gaélique) Beau. Dérivés : Cullan, Cullin.

CULLENT (irlandais) Houx. Dérivés : Cullan, Culley, Cullin, Cully.

CULVER (anglais) Colombe. Dérivé : Colver.

CUMHAIGE (écossais) Meute de la plaine.

CUNIBERT (germanique) Grande guerre. Dérivé : Cuthbert, Cunipert.

CUNNINGHAM (gaélique) Village avec un seau à lait.

CURCIO (espagnol) Amical.

CURRAN (irlandais) Héros.

CURRO (espagnol) François.

CURTIS (anglais) Poli. Dérivés : Curt, Kurt, Kurtis.

CUTHBERT (anglais) Célèbre. Dérivés : Cuithbeart, Cuithbrig, Cudbert.

CUTLER (anglais) Coutelier.

CWRIG (gallois) Maître.

CYBARD (grec) Qui est à la tête de. Dérivés : Cibard, Cybar, Cybardeaux

CYDIAS (grec) Glorieux.

CYN (gallois) Guerrier.

CYNAN (gallois) Chef. Dérivé : Kynan.

CYNDDLEW (gallois) Statue du chef.

CYNDEYRN (gallois) Tête du chef.

CYNFAEL (gallois) Chef en métal.

CYNGEN (celte) Naissance d'un guerrier.

CYPRIEN (grec) Homme de Chypre. Dérivés :Cibranet, Cibrianu, Ciprian, Ciprianet, Cipriano, Ciprianu, Cypriakus, Cyprian, Cypris, Cyrian, Cyrvan.

CYR (grec) Maître. Dérivés : Cyran, Cyriaque, Cyrus.

CYRANO (grec) De l'île de Cyrène, en Grèce.

CYRILLE (grec) Maître. Dérivés : Cirilio, Cirillo, Cirilo, Cyril, Cyrill, Cyrillus, Kyril.

CYSTENIAN (gallois) Calme, ferme.

CZCIBOR (polonais) Combattre avec honneur. Dérivés : Cibor, Gcibor.

CZESLAW (polonais) Honneur et gloire. Dérivés : Czech, Czesiek.

D'ANGELO (italien) De l'ange. Dérivés : Deangelo, Diangelo.

DACEY (gaélique) Homme venant du sud. Dérivés : Dace, Dacia, Dacian, Dacy.

DACIAN (latin) Celui qui vient de Dacie.

DACSO (hongrois) Dieu juge.

DAFFYD (hébraïque) Aimé.

DAFYDD (gallois) Aimé.

DAG (scandinave) Jour. Dérivés : Daeg, Dagen, Dagny.

DAGAN (hébraïque) Terre. Dérivé : Dagon.

DAGMAR (germanique) Brillant comme le jour. Dérivé : Dagomar.

DAGOBERT (germanique) Celui qui brille le jour.

DAGWOOD (anglais) Forêt ensoleillée.

DAHY (irlandais) Capable. Dérivé : Daithi.

DAIBHIDH (irlandais) Aimé. Dérivés : Daibhid, Daith, Daithi, Daithm.

DAIRE (irlandais) Nom de famille.

DALAL (arabe) Caresse.

DALBERT (anglais) Homme brillant. Dérivé : Delbert.

DALE (anglais) Celui qui vit dans une vallée. Dérivés : Dal, Daley, Daly, Dayle.

DALFON (hébraïque) Goutte de pluie. Dérivé : Dalphon.

DALIBOR (tchèque) Combattre au loin. Dérivés : Dal, Dalek.

DALIL (arabe) Guide.

DALLAN (irlandais) Aveugle.

DALLAS (écossais) Ville d'Écosse. Il peut aussi faire office de prénom féminin.

DALLIN (anglais) Fier. Dérivés : Dalan, Dallan Dallen, Dallon, Dalon.

DALMACE (latin) Originaire de Dalmacie. Dérivés : Dalmacio, Dalmais, Dalmas, Damas, Damasio, Damaso, Delmas.

DALMAR (germanique) Illustre vallée.

DALTON (anglais) Ville dans la vallée. Dérivés : Dallton, Dalten.

DALY (irlandais) Se rassembler. Dérivés : Dailey, Daley.

DALZIEL (écossais) Petit champ.

DAMASE (grec) De la ville de Damas. Dérivés : Damaskinos, Damasko, Dameskenos.

DAMEK (tchèque) Terre rouge.

DAMHNAIT (irlandais) Petit faon.

DAMIEN (grec) Docile. Saint Damien est, avec son frère jumeau Côme, le patron des médecins. Dérivés : Dameon, Damian, Damiano, Damion, Damyan, Damyen, Damyon, Damen, Dami, DamiaD, amiani, Damianu, Damianus, Damy, Demian.

DAMOCLÈS (grec) Gloire du peuple.

DAMON (grec) Gentil. Dérivés : Daemon, Daiment, Daimon, Daman, Damen, Damone, Daymon.

DAN (hébraïque) Celui qui fait justice. Dan, dans la Bible, est le cinquième fils de Jacob.

DANA (anglais) Celui qui vit au Danemark. Dana est un prénom à la fois féminin et masculin.

DANAOS (grec) Roi de la mythologie grecque.

DANE (anglais) Ruisseau. Dérivés : Dain, Dayne.

DANFORTH (anglais) Ville de Grande-Bretagne.

DANIEL (hébraïque) Dieu est mon juge. Daniel fait partie des grands prénoms classiques. Dans la Bible, Daniel est prophète. Il se rendit célèbre par le récit de ses rêves dans *Le Livre de Daniel*. Selon la légende, il fut jeté aux lions qui furent repoussés par un ange. Parmi les Daniel célèbres, citons le musicien Daniel Barenboim et les écrivains Daniel Defoe et Daniel Pennac. Dérivés : Dan, Daeneel, Danail, Daneel, Danel, Danesu, Danial, Danie, Danielius, Daniellu, Danielo, Danila, Danilo, Dannie, Dany, Danylko, Deen, Deniol, Danakas, Danek, Dani, Daniele, Daniels, Danil, Danila, Danilkar, Danilo, Daniset, Danko, Dannie, Danniel, Danny, Dano, Danya, Danylets, Danylo, Dasco, Donois, Dusan, Niel, Niels.

DANIOR (bohémien) Né avec des dents.

DANJEL (hébraïque) Dieu juge.

DÂNNEL (hébraïque) Dieu juge.

Dans les pays francophones, les prénoms mixtes sont assez peu nombreux. Ce furent surtout Claude et Dominique dans les années 1940-1950. Camille est aujourd'hui plus féminin que masculin, tout comme Morgan. Quant à Céleste, prénom rare qui commence à remporter un certain succès, est comme les anges : il n'a pas (encore) de sexe.

DANSLAV (russe) Glorieux.

DANTE (latin) Éternel. Ce prénom a été illustré par l'écrivain italien du XIIIᵉ siècle, auteur de *La Divine Comédie*. Dérivés : Dontae, Donte.

DAPHNIS (grec) Personnage de la mythologie réputé pour sa beauté.

DAR (hébraïque) Perle.

DARA (cambodgien) Etoiles.

DARBY (anglais) Endroit où paissent les cerfs. Darby est aussi un nom de filles assez répandu. Dérivés : Dar, Darb, Derby.

DARCY (irlandais) Sombre. Tout comme Darby, il fait parfois office de prénom féminin. Dérivés : Darce, Darcey, Darsey, Darsy, Darcie.

DARI (arabe) Instruit. Dérivé : Darin.

DARIN (grec) Cadeau. Dérivés : Dare, Daron, Darren, Darrin, Darron.

DARIOS (grec) Roi perse.

DARIUS (grec) Riche. Dérivés : Daria, Darrius, Darian, Dario, Dariu.

DARNELL (anglais) Contrée cachée. Dérivés : Darnal, Darnall, Darnel.

DARQAWI (arabe) Saint marocain.

DARRAGH (irlandais) Chêne noir. Dérivé : Darrah.

DARREN (gaélique) Grand. Dérivés : Daran, Daren, Darn, Darran, Darrin, Darron, Darryn, Daryn.

DARREN (irlandais) Chêne.

DARRICK (anglais) Seigneur de la terre. Dérivés : Darik, Darrik.

DARRIE (irlandais) Roux. Dérivé : Darry.

DARRYL (anglais) Nom de famille anglais. Ce prénom fut très apprécié aux États-Unis dans les années 1980. Citons parmi les Darryl connus le producteur de cinéma Darryl Zanuck. Dérivés : Darrel, Darrell, Darrill, Darrol, Darryll, Daryl, Daryll.

DARTON (anglais) Endroit où broutent les cerfs.

DARWESHI (africain) Saint.

DARWIN (anglais) Ami. Dérivés : Danwin, Derwin, Derwynn.

DASHIELL (anglais) *Définition inconnue*.

DATAN (hébraïque) Leur religion.

DATIEL (hébraïque) Ce que Dieu connaît.

DAUPHIN (latin) Dauphin.

DAVAN (irlandais) Cerf. Dérivés : Davin, Devin.

DAVID (hébraïque) Aimé, chéri. Très répandu dans les années 1950, ce prénom est à son apogée entre 1970 et 1980. David, personnage de la Bible célèbre pour ses dons musicaux et son courage, remporta la victoire sur Goliath. Il succéda à son beau-père Saül sur le trône d'Israël et nomma son fils

Salomon pour lui succéder. Citons, parmi les David célèbres : les chanteurs David Bowie et David Hallyday, l'écrivain David Copperfield, et l'homme d'État David Ben Gourion. Ce prénom est commun à deux religions : le catholicisme, puisque David est l'un des patrons du Pays de Galles, et le judaïsme, avec la fameuse étoile de David. Dérivés : Daoud, Dave, Dabi, Dabit, Dahey, Daibhead, Daibhéid, Daighi, Daoud, Davian, Davidde, Davide, Davidka, Davidson, Davit, Davithavodovitch, Daw, Dawid, Dawie, Dawit, Devi, Daveed, Davi, Davidek, Davie, Davioun, Davy, Dewey, Divi, Diwi, Dodie, Dodya.

DAVIN (scand.) Brillant.

DAVIOT (hébraïque) Aimé.

DAVIS (anglais) Fils de David. Dérivés : Davison, Dawson.

DAWADI (arabe) Agile.

DAWSON (anglais) Nom de famille.

DAWUD (arabe) Aimé.

DAWY (arabe) Rayonnant.

DAX (anglais) Eau.

DAYEN (arabe) Pieux.

DAYTON (anglais) Ville illuminée.

DEACON (grec) Serviteur. Dérivés : Deke, Dekel, Dekle.

DEAGLAN (anglais) Nom de saint.

DEAN (anglais) Vallée. Extrêmement populaire dans les années 1950-1960 aux États-Unis grâce au comédien Dean Martin, il est à présent un peu oublié. Dérivés : Deane, Dene.

DEARBORN (anglais) Rivière aux cerfs. Dérivés : Dearbourn, Deerborn.

DECE (latin) Issu de la famille des Decius. Dérivés : Décime, Decius

DECIMUS (latin) Le dixième.

DECLAN (irlandais) Saint irlandais. Ce nom connaît un certain engouement de la part de parents de souche irlandaise recherchant un prénom romantique évoquant l'histoire de leur famille. Dérivé : Deaclan.

DECO (hongrois) Seigneur.

DEEMS (anglais) Enfant du juge.

DEGAN (latin) Supérieur à dix.

DEHY (arabe) Astucieux. Dérivé : Dehyat.

DEICOLE (latin) Avec Dieu.

DEKEL (arabe) Palmier.

DEKER (hébraïque) Percer.

DELANEY (irlandais) Enfant d'un adversaire. Dérivés : Delaine, Delainey, Delainy, Delane, Delany.

DELANO (irlandais) Homme noir ou homme de la nuit.

DELBERT (anglais) Jour ensoleillé. Paraissant parfois un peu désuet, ce prénom a toujours ses adeptes dans les pays anglophones.

DELF (arabe) Brave.

DELFIN (grec) Monstre.

DELL (anglais) Vallée. Dell est à la fois masculin et féminin. Il est plus fréquent outre-Atlantique chez les filles et s'écrit parfois avec un seul « l ». Dérivé : Del.

DELLINGER (scandinave) Aube.

DELMAR (espagnol) Bord de

mer. Dérivés : Delmer, Delmor, Delmore.

DELPHIN (latin) Dauphin. Dérivé : Dauphin, Delfino.

DELROY (anglais) Le roi.

DELVIN (anglais) Ami fidèle. Dérivés : Dalwin, Dalwyn, Delevan, Delwyn, Delwynn.

DELYS (arabe) Brillant.

DEMA (russe) Calme.

DÉMÉTRIE (grec) Celui qui aime la terre. Dérivés : Demeter, Demetre, Demetri, Démédrien, Démétrien, Demetrios, Dimidrien, Dimitar, Dimitrien, Demetrio, Demetris, Demetrius, Dimetre, Dimitri, Dimitry, Dmitri, Dmitrios, Dmitry.

DEMITH (arabe) Doux.

DEMOS (grec) Peuple.

DÉMOSTHÈNE (grec) Force du peuple.

DEMPSEY (irlandais) Fier.

DEMPSTER (anglais) Juge.

DENBY (danois) Village du Danemark. Dérivés : Danby, Denbey.

DENHAM (anglais) Ville dans un vallon.

DENHOLM (écossais) Village d'Écosse.

DENIEL (hébraïque) Dieu juge.

DENIG (celtique) Bon.

DENIS (grec) Compagnon de Dionysos, le dieu grec du Vin. Denis fut le premier évêque de France. La légende raconte que saint Denis, décapité par les païens, prit sa tête entre ses mains et marcha jusqu'à son lieu de sépulture, nommé aujourd'hui Saint Denis où fut élevée une cathédrale à sa mémoire. Ce prénom fut au XIIe siècle le cri de ralliement des chevaliers en guerre : « Montjoie… Saint Denis » Parmi les Denis connus, citons Denis Diderot et Denis Papin. Dérivés : Danis, Danisoun, Danys, Dénès, Denice, DenisetDenizot, Deznö, Dezso, Dinis, Diniz, Dion, Dioni, Dionigi, Dioniso, Dionissi, Dionizy, Diwis, Donisi, Dunixe, Dunixi, Dyonis, Dénez, Denies, Dendka, Dennes, Denney, Dennis, Denny, Dennys, Denys, Sydney.

DENIZ (turc) Flot de l'océan.

DENLEY (anglais) Prairie près d'une vallée. Dérivés : Denlie, Denly.

DENMAN (anglais) Celui qui habite dans une vallée.

DENNISON (anglais) Fils de Denis. Dérivés : Denison, Dennyson, Dyson.

DENOEL (celtique) Dieu juge.

DENOUAL (celte) Monde de valeur. Dérivés : Denoal

DENTON (anglais) Ville de la vallée. Dérivés : Dent, Denten, Dentin.

DENVER (anglais) Vallée verte. C'est la capitale du Colorado, ainsi qu'un prénom féminin assez répandu aux États-Unis.

DENZIL (anglais) Ville de Grande-Bretagne.

DEODAT (latin) Dieu donne. Dérivés : Daudat, Deiadati, Deodato, Dié, Dodat, Dyé

DEORSA (écossais) Fermier.

DÉOTHAIRE (germanique) Peuple armé.

DERBY (anglais) Village aux cerfs.

DEREK (germanique) Souverain du peuple. Dérivés : Dereck, Derick, Derik, Derreck, Derrek, Derrick, Derrik, Deryck, Deryk.

DERIEN (celtique) Chêne. Dérivé : Derrien.

DERMOT (irlandais) Celui qui n'est pas jaloux. Dérivés : Dermod, Dermott.

DERNAS (hébraïque) Compagnon de l'apôtre Paul.

DEROG (celtique) Royal.

DEROR (hébraïque) Indépendance. Dérivé : Derori.

DERRY (irlandais) Roux. Ville d'Irlande. Dérivé : Derrie.

DERWARD (anglais) Celui qui garde les cerfs.

DERWIN (anglais) Ami loyal. Dérivés : Darwin, Darwyn, Derwynn, Durwin.

Des études relatives à l'influence du prénom sur la vie professionnelle réalisées aux États-Unis ont montré que, sur quatre cents élèves, les professeurs ont attribué les meilleures notes à des étudiants qu'ils pensaient être de sexe masculin.

Des prénoms trompeurs

DÉSIRÉ (latin) Désiré. Dérivés : Désirat, Desider, Desideratu, Desideratus, Desiderio, Desiderius, Desre, Dézery.

DESMOND (irlandais) De la province de Munster, en Irlande. L'archevêque sud-africain Desmond Tutu a contribué à faire connaître ce prénom un peu partout dans le monde. Dérivés : Desmund, Dezmond.

DETLEF (scandinave) Fils du peuple. Dérivé : Detlof.

DEVERELL (anglais) Rive du fleuve.

DEVIN (irlandais) Poète. Dérivés : Dev, Devan, Deven, Devon, Devonn, Devyn.

DEVINE (irlandais) Bœuf.

DEVLIN (irlandais) Courageux. Dérivés : Devland, Devlen, Devlyn.

DEWEI (chinois) Très vertueux.

DEWEY (anglais) Nom de famille.

DEWI (gallois) Chéri.

DEXTER (latin) Droitier. Dérivé : Dex.

DEZYDERY (polonais) Désirer.

DHAFIR (arabe) Chanceux.

DHAHIR (arabe) Robuste.

DHARMA (indien) La loi.

DIAMOND (anglais) Diamant.

DIANN (celte) Homme.

DIARMAD (écossais) Homme libre.

DIARMAID (irlandais) Libre. Dérivés : Dermod, Dermot, Dermott.

DIARMUID (irlandais) Qui ne connaît pas la jalousie.

DIBOAN (celtique) Indolore.

DICK (germanique) Roi puissant.

DICKENS (anglais) Nom de famille. Dérivés : Dickon, Dickons.

DIDACE (grec) Celui qui enseigne.

DIDIER (latin) Qui désire. Dérivés : Dider, Dieter, Diderick

DIDRICH (germanique) Roi du peuple. Forme dérivée de Thédoric.

DIÉ (latin) Don de Dieu.

DIEDERIK (scandinave) Souverain du peuple. Dérivés :

Diderik, Didrik, Diedrich, Dierk.

DIEGO (hébraïque) Forme espagnole de Jacques.

DIÈGUE (grec) Celui qui enseigne.

DIETER (latin) Qui désire. Forme alsacienne de Didier.

DIETHARD (germanique) Audacieux.

DIETMAR (germanique) Célèbre. Dérivé : Detmar, Ditmar.

DIETRAM (germanique) Population.

DIETRICH (germanique) Forme alsacienne de Thierry.

DIEUDONNE (latin) Dieu donne. Forme dérivée de Déodat.

DIGBY (anglais) Village près d'un fossé.

DIKTUS (latin) Béni.

DILLON (irlandais) Loyal. Dérivés : Dillan, Dilon, Dilyn.

DILWYN (gallois) Vérité bénie. Dérivé : Dillwyn.

DIMA (russe) Grand guerrier.

DIMITRI (russe) Celui qui aime la terre. Dérivés : Dimitr, Dimitre, Dimitrios, Dimitry, Dmitri.

DINAN (celtique) Descente.

DINO (italien) Petite épée. Diminutif de Dean.

DINSMORE (irlandais) Fort sur la colline.

DIODORE (grec) Don de Dieu.

DIOGÈNE (grec) Divin.

DIOMÈDE (grec) Habile comme un Dieu.

DIONYSOS (latin) Dieu du Vin. Dérivés : Dionis, Dionusios, Dionysius, Dionisio,

Dionysius.

DIOSCORE (grec) Jeune homme de Zeus. Dérivé : Diosconides.

DIRK (germanique) Dague.

DISHON (hébraïque) Piétiné.

DISMAS (grec) Difficile.

DITBERT (germanique) Brillant dans le peuple.

DITER (germanique) Guerrier du peuple.

DITFRID (germanique) Protecteur du peuple.

DITWIN (germanique) Ami du peuple.

DIVERUS (grec) *Définition inconnue*. Dérivés : Divarus, Diveros, Diverous, Divorus.

DIVES (anglais) Homme riche. Dérivé : Divers.

DIVONE (hébraïque) Nom d'une ville sur la mer Morte.

DIXON (anglais) Fils de Dick.

DIYA (arabe) Briller.

DIYA ALDIN (arabe) Religion éclatante.

DIZIER (latin) Désiré.

DJABER (arabe) Consolant.

DJAMEL (arabe) Charme. Dérivé : Djamil.

DOANE (anglais) Contrée montagneuse.

DOB (anglais) Brillant.

DOBIESLAW (polonais) Luttant pour la gloire.

DOBROMIERZ (polonais) Bon et célèbre.

DOBROMIL (tchèque, polonais) Bonne grâce.

DOBROMIR (tchèque) Bonne renommée.

DOBROSLAV (tchèque) Gloire méritée.

DOBROSLAW (polonais) Gloire méritée.

DOBRY (polonais) Bon.

DOBRYNIAT (slave) Douce paix.

DOCTOR (anglais) Médecin, professeur.

DODEK (polonais) Cadeau.

DODGE (germanique) Illustre.

DOETVAL (celtique) Sage et valeureux. Dérivés : Doezval, Dozhwal, Doetzal.

DOGMAEL (celtique) Prince. Dérivés : Dogfaël, Dogmel, Dogvaël, Dogwel

DOHERTY (irlandais) Méchant.

DOLAIÐH (écossais) Souverain du monde. Dérivé : Domhnall.

DOLAN (irlandais) Cheveux noirs.

DOLF (germanique) Loup. Dérivé : Dulf.

DOMINIQUE (grec) Maître. Prénom mixte. Saint Dominique, prêtre espagnol au XIIIᵉ siècle, fondateur de l'ordre des Bénédictions, a instauré une règle de vie monastique suivie dans de très nombreux monastères dans le monde. Dérivés : Daimhlaic, Damhlaic, Demko, Dimenche, Doman, Domeka, Domenech, Domenge, Domenges, Domengo, Domenicus, Domenko, Domerc, Domergue, Domet, Domien, Domiku, DomineucDomingue, Dominich, Dominig, Dominik, Dominixe, Domné, Domnet, Domnin, Doumenge, Doumenique, Dumenicu, Duminichellu, Dom, Dome, Domek, Domenc, Domenic, Domenico, Domenikos, Domenikus, Domicio, Domingo, Domingos, Dominic,

Dominick, Domo, Domokos, Doumé.

DOMITIEN (latin) De la maison. Dérivés : Domiciano, Domitian, Domitie, Domitius, Domiziano, Domizio.

DOMNOLE (latin) Seigneur. Dérivés : Domnolène, Domnolet, Domnolin

DONAGH (irlandais) Guerrier brun. Dérivés : Donaghy, Donnchadh, Donogh, Donough.

DONAL (celtique) Bon.

DONALD (écossais) Puissant. Donald est un prénom assez répandu depuis une cinquantaine d'années. Trois Donald connus : Donald Trump, Donald Sutherland et Donald O'Connor. Dérivés : Don, Donal, Donaldo, Donalt, Donnie, Donny, Dannan, Donell, Donny

DONAN (écossais) Sommet ; (celtique) De bonne hauteur. Dérivé : Donnan.

DONAT (polonais) Donné par Dieu.

DONATO (italien) Cadeau. Dérivés : Don, Donat, Donatello, Donati, Donatien, Donatus, Donasian, Donasien, Donatian, Donatio, Dunato, Dunazzianu.

DONATOS (latin) Donné.

DONEGAL (irlandais) Nom d'un comté d'Irlande. Dérivés : Dongal, Donn, Donnel

DONEGAN (irlandais) Brun.

DONNELLY (irlandais) Homme à la peau brune. Dérivés : Don, Donnell.

DONOVAN (irlandais) Brun. Dérivés : Don, Donavan, Donavon, Donoven, Donovon.

DOOLEY (irlandais) Héros à

la peau brune.

DOR (hébraïque) Maison.

DORAN (irlandais) Étranger. Dérivés : Dorran, Dorren.

DORIAN (grec) Don de Dieu. Dérivés : Dorean, Dorien, Dorion, Dorrian, Dorryen.

DORON (grec) Don de Dieu.

DOROTEI (grec) Don de Dieu.

DOSAN (grec) Donateur.

DOSITHÉE (grec) Don à Dieu.

DOTAN (hébraïque) Loi. Dérivé : Dothan.

DOUGAL (irlandais) Étranger à la peau sombre. Dérivés : Dougald, Dougall, Dugal, Dugald, Dugall.

DOUGLAS (écossais) Eau sombre. Rivière d'Irlande. C'est aussi un nom de famille très répandu en Écosse. Dans les pays anglo-saxons, il est employé aussi bien pour les filles que pour les garçons, et ce, depuis le XVIIe siècle. Parmi les Douglas célèbres, on trouve le général MacArthur et l'acteur Douglas Fairbanks. Dérivés : Doug, Douglass.

DOV (hébraïque) Ours.

DOVEV (hébraïque) Soupir.

DOVIDAS (lithuanien) Ami.

DOW (irlandais) Brun.

DOWAN (irlandais) Noir.

DOYLE (irlandais) Étranger noir.

DRAGAN (slave) Cher amour.

DRAGOMIR (slave) Très cher.

DRAKE (anglais) Dragon.

DREES (grec) Renommé.

DRENG (norvégien) Paysan.

DRENIG (celtique) Royal.

DREW (anglais) Diminutif d'Andrew, André en français. Drew, depuis les années 1980, est aussi un prénom féminin. Dérivés : Drewe, Dru.

DRIF (arabe) Élégant.

DROCTOALD (germanique) Qui gouverne par le combat.

DROCTOVEE (latin) Huitième.

DROR (hébraïque) Liberté.

DRUMMOND (écossais) Nom de famille écossais assez courant.

DRUON (germanique) Vigoureux.

DRYDEN (ang.) Terre aride.

DRYSTAN (gallois) Forme dérivée de Tristan.

DUANE (irlandais) Brun de peau. Dérivés : Duwayne, Dwain, Dwaine, Dwane, Dwayne.

DUARTE (portugais) Celui qui veille sur la terre.

DUBH (irlandais) Cheveux noirs.

DUBHAN (irlandais) Petit brun.

DUBHGHALL (écossais) Étranger aux cheveux noirs.

DUBHGLAS (irlandais) Noir et gris. Dérivé : Dughlas.

DUDLEY (anglais) Pré où le peuple se rassemble. Dérivé : Dudly.

DUFF (celtique) Peau brune. Dérivés : Duffey, Duffy.

DUGAN (irlandais) Basané. Dérivés : Doogan, Dougan, Douggan, Duggan.

DUILIO (latin) Joute.

DUKE (anglais) Chef. Diminutif de Marmaduke.

DUKKER (bohémien) Diseur de bonne aventure.

DUMAN (turc) Fumeux.

DUMIN (tchèque) Seigneur.

DUNCAN (celtique) Ardent. Dérivés : Dun, Dune, Dunn, Deocan, Dunc, Dunnchad, Dunstin.

DUNHAM (celtique) Homme à la peau brune.

DUNLEY (celtique) Prairie sur la colline.

DUNLOP (écossais) Colline boueuse.

DUNMORE (écossais) Forteresse sur la montagne.

DUNN (écossais) Brun. Dérivé : Dunne.

DUNSTAN (celtique) Ardent.

DUNTON (anglais) Ville sur la colline.

DUNVEL (latin) Seigneur.

DUR (hébraïque) Amasser.

DURAND (latin) Continuant. Dérivé : Durant.

DURELL (écossais) Portier du roi. Dérivé : Durrell.

DURIEL (hébraïque) Dieu est ma maison.

DURKO (tchèque) Fermier.

DURRIKEN (bohémien) Devin.

DURRIL (bohémien) Groseille.

DUSAN (tchèque) Esprit. Dérivés : Dusa, Dusanek, Duysek.

DUSTIN (anglais) Courageux soldat. Lorsque Dustin Hoffman commença sa carrière dans les années 1960-1970, les futurs parents ne parurent pas enthousiasmés par son prénom, mais grâce à sa célébrité, les petits Dustin sont à présent légion aux États-Unis. Dérivés : Dust, Dustan, Duston, Dusty, Dustyn.

DWIGHT (flamand) Blond.

DWYER (irlandais) Mystérieuse sagesse.

DYER (anglais) Celui qui teint les vêtements.

DYLAN (gallois) Fils de la mer. Dérivés : Dillan, Dillon.

DYMOKE (origine inconnue) *Définition inconnue*.

DYNAWD (gallois) Don.

DYRE (norvégien) De valeur.

DYSON (anglais) Nom de famille. Également diminutif de Dennison.

DYZEK (polonais) Celui qui aime la terre.

EA (irlandais) Feu. Dérivé : Eth.

EACHANN (irlandais) Celui qui aime les chevaux.

EADBHARD (irlandais) Riche protecteur. Dérivé : Eadbard.

EALLAIR (écossais) Régisseur dans un monastère. Dérivé : Ellar.

EAMON (irlandais) Riche protecteur. Dérivé : Eamonn.

EANRAIG (écossais) Maître de la maison.

ÉAQUE (grec) Personnage de la mythologie, juge des enfers.

EARDLEY (anglais) Région d'Angleterre. Également nom de famille. Dérivé : Eardly.

EARL (anglais) Chef, noble. Dérivés : Earle, Earli, Early, Erl, Erle, Errol, Erryl.

EARNEN (germanique) Guerre.

EATON (anglais) Ville au bord d'un fleuve. Dérivés : Eatton, Eton, Eyton.

EBEN (hébraïque) Pierre. Dérivés : Eban, Even.

EBENEZER (hébraïque) Ebenezer signifie, littéralement, pierre qui aide. Dérivés : Ebbaneza, Eben, Ebeneezer,

Ebeneser, Ebenezeer.

EBERHARD (germanique) Bravoure du sanglier. Dérivés : Eberhardt, Everard, Everhardt, Everhart.

EDAN (celtique) Feu.

EDARD (germanique) Argent.

EDEK (polonais) Gardien.

EDEL (germanique) Noble.

ÉDEN (hébraïque) Délice. Dérivés : Eaden, Eadin, Edan, Edin.

EDERN (celtique) Grand.

EDGAR (germanique) Homme riche qui tient une lance. Edgar Alan Poe et le peintre Edgar Degas comptent parmi les Edgar connus. Dérivés : Edgard, Edgardo, Edger.

EDIB (arabe) Poli.

EDIM (arabe) Honneur.

EDISON (anglais) Fils d'Edward. Dérivés : Ed, Eddison, Edson.

EDMOND (germanique) Riche protecteur. Dérivé : Edme, Edmondo, Edmund.

ÉDOUARD (germanique) Gardien des richesses. Édouard est un prénom très classique qui possède une certaine distinction. Il connut son apogée dans les années 1980. Huit rois d'Angleterre portèrent ce prénom, et son diminutif Eddie, ou Eddy, a toujours de nombreux adeptes. Citons parmi les célébrités Edouard Manet, Eddie Cochran, Eddy Mitchell, Eddie Barclay, Eddie Murphy. Dérivés : Ed, Eddie, Edoardo, Eduard, Eduardo, Edward.

EDRIC (anglais) Homme puissant qui possède des

biens. Dérivé : Edrik.

EDSEL (anglais) Maison de l'homme riche.

EDWIN (anglais) Riche ami. Dérivés : Eduino, Edwyn.

EDWY (anglais) Guerre.

EDZARD (scandinave) Bord tranchant.

EFFLAM (celtique) Rayonnant.

EFRON (hébraïque) Oiseau. Dérivé : Ephron.

EGAN (gaélique) Feu. Dérivés : Egann, Egon.

EGAT (celtique) Combat.

EGBERT (germanique) Épée scintillante. Dérivé : Egbrecht, Egilbert, Eilbert.

ÉGEE (grec) Roi d'Athènes dans la mythologie. Dérivés : Aegeus, Aegis.

EGERTON (anglais) Nom de famille. Région de Grande-Bretagne.

EGID (germanique) Chevreau. Dérivé : Egidio.

EGIDIUSZ (polonais) Bouclier.

EGIL (scandinave) Bord.

EGILBERT (germanique) Épée brillante.

EGINER (irlandais) Ami blanc.

EGINHARD (germanique) Puissante épée. Dérivés : Eginhardt, Egon, Einhard, Einhardt.

EGLE (germanique) Magnificence.

EGON (germanique) Épée.

EGOR (grec) Fermier. Dérivé : Igor.

ÉGYPTOS (grec) Roi d'Égypte.

EHOUARN (celtique) Fer. Dérivé : Ehoarn.

EHOUD (hébraïque) Le sympathique.

EHRHARD (germanique) Grande dignité.

EIDEARD (écossais) Riche protecteur. Dérivé : Eudard.

EIFAH (hébraïque) Obscurité. Dérivés : Efa, Efah, Eifa, Epha, Ephah.

EIFION (gallois) Nom de famille.

EIGID (germanique) Noble.

EIGNEACHAN (irlandais) Homme fort. Dérivé : Ighneachan.

EILAM (hébraïque) Toujours. Dérivé : Elam.

EILHARD (germanique) Puissance.

EILIF (scandinave) Immortel. Dérivé : Eiliv.

EILLWYN (gallois) Front blanc. Dérivé : Eilwen.

EIMHIN (irlandais) Rapide.

EINAR (norvégien) Chef. Dérivé : Ejnar.

EINION (gallois) Enclume. Dérivé : Einwys.

EINRI (irlandais) Maître dans sa maison. Dérivés : Anrai, Hannraoi, Hanraoi.

EIRIK (scandinave) Souverain

EKER (hébraïque) Racine.

ELADIO (hébraïque) Grec.

ELAKHDAR (arabe) Verdoyant.

ELAM (anglais) Région de Grande-Bretagne.

ELAN (hébraïque) Arbre. Dérivé : Ilan.

ELAR (celtique) Noblesse.

ELARDAR (arabe) Verdeur.

ELBA (italien) Île d'Elbe.

ELBERT (anglais) Noble, étincelant.

ELBERT (germanique) Célèbre.

ELCHANAN (hébraïque) Dieu est bon. Dérivés : Elhanan, Elhannan.

ELDER (anglais) Personne plus âgée ou un arbre, le sureau.

ELDON (anglais) Colline bénie. Région d'Angleterre.

ELDRED (anglais) Conseiller vénérable.

ELDRIDGE (germanique) Chef avisé.

ELÉAZAR (hébraïque) Dieu nous aide. Dérivé : Lazare.

ELEDON (anglais) Colline du chef.

ELEN (celtique) Brun.

ELER (celtique) Noblesse.

ELEUTHERE (grec) Liberté. Dérivé : Eleutherios.

ELGO (latin) Élu.

ELHEDI (arabe) Calme.

ELI (hébraïque) Dieu est grand. Dérivés : Élie, Ely.

ELIAKIM (hébraïque) Dieu multipliera. Dérivés : Elika,

Elyakim, Elyakum.

ELIAS (arabe) Brave.

ELIAZ (hébraïque) Forme bretonne d'Élie.

ÉLIE (hébraïque) Dieu est mon Dieu. Elie est prophète d'Israël. Dérivés : Elek, Eliacin, Eliad, Elias, Eliav, Elier, Eliott, Elioun, Elihod, Elijah, Eliya, Eliyahu, Ellis, Elya.

ELIEZER (hébraïque) Dieu a secouru.

ELIHU (hébraïque) Dieu.

ELIRAN (hébraïque) Mon Dieu est chanson. Dérivé : Eliron.

ÉLISÉE (hébraïque) Dieu est le sauveur. Élisée est, dans la Bible, le successeur d'Elie.

ELISEI (hébraïque) Dieu sauve.

ELISEO (hébraïque) Dieu

sauve.

ELISHA (hébraïque) Dieu sauve. Dérivé : Elishua.

ELJASZ (polonais) Dieu est le Seigneur.

ELKANAH (hébraïque) Dieu crée. Dérivés : Elkan, Elkin.

ELLARD (germanique) Noble, brave.

ELLERY (anglais) Île aux sureaux. Nom de famille.

ELLIOT (hébraïque) Dieu est mon Dieu. Forme anglaise d'Élie, qui connaît un certain succès aujourd'hui dans les pays francophones. Dérivés : Eliot, Eliott, Elliott.

ELLISON (anglais) Fils d'Ellis. Dérivés : Elison, Ellyson, Elson.

ELLMELECH (hébraïque) Dieu est roi.

ELLSWORTH (anglais) Maison du grand homme. Dérivés : Ellswerth, Elsworth.

ELMAN (germanique) Orme.

ELMER (anglais) Noble. Dérivés : Aylmar, Aylmer, Aymer, Elmar, Elmir, Elmo.

ELMO (latin) Casque offert par Dieu.

ELMORE (anglais) Vallée plantée d'ormes.

ELOF (scandinave) Unique descendant. Dérivés : Elov, Eluf.

ÉLOI (latin) Élu. Ce prénom, célèbre grâce au bon saint Éloi, trésorier du roi Dagobert, redevient à la mode après une longue absence. Dérivé : Eloy.

ELORN (celtique) Roi.

ELOUAN (celtique) Lumière. Dérivés : Elouen, Elouarn.

ELPIDIOS (grec) Espoir.

ELRAD (hébraïque) Dieu est le roi. Dérivé : Elrod.

ELRIC (anglais) Sage souverain.

ELROY (latin) Roi.

ELSTON (anglais) Qui vient d'une ferme. Dérivé : Ellston.

ELTON (anglais) Ville d'Ella, vieille ville.

ELVET (anglais) Ruisseau aux cygnes.

ELVIN (anglais) Vieil ami.

ELVINO (grec) Blond.

ELVIO (espagnol) Juste.

ELVIS (scandinave) Intelligent. Elvis Presley a rendu ce prénom rare célèbre dans le monde entier.

ELWELL (anglais) Vieux puits.

ELWIN (anglais) Vieil ami.

ELWOOD (anglais) Vieux bois. Dérivé : Ellwood.

ELWYN (gallois) Juste.

ELYADA (hébraïque) Connu de Dieu.

ELZÉARD (latin) Prince.

EMBER (anglais) Cendres.

EMEK (hébraïque) Vallée.

EMELE (grec) Manœuvre.

EMERIC (germanique) Maître du roi. Dérivés : Emery, Emory, Henri.

EMERSON (germanique) Fils d'Emery.

EMIDIO (germanique) Fort.

ÉMILE (latin) Émule. Prénom du début du XXe siècle qui devrait réapparaître en ce début de troisième millénaire. Dérivés : Emil, Emilian, Emiliano, Emilien, Emilio, Emilius.

EMLYN (gallois) Région du Pays de Galles.

EMMANUEL (hébraïque) Dieu est avec nous. Le nom

donné au Messie. Ce prénom biblique figurant dans le livre d'Isaïe est symbole de promesse et, pour certains parents, il est porteur d'un espoir de réussite pour l'enfant à naître. Si des diminutifs comme Manu ou Manuel ont souvent été utilisés, la tendance aujourd'hui est à l'emploi du prénom dans sa forme pleine et entière. Dérivés : Emanuel, Emmanuil, Immanuel, Manny, Manuel.

EMMETT (germanique) Puissant. Ce prénom, masculin à l'origine, commence à avoir du succès chez les petites filles. Dérivés : Emmet, Emmot, Emmott.

EMRYS (grec) Immortel.

EMYR (gallois) Souverain. En France, aujourd'hui, il ne semble pas que les parents souhaitent suivre la mode des prénoms androgynes.

ENDERBY (anglais) Nom de famille.

ÉNÉE (grec) Digne louange. Dérivé : Enéas.

ENEMER (arabe) Fier.

ENEOUR (celt.) L'homme.

ENES (arabe) Familier.

ENGELBERT (germanique) Lance brillante. Dérivés : Englebert, Ingelbert, Inglebert.

ENGELHART (germanique) Javelot puissant.

ENGUERRAND (germanique) Lame et corbeau. Prénom médiéval, porté par un conseiller de Charlemagne, qui redevient à la mode, comme de nombreux prénoms du Moyen Âge. Dérivé : Engerrand.

ENNIS (gaélique) Seul choix.

ENOCH (hébraïque) Instruit. Dérivé : Enock.

ENOGAT (celtique) Combat d'honneur.

ENORED (celtique) Honoré.

ENOS (hébraïque) Homme. Dérivés : Enosa, Enosh.

ENRICO (germanique) Maison du roi. Forme espagnole de Henri. Dérivés : Enric, Enriquos, Enrique.

ENVEL (celtique) Prince blanc.

ENZIO (germanique) Maison du roi. Forme italienne de Henri.

ENZO (germanique) Maison du roi. Forme italienne de Henri.

EOCHAIDH (irlandais) Cavalier.

EOGHAN (écossais) Jeunesse. Dérivé : Eoghann.

EOIN (irlandais) Dieu est bon.

EOZEN (celtique) Richesse.

EPHRAIM (hébraïque) Fertile.

ÉPHRAIM (hébraïque) Fertile. Ce prénom, tiré de la Bible, commence à redevenir très en vogue pour les petits garçons américains. Dérivés : Efraim, Efrain, Efrayim, Efrem, Efren, Ephrain, Ephrayim.

ERAN (hébraïque) Observateur. Dérivé : Er.

ÉRASME (grec) Aimé. Dérivés : Erasmo, Erasmus, Erastus.

ERCOLE (italien) Cadeau.

ERDMANN (germanique) Homme fort.

EREL (hébraïque) Je vois

Dieu.

ERHARD (germanique) Détermination.

ERI (scandinave) Souverain. Dérivé : Erke.

ÉRIC (scandinave) Souverain du peuple. Éric est un prénom ultraclassique dont le succès a dominé dans les années 1960.

ERKER (scandinave) Roi.

ERLAND (anglais) Terre du noble.

ERLÉ (celtique) Attache.

ERLEND (scandinave) Étranger.

ERLING (anglais) Fils du noble.

ERMIL (germanique) Fort.

ERNAN (irlandais) Celui qui est sage ou qui sait. Dérivé : Earnan.

ERNEST (germanique) Grave. Dérivés : Earnest, Ernestino, Ernesto, Ernie, Erno, Ernst, Erny.

EROS (grec) Dieu de l'amour.

ERROL (écossais) Prince. Dérivés : Erroll, Erryl.

ERSKINE (écossais) Falaise verte.

ERVIN (écossais) Magnifique. Variante d'Irvin. Dérivés : Erving, Ervyn.

ERWANN (celtique) If. Forme bretonne de Yves.

ERWIN (celtique) Sanglier et ami. Dérivés : Erwinek, Erwyn, Erwynn, Irwin.

ERYX (grec) Ercs, fils d'Aphrodite et de Poséidon.

ESAIAS (grec) Dieu sauve.

ÉSAÜ (hébraïque) Chevelu. Dérivé : Esaw.

ESBJORN (scandinave) Ours divin. Dérivés : Asbjorn, Ebbe, Esben, Esbern.

ESKET (scandinave) Chaudron divin. Dérivé : Eskil.

ESMOND (anglais) Riche protecteur.

ÉSON (grec) Personnage mythologique.

ESTEBAN (grec) Couronné. Version espagnole d'Étienne.

ETAN (hébraïque) Calme. Dérivés : Eitan, Etam, Ethan.

ETHELBERT (germanique) Noble et brillant.

ÉTIENNE (grec) Couronné. Étienne fut le premier martyr de la chrétienté et ce prénom a été adopté dans toutes les nations pratiquant le catholicisme. Ses différentes traductions, notamment dans les pays anglophones, lui donnent des caractères différents. Steve, personnalisé par Steve McQueen, a un côté désinvolte tandis que Stephen, Steven et Stevie, représentés par Stephen King, Steven Spielberg et Stevie Wonder, symbolisent la création artistique. Étienne est aujourd'hui à la mode, prenant le relais de son proche parent Stéphane, mais c'est surtout sa version espagnole Esteban et sa forme anglaise Steven qui ont les faveurs des futurs parents. Dérivés : Esteban, Esteffe, Estevan, Stefan, Stefano, Stefanos, Stefans, Steffan, Steffel, Stefos, Stepa, Stepan, Stepanek, Stepek, Stephan, Stephanos, Stephanus, Stephens, Stephenson, Stepka, Stepousek, Stevan, Steve, Steven, Stevenson, Stevie.

ETTORE (italien) Loyal.

EUCLIDE (grec) Mathématicien grec à l'origine de la géométrie euclidienne.

EUDELIN (grec) Noblesse.

EUFEMIO (grec) Bon présage.

EUFEMIUSZ (polonais) Voix agréable.

EUGÈNE (grec) Bien né. Quatre papes sont les dignes représentants de ce prénom, mais dans les pays anglo-saxons c'est surtout son diminutif, Gene, qui est apprécié. Dérivés : Eugen, Eugeni, Eugenio, Eugenios, Eugenius, Gene.

EUMANN (écossais) Riche protecteur.

EUNAN (gaélique) Grande peur.

EUSÈBE (grec) Le pieux. Dérivés : Eusebios, Eusebius.

EUSTACHE (grec) Fertile. Dérivés : Eustace, Eustachius, Eustasius, Eustazio, Eustis, Stacey.

EUSTACHY (polonais) Calme, ferme.

EUSTON (irlandais) Cœur. Dérivé : Uistean.

EUZEN (celtique) Talentueux.

EVAN (hébraïque) Dieu est bon. Dérivés : Ev, Evann, Evans, Evin, Ewan.

EVANDER (écossais) Homme bon.

EVARISTE (grec) Serviable. Dérivé : Evaristo.

EVELYN (germanique) Grâce.

EVEN (celtique) De la race d'Esus (dieu gaulois).

EVERETT (germanique) Fort comme un ours. Dérivés : Everard, Everet, Everhard, Everitt.

EVERILD (anglais) Bataille de sangliers.
EVERLEY (anglais) Prairie aux sangliers.
EVERTON (anglais) Ville aux sangliers.
EVGUENI (grec) Bien né. Forme russe d'Eugène. Dérivés : Evghenie, Evloghie.
EVRARD (germanique) Sanglier fort.
EVZEN (tchèque) Bien né. Dérivés : Evza, Evzek, Evzenek.
EWALD (anglais) Puissance de la loi. Dérivé : Evald.
EWAN (écossais) Jeunesse. Dérivés : Euan, Euen, Ewen.
EWART (écossais) Berger. Dérivé : Ewert.
EWIND (scandinave) Île des Wend, un ancien peuple scandinave.
EWING (anglais) Ami de la loi.
EYULF (scandinave) Loup chanceux. Dérivé : Eyolf.
EZECHIAS (hébraïque) Force de Dieu.
ÉZÉCHIEL (hébraïque) Dieu rendra fort. Dérivé : Zeke.
EZER (hébraïque) Aide.
EZIO (italien) *Définition inconnue*. Dérivés : Esra, Ezera, Ezri.
EZRA (hébraïque) Dieu est secours. Dérivé : Esdras.
EZZIN (arabe) Beau.

FAAS (latin) Qui a une belle destinée. Forme scandinave de Boniface.

FABIEN (latin) Fève. Fabien était très apprécié dans les années 1950. Dérivés : Faba, Fabek, Faber, Fabert, Fabian, Fabiano, Fabianus, Fabio, Fabius, Fabiyan, Fabyan, Fabyen, Fabbianu, Fabie, Fabiolo, Fabion, Fabo.

FABRICE (latin) Forgeron. Dérivés : Fabri, Fabricien, Fabricio, Fabricius, Fabrizio, Faber, Faberiziu, Fabrician, Fabriciano, Fabritius, Fabrizius

FACHNAN (irlandais) *Définition inconnue*. Dérivés : Fachtna, Faughnan.

FACUNDO (latin) Bavard.

FADEL (arabe) Supérieur. Dérivé : Faudel.

FADEY (russe) Audacieux. Dérivés : Faddei, Fadeaushka, Fadeuka.

FADI (arabe) Sauver.

FADIL (arabe) Généreux.

FADL (arabe) Mérite. Dérivé : Fadhl.

FADLAN (arabe) Prospérité.

FAEL (arabe) De bon augure.

FAGAN (irlandais) Enfant vif. Dérivé : Fagin.

FAHD (arabe) Guépard.
FAHD (arabe) Panthère. Dérivés : Fahad, Fahid.
FAHED (arabe) Guépard.
FAHIL (arabe) Fort.
FAHIM (arabe) Intelligent.
FAÏQ (arabe) Esprit.
FAIRFAX (anglais) Blond.
FAIRLEIGH (anglais) Pré aux taureaux. Dérivés : Fairlay, Fairlee, Fairlie, Farleigh, Farley.
FAISCAL (arabe) Têtu. Dérivé : Faysal.
FAÏZ (arabe) Victoire.
FAKHER (arabe) Honorable.
FAKHR (arabe) Gloire. Dérivés : Fakhir, Fakhri.
FAKHR ALDIN (arabe) Religion glorieuse. Dérivés : Fakhir Aldin, Fakhrid Adin.
FAKIH (arabe) Intelligent.
FALIH (arabe) Prospère.
FALKNER (germanique) Fauconnier. Falkner, qui est aussi un nom de famille, est parfait pour les parents qui ont envie d'un prénom différent mais distingué. Dérivés : Falconer, Falconner, Faulkner, Fowler.
FANE (anglais) Heureux.
FANTIN (latin) Enfant.
FAOLAN (irlandais) Louveteau. Dérivés : Faelan, Felan, Phelan.
FAOUZ (arabe) Succès.
FARAJ (arabe) Apaisé.
FARDORAGH (irlandais) Homme à la peau brune. Dérivé : Feardorcha.
FARES (arabe) Cavalier. Dérivé : Faris.
FARÈS (arabe) Chevalier.
FAREWELL (anglais) Vœu ou magnifique printemps.
FARGEAU (latin) À jeun.
FARID (arabe) Sans rival.

FARIS (arabe) Chevalier.

FARJA (arabe) Médecine.

FARNELL (anglais) Colline couverte de fougères.

FARNHAM (anglais) Prairie couverte de fougères. Dérivés : Farnam, Farnum, Fernham.

FARNLEY (anglais) Champ de fougères. Dérivés : Farnlea, Farnleigh, Fernleigh, Fernley.

FAROLD (anglais) Voyageur.

FARON (anglais) *Définition inconnue*. Nom de famille. Dérivés : Faran, Farin, Farran, Farrin, Farron, Farrun, Farun.

FAROUK (arabe) Vérité. Dérivés : Faraq, Faroqh, Farouq.

FARQUHAR (écossais) Cher au cœur. Dérivés : Farquar, Farquarson, Farquharson, Ferchar.

FARR (anglais) Voyageur.

FARRAR (irlandais) *Définition inconnue*. Nom de famille.

FARRELL (irlandais) Homme courageux. Dérivés : Farral, Farrel, Farrill, Farryll, Ferrel, Ferrell, Ferrill, Ferryl.

FARROW (irlandais) *Définition inconnue*. Nom de famille.

FARRY (irlandais) Mâle.

FASSIH (arabe) Compréhensible.

FATAH (arabe) Victorieux. Dérivés : Fateh, Fath.

FATEN (arabe) Attachant.

FATHI (arabe) Conquérant.

FATIH (arabe) Ouvert.

FATINE (arabe) Éveillé.

FATOUN (arabe) Subtil.

FAUST (latin) Bonne chance. Dérivés : Faustin,

Faustino, Fausto, Faustus, Fauste, Faustiniano, Faustinien, Faustinu, Feust, Fostin.

FAVIAN (latin) Brave homme.

FAVRE (latin) Forgeron.

FAWZI (arabe) Triomphateur.

FAXON (germanique) Longue chevelure.

FAYAD (arabe) Généreux.

FAYCAL (arabe) Arbitre. Dérivé : Fayssal.

FAYEK (arabe) Excellent.

FAYIZ (arabe) Gagnant. Dérivé : Fayez.

FEAGH (irlandais) Corbeau.

FEARADHACH (irlandais) Hardi.

FEARGHALL (irlandais) Homme courageux. Dérivé : Fearghus.

FEARGHAS (éco.) Homme fort. Dérivés : Feargus, Fergus.

FEATHERSTONE (anglais) Région de Grande-Bretagne.

FECHIN (irlandais) Petit corbeau. Dérivés : Fehin, Feichin.

FÉDOR (grec) Don de Dieu.

FÉDOR (grec) Don de Dieu. Forme slave de Théodore. Dérivé : Féodor.

FEIDHLIM (irlandais) Bon à jamais. Dérivés : Feidhlimidh, Felim, Phelim.

FEIVEL (hébraïque) Celui qui brille. Dérivé : Feiwel.

FÉLICIEN (latin) Heureux. Dérivé : Féliciano, Felician, Felizian, Feliziano.

FELIPE (grec) Celui qui aime les chevaux. Forme espagnole de Philippe.

FÉLIX (latin) Heureux, chanceux. Dérivés : Félice,

Félicité, Félzon, Feliks, Félis, Felitch, Feliz, Fieliks, Filice, Filiz.

FELTON (anglais) Ville au milieu d'un pré. Dérivés : Felten, Feltin.

FENRIS (scandinave) Personnage de la mythologie scandinave.

FENTON (anglais) Ville près du marais.

FENWICK (anglais) Ferme près du marais.

FEODOR (grec) Don de Dieu. Dérivés : Feodorit, Fjodor.

FEOFAN (grec) Apparition de Dieu.

FEORAS (irlandais) Roc.

FERDI (germanique) Courageux.

FERDIA (irlandais) Homme de Dieu.

FERDINAND (germanique) Protecteur hardi. Dérivé : Ferdinando, Ferdenando, Ferdinandu, Ferdl, Ferdynand, Ferran, Ferrando.

FERENC (germanique) Délivré.

FERGAL (irlandais) Brave. Dérivés : Farrel, Fearghal.

FERGUS (écossais) Meilleur choix. Dérivé : Fearghas.

FERGUSON (écossais) Fils de Fergus.

FERHAT (arabe) Bonheur.

FERJEUX (latin) À jeun. Dérivés : Fergeux, Ferguel, Ferjeul, Ferjus.

FERKA (arabe) Preuve.

FERNAND (germanique) Protecteur. Dérivés : Fernando, Ferrand, Ferrante, Fertel.

FERNLEY (anglais) Prairie avec des fougères. Dérivé : Fernleigh.

FEROZ (perse) Chanceux.
FERRÉOL (latin) Vigne.
FERRY (germanique) Fort.
FETTAH (arabe) Généreux.
FIACRE (gaélique) Dette. Saint Fiacre est le patron des jardiniers. Dérivé : Fiachra, Fiakr, Fieg.
FIDEL (latin) Fidèle. La première personne à qui on pense en entendant ce prénom est le président de Cuba, Fidel Castro, qui symbolise parfaitement cette qualité. Dérivés : Fidal, Fidèle, Fidelio, Fidelis, Fidello, Fidele, Fidelin, Fidelo.
FIELDING (anglais) Dans le pré. Dérivé : Field.
FIFE (écossais) Comté d'Écosse. Dérivé : Fyffe.
FIKRI (arabe) Personne élégante.
FILBERT (anglais) Intelligent, noisette.
FILIBERTO (germanique) Célèbre.
FILLAN (écossais) Loup.
FILMORE (anglais) Célèbre. Dérivés : Fillmore, Filmer, Fylmer.
FINAN (irlandais) Enfant blond. Dérivé : Fionan.
FINBAR (irlandais) Blond. Dérivé : Fionnbharr.
FINEEN (irlandais) De juste naissance. Dérivés : Finghin, Finin, Finneen, Finnin.
FINGAL (écossais) Étranger blond. Dérivé : Fingal.
FINGAR (gallois) Ami blond.
FINIAN (irlandais) Loyal. Dérivés : Finnia, Fionan, Fionn.
FINLAY (irlandais) Héros loyal. Dérivés : Findlay, Findley, Finleigh, Finley.

FINN (irlandais) Blanc.

FINNEGAN (irlandais) Loyal. Comme Finian, Finnegan semble promis à un bel avenir en raison de son caractère irlandais bien marqué et du fait qu'il convient aussi bien aux filles qu'aux garçons. Dérivé : Finegan.

FINTAN (irlandais) Blanc.

FIONNLAGH (écossais) Soldat blond. Dérivé : Fionnla.

FIORELLO (italien) Petite fleur.

FIRMIN (latin) Ferme. Dérivés : Firminian, Firminien, Firmino, Firmus, Firmian, Firmilien, Firminan.

FIRTH (anglais) Forêt.

FISK (anglais) Poisson. Dérivé : Fiske.

FISKE (scandinave) Poisson. Dérivé : Fisk.

FITCH (anglais) Putois.

FITZ (anglais) Fils.

FITZGERALD (anglais) Fils de celui qui a une lance.

FITZHUGH (germanique) Fils de l'homme intelligent.

FITZPATRICK (irlandais) Fils de l'homme d'État.

FITZROY (anglais) Fils de roi.

FITZWILLIAM (irlandais) Fils du soldat.

FLAMINIO (esp.) Prêtre.

FLAMMEN (celt.) Flamme. Dérivés : Flammel, Flamellig, Flammenig, Flammig.

FLANNERY (irlandais) Roux. Ce prénom mixte est plutôt considéré comme un prénom féminin. Dérivés : Flaine, Flann, Flannan.

FLAVIEN (latin) Blond. Dérivés : Flavian, Flavio, Flavius.

FLAWIUSZ (polonais) Blond.

FLEMING (anglais) Homme

de la vallée. Dérivé : Flemming.

FLETCHER (anglais) Celui qui fabrique des arcs. Dérivé : Fletch.

FLINT (anglais) Torrent. Flint rime avec Clint, un autre prénom très viril, plus rude encore que le premier.

FLOBERT (germanique) Gloire illustre. Dérivé: Flodobert.

FLODOARD (germanique) Gloire difficile.

FLORENT (latin) Fleuri. Dérivés : Florentin, Florentino, Florestan, Fiorenzo, Fiurenzi, Fiurino, Flooris, Florenci, Florencio, Florens, Florente, Florentin, Florenzo, Florès, Florin.

FLORIAN (latin) En fleur. Dérivés : Florien, Florino, Floryan.

FLORIBERT (germanique) Fleur brillante.

FLORIMOND (latin) Florissant. Dérivé : Floremond, Florimont.

FLORIS (latin) Florissant.

FLOSCEL (latin) Flaucon.

FLOUR (latin) Fleur. Dérivés : Floréal, Florial.

FLOYD (gallois) Cheveux gris.

FLURRY (irlandais) En fleur.

FLYNN (irlandais) Fils de l'homme roux. Dérivés : Flin, Flinn, Flyn.

FOLANT (gallois) Fort.

FOLKE (scandinave) Peuple. Dérivé : Folki.

FOLKER (scand.) Homme du people.

FONS (germanque) Noble.

FORANNAN (celte) Fort.

FORBES (écossais) Champ.

FORD (anglais) Gué.

FORESTER (germanique) Forestier.

FORGALL (irlandais) Témoignage.

FORTUNAT (latin) Fortuné. Dérivés : Fortunato, Fortuné.

FOSCO (latin) Sombre.

FOSTER (anglais) Garde champêtre.

FOUAD (arabe) Courageux.

FOUCAULT (germanique) Peuple.

FOUCHER (germanique) Armée du peuple.

FOUDAIL (arabe) Vertueux.

FOUDIL (arabe) Vertueux.

FOULQUES (germanique) Peuple. Dérivés : Folco, Fulco, Folch, Foucaud, Fouques, Fouquet Volker, Volter.

FRAGAN (celtique) Nom de druide.

FRANCIS (latin) Franc, homme libre. En vogue dans les années 1940, Francis a presque disparu de l'état civil aujourd'hui, malgré le succès de Francis Huster. Dérivés : Francesco, Francisco, Francisek, Francisque.

FRANCK (latin) Franc, homme libre. Frank Sinatra, Franco Zeffirelli, Frank Capra font partie des Franck célèbres. Dérivés : Franco, Frankie, Franklin, Franz., Frantz..

FRANÇOIS (latin) Franc, homme libre. Ce prénom, éternel classique, sobre et discret, ne se démode jamais ; il ne connaît pas non plus d'engouement collectif de la part des futurs parents. François Mitterrand est-il responsable du petit regain de popularité des années 1990 ? On ne peut l'affirmer. Dérivés : Francelin, Franek, Fransez, Fanchou, Fant, Francès, Francez, Franciscus, Francoun, Frang, Frangan, Frantxoa, Frans.

FRANCON (germanique) Intrépide.

FRANI (latin) Franc.

FRATISEK (tchèque) Homme français. Dérivés : Fanousek, Frana, Franek, Franta, Frantik.

FRAYNE (anglais) Étranger. Dérivés : Fraine, Frayn, Freyne.

FRAZER (écossais) Fraise.

FRÉDÉGAND (germanique) Paix et combat. Dérivé : Frédégond.

FRÉDÉGAR (germanique) Lance Protectrice. Dérivé : Frédégaire.

FRÉDÉRIC (germanique) Souverain pacifique. Fred Astaire, Frédéric Chopin et Frederico Garcia Lorca sont de dignes représentants de ce prénom. Dérivés : Fred, Freddie, Freddy, Fredek, Frederich, Frederico, Frederik, Fredric, Fredrick, Friedrich, Fritz, Federico, Frederick, Frederigo, Frederiko, Fredian.

FREDERK (germanique) Puissant.

FREDIEN (latin) Froid Dérivé : Frediano.

FRÉDULPHE (germanique) Paix et loup.

FREEBORN (anglais) Né libre.

FREEDOM (anglais) Liberté.

FREEMAN (anglais) Homme libre. Dérivé : Freemon.

FRÉMIN (latin) Certain.

FREMOT (germanique) Protecteur de la liberté.

FREWIN (anglais) Ami libre. Dérivé : Frewen.

FREY (scandinave) Souverain suprême.

FRÉZAL (germanique) Qui gouverne prudemment.

FRICK (anglais) Brave.

FRIDESTAN (germanique) Qui est en paix.

FRIDOLF (anglais) Loup paisible.

FRIDOLIN (germanique) Douce paix.

FRIEND (anglais) Ami.

FRITJOF (scandinave) Voleur pacifique. Dérivés : Fridtjof, Fridtjov, Fritjov.

FRITZ (germanique) Seigneur pacifique. Fritz est à l'origine un diminutif de Frédéric mais on constate, depuis la fin du XIXᵉ siècle, qu'il devient peu à peu un prénom à part entière. Dérivés : Fritzchen, Fritzroy.

FRODE (scandinave) Sage.

FRODI (scandinave) Ancien roi danois.

FRODULF (germanique) Loup prudent. Dérivé : Frodulphe.

FROILAN (germanique) Habitant.

FRONIME (grec) Pensée. Dérivé: Fronyme.

FUAD (arabe) Cœur. Dérivé : Fouad.

FULBERT (germanique) Brillant.

FULCRAN (germanique) Peuple et corbeau.

FULGENCE (latin) Etincelant.

FULK (germanique) Peuple.

GABAEL (araméen) Dieu est élevé.

GABIN (hébraïque) Force de Dieu. Dérivés : Gabien, Gabinien, Gabino, Gavino.

GABOR (hébraïque) Force de Dieu.

GABRIEL (hébraïque) Homme de Dieu. Gabriel est un magnifique prénom, fort et chantant à la fois, très en vogue aujourd'hui, dans sa version masculine comme dans sa version féminine. Au nombre des Gabriel connus, on pense à Gabriel Garcia Marquez ou Gabriel Fauré. Dérivés : Gab, Gabby, Gabirel, Gabrel, Gabriellu, Gabrielo, Gabrieloun, Gavri, Gavriil, Gibril, Gabe, Gabi, Gabko, Gabo, Gabor, Gabriele, Gabrielli, Gabriello, Gabris, Gabys, Gavi, Gavriel, Jibril.

GAD (hébraïque) Bonheur. Il est le septième des fils de Jacob.

GADDIEL (hébraïque) Richesse venant de Dieu. Dérivé : Gadiel.

GADI (arabe) Ma richesse.

GAËL (celtique) Blanc. Dérivé : Gaile.

GAÉTAN (latin) Du nom de Gaète, ville d'Italie. Dérivés :

Gaïan, Gaïen, Gaietan

GAIR (irlandais) Celui qui est petit. Dérivés : Gaer, Geir.

GAIUS (gallois) Réjouissance.

GALBRAITH (irlandais) Dérivés : Galbrait, Galbreath.

GALE (irlandais) Étranger. Dérivés : Gael, Gail.

GALEN (grec) Guérisseur. Dérivé : Galeno.

GALERAN (germanique) Corbeau étranger. Dérivés : Galmier, Walram.

GALL (irlandais) Étranger. Dérivés : Galloway, Gallway, Galway.

GALLAGHER (irlandais) Partenaire étranger.

GALT (norvégien) Celui qui vient de Galt, une région de Norvège. Dérivés : Galtero, Gaultier, Gautier.

GALTON (anglais) Propriétaire terrien. Dérivé : Gallton.

GALVIN (irlandais) Moineau. Dérivés : Gallven, Gallvin, Galvan, Galven.

GAMAL (arabe) Chameau.

GAMBLE (norvégien) Vieux.

GAMIEL (hébraïque) Dieu est ma récompense. Dérivé : Gamaliel.

GANDOLF (germanique) Loup.

GANDY (anglais) Ouvrier du chemin de fer posant les voies.

GANNON (irlandais) À la peau claire.

GARBHAN (irlandais) Petit dur. Dérivé : Garvan.

GARDNER (anglais) Jardinier.

GAREK (polonais) Homme riche à la lance. Variante

d'Edgar. Dérivés : Garreck, Garrik.

GAREMBERT (germanique) Brillante protection.

GARETH (gallois) Gentil. Dérivés : Garith, Garreth, Garyth.

GARFIELD (anglais) Terre hérissée de lances.

GARIBALD (germanique) Lance qui gouverne. Dérivé : Garivald.

GARLIN (celte) Aimable.

GARNER (anglais) Moissonner. Dérivé : Gar.

GARNET (anglais) Abri, grenat. Dérivé : Garnett.

GARNIER (germanique) Qui protège l'armée. Dérivés : Varnier, Vernier, Verney, Verny, Werner, Wernert, Wernher.

GARNOCK (gallois) Rivière bordée d'aulnes.

GARRETT (irlandais) Brave armé d'une lance. Dérivés : Garett, Garrit.

GARRICK (anglais) Celui qui gouverne armé d'une lance. Dérivés : Garreck, Garryck, Garyk.

GARRIDAN (bohémien) Celui qui se cache.

GARRISON (anglais) Forteresse.

GARROWAY (anglais) Celui qui combat armé d'une lance. Dérivé : Garraway.

GARSON (anglais) Fils de Gar.

GARTH (celtique) Courageux. Garth est un prénom qui fut très populaire au XIXe siècle dans les pays anglo-saxons et souvent donné à des héros de romans.

GARTON (anglais) Ville en forme de triangle.

GARVEY (anglais) Paix. Dérivés : Garvie, Garvy.

GARVIN (anglais) Ami ayant une lance. Dérivés : Garvie, Garvy.

GARWOOD (anglais) Forêt de pins.

GARY (anglais) Lance. Gary Cooper est très certainement l'homme qui a contribué à rendre ce nom populaire, dans les années 1940-1950, même si, en réalité, il se prénommait Frank. Il est beaucoup moins apprécié aujourd'hui. Dérivés : Garey, Garrey, Garry, Gart.

GASPARD (sanscrit) Celui qui vient voir. Compagnon de Balthazar, Gaspard est l'un des Rois mages. Ce prénom revient doucement à la mode. Dérivés : Caspar, Casper, Gaspare, Gasparin, Gasparo.

GASTON (germanique) Hôte. Prénom en vogue au XIXe siècle qui retrouve un discret succès. Dérivés : Gastao, Gastone, Vaast, Vast.

GATIEN (latin) Grâce. Dérivés : Gacien, Gatian, Gazian, Gazian

GAUDEBERT (grmanique) Dieu brillant. Dérivé : Gaubert, Galbert, Galibert.

GAUDEMER (germanique) Célèbre commandement. Dérivés : Gaudemar, Gaudmer

GAUDENS (latin) Celui qui se réjouit. Dérivés : Dérivé : Gaudence, Gaudencio, Gaudentius, Gaudenzio.

GAUDERIC (germanique) Puissant gouverneur. Dérivé : Gaudry.

GAUDRAIN (germanique) Mystère du combat.

GAUTHIER (germanique) Qui gouverne une armée. Ce prénom sobre du Moyen Âge a eu les faveurs des parents dans les années 1980. Dérivés : Galdric, Galthier, Galtier, Gaulthier, Gualterio, Gaultier, Walder, Walter.

GAUVAIN (gallois) Faucon blanc. Dérivés : Gauvin, Galwin, Gawin, Gavan, Gaven, Gavin, Gavyn, Gawain, Gawaine, Gawayn, Gawayene, Gawen.

GAUZLIN (germanique) Doux dieu Gauz. Dérivés : Gaucelin, Gausselin, Gauzelin, Gozlin

GAVRIL (hébraïque) Force de Dieu.

GAWATN (gallois) Faucon de combat.

GAYNOR (irlandais) Fils de l'homme pâle.

GEARY (anglais) Changeant. Dérivé : Gearey.

GEDALIAH (hébraïque) Dieu est grand. Dérivés : Gedalia, Gedaliahu, Gedalya, Gedalyahu.

GÉDÉON (hébraïque) Celui qui abat les arbres. Dérivés : Gideon, Gideone, Gidon, Gidoni, Guidon.

GEFANIAH (hébraïque) Verger de Dieu. Dérivés : Gefania, Gefanya, Gephania, Gephaniah.

GELASIO (grec) Enjoué. Dérivé : Gélase..

GÉMEAUX (latin) Jumeaux.

GENE (anglais) Bien né. Diminutif d'Eugène. Gene est un prénom familier, sans doute grâce à Gene Kelly et Gene Vincent. Dérivés :

Genek, Genio, Genka, Genya.

GENOS (phénicien) Adorateur du soleil.

GENSERIC (scandinave) Roi puissant.

GENT (anglais) Gentleman. Dérivé : Gentle.

GENTY (anglais) Neige.

GEO (grec) Paysan.

GEOFFREY (germanique) Paix de Dieu. Dérivé de Geoffroy. Dérivé : Jeffrey.

GEOFFROY (germanique) Paix de Dieu. Prénom classique, discret, mais toujours présent à l'état civil.

GEORGES (grec) Celui qui travaille la terre. Ce prénom classique des années 1900 est devenu complètement désuet aujourd'hui. Sa forme Joris est parfois remarquée. Parmi les Georges célèbres, citons George Washington, Georges Patton, Giorgio Armani, Georges Bush et Georges Clemenceau, On peut aussi mentionner George Sand qui, bien qu'étant une femme, l'avait adopté comme nom de plume. Dérivés : Georg, George, Georgi, Georgios, Georgy, Giorgio, Giorgos, Georgio, Georgius, Gevork, Giorgis, Gordan, Goron, Gorka, Guévorg.

GERAINT (gallois) Vieux.

GÉRALD (germanique) Chef armé d'une lance. C'est un prénom peu courant, voisin de Gérard, qui possède une certaine distinction. Aux États-Unis, on le connaît surtout grâce au président Ford. Dérivés : Gerald, Geralde, Geraldo, Géraud, Gerrald, Gérold, Girod, Gerrold, Gerry, Guiraud, Jerald, Jeralde, Jeraud, Jerrald, Jerrold, Jerry.

GÉRARD (germanique) Brave à la lance. Prénom en vogue dans les années 1950, il est devenu très rare. Dérivés : Garrard, Gerhard, Gerrard, Gerrit, Gerry, Garald, Garalt, Garret, Gérardin, Gerardo, Gerhardt, Gerhart, Girald, Girardo, Girart, Giraut, Guérard, Guirard.

GÉRAUD (germanique) Brave à la lance. Dérivé de Gérard. Géraud est préféré à Gérard depuis les années 1970.

GERBAUD (germanique) Lance audacieuse. Dérivés: Gerbault, Gerbold

GERBERT (germanique) Épée brillante.

GERD (germanique) Courageux.

GEREBERN (germanique) Lance.

GÉRÉMIA (hébraïque) Disciple de Dieu.

GÉRIC (germanique) Lance illustre.

GERLACH (scandinave) Javelot.

GERLAND (germanique) Terre et lance.

GERMAIN (germanique) De même sang. Dérivés : German, Germano, Germanus, Germaine, Germann, Germen, Guerman.

GERMUND (scandinave) Sous la protection de la lance. Dérivé : Germon.

GERONIMO (grec) Non sacré.

GERRITT (germanique) Sacré.

GERSHOM (hébraïque) Exil. Dérivés : Gersham, Gershon, Gerson.

GERT (germanique) Courageux.

GERVAIS (germanique) Honneur. Dérivé : Gervase.

GERVALD (germanique) Vieille lance.

GERWYN (gallois) Amour loyal. Dérivé : Gerwen.

GESHEM (hébraïque) Pluie.

GETHIN (gallois) Obscur. Dérivés : Geth, Gethen.

GEVARIAH (hébraïque) Puissance de Dieu. Dérivés : Gevaria, Gevarya, Gevaryah, Gevarhyahu.

GHAIDAK (arabe) Délicat.

GHAISSAN (arabe) Ardeur. Dérivés : Ghassam, Raïssan.

GHALEB (arabe) Supérieur. Dérivé : Ghalib.

GHALIF (arabe) Défaite.

GHASSAN (arabe) Vigueur.

GHAYTH (arabe) Pluie. Dérivé : Ghaith.

GHAZI (arabe) Conquérant.

GHILES (arabe) Aube.

GHISLAIN (germanique) Otage doux. Dérivés : Guillain, Guislain, Guylain, Ghilain, Ghyslain, Gislain, Guilain.

GHODANI (arabe) Délicat.

GHORAN (arabe) Noblesse.

GHOZEL (arabe) Doux.

GIACINTO (grec) Jacynthe.

GIACOMO (hébraïque) Dieu a soutenu. Forme italienne de Jacques. Dérivé : Giacopo.

GIANNI (hébraïque) Dieu est bon. Forme italienne de Jean.

GIANNIS (hébraïque) Dieu est bon. Forme grecque de Jean. Dérivé : Giannes, Giannos.

GIBIDH (écossais) Serment

renommé.

GIBOR (hébraïque) Héros.

GIBSON (anglais) Fils de Gilbert. Dérivés : Gibb, Gibbons, Gibbs.

GIEN (celtique) Joyeux.

GIFFORD (anglais) Brave pourvoyeur, visage joufflu. Dérivés : Gifferd, Giffyrd.

GIG (anglais) Charrette.

GIL (hébraïque) Joie.

GILAD (arabe) Bosse du chameau. Dérivés : Giladi, Gilead.

GILAM (hébraïque) Joie du peuple.

GILARD (germanique) Exubérant.

GILBERT (germanique) Promesse brillante. Dérivés : Gib, Gil, Gilberto, Geltas, Gibert, Gilbrecht, Gillebert, Gisbert, Giselbert, Gislebert, Gueltas, Guiltas.

GILBY (norvégien) Maison de l'otage. Dérivés : Gilbey, Gillbey, Gillby.

GILCRHIST (irlandais) Serviteur du Christ. Dérivés : Giolla Chriost.

GILDAS (celtique) Chevelure. Dérivés : Gweltaz, Jildaz.

GILDEA (irlandais) Serviteur de Dieu. Dérivé : Giolla Dhe.

GILDWEN (germanique) Ami, otage. Dérivé : Gilduin.

GILLANDERS (écossais) Serviteur de saint Andrew. Dérivés : Gille Ainndreis, Gille Anndrai.

GILLEAN (écossais) Serviteur de saint John. Dérivés : Gillan, Gillent, Gillian.

GILLEONAN (écossais) Serviteur de saint Adomnan. Dérivé : Gile Adhamhnain.

GILLES (grec) Bouclier. Dérivés : Gil, Giles, Gyles.

GILLESPIE (irlandais) Serviteur de l'évêque. Dérivés : Gilleasbuig, Gillis, Giolla Easpaig.

GILLIE (bohémien) Chanson.

GILMER (anglais) Otage glorieux.

GILMORE (irlandais) Serviteur de la Vierge Marie. Dérivés : Gillmore, Gillmour, Gimour, Giolle Maire.

GILON (hébraïque) Joie.

GILROY (irlandais) Celui qui sert l'homme roux. Dérivés : Gilderoy, Gildray, Gldrey, Gildroy, Gillroy.

GILSON (anglais) *Définition inconnue*. Nom de famille.

GILUS (scandinave) Bouclier.

GINÈS (grec) Protè la famille.

GINGER (irlandais) Roux.

GINO (italien) Éternel.

GINTON (hébraïque) Jardin.

GIONA (italien) Colombe.

GIORGIO (grec) Paysan.

GIOVANNI (hébraïque) Dieu est bon. Version italienne de Jean. Dérivés : Giovan, Giovano.

GIPSY (anglais) Bohémien. Dérivé : Gypsy.

GIRARD (germanique) Brave.

GIREC (celtique) Ambre. Dérivés : Gireg, Guévrog, Guirec, Guireg, Kireg.

GIRIOEL (gallois) Noble.

GIRVIN (irlandais) Enfant rebelle. Dérivés : Girvan, Girven, Girvon.

GIULIO (latin) Issu de la famille Julius. Forme italienne de Jules.

GIUSEPPE (hébraïque) Dieu multipliera. Version italienne de Joseph.

GIVON (hébraïque) Colline.

GLADSTONE (écossais) Nom de famille.

GLADUS (gallois) Boiteux.

GLADWIN (anglais) Ami heureux. Dérivés : Gladwinn, Gladwyn, Gladwynne.

GLAISNE (irlandais) *Définition inconnue.* Dérivé : Glasny.

GLASGOW (écossais) Principale ville d'Écosse.

GLEB (slave) Peuple.

GLEN (irlandais) Vallée étroite. Ce prénom masculin sans agressivité a beaucoup plu autrefois dans les pays anglo-saxons, mais sa cote est en baisse. Glen Ford et Glenn Miller l'ont illustré. Dérivé : Glenn, Glénan.

GLENDON (écossais) Ville dans une vallée. Dérivés :

Glenden, Glendin, Glenton, Glentworth, Glendan.

GLENDOWER (gallois) Nom de famille.

GLENVILLE (anglais) Ville dans la vallée. Dérivé : Glenvil.

GLEREN (celtique) Gracieux.

GLYN (irlandais) Petit vallon.

GLYNDWR (gallois) Vallée bien arrosée. Dérivés : Glyn, Glynn, Glynne.

GOAL (celtique) Guerrier.

GOBAIN (celtique) Forgeron.

GODDARD (germanique) Dieu cruel. Dérivés : Godard, Godart, Goddart, Godhardt, Godhart, Gothart, Gotthard, Gotthardt, Gotthart.

GODEFROY (germanique)

Paix de Dieu. Variante de Geoffroy. Dérivés : Godofredo, Gofraith, Gotfrid, Gotfried, Gottfrid, Gottfried, Godefroi, Godfred, Godfrey, Godfrid, Godfried, Godfroi, Gonfroi, Gottifredo.

GODMUND (germanique) Sous la protection de Dieu.

GODON (germanique) Dieu.

GODRAIDH (irlandais) Dieu de paix. Dérivés : Gothfraidh, Gothraidh.

GODWIN (anglais) Ami fidèle. Dérivés : Godwinn, Godwyn, Godwynn.

GOEL (hébraïque) Le sauveur.

GOLDING (anglais) Petit doré.

GOLDWIN (anglais) Ami doré. Dérivés : Goldewin, Godewyn, Goldwinn, Goldwyn, Goldwynn.

GOLIATH (hébraïque) Géant. Dérivés : Goliato, Golio.

GOLVEN (celtique) Heureux.

GOMER (hébraïque) Celui qui termine. Gomer est le petit-fils de Noé.

GOMIDAS (grec) Aux cheveux longs.

GOMRI (arabe) Pigeon.

GONDOLPHE (germanique) Combat de loup.

GONERI (celtique) Sacré.

GONTRAN (germanique) Guerre et corbeau.

GONZAGUE (français) Prénom qui vient du nom de famille de Louis de Gonzague.

GONZALES (espagnol) Loup. Dérivé : Gonzalo.

GORAN (grec) Celui qui veille.

GORDON (écossais) Colline

arrondie. Ce prénom a un cousin, Jordan, qui est très apprécié des futurs parents depuis plusieurs années. Dérivés : Gorda, Gorden, Gordie, Gordy.

GORE (anglais) Lance.

GORISLAV (slave) Gloire ardente.

GORMAN (irlandais) Enfant aux yeux bleus.

GOSCELIN (germanique) Du dieu Gauz.

GOTHARD (germanique) Dieu fort.

GOTTFRIED (germanique) Paix de Dieu. Dérivé : Götz.

GOTTLIEB (germanique) Aime Dieu.

GOUENOU (celtique) Cri de guerre. Dérivés : Gouesnou, Goueznou, Gwenou.

GOULVEN (celtique) Lumière. Dérivés : Goulc'hen, Goulwen.

GOUSTAN (celtique) Homme ardent.

GOUZIERN (celtique) Seigneur.

GOVRAN (celtique) Élévation. Dérivés : Gobrian, Gobrien.

GOWER (gallois) Pur.

GOZAL (hébraïque) Oiseau.

GRADY (irlandais) Réputé. Dérivés : Gradey, Graidey, Graidy.

GRAHAM (anglais) Maison grise. C'est le romancier Graham Greene qui a fait connaître ce prénom.

GRALON (celtique) Degré. Dérivé : Gradlon.

GRANT (écossais) Grand.

GRANTLAND (ang.) Grands prés.

GRANTLY (anglais) Prairie grise. Dérivés : Grantlea,

Grantleigh, Grantley.

GRATIEN (latin) Grâce.

GRAY (anglais) Gris. Nom de famille. Dérivés : Graydon, Grey.

GRAYSON (anglais) Fils de l'homme aux cheveux gris. Dérivé : Greyson.

GRAZIANO (latin) Préféré.

GREACHAN (celtique) Ferme des graviers.

GREELEY (anglais) Prairie grise. Dérivés : Greelea, Greeleigh, Greely.

GREENWOOD (anglais) Bois vert. Nom de famille. Dérivés : Green, Greener, Greenshaw.

GRÉGOIRE (grec) Celui qui veille. Ce prénom est en vogue depuis les années 1990. Il a été le nom de seize papes, dont Grégoire le Grand. Au nombre des autres Grégory et Grégoire célèbres, citons Grigor Raspoutine ou Greg LeMond, le cycliste. Dérivés : Greg, Gregg, Grégoire, Gregor, Grégori, Gregorio, Gregorios, Gregory, Gregos, Greig, Gries, Grigor, Grischa, Gergori, Gergorio, Goris, Gregorian, Grichka, Grigor, Griogal.

GRÉGORY (grec) Celui qui veille. Forme anglaise de Grégoire, qui a eu un franc succès entre 1970 et 1980. C'est maintenant sa forme française qui est préférée. Outre-Atlantique, ce prénom est devenu célèbre grâce à Gregory Peck.

GRESHAM (anglais) Nom de famille. Dérivé : Grisham.

GREVILLE (anglais) Nom de famille.

GRIFFIN (latin) Celui qui a un nez crochu. Dérivés : Griff, Griffon, Gryphon.

GRIFFITH (gallois) Chef imposant. Dérivés : Griff, Griffyth, Gryffyth.

GRIMAUD (germanique) Gouvernant. Dérivé: Grimoald.

GRIMM (scandinave) Masqué.

GRIMSHAW (anglais) Forêt noire.

GRINGOIRE (germanique) Gouvernant.

GRISCHA (grec) Attentif.

GRISWOLD (anglais) Forêt grise.

GROVER (anglais) Bosquet.

GUDRUN (germanique) Guerre.

GUDULE (germanique) Bataille.

GUÉNAULT (celtique) Blanc et généreux. Forme française de Gwenaël.

GUÉNOLÉ (celtique) Blanc et valeureux. Dérivé: Gwennole.

GUÉRIC (germanique) Qui protège le roi.

GUÉRIN (germanique) Qui protège.

GUIBERT (germanique) Illustre combat.

GUIDO (germanique) Forêt.

GUILFORD (anglais) Gué aux fleurs jaunes. Dérivés : Gilford, Guilford.

GUILLAIN (germanique) Gentil.

GUILLAUME (germanique) Volonté et protection. Ce prénom est un grand classique depuis les années 1970. Dérivés : Bill, Billie, Billy, Elmo, Guilermo, Guilhem, Guillemin, Guillerme,

Guillermo, Guilmot, Guilhelm, Guilherme, Guillem, Wilhelm, William, Willis, Willy, Wilson.

GUINEBAUD (germanique) Combat audacieux.

GUIVEONE (hébraïque) Petite colline.

GUIXI (basque) Petit.

GULZAR (arabe) En fleur.

GUNNAR (scandinave) Bataille. Dérivés : Gun, Gunder.

GUNTHER (scandinave) Guerrier. Dérivés : Guenther, Gunn, Gunnar, Guntar, Gunter, Guntero, Gunthar.

GUR (hébraïque) Lionceau.

GURTIERN (celtique) Seigneur.

GURVAL (celtique) Très valeureux. Dérivé : Gudwal.

GURVAN (celtique) Désir. Dérivé : Gourvan.

GURYON (hébraïque) Lion. Dérivés : Garon, Gorion, Gurion.

GUS (anglais) Majestueux. Gus, à l'origine diminutif d'Auguste, est devenu un vrai prénom au siècle dernier dans les pays anglosaxons.

GUSTAVE (latin) Vénérable. Ce prénom de la fin du XIXe siècle est en passe de revenir à la mode. Dérivés : Gus, Gustaf, Gustaff, Gustav, Gustave, Gustavo, Gustavs, Gusti, Gustik, Gustus, Gusty.

GUTHLAC (celtique) Bois vaillant. Dérivé : Guthval.

GUTHRE (irlandais) Contrée venteuse. Dérivés : Guthrie, Guthry.

GUTIERRE (espagnol) Souverain.

GUY (germanique) Bois. Prénom fort, passé de mode depuis les années 1930.

GWALCHAIM (gallois) Bataille avec un faucon.

GWALOÉ (celtique) Blanc.

GWATCYN (gallois) Nom de famille. Dérivé : Gwatkin.

GWELTAZ (celtique) Chevelure. Dérivé : Yeltaz.

GWELTAZ (celtique) Cheveux.

GWÉNAËL (celtique) Blanc et généreux. Dérivés : Guénaël, Gwenaell, Gwenal, Gwenel, Gwènhael, Gwennael.

GWENDAL (celtique) Front blanc.

GWENEGAN (celtique) Bravoure sacrée.

GWENN (celtique) Blanc.

GWENNEG (celtique) Blanc. Dérivés : Gwennog, Winoc.

GWENNIN (celtique) Blanc.

GWENNO (celtique) Cri de guerre.

GWÉNOLÉ (celtique) Béni et heureux.

GWENVAEL (celtique) Prince blanc.

GWEZHENNEC (celtique) Combat.

GWILHERM (germanique) Volonté et protection. Forme celtique de Guillaume.

GWION (germanique) Bois. Forme celtique de Guy.

GWIZIO (celtique) Connaissances.

GWYNALLT (gallois) Belle colline.

GWYNEDD (gallois) Béni. Dérivés : Gwyn, Gwynfor, Gwynn, Gwynne.

GWYNLAIS (gallois) Courant blanc.

HAAKON (scandinave) Fils préféré. Dérivés : Hagen, Hakan, Hakon.

HABAULT (germanique) Combat audacieux.

HABERT (germanique) Brillant combat.

HABIB (arabe) Chéri.

HACHIM (arabe) Généreux. Dérivés : Hachem, Hachemi.

HADAD (hébraïque) Aigu. Hadad est un petit-fils d'Abraham.

HADAMAR (germanique) Guerre.

HADDAS (hébraïque) La myrrhe.

HADI (arabe) Guide.

HADJ (arabe) Pèlerin.

HADLEY (anglais) Champ de fougères. Dérivés : Hadlea, Hadlee, Hadleigh, Hadly, Headley, Hedley, Hedly.

HADRIAN (suédois) Terre noire.

HADRIEL (hébraïque) Gloire de Dieu.

HADWIN (germanique) Compagnon d'armes. Dérivés : Hadwinn, Hadwyn, Hadwynne.

HAERVEV (celtique) Vivacité.

HAFED (arabe) Prudent.

HAFEZ (arabe) Celui qui préserve. Dérivé : Hafiz.

HAFID (arabe) Protecteur.

HAFS (arabe) Lionceau.

HAGAN (irlandais) Maître dans sa maison. Dérivés : Hagen, Haggan.

HAGEN (germanique) Garant.

HAGLEY (anglais) Entouré de clôtures. Dérivés : Haglea, Haglee, Hagleigh, Haig.

HAGOËL (hébraïque) Le délivreur.

HAGOS (africain) Joie.

HAI (vietnamien) Mer.

HAÏD (arabe) Qui retourne auprès de Dieu.

HAIDAR (arabe) Lion.

HAÏDAR (arabe) Lion.

HAIKO (germanique) Vigoureux.

HAÏSSAM (arabe) Faucon.

HAJIR (arabe) Excellent.

HAKEM (arabe) Avisé. Ha-

keem est un prénom courant dans les pays musulmans, car il représente l'une des quatre-vingt-dix-neuf qualités qu'Allah détaille dans le Coran. En Amérique, il est également très populaire dans les familles afro-américaines.

HAKIM (arabe) Rompt le pain.

HAKON (scandinave) De noble lignée. Dérivé : Hako.

HALBERT (anglais) Héros flamboyant. Dérivé : Haburt.

HALDAN (scandinave) À moitié danois. Dérivés : Halden, Haldane.

HALDOR (scandinave) Rocher de Thor. Dérivés : Halvor, Halle.

HALE (anglais) Bien portant. Dérivé : Haley.

HALEN (suédois) Vestibule.

HALFDAN (scandinave) À moitié danois.

HALFORD (anglais) Gué dans un vallon. Dérivé : Hallford.

HALI (grec) Mer.

HALIL (turc) Ami fidèle.

HALIM (arabe) Gentil.

HALL (anglais) Serviteur du manoir.

HALLAM (anglais) Vallée.

HALLEWELL (anglais) Puits sacré. Dérivés : Hallwell, Hellewell.

HALLEY (anglais) Prairie près du manoir.

HALLWARD (anglais) Protecteur du manoir. Dérivé : Halward.

HALSEY (anglais) Île appartenant à Hal. Dérivés : Hallsey, Hallsy, Halsy.

HALSTEAD (anglais) Terres du manoir. Dérivé : Halsted.

HALSTEN (scandinave) Roc et pierre. Ce prénom est très rare et son unique représentant connu est un couturier des années 1970, Halston. Dérivés : Hallstein, Hallsten, Hallston, Halston.

HALTON (anglais) Manoir sur la colline.

HALVARD (scandinave) Défenseur du rocher. Dérivés : Hallvard, Hallvor, Halvar, Halvor, Harwald.

HAM (hébraïque) Chaud.

HAMAD (arabe) Glorifié. Dérivé : Hamadi.

HAMAL (arabe) Agneau.

HAMAR (norvégien) Marteau.

HAMDAN (arabe) Bonté. Dérivé : Hamdoun.

HAMED (arabe) Préféré.

HAMID (arabe) Porté aux nues. Variante de Mohammed. Dérivés : Hammad, Hammed.

HAMILCAR (phénicien) Grâce du dieu.

HAMILL (anglais) Balafré. Dérivés : Hamel, Hamell, Hamil, Hammill.

HAMILTON (anglais) Château fort. Dérivé : Hamelton.

HAMIM (arabe) Ami intime.

HAMIS (arabe) Brave.

HAMISH (hébraïque) Dieu est miséricordieux.

HAMLET (anglais) Village.

HAMLIN (germanique) Celui qui aime rester à la maison. Dérivés : Hamelin, Hamlen, Hamlyn.

HAMMAD (arabe) Celui qui loue Dieu.

HAMMET (anglais) Village. Dérivés : Hammett, Hammond.

HAMOUD (arabe) Bon et beau.

HAMOUDI (arabe) Admirable.

HAMUND (scandinave) Personnage mythologique.

HAMZA (arabe) Puissant.

HANAFI (arabe) Croyant. Dérivé : Hanif.

HANAN (hébraïque) Dieu est bon.

HANDEL (germanique) Dieu est bon.

HANDLEY (anglais) Clairière. Dérivés : Handlea, Handleigh, Hanley.

HANEK (tchèque) Dieu est bon. Variante de Jean. Dérivés : Hanus, Hanusek, Johan, Nusek.

HANFORD (anglais) Haut fort.

HANI (arabe) Heureux.

HANIF (arabe) Disciple de

l'Islam. Dérivé : Hanef.

HANIN (arabe) Tendresse.

HANNAN (arabe) Affectueux.

HANNES (hébraïque) Dieu est bon. Forme scandinave de Jean. Dérivés : Haenseil, Hannu, Hans, Hansel, Hansl.

HANNIBAL (hébraïque) Maître de la grâce. Héros de Carthagène, Hannibal fut l'un des plus grands chefs de guerre de l'Histoire.

HANOUN (arabe) Câlin.

HANRAOI (irlandais) Maître de la maisonnée. Variante d'Henri.

HANS (hébraïque) Dieu est miséricordieux. Forme germanique de Jean. Dérivés : Hansel, Hanselmo, Hansi, Haiseli, Han, Hane, Hanemann, Hann, Hanns, Hän-schen, Hanseli, Hanselo, Hanserl, HanskoHansli, Heiseli, Heisi, Henn, Henne, Henneken.

HANSON (scandinave) Fils de Hans. Dérivés : Hansen, Hanssen, Hansson.

HAOUES (arabe) Hardi.

HARAL (écossais) À la tête de l'armée. Dérivé : Arailt.

HARALD (germanique) Grande gloire. Dérivés : Araldo, Halvald, Haralt.

HARATH (arabe) Procurer. Dérivé : Harith.

HARB (arabe) Guerre.

HARBERT (scandinave) Armée étincelante.

HARDEN (anglais) Vallée aux lapins. Dérivé : Hardin.

HARDING (anglais) Fils d'un homme courageux.

HARDWIN (anglais) Ami courageux. Dérivés :

Hardwyn, Hardwynn, Hardewin, Hardoin, Hardouin, Hardvino, Hartwig, Hartwin, Hertwin.

HARDY (anglais) Brave.

HAREL (hébraïque) Montagne de Dieu.

HARFORD (anglais) Gué des lièvres.

HARGROVE (anglais) Bosquet aux lièvres. Dérivés : Hargrave, Hargreaves.

HARITH (arabe) Compétent. Dérivé : Harithah.

HARITZ (basque) Chêne.

HARKAITZ (basque) Roc.

HARKIN (irlandais) Roux. Dérivés : Harkan, Harken.

HARLAN (anglais) Champ de bataille. Dérivés : Harland, Harlen, Harlenn, Harlin, Harlyn, Harlynn.

HARLEY (anglais) Pré des lapins. Dérivés : Arlea, Arleigh, Arley, Harlea, Harlee, Harleiah, Harly.

HARLOW (anglais) Colline prise par l'armée.

HARMON (anglais) Soldat. Dérivé : Harman.

HAROLD (scandinave) Chef des armées. Dérivés : Hal, Harailt, Harald, Haraldo, Haralds, Haroldas, Haroldo.

HAROUN (hébraïque) Version arabe d'Aaron. Dérivé : Harun.

HARPER (anglais) Harpiste. Prénom mélodieux, pour un garçon comme pour une fille.

HARRIET (germanique) Maison du roi.

HARRINGTON (anglais) Nom de famille.

HARRIS (anglais) Nom de famille devenu prénom dans les pays anglo-saxons.

HARRISSON (anglais) Fils de Harry. Dérivé : Harrisen.

HARRY (anglais) Maison du roi. Variante d'Henri. Dérivés : Harrey, Harri, Harrie.

HART (anglais) Cerf. Dérivé : Harte.

HARTFORD (anglais) Gué près duquel paissent les cerfs.

HARTLEY (anglais) Prairie où broutent les cerfs. Dérivés : Hartlea, Hartlee, Hartleigh, Hartly.

HARTMAN (germanique) Homme fort. Dérivé : Hartmann.

HARTMUT (germanique) Courage intrépide.

HARTWELL (anglais) Mare où boivent les cerfs. Dérivés : Harwell, Harwill.

HARTZ (basque) Ours.

HARVEY (celtique) Puissant.

HARWOOD (anglais) Forêt peuplée de lièvres.

HASAD (turc) Récolte.

HASANI (africain) Beau.

HASHIM (arabe) Destructeur du mal. Dérivé : Hasheem.

HASIM (arabe) Décider.

HASKEL (hébraïque) Sagesse. Dérivés : Chaskel, Haskell, Heskel.

HASLETT (anglais) Terre plantée de noisetiers. Dérivé : Hazlitt.

HASSAN (arabe) Beau et bon.

HASSEL (anglais) De Hassall, le repaire de sorcières. Dérivés : Hassal, Hassall, Hassell.

HASSIB (arabe) Estimé.

HASTINGS (anglais) Fils de l'homme avare.

HATIM (arabe) Pur. Dérivé :

Hatem.

HAU (vietnamien) Abondant.

HAUNUI (tahitien) Paix suprême.

HAVEL (tchèque) Petit. Dérivés : Hav, Havelek, Havlik.

HAVELOCK (scandinave) Port.

HAVEN (anglais) Sanctuaire. Dérivé : Havin.

HAWARD (scandinave) Noble défenseur.

HAWLEY (anglais) Prairie entourée de haies. Dérivés : Hawleigh, Hawly.

HAWTHORN (anglais) Où pousse l'aubépine. Dérivé : Hawthorne.

HAYDEN (gallois) Vallée entourée de clôtures. Hayden et ses variantes sont assez courants en Grande-Bretagne et au Pays de Galles,

et commencent à arriver en Amérique. Dérivés : Aidan, Haddan, Haddon, Haden, Hadon, Hadyn, Haydn, Haydon.

HAYEL (arabe) Terrible.

HAYEN (arabe) Paisible.

HAYES (anglais) Haies. Dérivé : Hays.

HAYTEM (arabe) Aiglon.

HAYTHAM (arabe) Fier.

HAYWARD (anglais) Protecteur d'un domaine clôturé.

HAYWOOD (anglais) Forêt entourée de haies. Dérivé : Heywood.

HAZE (germanique) Du nom du dieu Ase.

HAZEM (arabe) Résolu. Dérivé : Hazim.

HEATHCLIFF (anglais) Falaise près d'un champ. Heathcliff est bien évidemment le prénom du héros des

Hauts de Hurlevent, mais sa forme abrégée, Heath, est plus fréquente que sa forme usuelle.

HEATON (anglais) Ville haute.

HEBER (hébraïque) Rassemblement. Dérivé : Hebor.

HECTOR (grec) Qui résiste. Hector, le héros de Troie, le compositeur Hector Berlioz et le metteur en scène italien Ettore Scola sont trois grands représentants de cet ancien prénom. Dérivé : Hektor.

HEDDWYN (gallois) Paix sacrée.

HEDEON (russe) Bûcheron.

HEDI (arabe) Meneur.

HEDIL (arabe) Rapide.

HEDRICK (anglais) *Définition inconnue*.

HÉGÉSIPPE (grec) Conducteur de chevaux.

HEIARII (tahitien) Couronne du roi.

HEIMANA (tahitien) Couronne sacrée.

HEIMDALL (scandinave) Dieu blanc.

HEINMAN (germanique) Palais.

HEINRICH (germanique) Maison du roi. Variante d'Henri. Dérivés : Heinrick, Heinrik, Heintje, Heinz, Henrikl, Henrique, Henryk.

HEINZ (germanique) Fort.

HELAIN (Breton) Généreux. Dérivé: Helan.

HELDRAD (germanique) Salut du conseil. Dérivés : Helder, Helrad

HÉLIBERT (germanique) Saint et brillant.

HELIER (latin) Serein.

HÉLIODORE (grec) Don du

soleil.

HELIOS (grec) Soleil.

HÉLISAIRE (germanique) Armée noble.

HELMUT (germanique) Âme et casque. Dérivé : Helmo.

HELORI (celtique) Sage et généreux. Ce prénom était à l'origine le nom de famille de saint Yves. Dérivés : Hilouri, Hélouri.

HENDERSON (anglais) Fils de Henry. Nom de famille.

HENDRICK (germanique) Royaume.

HENEG (celtique) Aîné. Dérivé : Henan.

HENLEY (anglais) Haute prairie. Nom de famille.

HENNEKE (hébraïque) Miséricorde de Dieu.

HENNING (scand.) Maître de la maisonnée.

HENRI (germanique) Maison du roi. Ce prénom, un peu tombé dans l'oubli pendant plusieurs dizaines d'années, connaît aujourd'hui un regain de popularité. Parmi les Henri célèbres, on peut citer huit rois d'Angleterre, l'écrivain Henry Miller ou le peintre Henri Matisse. Dérivés : Hank, Harri, Harriott, Heikki, Heiko, Hein, Heincke, Heindrick, Heinel, Heinemann, Heinke, Heinko, Henderic, Henderkien, Hendricus, Hendrik, Hendrikus, Henerik, Henk, Henke, Henkel, Henno, Henrich, Henrikki, Henriko, Henschel, Hensel, Hinderck, Hindrik, Hinnerk, Hinrich, Hinrik, Hinz, Hynek, Henery, Henrik, Henrique, Henry, Henryk.

HÉRACLIDE (grec) Fils

d'Héraclès.

HERALD (anglais) Celui qui apporte les nouvelles.

HERBERT (germanique) Armée illustre. Dérivés : Harby, Haribert, Hébert, Herberto, Herbesson, Herbin, Herbrecht, Heriberto, Heibert, Herb, Herbie.

HERBOD (celtique) Grande valeur. Dérivé : Herbot, Herbaud, Herbault, Herbaut, Herboth.

HERCULE (grec) L'un des fils de Zeus. Dérivés : Héraclès, Herakles, Herculan, Hercules, Herculien.

HEREMOANA (tahitien) Océan d'amour.

HEREWARD (anglais) Militaire.

HERFROI (germanique) Armée et paix. Dérivés : Herfroy, Herifrid

HERIBALD (germanique) Armée audacieuse. Dérivés : Héribaud, Hériwald, Hervald

HERIBERT (germanique) Gloire de l'armée.

HERLÉ (celtique) Nombreux.

HERLEIF (scandinave) Armée bien-aimée. Dérivés : Harlief, Herlof, Herluf.

HERLWIN (germanique) Ami noble. Dérivés: Herlin, Herlouin, Herluin

HERMAN (germanique) Homme d'armes. Herman Melville, l'auteur de Moby Dick, est l'un des plus fameux représentants de ce prénom. Dérivés : Hermance, Hermanis, Hermel, Hermen, Hermo, Herms, Hetze, Hetzel, Harmen, Herm, Hermann, Hermanni, Hermano.

HERMELAND (gemanique) Armée de terre. Dérivés : Herblain, Herblaind, Herbland, Herblay, Herblon.

HERMÉNÉGILDE (germanique) Otage de l'armée.

HERMENFROI (germanique) Paix du dieu Irmin.

HERMÈS (grec) Dans la mythologie grecque, le messager des dieux.

HERMOD (scandinave) Personnage mythologique.

HERMOGÈNE (grec) Né d'Hermès.

HERN (celte) Haut sommet.

HERNANDO (espagnol) Voyageur courageux. Dérivés : Hernandes, Hernandez, Herrando.

HERNIN (celtique) Grand sommet.

HÉRODION (grec) Héros.

HEROLD (germanique) Loi de l'armée. Dérivé : Héroldo.

HEROMIN (polonais) Maître du domaine.

HERRICK (germanique) Chef de guerre.

HERULF (scandinave) Loup de l'armée. Dérivés : Hariolphe, Hariulphe, Hérulfe, Hérulphe

HERVÉ (celtique) Fort et ardent. Dérivés : Herveig, Houarn, Houarnev, Houarnon, Hervelin, Hervieu, Herwig, Hoarne, Houarné, Houarneau, Houarniaule, Houarnig.

HESPEROS (grec) Étoile du soir. Dérivé : Hespero.

HETZEL (germanique) Guerrier.

HEVEL (hébraïque) Souffle.

HEWITT (anglais) Nom de famille.

HEWLETT (anglais) Nom de famille. Dérivé : Hewlitt.

HEWNEY (irlandais) Vert. Dérivés : Aney, Oney, Owney, Oynie, Uaithne.

HEWSON (anglais) Fils de Hugh.

HEYKEL (arabe) Imposant.

HIALMAR (scandinave) Casque du guerrier.

HIBAH (arabe) Cadeau.

HICHAM (arabe) Générosité.

HIDEAKI (japonais) Sage.

HIDULPHE (germanique) Combat de loup. Dérivé : Hydulphe.

HIEREMIAS (grec) Le Seigneur s'élèvera.

HIÉRONYME (grec) Nom sacré. Forme médiévale de Jérôme. Dérivés : Hieronimos, Hieronimus.

HIKMAT (arabe) Savoir.

HILAIRE (grec) Gai. Dérivés : Hilarion, Hillary, Hilairet, Hilar, Hilare, Hilari, Hilarian, Hilarien, Hilarin, Hilario, Hilarius, Hiler, Hilère, Hillaire, Hyvarnion, Ilari, Ilarion, Ilarione, Ilère, Illarion, Illère.

HILAL (arabe) Brillant.

HILDEBERT (germanique) Combat illustre. Dérivé : Hulbert, Hilbert, Hildevert, Hilpert.

HILDEBRAND (germanique) Épée employée au combat. Hilbrand, Hillebrand, Hillebrant, Ildebrando.

HILDEGER (germanique) Lance du combat. Dérivé : Hilmer.

HILDEMAN (germanique) Homme de combat.

HILDEMAR (germanique) Célèbre. Dérivé : Hilmar.

HILDING (scandinave) Combattant.

HILEL (arabe) Nouvelle lune.

HILLARD (germanique) Vaillant soldat. Dérivés : Hilliard, Hillier, Hillyer.

HILLARY (grec) Gai. Avant de devenir un prénom féminin assez recherché, Hillary était un nom d'homme. Dérivés : Hilarie, Hilary, Hillery.

HILLEL (hébraïque) Porté aux nues. Ce prénom est très souvent choisi dans les familles juives, Hillel étant l'un des grands érudits qui ont étudié le Talmud.

HILMAR (scandinave) Noble illustre.

HILMI (arabe) Patient.

HILTON (anglais) Ville sur la colline. Dérivé : Hylton.

HIMAYA (arabe) Défense.

HIMELIN (germanique) Ciel.

HIMERONIM (polonais) Armée puissante.

HIPPOCRATE (grec) Père de la médecine.

HIPPOLYTE (grec) Celui qui libère les chevaux. Dérivé : Hippolytos.

HIRAM (hébraïque) L'homme le plus noble qui soit. Dérivés : Hirom, Hyrum.

HIROMASA (japonais) Juste.

HIROSHI (japonais) Généreux.

HIRSH (hébraïque) Cerf. Dérivés : Hersch, Herschel, Hersh, Hershel, Hersz, Hertz, Hertzel, Herz, Herzl, Heschel, Hesh, Hirsch, Hirschel.

HISHAM (arabe) Rompre. Dérivé : Hishim.

HOANG (vietnamien) En or.

HOARII (tahitien) Ami du roi.

HOBART (germanique) Esprit brillant.

HOBSON (anglais) Fils de Robert.

HOC (vietnamien) Studieux.

HOCHEA (hébraïque) Salut.

HOCINE (arabe) Excellent.

HOD (hébraïque) Merveilleux.

HODER (scandinave) Personnage mythologique. Dérivé : Hodur.

HODGSON (anglais) Fils de Roger.

HODHEIL (arabe) Rapide.

HODIAH (hébraïque) Dieu est grand. Dérivés : Hodia, Hodiya.

HOËL (celtique) Bien vu. Dérivé : Hoelig.

HOENIR (scandinave) Personnage de la mythologie.

HOGAN (irlandais) Jeunesse.

HOLBROOK (anglais) Ruisseau près d'un creux. Dérivé : Hollbrooke.

HOLCOMB (anglais) Vallée très profonde.

HOLDEN (anglais) Vallée peu encaissée.

HOLDING (hol.) Maçon.

HOLIC (tchèque) Barbier.

HOLLAND (anglais) Campagne.

HOLLEB (polonais) Comme une colombe. Dérivés : Hollub, Holub.

HOLLIS (anglais) Près des houx.

HOLMES (anglais) Îlots dans un torrent.

HOLT (anglais) Forêt.

HOMAM (arabe) Généreux.

HOMÈRE (grec) Homère est le grand poète grec auteur de *l'Iliade et de l'Odyssée*. Ce prénom n'a pas encore le succès d'Ulysse. Dérivés : Homer, Homeros, Homerus, Omer.

HONOK (polonais) Celui qui régente la maison.

HONORÉ (latin) Celui qu'on honore. Honoré de Balzac est sans doute le personnage le plus connu qui ait immortalisé ce prénom. Dérivés : Honorat, Honorin, Honoire, Honor, Honorato, Honoratus, Honori, Honorius.

HONZA (tchèque) Dieu est bon.

HOP (chinois) Agréable.

HOPKIN (anglais) Grande renommée. Nom de famille. Variante de Robert.

HORACE (latin) Nom d'une grande famille romaine de l'Antiquité. Horace ou Horacio n'ont jamais été des pré-noms très communs, mais le second semble faire une timide percée dans les pays anglo-saxons. Le poète Horace et l'amiral Nelson sont les deux Horace les plus célèbres. Dérivés : Horacio, Horatien, Horatio, Horatius, Horats, Horaz.

HORST (germanique) Broussailles.

HORTON (anglais) Ville grise. Dérivé : Horten.

HOSEA (hébraïque) Délivrance. Dérivés : Hoseia, Hosheia.

HOSHAMA (hébraïque) Dieu vous entend.

HOSNI (arabe) Vertueux. Dérivé : Housni.

HOSSEIN (arabe) Très beau.

HOUARDON (celte) Fort et bon.

HOUARI (arabe) Impétueux.

HOUARVIAN (celtique) Fort et solide.

HOUARZHON (celtique) Bon fer.

HOUDA (arabe) La vie.

HOUGHTON (anglais) Ville sur la falaise.

HOUMAM (arabe) Abondant.

HOUSTON (anglais) Ville sur la colline.

HOWARD (germanique) Gardien, veilleur. Howard n'est pas un prénom très courant de nos jours, mais il était assez répandu jusqu'au milieu du siècle en Grande-Bretagne. Dérivé : Howie.

HOWE (anglais) Colline.

HOWEL (gallois) Exceptionnel.

HOWLAND (anglais) Terre vallonnée. Dérivés : Howlan, Howlen.

HOYT (irlandais) Esprit.

HUBAUD (germanique) Intelligent et audacieux.

HUBERT (germanique) Esprit brillant. Dérivés : Hoppert, Hubertus, Huberzh, Hubrecht, Hugibert, Hugobert, Huibert, Huprecht, Hubbard, Hube, Huber, Huberto, Uberto.

HUDSON (anglais) Fils de Hugh.

HUGO (germanique) Intelligent. Dérivé de Hugues, ce prénom est au sommet de sa popularité depuis 1998.

HUGOLIN (germanique) Connaissance.

HUGUES (germanique) Intelligent. De nombreux parents apprécient sa distinction et sa virilité, mais c'est son dérivé Hugo qui est au hit-parade depuis quelques années. Hugues Capet, fondateur de la lignée des rois capétiens, Hugues Aufray, Hugh Grant sont les plus célèbres. Dérivés : Hew, Huey, Hug, Hugh, Hughie, Huw, Hughes, Huglie, Hugly, Hugolo, Hugon, Hugue, Huguenin, Hymbert.

HULBERT (germanique) Grâce éclatante.

HUMAYD (arabe) Faire l'éloge.

HUMBERT (germanique) Grand et brillant. Dérivés : Humberto, Umberto.

HUMFROY (germanique) Gardien de la paix. Dérivés : Humfroi, Hunfredo, Hunfried

HUMPHREY (anglais) Paisible. Humphrey est un nom de famille assez répandu dans les pays anglo-saxons. En tant que prénom, il est illustré par l'acteur Humphrey Bogart. Dérivés : Humfredo, Humfrey, Humfrid, Humfried, Humphery, Humphry.

HUNG (chinois) Grand.

HUNT (anglais) La chasse.

HUNTER (anglais) Chasseur. Ce prénom très anglais a un côté raffiné et rustique à la fois.

HUNTINGTON (anglais) Domaine du chasseur. Dérivé : Huntingdon.

HUNTLEY (anglais) Prairie du chasseur. Dérivés : Huntlea, Huntlee, Huntleigh, Huntly.

HUR (hébraïque) Noble.

HURLBERT (anglais) Armée étincelante.

HURLEY (irlandais) Marée

de l'océan. Dérivés : Hurlee, Hurleigh, Hurly.

HURST (anglais) Bosquet. Dérivé : Hearst.

HUSAYN (arabe) Beau. Dérivés : Hisein, Husain, Hussain, Hussein.

HUSNI (arabe) Perfection.

HUSSEIN (arabe) Petite beauté. Dérivés : Husain, Husein.

HUTCHINSON (anglais) Pensée. Dérivé : Hutcheson.

HUTTON (anglais) Ville au bord d'un à-pic. Dérivé : Hutten.

HUXFORD (anglais) Forteresse de Hugh.

HUXLEY (anglais) Prairie de Hugh. Dérivés : Hux, Huxlea, Huxlee, Huxleigh, Huxly.

HYACINTHE (grec) Zyrcon. Dérivés : Hyacinth, Hyacinthus, Hyaco, Hyazinth.

HYATT (anglais) Grand portail.

HYDE (anglais) Unité de superficie utilisée en Angleterre au Moyen Âge.

HYMAN (anglais) Vie. Dérivé : Hyam.

HYPACE (grec) Elevé.

HYSIPPE (grec) Qui mène le travail.

HYWELL (gallois) Célèbre. Dérivé : Hywell.

IACOB (hébraïque) Favori de Dieu.

IACOV (hébraïque) Que dieu favorise.

IAGO (latin) Celui qui attrape par le talon. Iago est le personnage démoniaque d'*Othello*, la pièce de Shakespeare.

IAN (hébraïque) Dieu est bon. Ian est un dérivé de Jean. Ce prénom évoque le fameux auteur de roman d'espionnage Ian Fleming, le créateur de James Bond, et fut particulièrement apprécié aux États-Unis et en Grande-Bretagne dans les années 1960. Dérivés : Ean, Iain, Iancu, Ianos.

IARFHLAITH (irlandais) Seigneur tributaire. Dérivé : Jarlath.

IARLA (celte) Prince de l'ouest. Dérivé : Iarlaith

IAROMIR (slave) Paix sous le soleil.

IAROPOLK (slave) Armée sous le soleil.

IAROSLAV (slave) Gloire sous le soleil.

IBEN (Breton) Cheval.

IBN-MUSTAPHA (arabe) Fils de Mustapha.

IBRAHIM (arabe) Père de la multitude. Version arabe

d'Abraham.

ICARE (grec) Personnage mythologique. Icare voulait voler ; il s'était fabriqué des ailes en cire, mais il s'approcha trop près du soleil et ses ailes fondirent, causant sa chute et sa mort.

ICHABOD (hébraïque) La gloire suffit. Dérivés : Ikabod, Ikavod.

ICHAI (hébraïque) Cadeau. Dérivés : Icha, Yichaï, Yishaï.

ICHKHAN (arménien) Prince régnant.

IDANE (hébraïque) Saison.

IDESBALD (germanique) Travail hardi.

IDRIS (gallois) Impulsif.

IDRISS (arabe) Studieux.

IDUNED (celtique) Prince.

IDUNET (gallois) Désiré. Dérivé: Idiunet.

IDWAL (gallois) Seigneur et mur.

IEFIM (grec) Bienveillant.

IENIA (grec) Armée forte.

IESTYN (gallois) Honnête.

IEVSEÏ (grec) Pieux.

IFFAT (arabe) Vertu.

IFOR (gallois) Archer.

IGNAAS (scandinave) Feu.

IGNACE (latin) Ardent, en feu. Saint Ignace de Loyola est le fondateur de la Compagnie de Jésus, au XVIe siècle. Dérivés : Iggy, Ignac, Ignaci, Ignacius, Ignan, Ignasi, Ignat, Ignati, Ignatios, Ignatiu, Ignaziu, Inaki, Inaxio, Inazio, Iniaki, Iniego, Inixio, Ingénold, Ignacek, Ignacio, Ignatious, Ingnatius, Ignatz, Ignaz, Ignazio, Inigo, Nacek, Nacicek.

IGON (basque) Qui monte.

IGOR (russe) C'est la traduction du prénom norvégien Ingeborg, le garde du dieu de la Paix.

IHAB (arabe) Cadeau.

IHSAN (arabe) Bienveillance.

IJLAL (arabe) Hommage. Dérivé : Ijlel.

IKATZ (basque) Charbon.

IKE (anglais) Diminutif d'Isaac, il est parfois considéré comme un authentique prénom. Dérivés : Ikey, Ikie.

IKEL (celtique) Seigneur.

IKRAM (arabe) Hospitalité.

Il est indéniable aussi que, dans de nombreuses entreprises, les responsables des ressources humaines ont tendance, à la lecture de curriculum vitae sans signe distinctif de sexe, à favoriser pour certains postes les candidats qu'ils pensent être des hommes.

ILAN (hébraïque) Arbre. Dérivés : Ilanah, Ilanit.

ILARIO (grec) Heureux.

ILDEFONSE (germanique) Vif combat.

ILIAN (arabe) Grandeur.

ILIAS (hébraïque) Le Seigneur est mon Dieu. Traduction grecque d'Élie. Dérivé : Ilia.

ILIODOR (grec) Don du soleil.

ILLINGWORTH (anglais) Ville de Grande-Bretagne.

ILPIDE (grec) Augure. Dérivé : Ilpize.

ILTUD (gallois) Terre de la multitude. Dérivés : Ildut, Iltudig, Tudig.

ILYA (russe) Variante d'Élie. Dérivé : Ilja.

IMAD (arabe) Soutien, pilier.

IMRAN (arabe) Hôte.

IMRICH (tchèque) Maître chez lui. Dérivé : Imrus.

INAN (celte) Pur.

INAR (anglais) Individu.

INCE (hongrois) Innocent.

INCENCIO (espagnol) Celui qui est blanc.

INEK (polonais) Sanglier amical.

INGAUD (germanique) Qui commande par le dieu Ing. Dérivés : Incad, Ingénold

INGELL (germanique) Ange.

INGEMAN (scandinave) Homme du dieu Ing.

INGEMAR (scandinave) Fils d'Inge, le dieu norvégien de la Paix. Dérivés : Ingamar, Inge, Ingmar, Ingomar, Ingomer, Ingomère, Inguar.

INGER (scandinave) Armée d'Ing. Dérivé : Ingar.

INGHAM (anglais) Région de Grande-Bretagne.

INGMAR (germanique) Notoriété.

INGOLF (scandinave) Loup du dieu Ing.

INGRAM (anglais) Corbeau. Dérivés : Ingraham, Ingrim.

INGVALD (scandinave) Rendu puissant par le dieu Ing.

INGVAR (scandinave) Protecteur d'Ing, le dieu norvégien de la Paix.

INGWENOC (scandinave) Héritier du dieu Ing.

INIGO (espagnol) *Définition inconnue.*

INNES (écossais) Île. Dérivés : Inness, Innis, Inniss.

INNOCENT (latin) Inoffensif. Dérivés : Innocenzio, Inocencio, Inocente, Innocente, Innocento, Innocenzo, Innokenti, Innozenz, Innucentu, Inozentzio, Inozenz.

IOAKIM (russe) Dieu bâtira.

IOB (hébraïque) Persécuté.

IOHANAN (hébraïque) Forme originelle de Jean. Dérivés : Evan, Ewan, Gian, Gianni, Giovanni, Hampe, Hampus, Hanko, Hannele, Hannes, Hans, Hansel, Hanselo, Hansi, Haske, Henne, Henneke, Henschel, Ian, Ioannes, Ivan, Ivassik, Janos, Janot, Jean, Jeannequin, Jehan, Jeng, Jengen, Jens, Jent, Joan, Joao, Joen, Johan, Johannes, Johannus, John, Johnny, Jöns, Joop, Juan, Juanito, Juhans, Seain, Sean, Seonaio, Shang, Vangelis, Vania, Yann, Yannick, Yoann, Yohanan, Yvan.

IOLLAN (irlandais) Celui qui adore un dieu différent.

ION (irlandais) Dieu est bon.

IONWEN (gallois) Bel homme.

IORWERTH (gallois) Beau seigneur.

IOSAC (hébraïque) Dieu est serein.

IOUENN (celte) Jeune. Dérivé : Ioen.

IQBAL (arabe) Prospérité.

IRA (hébraïque) Observateur. Parmi les Ira connus, on peut citer Ira Gershwin, le frère de George.

IRAM (anglais) Brillant.

IRCHAD (arabe) Droiture. Dérivé : Irched.

IRÉNARQUE (grec) Pacifiste.

IRÉNÉE (grec) Paix. Dérivés : Ireneu, Irénion, Irineï.

IRONE (hébraïque) Petit ange.

IRVIN (germanique) Ami des armées. Dérivé : Irvine.

IRVING (écossais) Nom de lieu. Dérivé : Irv.

ISAAC (hébraïque) Rire. De nombreux parents se montrent de plus en plus conscients et fiers de leur héritage culturel et religieux et choisissent des prénoms rappelant leurs origines. Isaac fait partie de ces prénoms symboliques. Au nombre des Isaac célèbres, Isaac, bien sûr, le fils d'Abraham, Isaac Stern, le violoniste, et Isaac Asimov, le romancier. Dérivés : Iosag, Isace, Isach, Isahag, Isahak, Isake, Ischa, Ishak, Issahag, Issak, Itshak, Itshaq, Itsko, Itshak, Itsko, Itzaq, Itzchak, Itzel, Ixara, Izac, Izsak, Isaak, Isacco, Isak Itzak, Ixaka, Izaak.

ISACIO (grec) Parité.

ISAÏE (hébraïque) Dieu vient à mon aide. Dérivés : Isa, Isaia, Isaïes, Ischaya, Issaï, Issaïa, Isaiah, Isia, Isiah, Issiah.

ISAM (arabe) Prêter serment.

ISARN (germanique) Oiseau de proie.

ISBERT (germanique) Fer.

ISELIN (hébraïque) Serment.

ISHAM (anglais) Région de Grande-Bretagne.

ISHAQ (hébraïque) Rire. Forme arabe d'Isaac.

ISIDORE (grec) Cadeau d'Isis. Dérivés : Isador, Isadore, IsiIsidor, Isidoro, Isidoru, Issidor, Issy, Ixidor,

Ixidro, Izidor, Izydor, Isidorius, Isidoro, Isidoros, Isidro, Izzy.

ISKANDAR (arabe) Protecteur. Dérivé : Iskander.

ISLAM (arabe) Soumission.

ISLWYN (gallois) Bosquet.

ISMAËL (hébraïque) Dieu entendra. Dérivés : Ishmael, Ismail, Yishmael.

ISMAH (arabe) Dieu entend.

ISMAT (arabe) Protecteur.

ISOARD (germanique) Glace dur.

ISRAËL (hébraïque) Bataille avec Dieu. Le pays. En Amérique, ce nom est assez répandu depuis quelques années à la fois chez les petits garçons juifs et afro-américains.

ISSAMI (arabe) Vertueux. Dérivé : Issamy.

ISTVAN (hongrois) Couronne. Dérivés : Isti, Itsvan.

ITAÏ (hébraïque) Dieu est avec moi. Dérivé : Ittaï.

ITAMAR (hébraïque) Île du palmier.

ITHEL (gallois) Seigneur charitable.

ITHNAN (gallois) Marin fort.

IUL (hébraïque) Jeune.

IVAN (hébraïque) Dieu est bon. Forme slave de Jean. Tsars et princes de Russie ont illustré ce prénom ; Ivan le Terrible est le plus célèbre d'entre eux. Dérivés : Ivanchik, Ivanek, Ivano, Ivas.

IVI (gallois) Ifs. Dérivés : Ivo, Ivon, Yves.

IVOR (norvégien) Dieu scandinave. Dérivés : Ivar, Iver.

IVTSANE (hébraïque) Mon père est un bouclier.

IXAI (basque) Prophète.

IYAD (arabe) Appui.

IZIKEL (celtique) Bienfaiteur.

IZUNED (celtique) Riche ami.

IZZ ALDIN (arabe) Pouvoir de la foi. Dérivés : Izz Alden, Izz Eddin.

IZZAT (arabe) Fierté.

IZZEDDINE (arabe) La puissance de la religion.

JAAFAR (arabe) Fleuve.

JAAN (estonien) Qui a reçu l'onction.

JAAP (hébraïque) Favori de Dieu.

JABER (arabe) Réconfortant.

JABEZ (hébraïque) Né dans la douleur. En raison de sa terminaison en « ez », on pourrait penser qu'il s'agit d'un nom d'origine hispanique, mais il remonte en fait à l'époque de l'Amérique puritaine. Dérivés : Jabes, Jabesh, Jabus.

JABIN (hébraïque) Dieu a créé.

JABIR (arabe) Guérisseur. Dérivés : Gabir, Gabr, Jabbar, Jabr.

JACHYM (tchèque) Dieu multipliera. Dérivé : Jach.

JACINTO (espagnol) Hyacinthe. Dérivés : Ciacintho, Clacinto, Jacindo.

JACKSON (anglais) Fils de Jack. Dérivé : Jakson.

JACOB (hébraïque) Celui qui talonne. Jacob, personnage de la Genèse, est le plus jeune fils d'Isaac et de Rébecca, frère jumeau d'Esaü dont il tient le talon en naissant, et dont il achètera le droit d'aînesse pour un plat de lentilles. D'après la légende, Jacob aurait vécu jusqu'à près de cent cinquante ans. Ce prénom fort est très apprécié en Amérique. Dérivés : Cob, Cobbie, Diego, Hamish, Iacob, Iakob, Jaap, Jacek, Jachimo, Jack, Jackel, Jackie, Jaco, Jacobin, Jacobus, Jacoby, Jacomus, Jacques, Jaggi, Jago, Jaime, Jaimie, Jaimito, Jakab, Jakez, Jakie, Jakiv, Jakob, Jakoos, Jakov, Jakub, Jakubek, James, Jamey, Jamie, Jascha, Jayme, Jaymes, Jaymie, Jim, Jimmie, Jimmy, Kiva, Kivi, Tiago, Santiago, Yacha, Yacob, Zjak.

JACQUES (hébraïque) Celui qui talonne. Variante de Jacob. Jacques fut l'un des grands prénoms classiques entre 1930 et 1950. Au nombre des Jacques connus, citons notre président Jacques Chirac, Jacques Brel, les Américains James Dean, James Stewart, Jimi Hendrix.

JADON (hébraïque) Dieu a entendu. Dérivés : Jacdon, Jaden, Jaydon.

JAEGAR (germanique) Faim.

JAEL (hébraïque) Chèvre.

JAFAR (arabe) Rivière. Dérivés : Gafar, Jafari.

JAGGER (anglais) Remorquer.

JAGO (hébraïque) Que Dieu favorise.

JAGU (hébraïque) Celui qui talonne. Forme bretonne de Jacob.

JAHID (arabe) Effort.

JAIME (hébraïque) Dieu a soutenu. Forme espagnole

de Jacques.

JAIRUS (hébraïque) Dieu purifie.

JAKEEM (arabe) Noble.

JAKEZ (hébraïque) Dieu a soutenu. Forme bretonne de Jacques.

JAKUB (hébraïque) Forme tchèque de Jacob. Dérivés : Jakoubek, Kuba, Kubes, Kubicek.

JAL (bohémien) Vagabond.

JALAL (arabe) Grand.

JALEL (arabe) Majesté.

JAMAINE (arabe) Germanique.

JAMAL (arabe) Beauté. Dérivés : Gamal, Gamil, Jamaal, Jamahl, Jamall, Jameel, Jamel, Jamell, Jamil, Jamill, Jammal.

JAMES (hébraïque) Celui qui talonne. Variante anglaise de Jacques.

JAMESON (anglais) Fils de James. Dérivés : Jamieson, Jamison.

JAN (hébraïque) Dieu est bon. Forme tchèque de Jean. Dérivés : Janco, Jancsi, Jandi, Janecek, Janek, Janik, Janika, Jankiel, Janne, Jano, Janos, Jenda.

JANIS (hébraïque) Miséricorde de Dieu ;

JANSON (scandinave) Fils de Jan. Dérivés : Jasen, Jantzen, Janzen.

JANUARIUS (polonais) Premier mois de l'année. Dérivés : Janiusz, Janiuszek, Jarek.

JANUS (latin) Dieu romain. Né en janvier.

JAOUA (celtique) Père.

JAPHET (hébraïque) Celui qui multiplie. Japhet est le fils aîné de Noé. Dérivé : Japheth.

JARAH (hébraïque) Doux.

JAREB (hébraïque) Celui qui lutte. Dérivés : Jarib, Yarev, Yariv.

JAREK (tchèque) Printemps. Dérivés : Jariusz, Jariuszek, Jarousek.

JARLATH (celtique) Sommet du chef. Dérivé : Iarlaith.

JARMAN (germanique) Germanique. Dérivé : Jerman.

JAROD (hébraïque) Celui qui descendra. Jarod et ses diverses versions sont des prénoms qui étaient très répandus dans l'Amérique puritaine et qui, depuis les années 1960, redeviennent assez populaires. Dérivés : Jarad, Jared, Jarid, Jarrad, Jarred, Jerad, Jered, Jerod, Jerrad, Jerrod, Jerryd, Yarden, Yared.

JAROGNIEW (polonais) Colère du printemps.

JAROMIERZ (polonais) Printemps fameux.

JAROMIL (tchèque) Celui qui aime le printemps. Dérivé : Jarmil.

JAROMIR (tchèque) Beau printemps.

JARON (hébraïque) Crier. Dérivés : Gerron, Jaran, Jaren, Jarin, Jarran, Jarren, Jarron, Jeran, Jeren, Jeron, Jerrin, Jerron.

JAROPELK (polonais) Peuple du printemps.

JAROSLAV (tchèque) Printemps éclatant. Dérivés : Jarda, Jaroslaw.

JARRETT (anglais) Brave avec une lance. Dérivés : Jarret, Jarrete.

JARVIS (germanique) Honorable. Dérivé : Jervis

JASHA (russe) Celui qui remplace. Variante de Jacob.

JASON (hébraïque) Dieu est mon sauveur. Jason est un personnage de la Bible qui accueillit l'apôtre Paul et son ami Silas chez lui en Thessalonique. Jason est aussi un héros de la mythologie grecque qui dut, pour obtenir le trône de Ialcos, conquérir la toison d'or d'un bélier. Ce prénom a été très populaire aux États-Unis dans les années 1970-1980, et son succès a franchi l'océan pour atteindre l'Europe. Dérivés : Jace, Jacen, Jaison, Jase, Jasen, Jayce, Jaycen, Jaysen, Jayson.

JASPER (anglais) Homme riche. Dérivé : Jaspar.

JAUBERT (germanique) Éblouissant.

JAVAN (anglais) Fils de Japhet. Dérivés : Javin, Javon.

JAVARIS (latin) *Définition inconnue.*

JAVIER (espagnol) Maison neuve. Dérivé : Xavier.

JAWAD (arabe) Généreux.

JAWDAT (arabe) Bon. Dérivé : Gawdat.

JAWHAR (arabe) Bijou.

JAY (latin) Gai. Jay Gatsby, le héros de *Gatsby le magnifique*, de F. Scott Fitzgerald, a sûrement contribué à faire apprécier ce prénom en Amérique.

JEAN (hébraïque) Dieu est bon. Si l'on tient compte de toutes les traductions de ce prénom, dans tous les pays du monde et dans toutes les religions, il est sans doute le prénom masculin le plus répandu. La religion catholique reconnaît deux Jean, Jean Baptiste et Jean l'apôtre. Les Jean célèbres sont innombrables, mais on peut citer Jean Gabin, Jean de la Fontaine, Jean Racine, Jean d'Ormesson et, aux États-Unis, John Kennedy, John Wayne ou Johnny Depp. Dérivés : Ewan, Gian, Gianni, Giovanni, Hampe, Hampus, Hanko, Hannele, Hannes, Hans, Hansel, Hanselo, Hansi, Haske, Henne, Henneke, Henschel, Ian, Iohanan, Ioannes, Ivan, Ivassik, Jan, Janck, Janis, Janos, Janot, Jeannequin, Jehan, Jeng, Jengen, Jens, Jent, Joan, Joao, Joen, Johan, Johannes, Johannus, John, Johnny, Jöns, Joop, Juan, Juanito, Juhans, Seain, Sean, Seonaio, Shang, Vania, Vangelis, Yann, Yannick, Yoann, Yohanan, Yvan.

JÉDEDIAH (hébraïque) Aimé de Dieu. Dérivés : Jed, Jedd, Jedidia, Jedidiah, Tedidia, Yedidiah, Yedidya.

JEDREK (polonais) Homme puissant. Dérivés : Jedrick, Jedrus.

JEFFERSON (anglais) Fils de Jeffrey.

JEFFREY (anglais) Paix. Très populaire en Amérique dans les années 1970, sa popularité aujourd'hui commence à décliner. En Europe, ses variantes, commençant par G, sont très en vogue. Dérivés : Geoff, Geoffrey, Geoffry, Gioffredo, Jeff, Jefferies, Jeffery, Jeffries, Jeffry, Jefry.

JÉHU (hébraïque) Le Seigneur est roi.

JELEL (arabe) Grandeur.

JEMIL (arabe) Beau.

JENDA (tchèque) Dieu est bon.

JENKIN (flamand) Petit Jean. Dérivés : Jenkins, Jenkyn, Jenkyns.

JENSI (hongrois) Bien né. Dérivés : Jenci, Jens.

JEPHTÉ (hébraïque) Dieu libère. Dérivé : Jephtha.

JEPPE (hébraïque) Que Dieu favorise.

JÉRÉMIE (hébraïque) Dieu élève. Jérémie est l'un des trois grands prophètes d'Israël. Ce prénom connut un immense succès en Europe comme aux États-Unis entre 1970 et 1980. Au nombre des Jérémi ou Jeremy célèbres, mentionnons l'acteur Jeremy Irons ou Jerry la souris des dessins animés de Tom et Jerry. Dérivés : Jem, Jemmie, Jemmy, Jeramee, Jeramey, Jeramie, Jere, Jereme, Jeremi, Jeremey, Jeremiah, Jeremias, Jerimiah, Jeromy, Jerr, Jerrie, Jerry.

JERIAH (hébraïque) Dieu voit.

JÉRICHO (arabe) Ville de la Lune. Dérivé : Jerico.

JERMAINE (germanique) Germanique. Dérivés : Jermain, Jermane, Jermayne.

JERNEY (slave) *Définition inconnue.*

JÉRÔME (grec) Nom sacré. Saint Jérôme, secrétaire du pape au Ve siècle, a consacré plus de vingt ans de sa vie à la traduction en latin de l'Ancien et du Nouveau Testament. Dérivés : Géronime, Géronimo, Hiéronimus,

Hiérominos, Jéromino.

JERRY (grec) Sacré.

JERVIS (anglais) *Définition inconnue*. Dérivé : Gervase.

JERZY (polonais) Fermier. Dérivé : Jersey.

JESSE (hébraïque) Dieu existe. Ce prénom fut très populaire outre-Atlantique dans les années 1970. En Europe, c'est sa forme féminine Jessica qui a eu la préférence. Dérivés : Jesiah, Jess, Jessé, Jessey, Jessie, Jessy.

JÉSUS (hébraïque) Dieu est mon sauveur.

JETHRO (hébraïque) Renommée. Dérivé : Jeth.

JETT (anglais) Avion.

JEZEKAEL (héb.) Prince.

JEZEQUEL (celtique) Bienfaiteur.

JIBBEN (bohémien) Vie.

JIBRI (arabe) Puissant.

JIBRILL (arabe) Forme arabe de Gabriel.

JIHAD (arabe) Lutte.

JILDAZ (celtique) Cheveux.

JIM (hébraïque) Dieu a soutenu. Forme anglaise de Jacques. Quelques Jimmy célèbres : Jimmy Connors, Jimmy Carter. Dérivés : Jimmie, Jimmy.

JINAH (arabe) Jardin.

JINDRICH (tchèque) Maître chez lui. Dérivés : Jindra, Jindrik, Jindrisek, Jindrousek.

JIRI (tchèque) Fermier. Dérivés : Jira, Jiran, Jiranek, Jiricek, Jirik, Jirka, Jirousek.

JIRO (japonais) Second Fils.

JOAB (hébraïque) Loué soit le Seigneur. Dérivé : Jobe.

JOACHIM (hébraïque) Dieu décidera. Dérivés : Joaquim,

Joaquin.

JOAH (hébraïque) Dieu est son frère.

JOB (hébraïque) Opprimé. Dérivés : Job, Jobe, Joby.

JOEL (hébraïque) Dieu est bon.

JOERGEN (scandinave) Fermier.

JOEVIN (celtique) Fils de Jupiter. Dérivé : Jaoua.

JOHN (hébraïque) Dieu est bon. Forme anglaise de Jean. Ce prénom tout simple est l'un des plus courants dans les pays anglosaxons. Diminutif : Jack.

JOHNSON (anglais) Fils de John.

JONAS (hébraïque) Colombe. Personnage biblique. Dérivés : Jonah, Yonah, Yonas, Yunus.

JONATHAN (hébraïque) Présent de Dieu. D'après la Bible, Jonathan était le fils aîné du roi Saül et le meilleur ami de David. Ce prénom classique est apprécié aussi bien en Amérique qu'en Europe, où il a été popularisé par la série des années 1980, *L'Amour du risque*, avec Robert Wagner qui donna à ce prénom une image d'homme intelligent, chaleureux et séduisant tout à la fois. Dérivés : Johnathan, Johnathen, Johnaton, Jon, Jonathen, Jonathon, Jonnie, Jonny, Jonothon.

JORDAN (hébraïque) Qui répand la vie. La légende veut que les Croisés qui puisaient l'eau dans le Jourdain aient rapporté ce prénom chez eux. Jordan est un prénom unisexe dans les pays anglo-saxons, porté également comme nom de famille, Michael Jordan, le célèbre basketteur, en étant l'un des exemples les plus marquants. En Europe, Jordan a eu un bref mais immense succès dans les années 1990. Dérivés : Jorden, Jordy, Jori, Jorrin.

JORDI (grec) Paysan.

JORGE (grec) Fermier. Dérivé espagnol de Georges.

JORGEN (grec) Fermier. Dérivé allemand de Georges.

JOSE (hébraïque) Dieu ajoutera. Forme espagnole de Joseph.

JOSEPH (hébraïque) Dieu ajoutera. Dans la Bible, Joseph est l'époux de Marie et l'homme qui prit soin de Jésus. Il est l'un des prénoms les plus portés à tra-vers le monde, sous sa forme originelle ou sous l'une de ses formes dérivées. Citons quelques Joseph connus : Franz Joseph Haynd, le musicien, Joseph Kessel, l'écrivain, et Joseph Losey, le scénariste. Dérivés : Giuseppe, Iossif, Jef, Jeke, Job, Jobig, Jod, Jodie, Jody, Jos, José, Josecito, Josef, Joselito, Josephe, Joséphin, Joshephus, Josip, Jup, Ossif, Pépito, Peppo, Youssef, Youssouf.

JOSHUA (hébraïque) Dieu est mon sauveur. Joshua, appelé aussi Josué, devint après Moïse le chef du peuple juif et l'un des livres bibliques porte d'ailleurs son nom. Ce prénom ne s'est toutefois vraiment répandu que vers les années

1960, contrairement à d'autres prénoms bibliques, courants depuis des siècles. Dérivés : Josh, Joshuah.

JOSIAH (hébraïque) Dieu soutient. Dérivés : Josia, Josias, Josua.

JOSSELIN (celtique) Doux prince.

JOSSERAND (germanique) Près de Gauz, dieu teuton.

JOTHAM (hébraïque) Dieu est perfection.

JOUDA (arabe) Perfection.

JOZA (tchèque) Dieu multipliera. Dérivés : Jozanek, Jozla.

JUAN (hébraïque) Dieu est bon. Forme espagnole de Jean.

JUBAL (hébraïque) Corne du bélier.

JUDE (hébraïque) Dieu soit loué. Dérivés : Juda, Judah, Judas, Judd, Judson.

JUDICAËL (celtique) Seigneur généreux. Dérivés : Judaël, Kaëlig.

JUDOC (celtique) Prince.

JULES (latin) Qui vient des Julius, célèbre famille romaine dans l'Antiquité. Ce prénom, à la mode à la fin du XIXᵉ siècle, réapparaît depuis peu. Quelques Jules célèbres : Jules César, Jules Mazarin, Jules Ferry. Dérivés : Giulio, Julio, Julius, Yul.

JULIEN (latin) Qui vient des Julius, célèbre famille romaine dans l'Antiquité. Cette forme moderne de Jules a été très appréciée dans les années 1970-1980. Dérivés : Julian, Julion, Julyan.

JUNIOR (anglais) Jeune.

JURGEN (germanique) Fermier. Variante de Georges.
JURI (slave) Fermier. Dérivé de Georges.
JUSTIN (latin) Juste. Dérivés : Just, Juste, Justen, Justino, Justo, Juston, Justus, Justyn.

JUSTINIEN (latin) Raisonnable. Dérivés : Justinian, Justiniano.
JUVENAL (latin) Jeune.
JUZEG (celtique) Doux prince.
JUZEL (celtique) Prince généreux.

KABIL (turc) Nom de famille.

KACEM (arabe) Élégant. Dérivé : Kacim.

KACEY (slave) Celui qui annonce la paix. Diminutif anglais de Casimir. Dérivé : Kasey.

KACI (arabe) Sévère.

KADA (arabe) Souverain.

KADAR (arabe) Puissant. Dérivés : Kade, Kedar.

KADDOUR (arabe) Force.

KADE (gaélique) Marais.

KADEG (celtique) Combat.

KADER (arabe) Riche.

KADIN (arabe) Ami. Dérivé : Kadeen.

KADIR (arabe) Très puissant. Dérivé : Kadeer.

KADMIEL (hébraïque) Dieu est avant toute chose.

KAELAN (gaélique) Vaillant soldat. Dérivés : Kalan, Kalen, Kalin.

KAELIG (celtique) Généreux.

KAHANA (hébraïque) Prêtre.

KAHEI (japonais) Monnaie.

KAHIL (turc) Jeune. Kahil est un prénom populaire dans divers pays. Il signifie aussi parfait en hébreu et beau en grec. Avant les années 1970, son orthographe usuelle était Cahil, sa version anglaise, et il est actuellement très apprécié par les familles afro-américaines sous sa forme classique. Dérivés : Cahil, Kahili, Kaleel, Khaleel, Khalili.

KAHTAN (arabe) Résistant.

KAID (arabe) Chef. Dérivé : Caïd.

KAISER (bulgare) Chevelu.

KAJ (grec) Terre.

KAJETAN (latin) Habitant de Gaète. Forme polonaise de Gaétan.

KALIL (hébraïque) Couronne de fleurs. Dérivé : Kailil.

KALIQ (arabe) Artistique.

KALLOOSH (arménien) Événement béni.

KALMIN (scandinave) Homme. Dérivé : Kalle.

KALOGEROS (grec) Atout fidèle.

KAMAL (arabe) Parfait. Comme beaucoup de prénoms turcs ou arabes commençant par la lettre K, Kamal est très fréquent outre-Atlantique dans les familles afro-américaines. Dérivés : Kameel, Kamil.

KANE (gallois) Beau. Aux États-Unis, ce prénom est mixte. Dérivés : Kain, Kaine, Kayne, Keanu.

KAOURENTIN (celtique) Ami. Forme bretonne de Corentin.

KAOURIG (celtique) Pur.

KAPP (hébraïque) Trésorier.

KARADEC (celtique) Généreux. Forme bretonne de Caradec. Dérivé : Karadoc.

KARAM (arabe) Charitable. Dérivés : Kareem, Karim.

KARDAL (arabe) Graine de moutarde.

KARE (norvégien) Grand.

KAREEM (arabe) Généreux. Il correspond, d'après le Coran, à l'une des quatre-vingt-dix-neuf qualités que le croyant doit s'efforcer de posséder. Dérivés : Karim, Karime.

KAREL (germanique) Viril. Forme tchèque de Charles. Dérivés : Karlicek, Karlik, Karlousek, Karol, Karoly.

KARENTEG (celtique) Amical.

KARL (germanique) Viril. Dérivés : Karlen, Karlens, Karlin.

KARNEY (irlandais) Le vainqueur. Dérivés : Carney, Carny, Karny.

KARR (scandinave) Marécage.

KASIB (arabe) Fertile. Dérivé : Kaseeb.

KASIM (arabe) Divisé. Dérivé : Kaseem.

KASIMIR (slave) Celui qui annonce la paix.

KASPAR (persan) Protecteur des richesses. Dérivé : Kasper.

KASS (germanique) Merle. Dérivés : Kasch, Kase.

KASSAM (arabe) Généreux.

KATEB (arabe) Hiver.

KATSUO (japonais) Victorieux.

KAUL (arabe) Digne de foi. Dérivés : Kahlil, Kalee, Khaleel, Khalil.

KAVAN (celtique) Sage combat.

KAVANAGH (irlandais) Celui qui accompagne Kevin.

KAY (gallois) Joie.

KAYAM (hébraïque) Stable.

KAYSAR (arabe) Empereur.

KEAN (gaélique) Ancien.

KEANE (anglais) Aigu. Dérivés : Kean, Keen, Keene.

KEARN (irlandais) Sombre. Dérivé : Kern.

KEARNEY (irlandais) Le vainqueur. Dérivés : Karney, Karny, Kearny.

KEATON (anglais) Nid de faucon. Dérivés : Keeton, Keiton, Keyton.

KEB (égyptien) Dieu égyptien.

KEDEM (hébraïque) Vieux.

KEEFE (irlandais) Aimé. Dérivés : Keefer, Keifer.

KEEGAN (irlandais) Petit et enthousiaste. Dérivés : Kagen, Keagan, Keegen, Kegan.

KEELAN (irlandais) Petit et maigre.

KEELEY (irlandais) Séduisant. Dérivés : Kealey, Kealy, Keelie, Keely.

KEENAN (irlandais) Petit et vieux. Dérivés : Keene, Keenon, Kenan, Kienan, Kienen.

KEFIR (hébraïque) Lionceau.

KEIR (irlandais) Basané. Dérivés : Keiron, Kerr, Kieran, Kieron.

KEITH (écossais) Forêt. Keith fut lancé dans les années 1970 par l'un des Rolling Stones.

KELAN (irlandais) Svelte.

KELAYA (hébraïque) Grain sec.

KELBY (germanique) Ferme près d'une source. Dérivés : Kelbey, Kelbie, Kellby.

KELIG (celtique) Seigneur.

KELIN (celtique) Sacré.

KELL (anglais) Source.

KELLAGH (irlandais) Guerre.

KELLEN (anglais) Soldat.

Dérivés : Keelan, Keilan, Kelden, Kellan, Kelle.

KELLY (irlandais) Guerrier. Kelly a longtemps été un prénom mixte. Aujourd'hui, il est presque exclusivement féminin, et commence à apparaître en France. Dérivés : Kelley, Kellie.

KELSEY (anglais) Île. Dérivés : Kelsie, Kelsy.

KELTON (anglais) Ville navale.

KELVIN (écossais) Nom d'une rivière d'Écosse. Dérivé : Calvin.

KEMAL (turc) Honneur.

KEMIL (arabe) Parfait.

KEMP (anglais) Combattant.

KEMPTON (anglais) Ville de combattants.

KEMUEL (hébraïque) Aider Dieu.

KEN (celtique) Sympathique.

KENAN (celtique) Ancien. Dérivé : Cainan.

KENDALL (anglais) Vallée de la Kent, rivière anglaise. Dérivés : Kendal, Kendell.

KENDRICK (anglais) Héros royal. Dérivés : Kendricks, Kendrik, Kendryck.

KENELM (anglais) Casque du brave.

KENLEY (anglais) Prairie du roi. Dérivés : Kenlean, Kenlee, Kenleigh, Kenlie, Kenly.

KENN (gallois) Eau scintillante.

KENNARD (anglais) Brave. Dérivés : Kennaird, Kennerd.

KENNEDY (irlandais) Tête hideuse. Ce prénom était souvent attribué aux petits garçons dans les années 1960, aux États-Unis, en l'honneur du président Kennedy. Il est à présent très en vogue pour les petites filles. Dérivés : Canaday, Canady, Kenneday.

KENNETH (irlandais) Séduisant, jaillit du feu. Popularisé par Ken, le fiancé de la poupée Barbie, ce prénom, durant les années 1950-1960 fut le parfait symbole de la virilité. Aujourd'hui, il évoque plutôt l'Angleterre du Moyen Âge et les Chevaliers de la Table ronde, tels qu'on les imaginait dans le roman de Sir Walter Scott. Dérivés : Ken, Kendall, Kenney, Kennie, Kennith, Kenny, Kenyon.

KENT (anglais) Comté d'Angleterre.

KENTIGERN (écossais) Chef illustre.

KENTON (anglais) Ville des rois.

KENTRELL (anglais) *Définition inconnue*.

KENWARD (anglais) Vaillant défenseur.

KENWAY (anglais) Vaillant combattant.

KENYON (irlandais) Blond.

KEON (irlandais) Bien né. Dérivés : Keyon, Kion.

KEREM (hébraïque) Verger.

KERILL (irlandais) *Définition inconnue*. Dérivé : Coireall.

KERMIT (irlandais) Ce prénom, pour des dizaines d'années, restera associé à la grenouille du *Muppet Show*, mais cela ne semble pas rebuter certains parents qui, dans les pays anglo-saxons, n'hésitent pas à appeler ainsi leur bébé.

KERR (scandinave) Marais.

KERRIEN (celtique) Né pour le combat. Dérivé : Kerrian.

KERSTEN (latin) Chrétien.

KERSTIN (latin) Chrétien.

KERWIN (irlandais) Sombre. Dérivés : Kerwen, Kerwinn, Kerwyn, Kirwin.

KERY (irlandais) Comté d'Irlande. Dérivés : Kerrey, Kerrie.

KES (anglais) Faucon.

KESTER (anglais) Celui qui porte le Christ dans son cœur. Dérivé de Christophe.

KETTIL (scandinave) Chaudron sacrificiel. Dérivés : Keld, Kjeld, Kjell, Kjetil.

KEVIN (irlandais) Séduisant. Forme dérivée de Coemgen. Kevin a longtemps été un prénom fréquent uniquement dans les familles catholiques irlandaises. Il s'est propagé très rapidement dans d'autres milieux, et dans d'autres pays, peut-être grâce à des acteurs comme Kevin Costner ou Kevin Kline. Il a été à son apogée dans les pays francophones entre 1980 et 1990. Saint Kevin fonda un monastère près de Dublin au VIIe siècle et il en devint le saint patron. Dérivés : Kavan, Kev, Kevan, Keven, Kevon, Kevyn.

KHALID (arabe) Éternel. Dérivés : Khaldun, Khaled, Khaleed.

KHALIL (arabe) Ami sincère. Dérivé : Khélil.

KHALIS (arabe) Dévoué.

KHATIL (arabe) Piquant.

KHAYAM (arabe) Rusé. Dérivé : Khayem.

KHELIFA (arabe) Successeur.

KHODIR (arabe) Prospère.

KIDD (anglais) Chevreau.

KIEFER (germanique) Tonnelier. Dérivé : Keefer.

KIERAN (irlandais) Foncé. Dérivés : Keiran, Keiren, Keiron, Kieron, Kyran.

KILAB (arabe) Chien.

KILEY (anglais) Bande de terre.

KILLIAN (irlandais) Église. Ce joli prénom s'apprête vraisemblablement à suivre les traces de Kevin. Dérivés : Kilian, Killie, Kully.

KILMENT (tchèque) Clément.

KIMBALL (anglais) Celui qui mène la bataille. Dérivés : Kim, Kimbal, Kimbell, Kimble.

KINCAID (celtique) Celui qui dirige les combats.

KING (anglais) Roi.

KINGMAN (anglais) Homme du roi. Dérivé : Kinsman.

KINGSLEY (anglais) Prairie du roi.

KINGSTON (anglais) Ville du roi. Dérivé : Kinston.

KINGSWELL (anglais) Puits du roi.

KINNARD (irlandais) Sommet de la montagne. Dérivé : Kinnaird.

KIPP (anglais) Montagne au sommet pointu. Dérivés : Kip, Kipper, Kippie, Kippy.

KIRAL (turc) Roi.

KIRBY (anglais) Village de l'église. Dérivés : Kerbey, Kerbi, Kerbie, Kirbey, Kirbie.

KIRIL (grec) Maître. Dérivés : Kirillos, Kyril.

KIRK (norvégien) Église. Kirk a été longtemps un

prénom très apprécié grâce au grand acteur Kirk Douglas. Dérivés : Kerk, Kirkie.

KIRKLEY (anglais) Prairie de l'église. Dérivés : Kirklea, Kirklee, Kirklie, Kirkly.

KIRKWELL (anglais) Source de l'église.

KIRKWOOD (anglais) Forêt de l'église.

KIRTON (anglais) Ville de l'église.

KLAUS (germanique) Peuple victorieux. Ce diminutif de Nicolas ne semble pas promis à un brillant avenir en raison de la détestable réputation de certains Klaus, tel Barbie ou von Bulow. Il ne resterait donc que Santa Claus pour plaider sa faveur. Dérivés : Claes, Claus, Clause, Klaas, Klaes.

KLEMENS (latin) Gentil,

compatissant. Forme polonaise de Clément. Dérivé : Klement.

KNIGHT (anglais) *Définition inconnue*. Nom de famille.

KNOW (anglais) Collines.

KNOWLES (anglais) Colline verdoyante. Dérivés : Knolls, Nowles.

KNUD (danois) Gentil.

KNUTE (danois) Nœud.

KOLA (celtique) Victorieux.

KOLAIAH (hébraïque) Voix de Dieu. Dérivés : Kolaia, Kolaya, Kolia, Koliya, Kolya.

KONAN (celtique) Guerrier. Forme bretonne de Conan. Dérivé : Koneg.

KONANIAH (hébraïque) Dieu est apaisé. Dérivés : Konania, Konanya.

KONOGAN (celtique) Guerrier blanc. Dérivé : Gwenegan.

KONUR (scandinave) Personnage mythologique.

KONVAEL (celtique) Chef. Dérivé : Konvoion.

KONWAL (celtique) Valeureux guerrier.

KORB (germanique) Panier.

KOREN (hébraïque) Brillant.

KORESH (hébraïque) Creuser. Dérivés : Choreish, Choresh.

KORNEL (latin) Corneille. Forme tchèque de Corneille. Dérivés : Kornek, Nelek.

KORNELY (latin) Corneille. Forme bretonne de Corneille. Dérivé : Cornély.

KORT (scand.) Conseiller avisé.

KORUDON (grec) Homme portant un casque.

KOSMY (polonais) Univers.

KOSTI (finnois) Serviteur de Dieu.

KOTAM (arabe) Épervier.

KOU (celtique) Béni par Dieu.

KOULM (latin) Colombe. Forme bretonne de Colomban.

KOVAR (tchèque) Forgeron.

KOVIG (hébraïque) Que Dieu favorise.

KRISTEN (grec) Messie. Forme bretonne de Christian.

KSAWERY (basque) Traduction polonaise de Xavier.

KUBA (hébraïque) Celui qui remplace. Variante tchèque de Jacob. Dérivé : Kubo.

KUPER (hébraïque) Roux.

KURT (germanique) Guide.

KWIATOSLAW (polonais) Fleur éclatante.

KWINTYN (polonais) Cinquième.

LABAN (hébraïque) Blanc. Dérivé : Lavan.

LABHRAS (irlandais) Celui qui vient de Laurentum. Dérivé : Lubhras.

LABIB (arabe) Raisonnable.

LACHLAN (écossais) Hostile. Dérivé : Lochlann.

LACHTNA (irlandais) Gris.

LADAN (hébraïque) Témoin.

LADD (anglais) Jeune homme. Dérivés : Lad, Lad-dey, Laddie, Laddy.

LADISLAS (slave) Qui possède la gloire. Dérivés : Vladislas, Vladislav.

LAEL (hébraïque) Il appartient à Dieu.

LAFIF (celtique) Intime. Dérivés : Laghif, Larif.

LAHMI (hébraïque) Guerrier.

LAHSEN (arabe) Le meilleur.

LAICH (hébraïque) Lion.

LAID (arabe) Récompense.

LAIFA (arabe) Élite.

LAIRD (écossais) Maître de la terre.

LAJOS (germ.) Guerre.

LAKE (anglais) Lac.

LAKHDAR (arabe) Honorable.

LAMAR (latin) La mer. Ce prénom est peu connu, excepté peut-être en Amérique grâce à un ex-candidat à la présidence. Il a aussi des racines germaniques puisqu'il signifie en allemand « celui qui a de nombreuses terres ». Dérivés : Lamarr, Lemar, Lemarr.

LAMBERT (germanique) Pays illustre. L'acteur Lambert Wilson a popularisé ce prénom. Dérivés : Lambard, Lambrecht, Labérian, Lampard.

LAMRI (arabe) Fécond.

LAN (celtique) Pierre.

LANCE (germanique) Terrien.

LANCELOT (latin) Celui qui sert. Forme celtique d'Anselme. Ce prénom médiéval, mis à l'honneur dans la littérature du XIIᵉ siècle, a quelques adeptes aujourd'hui.

LANDER (anglais) Seigneur.

Dérivés : Landers, Landor.

LANDON (anglais) Prairie herbeuse. Dérivés : Landan, Lande, Landin.

LANDRY (germanique) Pays illustre. Saint Landry est le fondateur de l'hôpital de l'Hôtel-Dieu à Paris.

LANE (anglais) Celui qui vit près du chemin. Dérivés : Laine, Layne.

LANG (norvégien) De grande taille. Dérivé : Lange.

LANGDON (anglais) Haute colline. Dérivé : Langden.

LANGFORD (anglais) Grand gué.

LANGLEY (anglais) Vaste prairie. Dérivés : Langlea, Langlee, Langleigh, Langly.

LANGSTON (ang.) Grande ville. Dérivés : Langsden, Langsdon.

LANGWARD (anglais) Protecteur de haute taille.

LANGWORTH (ang.) Grand enclos.

LANTY (irlandais) Serviteur de saint Segundus. Dérivés : Laughun, Leachlainn, Lochlainn, Lochlann.

LANZ (germanique) Pays.

LAOGHAIRE (irlandais) Celui qui garde les veaux.

LAOISEACH (irlandais) Celui qui vient de Leix, un comté d'Irlande. Dérivé : Laoiahseach.

LAOU (celtique) Volontaire.

LAOUENAN (celtique) Roitelet.

LAPIDOS (hébraïque) Des torches. Dérivé : Lapidoth.

LARKIN (irlandais) Cruel.

LARRY (anglais) C'était, à l'origine, un diminutif de Lawrence, mais il est devenu à présent un prénom à part entière. Dérivés : Larrie, Lary.

LARS (latin) Couronné de lauriers. Forme scandinave de Laurent. Dérivé : Larse.

LASAIRIAN (irlandais) Flamme. Dérivés : Laisrian, Laserian.

LASZLO (hongrois) Chef réputé. Dérivés : Laslo, Lazuli.

LATHROP (anglais) Ferme avec des granges. Dérivés : Lathe, Lay.

LATIF (arabe) Gentil.

LATIMER (anglais) Interprète. Dérivé : Latymer.

LAURENT (latin) Couronné de lauriers. Ce prénom jouit d'une grande popularité depuis son apparition au IIIe siècle, grâce à saint Laurent qui fut martyrisé par les romains, puis à Laurent de

Médicis, grand mécène italien qui fit de Florence, sa ville, la capitale des beaux-arts. Ce prénom est également présent dans la littérature, dans sa version anglaise, Lawrence, dans l'œuvre de Shakespeare et avec Lawrence d'Arabie. Le succès de Laurent, très répandu de 1940 à 1980, s'affaiblit un peu aux dépens de sa forme italienne Lorenzo. Dérivés : Larry, Laurance, Laurence, Laurencio, Laurens, Laurenz, Laurie, Lauris, Laurus, Lawrance, Lawrence, Lawrey, Lawrie, Lawry, Loren, Lorence, Lorencz, Lorens, Lorenzo, Lorin, Lorry, Lowrance.

LAVAN (hébraïque) Blanc.

LAVI (hébraïque) Lion.

LAWFORD (anglais) Gué sur une colline.

LAWLER (irlandais) Celui qui marmonne. Dérivés : Lawlor, Lollar, Loller.

LAWSON (anglais) Fils de Lawrence.

LAWTON (anglais) Ville sur la colline.

LAZARE (hébraïque) Aide de Dieu. Dérivés : Éléazar, Laza, Lazaro, Lazzro.

LAZHAR (arabe) Vif.

LÉANDRE (grec) Homme lion. Ce prénom est parfois adopté par des parents passionnés de théâtre et fervents admirateurs de Molière. Dérivés : Leander, Leandro, Leandros.

LEBEN (hébraïque) Vie.

LECHOSLAW (polonais) Gloire des Polonais. Dérivés : Lech, Leslaw, Leszek.

LEE (anglais) Prairie. Il

semble que ce nom ait toujours été très répandu en Amérique, à la fois comme nom de famille et comme prénom, féminin ou masculin. De nos jours, certains parents le trouvant un peu trop commun optent pour sa variante Leigh ou créent un nouveau nom en l'ajoutant à un autre prénom, comme Lynnlee ou Huntleigh. Lee Marvin et même, d'une certaine manière, Lee Harvey Oswald, ont aidé à le singulariser. Dérivé : Leigh.

LÉGER (germanique) Ethnie.

LEHAR (germanique) Lion.

LEHYAN (arabe) Amusant.

LEIBEL (hébraïque) Mon lion. Dérivé : Leib.

LEIF (norvégien) Aimé, chéri. Dérivés : Leaf, Lief.

LEIGHTON (anglais) Ville près de la prairie. Dérivés : Layton, Leyton.

LEISTER (anglais) Nom de famille. Région de Grande-Bretagne. Tout comme son cousin Leslie, il est à présent passé de mode. Dérivé : Les.

LEITH (écossais) Large fleuve.

LEL (bohémien) Celui qui prend.

LELAND (anglais) Prairie.

LEMUEL (hébraïque) Voué à Dieu. Dérivés : Lem, Lemmie, Lemmy, Lemy.

LENNON (irlandais) Promontoire.

LENNOR (bohémien) Été.

LENNOX (écossais) De nombreux ormes. Dérivé : Lenox.

LENSAR (bohémien) Avec

ses parents. Dérivé : Lendar.
LÉO (latin) Lion. Tout
comme Alex et Théo, Léo
est un diminutif qui est aujourd'hui considéré comme
un prénom à part entière, et
figure tel quel à l'état civil.
LÉON (latin) Lion. Prénom
très en vogue à la fin du
XIXe siècle ; c'est son diminutif Léo qui a du succès
aujourd'hui. Dérivés : Léo,
Leonas, Léonce, Léone, Leonek, Leonidas, Leosko.
LÉONARD (germanique)
Courage du lion. Léonard
doit sa célébrité à la culture
populaire. Pour les petits, il
est l'une des Tortues Ninja,
un dessin animé bien
connu. Les adultes, quant à
eux, pensent à Leonardo di
Caprio, héros du film Tita-
nic. Léonard pourrait bien
ainsi faire un retour en
force. Mentionnons, pour
l'anecdote, que, voici plusieurs dizaines d'années,
deux acteurs de Hollywood
ainsi prénommés s'empres-
sèrent de changer de nom
pour pouvoir faire carrière.
Il s'agissait de Roy Rogers,
le fameux cow-boy et de
Tony Randall. Dérivés : Len,
Lenard, Lennard, Lenny,
Leonardo, Leonek, Leon-
hard, Leonhards, Leonid,
Leontes, Lienard, Linek,
Lon, Lonnie, Lonny.
LÉOPOLD (germanique)
Peuple courageux. Plusieurs
rois des Belges portèrent ce
prénom. Dérivés : Leo, Leu-
pold.
LEOR (hébraïque) Je possède la Lumière.
LEOVIGILD (germanique)

Lion attentif.

LERIG (celtique) Noblesse.

LERON (hébraïque) Ma chanson. Dérivés : Lerone, Liron, Lirone, Lyron.

LESLIE (écossais) Basse prairie. L'acteur Leslie Howard décida de garder son prénom quand il se lança dans le cinéma, ce qui ne fut pas le cas du célèbre Bob Hope. Dérivés : Les, Leslea, Lesley, Lesly, Lezly.

LEU (germanique) Loup.

LEVERTON (anglais) Village de la ferme.

LÉVI (hébraïque) Lié. Dérivés : Levey, Levin, Levon, Levy.

LEWIN (anglais) Ami très cher.

LEWIS (germanique) Célébrité.

LEWY (irlandais) *Définition inconnue*. Dérivé : Lughaidh.

LEYLAND (anglais) Terre en friche.

LIAM (hébraïque) Le peuple pour moi.

LIBERIO (portugais) Liberté.

LIBOR (tchèque) Liberté. Dérivés : Libek, Liborek.

LIDIO (portugais) Version masculine de Lydie qui était, dans l'Antiquité, une région de l'Asie Mineure.

LIEBAUT (germanique) Peuple hardi. Dérivé : Léobald.

LIERT (germanique) Lion fort.

LIF (scandinave) Vie.

LINCOLN (anglais) Ville près d'une mare. Dérivés : Linc, Link.

LINDBERG (germanique) Montagne couverte de

tilleuls.

LINDELL (anglais) Vallée de tilleuls. Dérivés : Lindall, Lindel, Lyndall, Lyndell.

LINDON (anglais) Tilleul.

LINDSAY (anglais) Île aux tilleuls. Dérivés : Lindsee, Lindsey, Lindsy, Linsay, Linsey, Lyndsay, Lyndsey.

LINFORD (anglais) Gué bordé de tilleuls. Dérivé : Lynford.

LINFRED (germanique) Douce paix.

LINLEY (anglais) Prairie plantée de tilleuls. Dérivés : Linlea, Linlee, Linleigh, Linly.

LINTON (anglais) Ville aux tilleuls. Dérivés : Lintonn, Lynton, Lyntonn.

LINUS (grec) Lin.

LIONEL (latin) Petit lion. Dérivés : Leonel, Lionell, Lionello, Lonell, Lonnell.

LIRON (hébraïque) Mon chant. Dérivé : Lyron.

LISTER (anglais) Teinturier.

LITTON (anglais) Ville sur la colline. Dérivé : Lytton.

LIVINGSTON (anglais) Village de Leif. Dérivé : Livingstone.

LIVIO (latin) Blême.

LLEWELLYN (gallois) Comme un lion. Dérivés : Lewellen, Lewellin, Llewelin, Llewelleyn.

LLOYD (gallois) Gris ou sacré. Dérivé : Loyd.

LOCKE (anglais) Forteresse. Dérivés : Lock, Lockwood.

LODEWUK (scandinave) Qui s'est illustré à la guerre. Dérivé : Lodewijk.

LODUR (scandinave) Personnage mythologique.

LOFTI (arabe) Subtil.

LOGAN (irlandais) Creux dans un pré.

LOÏC (germanique) Glorieux vainqueur. Forme bretonne de Louis. Dérivés : Loïg, Loiez.

LOMAN (irlandais) Petit enfant nu.

LOMAN (serbe) Délicat.

LOMAS (anglais) *Définition inconnue*. Nom de famille.

LOMBARD (latin) Longue barbe.

LON (irlandais) Brutal. Dérivés : Lonnie, Lonny.

LONAN (gaélique) Petit merle.

LORCAN (irlandais) Enfant farouche.

LORD (anglais) Seigneur.

LORENZ (latin) Laurier.

LORIMER (latin) Sellier. Dérivé : Lorrimer.

LORING (germanique) Fils d'un vaillant soldat. Dérivé : Lorring.

LORIS (latin) Couronné de lauriers. Dérivé de Laurent.

LORNE (écossais) Région d'Écosse. Dérivé : Lorn.

LOT (hébraïque) Caché.

LOTHAIRE (germanique) Grande gloire. Dérivé : Lothar.

LOUDON (germanique) Basse vallée. Dérivés : Louden, Lowden, Lowdon.

LOUEN (celtique) Lumineux.

LOUIS (germanique) Glorieux vainqueur. Ce prénom de roi est aussi l'un des plus classiques du début du XXe siècle. Après quelques années d'oubli, il est réapparu dans les années 1980 et son succès ne se dément pas. Saint-Louis, roi de France au XIII⁰ siècle, parfait administrateur et habile négociateur, fut le chef de la IVe Croisade. Parmi les très nombreux hommes célèbres qui le portèrent, citons aussi Louis XIV, Louis Pasteur, Louis Aragon, Louis de Funès. Dérivés : Aloys, Aloysius, Clodwig, Clovis, Lewis, Lodevijk, Loeiz, Loïc, Lotz, Louison, Ludovic, Ludwig, Luigi, Luis, Luwisi, Zaïg.

LOUKANOS (grec) Homme de Lucanie, une région du sud de l'Italie. Dérivé : Lukianos.

LOUP (latin) Loup.

LOUTFI (arabe) Délicat.

LOUZIERN (celtique) Seigneur de lumière. Dérivé : Louthiern.

LOVEL (anglais) Nom de famille.

LOWELL (anglais) Jeune loup. Dérivé. Lowel.

LUBOMIERZ (polonais) Grand amour. Dérivé : Lubomir.

LUBOMIL (polonais) Amant charmant.

LUBORNIR (tchèque) Grand amour. Dérivés : Luba, Lubek, Lubor, Luborek, Lubornirek, Lubos, Lubosek, Lumir.

LUBOSLAW (polonais) Amant glorieux.

LUC (latin) Lumière. Grand classique, Luc a eu, de tous temps, des adeptes, sous sa forme simple, ou composée avec Jean. C'est aujourd'hui son dérivé Lucas qui emporte un immense succès. Saint Luc, médecin, apôtre, est l'auteur du troisième Évangile qui porte son nom, et des Actes des Apôtres.

LUCAN (irlandais) Lumière.

LUCAS (latin) Lumière. Ce joli prénom dérivé de Luc, longtemps ignoré, fait une entrée très remarquée à l'état civil. Sa belle sonorité convient aussi bien à un petit garçon qui fait ses premiers pas, à un adolescent épanoui, qu'à un séduisant jeune homme qui ferait un gendre parfait. Dérivés : Loukas, Luc, Lukas, Luke.

LUCIEN (latin) Lumière. Dérivés : Lucan, Lucas, Lucca, Luce, Lucian, Luciano, Lucias, Lucio, Lucius.

LUDGER (scandinave) Peuple armé de lances.

LUDLOW (anglais) Colline du chef. Dérivé : Ludlowe.

LUDOMIERZ (polonais) Peuple renommé.

LUDOMIR (tchèque) Peuple réputé.

LUDOSLAV (tchèque) Grand peuple.

LUDOSLAW (polonais) Peuple glorieux. Dérivé : Lutoslaw.

LUDOVIC (germanique) Glorieux combat. Dérivé de Louis. Dérivés : Ludvik, Ludovico, Ludovicus.

LUDWIG (germanique) Glorieux vainqueur. Forme allemande de Louis.

LUGHAN (irlandais) Du dieu celtique des Arts, Lug.

LUIGI (germanique) Glorieux vainqueur. Forme italienne de Louis.

LUIS (germanique) Glorieux vainqueur. Forme espagnole de Louis.

LUNDY (écossais) Enfant né un lundi.

LUNER (celtique) Image. Dérivés : Lénor, Lunaire

LUNN (irlandais) Combatif. Dérivés : Lon, Lonn.

LUNT (scandinave) Bosquet.

LUTHER (germanique) Peuple armé. Ce nom a été populaire en Amérique, il y a quelques dizaines d'années en tant que second prénom grâce au pasteur Martin Luther King. Depuis peu, il fait une réapparition en tant cette fois que prénom usuel.

LUTZ (germanique) Illustre.

LUZIUS (latin) Lumière.

LYMAN (anglais) Celui qui vit dans la prairie. Dérivés : Leaman, Leyman.

LYNCH (irlandais) Marin.

LYNDAL (anglais) Vallée plantée de limettiers. Dérivés : Lindal, Lineal.

LYNDEN (anglais) Colline plantée de limettiers. Dérivés : Linden, Lyndon, Lynne.

LYNFORD (anglais) Gué bordé de limettiers. Dérivé : Lindord.

LYNTON (anglais) Ville aux limettiers. Dérivé : Linton.

LYSANDRE (grec) Libérateur. Dérivés : Lisandro, Lysander.

MAALI (arabe) Noblesse.

MAAMAR (arabe) Bâtisseur.

MAAN (hébraïque) Dieu est avec nous.

MAASEIYA (hébraïque) Œuvre de Dieu. Dérivés : Maaseiah, Masai.

MABON (gallois) Fils.

MABROUK (arabe) Comblé.

MAC (écossais) Fils de. Dérivé : Mack.

MACADAM (écossais) Fils d'Adam. Dérivés : MacAdamm, McAdam.

MACALLISTER (écossais) Fils d'Alistair. Dérivés : MacAlister, McAlister, McAllister.

MACARDLE (écossais) Fils de bravoure. Dérivés : MacArdell, McCardell.

MACAULAY (écossais) Fils de l'honnête homme.

MACBRIDE (écossais) Fils de sainte Brigitte. Dérivés : Macbryde, McBride.

MACCHABÉE (hébraïque) Marteau. Dérivés : Macabee, Maccabee, Makabi.

MACCOY (écossais) Fils de Hugues. Dérivés : MacCoy, McCoy.

MACCREA (écossais) Fils gracieux. Dérivés : MacCrae, MacCray, MacCrea, McCrea.

MACDONALD (écossais) Fils

de Donald. Les Macdonald étaient un clan écossais très puissant. Dérivés : MacDonald, McDonald.

MACDOUGAL (écossais) Fils de l'étranger brun. Dérivés : MacDougal, McDougal.

MACGOWAN (irlandais) Fils du forgeron. Dérivés : MacGowan, Magowan, McGowan.

MACHAN (écossais) Fortuné.

MACHAR (écossais) Grand.

MACHIR (hébraïque) Commerce.

MACKENZIE (irlandais) Fils d'un chef avisé. Dérivés : Mack, MacKenzie, Mackey, Mackie, McKenzie.

MACKINLEY (irlandais) Souverain instruit. Dérivés : MacKinley, McKinley.

MACMAHON (irlandais) Fils de l'ours. Dérivé : McMahon.

MACMURRAY (irlandais) Fils du marin. Dérivé : McMurray.

MACON (anglais) Ville de Géorgie.

MADALVE (germanique) Ancienne force.

MADANI (arabe) Raffiné.

MADDOX (gallois) Généreux. Dérivés : Maddock, Madock, Madox.

MADEG (celtique) Bon. Dérivé : Maden, Madenig, Madoc.

MADIH (arabe) Éloge.

MADISON (anglais) Fils du guerrier valeureux. Dérivés : Maddie, Maddison, Maddy, Madisson.

MAËL (celtique) Prince. Ce prénom doux et mélodieux, prisé dans les familles bretonnes, est aussi apprécié aux États-Unis : l'acteur Mel Ferrer et le cinéaste Mel Brooks en sont les illustrations. Dérivés : Maélan, Maélig, Mel.

MAELEACHLAINN (irlandais) Serviteur de saint Secundinus. Dérivé : Maelscheachlainn.

MAGGIE (irlandais) Fils de Hugues. Dérivés : MacGee, McGee.

MAGHNUS (irlandais) Grand. Dérivés : Magnus, Manus.

MAGLOIRE (celtique) Chef.

MAGUIRE (irlandais) Fils de l'homme beige. Dérivés : MacGuire, McGuire, McGwire.

MAHAUT (germanique) Ose.

MAHÉ (celtique) Don de Dieu.

MAHER (arabe) Habile.

MAHFOUD (arabe) Protégé de Dieu.

MAHIR (arabe) Capable.

MAHLON (hébraïque) Malade.

MAHMOUD (arabe) Méritant.

MAHON (irlandais) Ours.

MAIMUN (arabe) Chanceux.

MAINCHIN (irlandais) Petit moine. Dérivé : Mannix.

MAISSARA (arabe) Bon caractère.

MAISSOUR (arabe) Riche.

MAIXENT (latin) Le plus grand.

MAJID (arabe) Glorieux.

MAJOR (latin) Plus grand. Dérivés : Majar, Majer, Mayer, Mayor.

MAJORIC (germanique) Pouvoir.

MAKARIOS (grec) Béni. Dérivés : Macario, Macarios, Maccario, Maccarios, Makar.

MAKARY (polonais) Béni.

MAKHLOUF (arabe) Patriarche.

MAKKIAH (hébraïque) Dieu est mon roi. Dérivés : Malkia, Malkiya, Malkiyahu.

MAKRAM (arabe) Noble.

MALACHIE (hébraïque) Messager. Ce nom est celui de l'un des livres de la Bible et d'un saint irlandais. Dérivés : Malachai, Malachi, Malachy, Malechy.

MALCOLM (écossais) Serviteur. Ce prénom est assez courant aujourd'hui, mais il semblait, il y a quelques années, un peu démodé. Sa renommée aux États-Unis lui vient sûrement de Malcom X et de Malcom-Jamal Warner, l'un des acteurs du Cosby Show. Dérivés : Malcolum, Malcom, Malkolm.

MALEK (arabe) Talent.

MALIK (arabe) Qui possède.

MALIN (anglais) Brave petit guerrier. Dérivés : Mallin, Mallon.

MALKAM (hébraïque) Dieu est leur roi. Dérivés : Malcam, Malcham.

MALKI (hébraïque) Mon roi.

MALLAURY (celtique) Dérivé de Malo. Ce prénom chantant apparaît discrètement dans le sillage de Malo.

MALO (celtique) Gage lumineux. Prénom en vogue depuis 1990. Dérivés : Maclou, Maleaume.

MALONEY (irlandais) Fervent pratiquant. Dérivés : Malone, Malony.

MALUCH (hébraïque) Chef.

MALVERN (gallois) Colline nue.

MALVY (latin) Fleur.

MAMDUH (arabe) Approuver.

MAMOUN (arabe) Fidèle.

MANAL (arabe) Accomplir.

MANAR (arabe) Modèle.

MANDE (celtique) Jeune. Forme française de Maodez.

MANDEL (germanique) Amande. Dérivé : Mandell.

MANDER (bohémien) De moi.

MANER (celtique) Manoir.

MANFRED (germanique) Homme pacifique. Dérivés : Manafred, Manafryd, Manfrid, Manfried, Mannfred, Mannfryd.

MANLEY (anglais) Prairie de l'homme. Dérivés : Manlea, Manleigh, Manly.

MANNING (anglais) Fils d'un homme.

MANOACH (hébraïque) Repos. Dérivés : Manoa, Manoah.

MANSEL (anglais) Dans la maison d'un homme d'Église. Dérivé : Mansell.

MANSFIELD (anglais) Champ près d'une rivière.

MANSOUR (arabe) Aide divine. Dérivé : Mansur.

MANTON (anglais) Ville de l'homme. Dérivés : Mannton, Manten.

MAODAN (celtique) Jeune. Dérivés : Maodanig, Maodez, Maudez.

MAODEZ (celtique) Jeune homme.

MAOLBHEANNACHTA (irlandais) Celui qui espère être béni.

MAOLCHOLM (irlandais) Serviteur de saint Colomban. Dérivés : Malcholuim, Maolcolm.

MAOLMORDHA (irlandais) Chef majestueux.

MAON (hébraïque) Maison.

MAOZ (hébraïque) Force.

MARC (latin) Marteau. Les petits Marc peuplaient les cours de récréation pendant les années 1960-1970. Depuis, la vogue de ce prénom est en baisse, le relais étant pris depuis peu par Marceau. Saint Marc, auteur du deuxième Évangile, est le patron de Venise. Autres Marc célèbres : le nageur champion olympique Mark Spitz, l'écrivain Mark Twain. Dérivés : Marco, Marcos, Marek, Mark, Marko, Markos.

MARCEAU (latin) Marteau.

MARCEL (latin) Marteau. Prénom vedette des années 1930-1940, il est complète-ment oublié aujourd'hui. Dérivés : Marcellin, Marcelo, Marcellus.

MARCH (anglais) Celui qui vit près d'une frontière.

MARCUS (latin) Marteau. Marcus est, ces derniers temps, l'un des prénoms les plus populaires dans les familles afro-américaines.

MARDEN (anglais) Vallée avec une mare.

MARDOCHÉE (hébraïque) Nom couramment donné aux petits garçons durant Purim. Dérivés : Mordche, Mordechai, Mordi, Motche.

MAREK (latin) Marteau. Forme tchèque de Marc. Dérivés : Marecek, Mares, Marik, Marousek.

MARESHA (hébraïque) Pic.

MARHAM (arabe) Joyeux.

MARIAN (hébraïque) Mer.

MARIC (germanique) Puissant.

MARID (arabe) Audacieux.

MARIN (latin) Qui vient de la mer.

MARIO (italien) D'une grande famille romaine de l'Antiquité.

MARIUS (latin) Nom de famille du général romain qui repoussa les barbares en Provence au IIe siècle. Ce prénom typiquement méditerranéen a été très en vogue au début du siècle. Des parents nostalgiques du charme du Midi le choisissent à nouveau depuis peu.

MARKHAM (anglais) Domaine près de la frontière.

MARLAND (anglais) Terre près d'un lac.

MARLEY (anglais) Prairie près d'un lac. Dérivés : Marlea, Marleigh, Marly.

MARLOW (anglais) Colline au pied d'un lac. Dérivé : Marlowe.

MAROUF (arabe) Illustre.

MAROUM (arabe) Désiré.

MARSDEN (anglais) Vallée marécageuse. Dérivé : Marsdon.

MARSH (anglais) Marais.

MARSILE (latin) Issu de Mars, dieu de la Guerre.

MARSTON (anglais) Ville près d'un marais.

MART (turc) Né pendant le mois de mars.

MARTIAL (latin) Guerrier.

MARTIN (latin) Martial. Martin a toujours été très répandu en tant que nom de famille, tant en Europe qu'en Amérique. Le prénom, lui, était déjà courant au Moyen Âge, et au XVe siècle en Europe. Après avoir été longtemps oublié, il réapparaît, sans connaître le succès de sa version féminine Martine. Dérivés : Mart, Martan, Martel, Marten, Martey, Martie, Martinas, Martiniano, Matinka, Martino, Martinos, Martins, Marto, Marton, Marty, Martyn, Mertin.

MARVIN (anglais) Marin. Dérivés : Marv, Marvyn, Marzhin.

MARWAN (arabe) *Définition inconnue.*

MARWOOD (anglais) Étang dans une forêt.

MASON (germ.) Sculpteur.

MASSAOUD (arabe) Joyeux.

MASUD (arabe) Chanceux. Dérivé : Masiud.

MATANIAH (hébraïque) Présent de Dieu. Dérivés :

Matania, Matanya, Matitia, Matitiah, Matityah, Matityahu, Mattaniah, Mattathias, Matya.

MATEJ (tchèque) Cadeau de Dieu. Dérivés : Mata, Matejek, Matejicek, Matejik, Matousek, Matyas, Matys, Matysek.

MATHER (anglais) Puissante armée.

MATHGHAMHAIN (irlandais) Ours.

MATHURIN (latin) Mûr. Dérivé : Matilin.

MATOK (hébraïque) Doux.

MATTAN (hébraïque) Présent. Dérivés : Matan, Matena, Maton, Mattun.

MATTHIAS (hébraïque) Don de Dieu. Matthias est un apôtre du Christ.

MATTHIEU (hébraïque) Don de Dieu. Matthieu est un

prénom dont la popularité ne s'est pas démentie depuis deux mille ans. Prénom biblique comme Jean ou Jacques, il est cependant un peu plus original et de très nombreuses personnalités de Hollywood ont rendu célèbre sa version anglaise, Matthew. Dérivés : Mateo, Mateus, Mathe, Mathew, Mathia, Mathias, Mathivet, Matias, Matt, Matteo, Matthaus, Matthew, Matthia, Matthias, Mattias, Matthis, Matty, Mazhé.

MAUDEZ (celtique) Bon.

MAURICE (latin) Brun de peau. Ce prénom a été l'un des grands classiques de la fin du XIXe et du début du XXe siècle. C'est Amaury, l'un de ses dérivés, qui a ensuite pris le relais. Dérivés : Maur, Maurey, Mauricio, Maurie, Mauris, Maurise, Maurizio, Maury, Morey, Morice, Morie, Moriss, Morrice, Morrie, Morris, Morriss, Morry.

MAX (latin) Diminutif de Maxime, Maxence, Maxwell. Comme Alex pour Alexandre et Alexis, il connaît un grand succès en Amérique et en Europe, car il est très court et comporte un x, lettre dont la sonorité est très à la mode.

MAXENCE (latin) Le plus grand.

MAXFIELD (anglais) Champ de Mack.

MAXIME (latin) Le plus grand. Prénom favori depuis les années 1980. Dérivés : Maksim, Maksimka, Maksum, Massimo, Max,

Maxence, Maxim, Maximien, Maximo, Maximos, Maxy.

MAXIMILIEN (latin) Plus grand. Dérivés : Massimiliano, Maximilano, Maximilian, Maximiliano, Maximillian, Maximino.

MAXWELL (écossais) Puits de Marcus. Aux États-Unis, on ne pensait pas, il y a une vingtaine d'années, que ce prénom aurait tant de succès aujourd'hui. Les parents qui choisissent ce nom appellent habituellement leur enfant par sa forme abrégée Max.

MAYER (latin) Plus grand. Dérivés : Mayor, Meier, Meir, Meirer, Meuer, Myer.

MAYEUL (latin) Mai. Dérivé : Mayol.

MAYFIELD (anglais) Champ de l'homme fort.

MAYNARD (anglais) Force colossale. Dérivés : Maynhard, Meinhard, Menard.

MAYO (irlandais) Comté d'Irlande.

MAZEN (arabe) Loué.

MAZHOUR (arabe) Chanceux.

MAZOUZ (arabe) Puissant.

MEAD (anglais) Prairie. Dérivés : Meade, Meed.

MEALLAN (irlandais) Petit homme plaisant. Dérivés : Meldan, Mellan.

MECISLAW (tchèque) Père glorieux. Dérivés : Mecek, Mecik, Mecislavek.

MÉDARD (germanique) Puissant.

MEDEB (arabe) Courtoi.

MÉDÉRIC (germanique) Courage de roi. Dérivé : Merri.

MEDH (arabe) Puissant.

MEDWIN (germanique) Ami vaillant.

MEHDI (arabe) Guidé par Dieu.

MEHENNI (arabe) Serein.

MEHITABEL (hébraïque) Dieu profite. Mehitabel est un prénom biblique inusité contrairement à beaucoup d'autres ayant la même origine.

MEIR (hébraïque) Celui qui est brillant. Dérivés : Mayer, Meyer, Myer.

MEISSAN (arabe) Distingué.

MEKKI (arabe) Qui vient de la Mecque.

MELAN (celtique) Blond. Dérivé : Melaine.

MELAR (celtique) Chef. Dérivé : Méloar.

MELBOURNE (anglais) Ville d'Australie. Dérivés : Melborn, Melburn, Milbourne, Milburn, Millburn, Millburne.

MELCHIOR (hébraïque) Roi.

MELDON (anglais) Moulin sur la colline. Dérivé : Melden.

MELDRICK (anglais) Minotier.

MELECH (hébraïque) Chef.

MELER (celtique) Or.

MELIH (arabe) Beau. Dérivé : Malih.

MELVILLE (anglais) Ville au moulin.

MELVIN (irlandais) Chef incontesté. Si un certain nombre de noms considérés comme démodés ont fait leur réapparition, ce prénom, en dépit de la popularité de l'acteur Mel Gibson, ne semble pas soulever l'intérêt des futurs parents. Dérivés : Malvin, Malvinn, Malvon, Malvonn, Mel, Melvern, Melvyn, Melwin, Melwinn.

MENAHEM (hébraïque) Réconfortant. Dérivés : Menahem, Mendel.

MENASHE (hébraïque) Oublieux. Dérivés : Mana, Manasseh, Mani, Menashi, Menashya.

MENDEL (hébraïque) Sagesse. Dérivés : Mendeley, Mendell.

MENNEN (arabe) Bienveillant.

MENO (celtique) Puissant.

MERCER (anglais) Commerçant. Dérivé : Merce.

MERED (hébraïque) Rébellion. Dérivé : Méïr.

MEREDITH (gallois) Chef illustre. Dérivés : Meredyth, Merideth, Meridith.

MERFIN (gallois) Roi gallois du IXe siècle. Dérivé : Merfyn.

MERIADEC (celtique) Fond de mer. Dérivé : Mériadeg.

MERLIN (anglais) Faucon. Merlin, à l'origine, était un prénom de filles qui s'est peu à peu étendu aux garçons. Dérivés : Marlin, Marlon, Merle, Merlen, Merlinn, Merlyn, Merlynn.

MERRI (germanique) Courage de roi.

MERRICK (anglais) Peau basanée. Dérivé : Merryck.

MERRIL (anglais) Scintillant comme la mer. Version masculine de Murie. Dérivés : Meril, Merrill, Merrel, Merrell, Merril, Meryl.

MERRIPEN (bohémien) Vie.

MERRITT (anglais) Petit et célèbre. Dérivés : Merit, Meritt, Merrett.

MERTON (anglais) Ville près

d'un lac. Dérivés : Mertin, Mirtin, Murton, Myrton.

MERVIN (gallois) Falaise. Dérivés : Mervyn, Murvin, Murvyn.

MERZAK (arabe) Généreux.

MERZOUG (arabe) Prospère.

MESSAOUD (arabe) Chanceux.

MESTIPEN (bohémien) Chance.

METHODIOS (grec) Compagnon de voyage.

METHUSHELACH (hébraïque) Messager. Dérivés : Méthuselah, Metushelach.

METODEJ (bohémien) Compagnon de route. Dérivés : Metodek, Metousek.

MEURZH (celtique) Combattant.

MEVEN (celtique) Gai.

MEYER (germanique) Fermier. Dérivé : Mayer.

MEZIAN (arabe) Élégant.

MICHA (hébraïque) Qui est comme Dieu.

MICHAEL (hébraïque) Qui est comme Dieu. Forme originelle de Michel. Outre-Atlantique, les Michael sont très nombreux, parmi lesquels quelques célébrités comme Michael J. Fox, Michael Jackson, Michael Jordan, Michael Douglas, Mickey Rourke, Mickey Rooney et Mick Jagger. Dérivés : Makis, Micah, Micha, Michail, Michak, Michal, Michalek, Michau, Micheal, Michele, Mick, Mickel, Mickey, Mickie, Micky, Miguel, Mihail, Mihailo, Mihkel, Mikaek, Mikael, Mikala, Mike, Mikelis, Mikey, Mikhail, Mikhalis, Mikhos, Mikkel,

Mikko, Mischa, Misha, Mitch, Mitchel, Mitchell.

MICHEE (hébraïque) Qui est comme Dieu. Forme de Michel.

MICHEL (hébraïque) Qui est comme Dieu. Avec Mohammed et Jean, Michel est l'un des prénoms les plus attribués dans le monde entier. Il a eu la faveur des parents depuis plus de quarante ans. Son dérivé Michaël est davantage apprécié aujourd'hui. Ce prénom apparaît à la fois dans la Bible, Ancien et Nouveau Testaments, et dans le Coran. Michel de Montaigne et Michel-Ange sont probablement les Michel les plus célèbres.

MIDDLETON (anglais) Ville au milieu.

MIECZYSLAW (polonais) Épée glorieuse. Dérivés : Maslaw, Mieszko, Mietek.

MIKOLAS (tchèque) Peuple victorieux. Dérivé : Mikuls.

MILAN (slave) Célébrité.

MILBOROUGH (anglais) Ville du milieu. Dérivé : Milbrough.

MILES (anglais) Soldat. Dérivés : Milo, Myles.

MILFORD (anglais) Gué du moulin.

MILLARD (anglais) Gardien du moulin.

MILLER (anglais) Minotier.

MILLS (anglais) Moulins.

MILO (germanique) Généreux.

MILOSLAV (tchèque) Amour glorieux. Dérivés : Milda, Milon, Milos.

MILOSLAW (polonais) Amant glorieux. Dérivés : Milek, Milosz.

MILOUD (arabe) Refuge.

MILSON (anglais) Fils de Miles.

MILTON (anglais) Ville du moulin.

MIMOUN (arabe) Heureux.

MIN (celtique) Bonne santé.

MINJAD (arabe) Brave.

MINOR (latin) Plus jeune. Dérivé : Mynor.

MIROSLAV (tchèque) Gloire illustre. Dérivé : Mirek.

MIROSLAW (polonais) Grande gloire. Dérivés : Mirek, Miroslawy.

MISAÏL (hébraïque) Qui est comme Dieu.

MISSOUM (arabe) Fort.

MOALI (arabe) Supérieur.

MODAN (celtique) Jeune homme.

MODESTE (latin) Modeste.

MODRED (ang.) Conseiller audacieux. Dérivé : Mordred.

MOEHAU (tahitien) Dormir dans la paix.

MOHAMMED (arabe) Loué grandement. Si Michel est le prénom le plus répandu en Europe et aux États-Unis, Mohammed et ses nombreuses versions est le plus populaire dans les pays musulmans et peut-être dans le monde. Mohammed est le nom du prophète de l'Islam. Il est aussi très répandu en Amérique, dans la communauté afro-américaine. Dérivés : Ahmad, Amad, Amed, Hamdrem, Hamdum, Hamid, Hammad, Hammed, Humayd, Mahmed, Mahmoud, Mahmud, Mehemet, Mehmet, Mohamad, Mohamed, Mohamet, Mohammad, Muhammad.

MOHSEN (arabe) Vertueux.

MOÏSE (hébraïque) Sauvé des eaux. Dérivés : Moises, Moisey, Mose, Moses, Mosese, Mosha, Moshe, Moss, Moyse, Moze, Mozes.

MOJIESZ (polonais) Sorti de l'eau.

MOKHTAR (arabe) Élu de Dieu.

MONAHAN (irlandais) Moine. Dérivés : Monaghan, Monohan.

MONROE (irlandais) Marais rouge. Dérivés : Monro, Munro, Munroe.

MONTGOMERY (anglais) Montagne de l'homme riche. Dérivés : Monte, Montgomerie, Monty.

MORAM (arabe) Désiré.

MORAN (celtique) Grande mer.

MORAY (écossais) Nom de famille.

MORDEKHAI (hébraïque) Homme honorable. Dérivé : Mardochée.

MORDIERN (celtique) Seigneur de la mer.

MORELAND (anglais) Terre en friche. Dérivés : Moorland, Morland.

MORGAN (gallois) Né de la mer. Ce prénom mixte est plus souvent attribué à des petites filles. Dérivés : Morgen, Morrgan.

MORI (hébraïque) Mon guide. Dérivés : Morie, Moriel.

MORLEY (anglais) Prairie dans la lande. Dérivés : Moorley, Moorly, Morlee, Morleigh, Morly, Morrley.

MORRISON (anglais) Fils de Morris. Dérivé : Morrisson.

MORSE (anglais) Fils de

Maurice.

MORTON (anglais) Ville dans la lande. Dérivé : Morten.

MORVAN (celtique) Sage mer.

MORVEN (écossais) Sommet élevé.

MOSHÉ (hébraïque) Sauvé des eaux.

MOSTYN (gallois) Forteresse au milieu d'un champ.

MOUAYAD (arabe) Vainqueur.

MOUBARAK (arabe) Chanceux.

MOUHSINE (arabe) Parfait.

MOUNIF (arabe) Dominant.

MOUNIR (arabe) Éclaire.

MOURAD (arabe) Voulu.

MOURLIS (arabe) Pur.

MOURTAR (arabe) Élu de Dieu.

MOUSSA (hébraïque) Sauvé des eaux. Forme arabe de Moïse.

MUBARAK (arabe) Béni.

MUHANNAD (arabe) Épée.

MUIR (écossais) Lande.

MUIREDHACH (irlandais) Marin. Dérivés : Murchadh, Murrough.

MUIRGHEAS (irlandais) Choix de la mer.

MUKHTAR (arabe) Choisir.

MUNCHIN (irlandais) Petit moine.

MUNGO (écossais) Amical. Dérivé : Mongo.

MUNIM (arabe) Charitable.

MUNIR (arabe) Lumière vive.

MURDOCH (éco.) Marin. Dérivé : Murdo, Murdock, Murtagh.

MURIEL (irlandais) Étincelant comme la mer.

MURPHY (irlandais) Com-

battant des mers.
MURRAY (écossais) Marin.
Murray est à la fois prénom
et nom de famille. Assez répandu, dans les années
1940-1950, il a surtout été
employé depuis comme se-
cond prénom. Dérivés :
Murrey, Murry.
MUSAD (arabe) Chanceux.
MUSHIN (arabe) Généreux.

MY
tique.
reon.

Nachman, Nechum, Nehum.

NACIM (arabe) Air frais.

NADEM (arabe) Repentant.

NADER (arabe) Exceptionnel. Dérivé: Nadhir.

NADIM (arabe) Ami.

NADIR (hébraïque) Serment.

NADJIB (arabe) De noble lignée.

NAËL (arabe) Celui dont le travail est fructueux. Dérivé : Naïl.

NAFAE (arabe) Bon.

NAFEZ (arabe) Puissant.

NAFHAN (arabe) Faveur.

NAFIS (arabe) De grande valeur.

NAGI (arabe) Confident. Dérivé : Naji.

NAGID (hébraïque) Chef. Dérivé : Nageed.

NAGUIB (arabe) De noble naissance.

NAAMEN (arabe) Bonheur.

NABIH (arabe) Intelligent.

NABIL (arabe) Noble.

NACEF (arabe) Équitable.

NACER (arabe) Triomphateur. Dérivés : Nasser, Nosseir.

NACHDAN (arabe) Celui qui recherche Dieu.

NACHIT (arabe) Agile.

NACHUM (hébraïque) Réconfort. Dérivés : Nabum, confort. Dérivés : Nabum, battant des mers.

MURRAY (écossais) Marin. Murray est à la fois prénom et nom de famille. Assez répandu, dans les années 1940-1950, il a surtout été employé depuis comme second prénom. Dérivés : Murrey, Murry.

MUSAD (arabe) Chanceux.

MUSHIN (arabe) Généreux.

MUSTAPHA (arabe) Choisi. Dérivé : Mustafa.

MUTASIM (arabe) Abri.

MUTAZZ (arabe) Fort.

MYERS (anglais) Celui qui vit dans le marais. Dérivé : Myer.

MYRON (grec) Huile aromatique. Dérivés : Miron, Myreon.

NAAMEN (arabe) Bonheur.

NABIH (arabe) Intelligent.

NABIL (arabe) Noble.

NACEF (arabe) Équitable.

NACER (arabe) Triomphateur. Dérivés : Nasser, Nosseir.

NACHDAN (arabe) Celui qui recherche Dieu.

NACHIT (arabe) Agile.

NACHUM (hébraïque) Réconfort. Dérivés : Nabum, Nachman, Nechum, Nehum.

NACIM (arabe) Air frais.

NADEM (arabe) Repentant.

NADER (arabe) Exceptionnel. Dérivé: Nadhir.

NADIM (arabe) Ami.

NADIR (hébraïque) Serment.

NADJIB (arabe) De noble lignée.

NAËL (arabe) Celui dont le travail est fructueux. Dérivé : Naïl.

NAFAE (arabe) Bon.

NAFEZ (arabe) Puissant.

NAFHAN (arabe) Faveur.

NAFIS (arabe) De grande valeur.

NAGI (arabe) Confident. Dérivé : Naji.

NAGID (hébraïque) Chef. Dérivé : Nageed.

NAGUIB (arabe) De noble naissance.

NAGUY (arabe) Sauvé. Dérivé : Nagui.

NAHEL (arabe) Qui a étanché sa soif.

NAHELE (hawaïen) Forêt.

NAHID (arabe) Fort.

NAHOR (hébraïque) Lumière. Dérivés : Nahir, Nahur, Nehor.

NAHOUM (hébraïque) Consolateur.

NAIM (arabe) Heureux. Dérivés : Naeem, Nahim, Naïme, Nouaïm.

NAIMALLAH (arabe) Bienfait de Dieu.

NAIRNE (écossais) Rivière. Dérivé : Nairn.

NAJAH (arabe) Réussite. Dérivé : Najeh.

NAJI (arabe) Sauvé. Dérivés : Nagi, Naji.

NAJIB (arabe) Élégant. Dérivés : Nagib, Najeeb.

NAJID (arabe) Courageux.

NAJIH (arabe) Patient.

NAJM (arabe) Étoile. Dérivés : Nadjim, Najim.

NALDO (espagnol) Bon conseil.

NAMIL (arabe) Celui qui accomplit.

NAMIR (arabe) Léopard.

NAN (celtique) Phoque.

NANI (polynésien) Enfant aimé des dieux.

NAO (vietnamien) Fleur de pêcher.

NAOKO (japonais) Force.

NAOMHAN (irlandais) Petit saint. Dérivé : Nevan.

NAOUAR (arabe) Lumineux.

NAPOLEON (italien) Lion de Naples.

NAPTHALI (hébraïque) Conflit. Dérivé : Naphtali.

NARCISSE (grec) Narcisse. Dérivés : Narcis, Narcisso,

Narcissus, Narcès, Narcisiu, Narciso, Narcisz, Narciziu, Narjes, Narjis, Narkis, Narkiz, Narzissus, Nersès.

NARD (perse) Jeu d'échecs.

NARZALES (grec) De Narsès, nom d'un roi des Parthes. Dérivé : Nartzalus.

NASR (arabe) Victoire.

NASRI (arabe) Victorieux.

NASSER (arabe) Aide. Dérivé : Nassir.

NASSIB (arabe) Destinée. Dérivés : Nessim, Nossaïb.

NASSIH (arabe) Conseiller fidèle.

NAT (hébraïque) Don de Dieu.

NATAL (espagnol) Naissance. Dérivés : Natale, Natalio, Natalicio, Natalis.

NATHAN (hébraïque) Cadeau de Dieu. Nathan est, dans la Bible, un grand prophète, et conseiller du roi David. Ce prénom figure au palmarès des cent prénoms favoris des années 1990 aux États-Unis. Nathan était un prophète dont il est fait mention dans l'Ancien Testament, dans le deuxième livre de Samuel. Ce prénom, vieux de plusieurs de siècles, est très courant en Grande-Bretagne, en Australie et aux États-Unis. Le chanteur Nat King Cole faisait partie des dignes représentants de ce prénom. Dérivés : Nat, Natan, Nataniele, Nate, Nathanial, Nathaniel, Nathen, Nathon, Natt, Natty, Nafanaïl, Natanaël, Nataniel, Nathaël, Nathalan, Nathanae, Nathanaël, Nathaneol, Nathanuel, Nathanyahou, Nathean, Nathel, Nathy, Nati,

Nattan

NATOLI (grec) Aurore.

NAUAR (arabe) Éblouissant.

NAV (hongrois) Nom.

NAVARRO (espagnol) Terre. Dérivé : Navarre.

NAWAR (arabe) Lumineux.

NAWFEL (arabe) Généreux.

NAWRI (arabe) Épanoui. Dérivé : Nori.

NAYEL (arabe) Méritant.

NAYLAND (anglais) Celui qui vit sur une île.

NAZAIRE (hébraïque) Consacré. Dérivés : Nazar, Nazarii

NAZARENO (grec) Originaire de Nazareth. Dérivés : Nazario, Nazzareno

NAZIM (arabe) Celui qui établit l'ordre.

NAZOR (grec) Couronné.

NDONGO (camerounais) Fidélité.

NÉARQUE (grec) Nouveau chef.

NECTAIRE (grec) Boisson des dieux.

NEFIS (arabe) Cher.

NÉHÉMIE (hébraïque) Réconfort de Dieu. Dérivés : Nechemia, Nechemiah, Nechemya, Nehemiah.

NEIL (irlandais) Champion. Contrairement à ce que l'on pourrait croire, Neil n'est pas un diminutif mais un véritable prénom dont l'orthographe originelle est Niall. Dérivés : Neal, Neale, Neall, Nealle, Nealon, Neile, Neill, Neille, Neils, Nels, Niadh, Nial, Niall, Nialle, Niel, Niels, Nigel, Niles, Nilo, Nolan, Neals, Nealson, Niahl, Niallan, Nils, Nygel, Nygell, Nyle.

NEJMI (arabe) Noble. Dérivé : Nejm.

NEKTARIOS (grec) Nectar. La boisson des dieux. Dérivé : Nectario.

NELEK (polonais) Comme une corne.

NELSON (anglais) Fils de Neil. Ce nom qui, jusqu'à présent, n'était pas très répandu commence à se faire connaître aux États-Unis. Citons comme célébrité Nelson Mandela. Dérivés : Nealson, Neilson, Nilson, Nilsson.

NÉMÈSE (grec) Qui distribue. Dérivé : Némésien.

NEMESIO (espagnol) Justice.

NEMIR (arabe) Fier. Dérivés : Noémir, Numéir, Nomeïr.

NÉMO (grec) Vallée.

NEN (égyptien) Esprit.

NENAN (celtique) Élevé.

NÉO (grec) Nouveau. Dérivé : Néon

NEPER (espagnol) Nouvelle cité.

NEPHTALI (hébraïque) J'ai lutté.

NÉPOTIEN (grec) Neveu.

NEPTUNE (latin) Dieu romain de la Mer.

NÉRÉE (grec) Du nom d'un dieu de la mythologie grecque. Dérivé : Néréo.

NERIAH (hébraïque) Dieu est ma lumière. Dérivé : Neria.

NÉRON (latin) Fort. Dérivés : Nero, Nerone.

NESBIT (anglais) Courbe de la route. Dérivés : Naisbit, Naisbitt, Nesbitt, Nisbet, Nisbett.

NESSIB (arabe) Bien né.

NESSIM (arabe) Fleur sauvage.

NESTOR (grec) Voyageur. Personnage de la mythologie, compagnon d'Achille en quête de la Toison d'Or. Dérivés : Nestore, Nestorio, Nestoriu, Nextor.

NETANIAH (hébraïque) Cadeau de Jéhova. Dérivés : Netania, Netanya, Nethaniah, Netanel, Nethanel.

NÉTHELM (germanique) Brave protection.

NETO (espagnol) Honnête.

NEVADA (espagnol) Couvert de neige. Ce prénom, qui évoque l'Ouest américain, plait de plus en plus aux parents en quête d'originalité.

NEVADIAH (hébraïque) Bonté du Seigneur. Dérivés : Nedabiah, Nedavia, Nedavya.

NEVEN (irlandais) Sacré. Dérivés : Naohmin, Nev,
Nevan, Neveno, Nevenoe, Nevin, Niven, Nominoé, Nevenou.

NEVENTER (celtique) Roi du ciel.

NEWELL (anglais) Nouveau hall. Dérivés : Newall, Newel, Newhall.

NEWLAND (anglais) Nouvelle terre.

NEWLIN (irlandais) Nouvelle mare. Dérivés : Newlun, Newlyn.

NEWMAN (anglais) Nouveau venu.

NEWTON (anglais) Nouvelle ville.

NEZIR (arabe) Consacré à Dieu. Dérivé : Nazir.

NHAN (vietnamien) Vertueux.

NI (chinois) Petit enfant.

NICABAR (espagnol) Dérober.

NICAISE (grec) Vainqueur. Dérivés : Nicayse, Nichaise, Nigaise

NICANDRE (latin) Vainqueur des hommes. Dérivés : Nikandr, Nikanor, Nikon, Nika, Nikicha

NICÉPHORE (grec) Poteur de la victoire. Dérivés : Nicano, Nicanor, Nicèphe, Nikèphe.

NICODÈME (grec) Victoire du peuple. Dérivé : Nicodemus, Nikodem, Nikodemes, Nokomedos, Nicodim, Nicomedès, Nigouden, Nikomedes.

NICOLAS (grec) Peuple victorieux. Nicolas est un prénom qui figure dans le livre des Actes des Apôtres. C'est également le prénom de saint Nicolas, patron des écoliers, qui s'est ensuite métamorphosé en Santa Claus, dans les pays scandinaves. Éternel classique dans les pays de l'Est, Nicolas est très populaire depuis environ une vingtaine d'années, tant en Europe qu'en Amérique. Un grand nombre de personnages célèbres ont porté ce prénom : Nicolas Copernic, Nicolas Poussin, Nikolaï Gogol, pour ne citer qu'eux. Dérivés : Claas, Claes, Claus, Colas, Cole, Colin, Collin, Klaas, Klaes, Klaus, Nic, Niccolo, Nichol, Nick, Nickolas, Nickolaus, Nicky, Nicol, Nicolaas, Nicolae, Nicolaï, Nicolau, Nicolin, Niels, Nikita, Nikki, Nikky, Niklas, Niklos, Niko, Nikolai, Nikolaos, Nikolas, Nikolaus, Nikolo, Nikolos, Nikos,

Nikula, Neacail, Neacal, Nicco, Nicet, Nicétas, Nichet, Nichola, Nocholas, Nicié, Nicklas, Niclaüs, Niclausse, Nicola, Nicolao, Nicolaus, Nicolaz, Nicolet, Nicoli, Nicolo, Nicou, Nicoulau, Nigoghos, Niklaus, Nikodim, Nokogho, Nokogos, Nikola, Nikolajs, Nikolao, Nikolaz, Nikolia, Nikoll, Nilos, Niocal, Nioclàs, Niocol, Nokolaz, Nikolazig.

NIDAL (arabe) Lutte.

NIELS (irlandais) Champion. Forme scandinave de Neil. Dérivés : Nigal, Nigel, Nigiel, Nigil.

NIGEL (latin) Noir.

NIKLAUS (grec) Triomphe.

NIKOSTRATOS (grec) Armée victorieuse. Dérivé : Nicostratos, Nicostrate.

NILI (hébraïque) Gloire d'Israël.

NIMROD (hébraïque) Rebelle.

NIN (grec) Fleur.

NING (chinois) Tranquille.

NINIAN (celtique) Élévation. Dérivé : Ninog, Neneg, Nennok, Ninnog, Ninn.

NIPTON (anglais) Autre nom de l'Île de Wight.

NIRAM (hébraïque) Terre fertile.

NISAN (hébraïque) Miracle. Dérivé : Nissan.

NIXON (anglais) Fils de Nicolas.

NIZAR (arabe) *Définition inconnue.*

NOADIAH (hébraïque) Rencontre avec Dieu. Dérivés : Noadia, Noadya.

NOAH (hébraïque) Réconfort. Dérivés : Noa, Nooa.

NOAM (arabe) Délice.

NOBEIR (arabe) Habile.

NOBLE (latin) Bien élevé.

NOÉ (hébraïque) Apaisement. Noé est un personnage de la Bible, qui lors du Déluge s'enferma dans une arche avec un couple de chaque espèce vivante. Dérivés : Noach, Noah, Noak, Noi, Noy.

NOE (polonais) Calme.

NOËL (français) Fête de Noël. Dérivés : Nadal, Nadalet, Nadau, Nedelec, Nédeleg, Noal, Noalig, Nodlaigh, Noélig, Nollaig, Nouel, Nouelig, Nowell.

NOHOARII (tahitien) Demeure du roi.

NOLAN (irlandais) Celui qui est petit et fier. Dérivés : Noland, Nolen, Nolann, Nolhan, Nolin, Nollan, Nuallan.

NOLO (celtique) Heureux.

NOMINOË (breton) Sommet.

NONCE (latin) Message.

NORBERT (germanique) Célèbre homme du Nord. Dérivé : Norberto.

NORMAN (anglais) Homme du Nord. Ce prénom vient des Normands qui envahirent l'Angleterre en 1066. Courant au Moyen Âge, il a presque complètement disparu jusqu'au XIXe siècle. Il est très rare aujourd'hui. Dérivés : Norm, Normann, Normand, Normando, Normen, Normie.

NORRIS (anglais) Homme du Nord. Dérivés : Noris, Noreys, Norrie, Norriss, Norry.

NORTHCLIFF (anglais) Falaise au nord. Dérivés : Northcliffe, Northclyff, North-clyffe.

NORTHROP (anglais) Ferme du nord. Dérivé : Northrup.

NORTON (anglais) Ville au nord.

NORVAL (écossais) Village du nord. Dérivés : Norvil, Norvill, Norville, Norvylle.

NORVELL (anglais) Puits au nord. Dérivé : Norvel.

NORVIN (anglais) Ami venu du nord. Dérivés : Norvyn, Norwin, Norwinn, Norwyn, Norwynn.

NORWARD (anglais) Gardien au nord.

NORWOOD (anglais) Bois du nord.

NOUI (arabe) Compagnon.

NOUR (arabe) Lumière. Dérivés : Noor, Noori, Nur, Nuri, Nordin, Nordine, Noredin, Noredine, Norredine, Nourdine, Noureddine, Nouredine, Nourredine.

NOURIEL (hébraïque) Flamme de Dieu.

NOY (hébraïque) Beauté.

NUADA (celtique) Créateur de nuages.

NUMA (arabe) Gentillesse. Version masculine de Naomi.

NUMAIR (arabe) Panthère.

NUNCIO (italien) Messager. Dérivé : Nunzio.

NUR ALDIN (arabe) Lumière de la foi.

NURU (africain) Né le jour.

NUSAIR (arabe) Rapace.

NYE (gallois) Honneur.

OAKES (anglais) Près des chênes. Dérivés : Oak, Ochs.

OAKLEY (anglais) Prairie plantée de chênes. Dérivés : Oaklee, Oakleigh, Oakly.

OANIG (celtique) Agneau. Dérivés : Oan, Oanez.

OBADYA (hébraïque) Serviteur de Dieu. Dérivés : Obadiah, Obadias, Obe, Obed, Obediah, Obie, Ovadiach, Ovadiah.

OBERON (germanique) Noble et fort comme un ours. Dérivés : Auberon, Auberron.

OBERT (germanique) Riche et brillant.

OBISPO (espagnol) Evêque.

OCÉAN (grec) Océan. Dérivé : Oceanus.

OCHRIEL (hébraïque) Dieu est mon bonheur.

OCTAVE (latin) Huitième enfant. Dérivés : Octaaf, Octavian, Octavien, Octavio, Octavius, Octavo, Ottavio, Octavi, Octavus, Oktav, Oktavi, Oktavius, Okataviuz, Ottavian, Ottaviano, Ottavianu, Ottaviu, Outavian.

ODALBERT (germanique) Brillante richesse. Dérivés : Olabert, Ollabert

ODALRIK (germanique) Puissant par la richesse. Dérivés : Odalric, Oldarich

ODELL (anglais) Colline boisée. Dérivés : Ode, Odey, Odi, Odie.

ODÉRIC (germanique) Puissante richesse. Dérivés : Odelric, Odry, Oldéric, Oldoric, Olry, Oury

ODHRAN (irlandais) Vert pâle. Dérivés : Odran, Oran.

ODILARD (germanique) Forte richesse.

ODILON (germanique) Richesse. Dérivé : Odon, Odelin, Odilien, Odilio, Odillon.

ODIN (scandinave) Dieu de la mythologie scandinave. Dérivés : Odde, Oddin, Oddon, Oddone, Oden, Oudin, Oudinès, Oudinet, Oudins.

ODOLF (germanique) Personnage opulent. Dérivé : Odolff.

ODOM (africain) Chêne.

ODOMAR (scandinave) Célèbre par ses richesses. Dérivé : Odmar.

ODON (germanique) Riche. Dérivé : Odo.

ODRAN (celte) Royal.

ODWIN (germanique) Propriété. Dérivés : Odouin, Ovyn.

ODYSSÉE (grec) Fulminer. Dérivé : Odysséas.

ODYSSEUS (grec) L'un des rois grecs partis faire la guerre à Troie.

OFFROI (germanique) Paix et richesse. Dérivés : Odfrid, Offray, Ofroy

OGDEN (anglais) Vallée plantée de chênes. Dérivés : Ogdan, Ogdon.

OGHE (irlandais) Cavalier. Dérivés : Oghie, Oho.

OGIER (germanique) Riche

lance. Dérivé : Oger.

OIHAN (basque) Bois.

OISIN (irlandais) Jeune cerf.
Dérivés : Ossian, Ossin.

OISTIN (irlandais) Respecté.

OKBA (arabe) Récompense.

OKIL (arabe) Raisonnable.

OKTAWIAN (polonais) Huitième.

OLAF (scandinave) Ancêtre.
Olaf est un prénom très
courant dans les pays nordiques, mais il ne semble
pas vouloir percer ailleurs
en dépit de son passé glorieux puisque cinq rois norvégiens furent ainsi prénommés. Dérivés : Olaff,
Olav, Olave, Ole, Olen, Olin,
Olof, Olov, Olyn, Olafur,
Olav, Olavi, Ole, Olghar,
Olli, Olof, Oluf.

OLAGUER (germanique) Richesse et lance. Dérivés :
Olagnier, Oldegaire, Ollégaire, Olleguier

OLDRICH (tchèque) Noble
roi. Dérivés : Olda, Oldrick,
Oldra, Oldrisek, Olecek,
Olik, Olin, Olouvsek.

OLEG (russe) Sacré. Il
semble que ce nom n'ait
guère plus de chance de devenir populaire qu'Olaf. Dérivé : Olezka.

OLI (hawaï) Joli.

OLIN (anglais) Saint.

OLIVIER (latin) Olivier. Ce
prénom, très en vogue dans
les années 1950-1960 est devenu un grand classique.
Dérivés : Oliver, Oliverio,
Olivero, Olivor, Olley, Ollie,
Olliver, Ollivor, Oilibhear,
Olevier, Oliber, Olier, Oliphars, Oliveiro, Oliveiros,
Oliveriu, Oliverius, Oliviero,
Olivieru, Olivio, Oliwa,

Olvan, Olli, Ollivier.

OLNEY (anglais) Ville de Grande-Bretagne.

OLRIK (germanique) Patrimoine de roi. Dérivé: Olric.

OLYMPE (grec) Qui vient de l'Olympe. Dérivé : Olympien

OMAR (arabe) Prospérité. L'acteur Omar Sharif a popularisé ce prénom. Dérivé : Omeïr.

OMER (germanique) Reconnu.

OMRI (hébraïque) Serviteur de Dieu.

ON (chinois) Paix.

ONAN (turc) Riche.

ONDREJ (tchèque) Viril. Dérivés : Ondra, Ondravsek, Ondrejek, Ondrousek.

ONEN (celte) Fort. Dérivé : Onnen.

ONÉSIME (grec) Utile. Dérivés : Onesimo, Onèst.

ONIAS (hébraïque) Grâce de Dieu.

ONISIM (grec) Utile. Dérivés : Onissi, Onissifor, Onissim.

ONSLOW (anglais) Colline. Dérivé : Ounslow.

ONUR (turc) Dignité.

OOMER (germanique) Célèbre.

OPHELIO (grec) Qui aide.

ORAN (irlandais) Vert. Dérivés : Odran, Orin, Orran, Orren, Orrin.

ORBAN (hongrois) Citadin.

ORBERT (germanique) Brillant.

ORDÉRIC (germanique) Fer de lance.

OREN (hébraïque) Frêne. Dérivés : Orin, Orrin, Orene.

ORESTE (grec) Montagne. Dérivés : Aresty, Orest, Orestes, Orestio.

OREV (hébraïque) Corbeau.

ORFORD (anglais) Gué du château.

ORI (hébraïque) Ma lumière.

ORIATA (polynésien) Danse des nuages.

ORIBEL (latin) En or. Dérivés: Orio, Oriol

ORION (grec) Fils de feu ou de lumière, aube. Fils de Poséidon.

ORLANDO (germanique) Terre célèbre. Forme espagnole de Roland. Dérivés : Ordando, Orland, Orlande, Orlo.

ORMAN (germanique) Marin. Dérivé : Ormand.

ORMOND (anglais) Montagne aux ours. Dérivé : Ormand.

ORO (espagnol) Or.

ORON (hébraïque) Lumière.

ORONCE (grec) Montagne.

ORPHÉE (grec) Personnage de la mythologie. Dérivés : Orfeo, Orfeu.

ORRICK (anglais) Vieux chêne. Dérivé : Orric.

ORSON (latin) Comme un ours. Orson Wells, qui s'appelait George en réalité, fut l'un des premiers à faire connaître ce prénom. Il semble qu'il bénéficie actuellement d'un léger succès dans les pays anglophones. Dérivés : Orsen, Orsin, Orsini, Orsino, Ors, Orso.

ORTLE (basque) Firmament.

ORTLIEB (germanique) Amour.

ORTNID (germanique) Colère.

ORTON (anglais) Ville côtière.

ORTWIN (germanique) Ami.
ORVIN (anglais) Ami ayant une lance. Dérivés : Orwin, Orwynn.
ORWA (arabe) Ami fiable.
OSBERT (anglais) Divin et éclatant.
OSBORN (anglais) Ours sacré. Dérivés : Osborne, Osbourn, Osbourne, Osburn, Osburne, Osbern.
OSCAR (germanique) Lance divine. Oscar a aussi une origine gaélique, et signifie « Ami du cerf » ; c'est un personnage de la mythologie irlandaise. Dédaigné depuis la fin du XIXᵉ siècle, Oscar est à présent considéré comme un prénom simple et retrouve une certaine renommée. Le succès du film de Steven Spielberg, *La Liste de Schindler*, retraçant la vie d'Oskar Schindler, y contribue sans doute. Mentionnons, parmi les autres Oscar connus, Oscar Wilde, Oscar de la Renta ou Oscar Peterson. Dérivés : Oskar, Osker, Ossie, Ocky, Orkatz, Osgar, Oskari, Osku, Ossy, Oszkar.
OSEI (africain) Noble.
OSGOOD (anglais) Divin et bon. Dérivés : Oz, Ozzi, Ozzie, Ozzy.
OSHEA (hébraïque) Aidé de Dieu. Dérivé : Oshaya.
OSMAN (polonais) Dieu protège.
OSMAR (anglais) Divin et merveilleux.
OSMOND (anglais) Protecteur divin. Dérivés : Osman, Osmand, Osmonde, Osmund, Osmunde, Osmont.
OSRED (anglais) Conseiller

divin.

OSRIC (anglais) Maître divin. Dérivé : Osrick.

OSTEN (latin) Estimé. Dérivés : Ostin, Ostyn.

OSWALD (anglais) Pouvoir divin. Dérivés : Ossie, Osvald, Oswaldo, Oswall, Oswell, Osvaldo, Osvaud, Osvaut, Oswallt.

OSWIN (anglais) Ami divin. Dérivés : Osvin, Oswinn, Oswyn, Oswynn.

OTA (tchèque) Riche. Dérivé : Otik.

OTAR (germanique) Forte richesse.

OTELLO (germanique) Faste. Dérivé: Othello.

OTFRID (germanique) Richesse et paix. Dérivé : Otfried.

OTGAR (germanique) Richesse.

OTHBERT (germanique) Brillante richesse. Dérivé : Otbert.

OTHMAN (germanique) Homme fortuné ; (arabe) Dragon. Dérivés : Athman, Osmane, Othmar, Otman, Otmane, Ottman, Outman, Outmane.

OTHNIEL (hébraïque) Lion de Dieu. Dérivé : Otniel.

OTIS (anglais) Fils d'Otto.

OTOKAR (tchèque) Celui qui surveille sa fortune.

OTTO (germanique) Fortuné. Otto est un prénom particulier que certains parents considèrent comme étant à la pointe de la mode. Il est très populaire en Hongrie, en Allemagne, en Suède et en Russie. Dérivés : Odo, Otello, Othello, Otho, Othon, Oto, Ottomar, Oitir,

Otacile, Otton, Ottone.

OTTOMAR (germanique) Propriété célèbre. Dérivé : Otmar.

OTTULPHE (germanique) Loup riche.

OTWALD (germanique) Possession.

OUACIL (arabe) Celui qui unit.

OUADID (arabe) Aimant.

OUAHIB (arabe) Donateur.

OUAJIH (arabe) Beau.

OUALI (arabe) Près de Dieu.

OUALID (arabe) Né.

OUASSIL (arabe) Qui désire Dieu.

OUASSIM (arabe) Très beau.

OUEN (latin) Celui qui oint.

OUMAR (arabe) Fécond.

OUNSI (arabe) Familier.

OURI (hébraïque) Ma lumière. Dérivé : Omrith.

OUSSAID (arabe) Lionceau.

OUSSAMA (arabe) Lionceau. Dérivé : Ossama.

OUZIEL (hébraïque) Force de Dieu.

OVED (hébraïque) Croyant. Dérivé : Obed.

OVIDE (latin) Pasteur. Dérivé: Ovidio

OWEN (gallois) Bien né. Owen est, pourrait-on dire, le cousin d'Evan et d'Eugène qui ont la même étymologie. Dérivés : Owain, Owin.

OXFORD (anglais) Bœufs traversant une rivière. Oxford est le nom d'une célèbre université anglaise.

OYSTEN (irlandais) Pierre des îles.

OZ (hébraïque) Pouvoir.

OZAN (basque) Santé. Dérivé: Osasun.

OZMAN (arabe) Fermeté.

PABAN (celtique) Faire valoir.

PABLO (latin) Petit. Forme espagnole de Paul. Pablo Picasso a rendu ce prénom célèbre. Dérivé : Pablito.

PACIEN (latin) Paix. Dérivé : Pacian.

PACIFIQUE (latin) Pacifique.

PACO (latin) Diminitif de l'espagnol Francisco. Dérivés : Pacorro, Paquito.

PACOME (latin) Paix.

PADDY (latin) Noble. Diminutif irlandais de Patrick. Dérivés : Paddey, Paddie.

PADERN (latin) Paternel. Forme bretonne de Paterne.

PADGET (anglais) Jeune assistant. Dérivés : Padgett, Paget, Pagett.

PADRAIG (latin) Noble. Forme irlandaise de Patrick.

PADRIG (latin) Noble. Forme bretonne de Patrick.

PAGAN (latin) Païen.

PAGIEL (hébraïque) Celui qui croit en Dieu.

PAINTER (anglais) Peintre.

PAKHOMI (russe) Robuste.

PAKITO (latin) Libre.

PAL (bohémien) Frère.

PALBEN (basque) Blond.

PALMER (anglais) Celui qui porte des branches de palmier. Palmer fait partie de ces noms de famille un peu subtils devenus des prénoms à la fois masculins et féminins. Il est probable toutefois qu'à l'avenir il devienne réservé aux garçons. Dérivés : Pallmer, Palmar.

PALMYRE (hébraïque) Palmiers.

PAMPHILE (grec) Grand ami. Dérivé : Pamphyle.

PANAS (grec) Immortel.

PANCHAIRE (grec) Très réjoui.

PANCHO (latin) Forme espagnole de François. Dérivé : Panchito.

PANCRACE (grec) Tout puissant.

PANKRAT (russe) Puissant.

PANOS (grec) Roc.

PANTAGATHE (grec) Très bon.

PARFAIT (latin) Réaliser.

PARIS (anglais) Ville. Dérivé : Parris.

PARKER (anglais) Gardien de parc. Parker est à la mode en Amérique du Nord depuis le début du XIXe siècle et semble se maintenir en bonne place. Dérivés : Park, Parke, Parkes, Parks.

PARLAN (écossais) Fermier.

PARMÈNE (grec) Près de la lune. Dérivé : Parménas.

PARR (anglais) Parc du château. Dérivés : Parrey, Parrie.

PARRISH (anglais) Comté, paroisse. Dérivé : Parish.

PARRY (anglais) Fils de Harry.

PARTHÈNE (grec) Vierge.

PASCAL (hébraïque) Passage. Dérivés : Pascalin, Pascaloun, Pascase, Paschal, Pascoal, Paskal, Paskell,

Paskoal, Pasqua, Pasqual, Pasqualino, Paxkal

PATERNE (latin) Paternel. Dérivés : Padern, Padernig, Patern, Paterno, Paternus, Pedernig, Péterne.

PATRICK (latin) Noble. Ce prénom traditionnel irlandais a eu un immense succès dans les années 1950 en Europe comme en Amérique. Saint Patrick, évêque, fut l'organisateur de l'Église d'Irlande au Ve siècle. Il est le saint patron de ce pays, et il est fêté partout où vivent des Irlandais. Dérivés : Paddey, Paddie, Paddy, Padraic, Padraig, Padruig, Pat, Patek, Patric, Patrice, Patricio, Padreg, Padriga, Padriguez, Paidean, Pakelika, Patrici, Patrikeï, Patriki, Patriz, Payton, Patsy, Patricius, Patrik,

Patrizio, Patrizius, Patryk.

PATROCLE (grec) Gloire du père. Dérivé : Pateroclès.

PATTIN (bohémien) Feuille.

PATTON (anglais) Ville de garnison. Dérivés : Paten, Patin, Paton, Patten, Pattin.

PAUL (latin) Petit. Ce grand classique est au hit-parade des prénoms en vogue depuis dix ans, et ses versions étrangères sont aussi très appréciées. L'apôtre Paul est l'auteur de quatorze épîtres. Les Paul célèbres répartis dans le monde sont innombrables, mais citons, entre autres, Paul McCartney, Paul Newman, Pablo Picasso ou Paul Verlaine. Dérivés : Pablo, Pal, Pali, Palika, Paol, Palko, PallPauels, Paulien, Paulinos, Paulos, Pauwel, Pauwels, Pavan, Poghos,

Polin, Pollion, Paolig, Paolino, Pauw, Pava, Pavka, Polig, Paolo, Pasha, Pashenka, Pashka, Paska, Paulin, Paulino, Paulis, Paulo, Pauls, Paulus, Pauly, Pavel, Pavlicek, Pavlik, Pavlis, Pavlo, Pavlousek, Pawel, Pol, Poul.

PAWL (latin) Faible.

PAXTON (anglais) Ville paisible. Dérivés : Packston, Pax, Paxon, Paxten.

PAYNE (latin) Homme de la campagne. Dérivé : Paine.

PAZ (espagnol) Paix.

PEADAR (irlandais) Roche. Dérivé : Peadair.

PEARSON (anglais) Fils de Piers. Dérivé : Pierson.

PEDAHEL (hébraïque) Dieu rachète les péchés. Dérivé : Pedael.

PEDAT (hébraïque) Onction.

PÉLAGE (grec) Pleine mer. Dérivés : Pélagien, Pélège

PELAGIOS (grec) De la mer.

PÉLAIO (grec) Marin. Dérivé : Pélai

PELAYO (grec) Mer profonde.

PÉLEGRIN (latin) Voyageur.

PELHAM (anglais) Région de Grande-Bretagne.

PELL (anglais) Parchemin.

PEMBROKE (irlandais) Falaise. Dérivé : Pembrook.

PENLEY (anglais) Prairie clôturée. Dérivés : Penlea, Penleigh, Penly, Pennlea, Pennleigh, Pennley.

PENN (anglais) Enclos. Dérivé : Pen.

PENWYN (gallois) A la tête blanche.

PEPE (hébraïque) Dieu ajoute. Dérivé italien de Joseph.

PÉPIN (germanique) Celui qui persévère. Ce prénom fut porté par plusieurs rois francs, dont Pépin le Bref. Dérivés : Pepi, Peppi, Peppie, Peppy.

PEPPO (hébraïque) Dieu ajoute. Dérivé italien de Joseph. Dérivés: Pépito, Peppone.

PER (celtique) Pierre.

PERACH (hébraïque) Fleur. Dérivé : Perah.

PERACHIAN (hébraïque) Fleur de Dieu. Dérivés : Perachia, Perachya.

PERAN (breton) Pierre.

PERCEVAL (anglais) Trouée dans la vallée. Dérivés : Parcifal, Percival, Parcival, Parsival, Percifal.

PERCY (anglais) Prisonnier dans la vallée. Dérivés : Pearce, Pearcey, Pearcy, Percey, Pearse.

PEREG (breton) Pierre.

PEREGRINE (latin) Faucon. Dérivés : Peregrin, Peregryn.

PERETZ (hébraïque) Bond en avant. Dérivés : Perez, Pharez.

PÉRICLÈS (grec) Célèbre orateur. Dérivé: Periklès

PERKIN (anglais) Petit Pierre. Dérivés : Perkins, Perkyn.

PERRY (anglais) Voyageur.

PESACH (hébraïque) Épargné. Également le nom de la Pâque juive. Dérivé : Pessach.

PETER (grec) Pierre. Dérivé: Pete.

PEWLIN (gallois) Petit. Dérivé : Peulan.

PEYTON (anglais) Domaine du soldat. Dérivé : Payton.

PHARAON (égyptien) Roi. Dérivés : Pharaoh, Pharoa.

PHELAN (irlandais) Loup.

PHELPS (anglais) Fils de Philip.

PHÉNIX (grec) Immortel. Dérivé : Phoenix.

PHILADELPHE (grec) Qui aime son frère.

PHILANDER (grec) Celui qui aime les hommes.

PHILARÈTE (grec) Qui aime le meilleur.

PHILEAS (grec) Celui qui aime.

PHILÉMON (grec) Seul ami.

PHILIPPE (grec) Ami des chevaux. Philippe est l'un des douze apôtres. Ce prénom a été particulièrement populaire dans les années 1950. Parmi les personnalités qui illustrent ce prénom, citons le prince Philip d'É-dimbourg, l'homme d'État espagnol Felipe Gonzales, le comédien Philippe Noiret. Dérivés : Felipe, Felipio, Fil, Filib, Filip, Filipo, Filippo, Fillipek, Fillipp, Fillips, Phil, Phelips, Philip, Philipp, Philippel, Phill, Phillip, Phillipe, Phillipos, Phillipp, Phillips, Pilib, Pippo.

PHILLIBERT (germanique) Célèbre. Dérivés : Philbert, Philibert.

PHILO (grec) Amour.

PHILOMÈNE (grec) Qui aime la lune.

PHILON (grec) Qui aime.

PHILOTÉE (grec) Qui aime Dieu.

PHINEAS (grec) Oracle. Dérivé : Phinée, Pinchas.

PHIRUN (cambodgien) Pluie.

PHOLIEN (grec) Qui vit dans une grotte.

PHONG (vietnamien) Dignité.

PHOTIN (grec) Lumière.

PHTISIS (grec) Perte.

PIAS (bohémien) Amusant.

PIATO (latin) pieux.

PICKFORD (anglais) Gué sur un pic rocheux.

PIERCY (anglais) Brèche dans une clôture. Dérivé : Piercey.

PIERRE (grec) Pierre. Ce prénom solide a été très populaire jusqu'au XVIe siècle, puis il a perdu ensuite un peu de son rayonnement, pour réapparaître avec force dans les années 1990. Saint Pierre, chef des apôtres et fondateur de l'Église, est l'une des personnaités les plus marquantes de la religion catholique. Les Pierre célèbres sont très nombreux ; parmi eux, citons deux hommes de théâtre, Pierre Corneille et Peter Ustinov. Dérivés : Pearce, Pears, Pearson, Pearsson, Peat, Peder, Pedro, Peers, Peet, Peeter, Peirce, Per, Petey, Petie, Petras, Petro, Petronio, Petros, Petter, Pierce, Piero, Pedre, Pedrog, Pedruxto, Peer, Peidro, Peio, Peire, Peiroun, Pekka, Perez, Perrin, Pétrone, Pétros, Pétroussia, Petrox, Petru, Petrus, Pexo, Peyo, Piarik, Piarresv, Piella, Piellu, Pier, Pierick, Pierig, Pierric, Pierrick, Pierrig, Pierrik, Pierroun, Pietrone, Preben, Peka, Peranig, Perezig, Petrik, Petroucha, Pierrot, Pierrson, Piers, Pierson, Piet, Pieter, Pietro, Piotr, Pyotr.

PINCHAS (hébraïque) Bouche du serpent. Dérivés : Phineas, Phinehas, Pinchos, Pinhas.

PINO (italien) Dieu ajoutera.

PIO (latin) Pieux. Dérivé : Pius.

PIRAN (anglais) *Définition inconnue*. Dérivés : Peran, Pieran.

PIRRO (grec) Roux.

PITNEY (anglais) Île de l'homme têtu. Dérivé : Pittney.

PITT (anglais) Fosse.

PLACIDO (espagnol) Placide. Le chanteur Placido Domingo nous a fait connaître ce nom qui figure en bonne place sur la liste des prénoms hispaniques en vogue. Dérivés : Placid, Placidus, Placyd, Placydo.

PLATON (grec) Large d'épaules. Dérivé : Plato.

PLUTARQUE (grec) Au-dessus de la richesse.

POLLARD (anglais) Chauve. Dérivés : Poll, Pollerd, Pollurd.

POLLUX (grec) Couronne. Dérivés : Pol, Pollack, Polloch, Pollock.

POLYCARPE (grec) Qui porte plusieurs fruits.

POLYCRATE (grec) Plusieurs puissances.

POLYNICE (grec) Personnage mythologique. Dérivé : Polynices.

POMPÉE (grec) Gloire éclatante.

PONCE (espagnol) Cinquième. Dérivés : Pons, Pontien, Pontziano, Pontzon.

PONTOS (grec) Dieu de la Mer.

PORFIRIE (grec) Pourpre.

PORFIRIO (grec) Porphyre. Dérivés : Porphirios, Prophyrios, Porphyre.

PORTER (latin) Portier.

POV (bohémien) Terre ou boue.

POWELL (anglais) Nom de famille. Dérivé : Powel.

PRAXEDES (grec) Actif.

PREDEN (gallois) Breton.

PREMYSL (tchèque) Premier. Dérivés : Myslik, Premek, Premousek.

PRENTICE (anglais) Apprenti. Dérivés : Pren, Prent, Prentis, Prentiss.

PRESCOTT (anglais) Cottage du prêtre. Dérivés : Prescot, Prestcot, Prestcott.

PRESLEY (anglais) Prairie du prêtre. Dérivés : Presleigh, Presly, Pressley, Prestley, Priestley, Priestly.

PRESTON (anglais) Ville du prêtre.

PREVEL (celtique) Seigneur.

PRICE (gallois) Fils d'un homme ardent. Dérivé : Pryce.

PRICHA (thaïlandais) Adroit.

PRIMAËL (celte) Digne prince.

PRIMO (italien) Premier fils. Dérivés : Preemo, Premo, Prime, Prismo.

PRINCE (latin) Prince. Dérivés : Prinz, Prinze.

PRISBISLAV (tchèque) Aider à glorifier. Dérivés : Pribik, Pribisek, Prisba.

PRISCILLIEN (latin) Antique. Dérivés : Priscilien, Priscillian, Priscilo

PRISCO (Latin) Vénérable.

PRIVEL (celtique) Allure de prince. Dérivé : Primel, Primelig, Privaël.

PROBACE (latin) Approuvé.
PROBE (latin) Honnête.
PROCTOR (latin) Officiel.
Dérivés : Prockter, Procter.
PROKHOFI (russe) Qui progresse.
PROKOP (tchèque) Progressiste.
PROLOMEO (grec) Combattant.
PROSPER (latin) Chanceux.
Dérivé : Prospero.
PROV (russe) Honnête.
PRUDENCE (latin) Sagesse.
Dérivés : Prudencio, Prudens, Prudentxi, Prudentzio, Prudenzi.

PRYDERI (gallois) Souci.
PRYOR (latin) Prieur d'un monastère. Dérivé : Prior.
PRZBYSLAW (polonais) Assistant glorieux.
PUBLIO (latin) Populaire.
PURVIS (anglais) Fournisseur de provisions. Dérivés : Purves, Purviss.
PUTNAM (anglais) Celui qui vit près d'un étang.

QABIL (arabe) Apte.

QADIM (arabe) Ancien.

QADIR (arabe) Talentueux. Dérivé : Qadar.

QAMAR (arabe) Lune.

QASIM (arabe) Pourvoyeur. Dérivés : Qassem, Qassim.

QIAN (chinois) Pièce de monnaie.

QIAO (chinois) Grand.

QIN (chinois) Riz.

QUADRAT (latin) Carré.

QUANG (vietnamien) Lumière.

QUAY (gallois) Couronne. Dérivé : Qué.

QUENTIN (latin) Cinquième. Prénom apprécié, en France, depuis 1990. Aux États-Unis, où la mode est aux prénoms comportant un x ou z mais également un q, Quentin est en bonne place pour devenir le leader de sa catégorie. Dérivés : Quent, Quantin, Quentilien, Quincey, Quincy, Quinti, Quintien, Quintilià, Quintiliano, Quintilianu, Quintilien, Quintilius, Quintillien, Quintinio, Quintino, Quintron, Quintu, Quintus, Quirizio, Quenten, Quenton, Quint, Quintard, Quinten, Quintin, Quinton, Quito.

QUIGLEY (irlandais) Celui

qui a les cheveux en broussaille.

QUILLAN (irlandais) Ourson. Dérivé : Quillen.

QUIMBY (norvégien) Maison de la femme. Dérivés : Quenby Quim, Quin, Quinby.

QUINLAN (irlandais) Homme fort. Dérivés : Quindlen, Quinley, Quinlin, Quinly, Quilan, Quinlivan.

QUINN (irlandais) Malin. Dérivé : Quin.

QUINTIN (latin) Cinquième.

QUINTO (espagnol) Maître de maison. Dérivé : Quiqui.

QUIRICO (grec) Dieu aimant.

QUIRIN (anglais) Formule magique.

QUIRINUS (latin) Dieu romain de la Guerre.

QUITERE (latin) Tranquille.

QUOC (vietnamien) Nation.

QUSAY (arabe) Distant.

RAAMAH (hébraïque) Tonerre. Dérivés : Raam, Raamia, Raamiah, Raamya.

RAANAN (hébraïque) Frais. Dérivé : Ranan.

RABAH (arabe) Gagnant.

RABBI (hébraïque) Mon maître.

RABI (arabe) Brise.

RABY (écossais) Célèbre et étincelant. Dérivés : Rab, Rabbie, Rabi.

RACHID (arabe) Raisonnable.

RACHIK (arabe) Gracieux.

RACHIM (hébraïque) Compassion. Dérivés : Racham, Rachmiel, Raham, Rahim.

RAD (arabe) Tonnerre.

RADBORNE (anglais) Ruisseau rouge. Dérivés : Rad, Radborn, Radbourn, Radbourne, Radburn, Radburne, Radd.

RADCLIFF (anglais) Falaise rouge. Radcliff est le nom d'une université féminine américaine réputée pour être un peu snob. Dérivés : Radcliffe, Radclyffe.

RADEK (tchèque) Souverain glorieux. Dérivés : Radacek, Radan Radik, Radko, Radouvsek, Radovs.

RADFORD (anglais) Gué rouge ou gué bordé de roseaux. Dérivés : Rad, Radd, Radferd, Radfurd, Redford.

RADHULBH (irlandais) Conseiller ambitieux.

RADIMIR (tchèque) Heureux et célèbre. Dérivés : Radim, Radomir.

RADLEY (anglais) Prairie rouge. Dérivés : Radlea, Radlee, Radleigh, Radly.

RADMAN (slave) Joie.

RADNOR (anglais) Rive rouge.

RADOLF (germanique) Loup.

RADOMIL (slave) Aimant la paix.

RADOSLAV (tchèque) Heureux et célèbre.

RADOSLAW (polonais) Heureux de la gloire. Dérivés : Raclaw, Slawek.

RADWAN (arabe) Délice.

RAFA (hébraïque) Remède.

Dérivé : Rapha.

RAFAÏL (hébraïque) Dieu guérisseur.

RAFAT (arabe) Miséricordieux.

RAFFERTY (irlandais) Prospère. Dérivés : Rafe, Rafer, Raferty, Raff, Raffarty, Raffer, Raffi, Raffy.

RAFI (arabe) Exalté.

RAFID (arabe) Bras de rivière.

RAFIK (arabe) Compagnon.

RAFIL (hébraïque) Dieu guérisseur.

RAFIQ (arabe) Ami.

RAGHID (arabe) Gai.

RAGHNALL (irlandais) Jugement suprême. Dérivé : Rognvaldr.

RAGNAR (scandinave) Guerrier clairvoyant. Dérivés : Ragnor, Regner.

RAGNER (norvégien) Pouvoir. Dérivés : Rainer, Rainier, Rayner, Raynor.

RAGNVALD (scandinave) Jugement parfait.

RAHIF (arabe) Raffiné.

RAHIM (arabe) Indulgent.

RAHMAN (arabe) Charitable.

RAIDEK (arabe) Noble.

RAIHAU (tahitien) Ciel de paix.

RAIMANU (tahitien) Oiseau du ciel.

RAIMAR (germanique) Célèbre.

RAIMONDO (germanique) Protégé.

RAIMUND (germanique) Conseil.

RAINART (germanique) Jugement suprême. Dérivés : Rainhard, Rainhardt, Reinart, Reinhard, Reinhardt, Reinhart.

RAINIER (germanique) Conseil et armée. Dérivés : Rainer, Rainero, Rainiero, Ranieri, Régnault, Régnier.

RAINUI (tahitien) Ciel éternel.

RAISSAN (arabe) Vigueur.

RAJAB (arabe) Septième mois. Dérivé : Rajeb.

RAJI (arabe) Espoir.

RAJIH (arabe) Excellent.

RALED (arabe) Perpétuel.

RALEIGH (anglais) Pré aux cerfs. Dérivés : Rawleigh, Rawley, Rawly.

RALIB (arabe) Victorieux.

RALID (arabe) Éternel.

RALIS (arabe) Sincère.

RALPH (germanique) Conseil de loup. Forme dérivée de Raoul. Dérivés : Ralphie, Rolf, Rolph.

RALSTON (anglais) Ville de Ralph.

RAMADAN (arabe) Neuvième mois de l'année musulmane. Dérivé : Ramdan.

RAMIRO (portugais) Grand juge. Dérivé : Ramirez.

RAMON (germanique) Conseiller et protecteur. Forme espagnole de Raymond.

RAMSAY (anglais) Île des béliers. Dérivés : Ramsey, Ramsy.

RAMSDEN (anglais) Vallée des béliers.

RAMZI (arabe) Considérable.

RAND (anglais) Combattant.

RANDOLPH (germanique) Sous la protection du loup. Une variante, Randy, est en passe de devenir plus courante que le prénom originel. Dérivés : Randal, Randall, Randel, Randell, Randey, Randie, Randil, Randle, Randol, Randolf, Randy.

RANEN (hébraïque) Chanson joyeuse. Dérivé : Ranon.

RANI (arabe) Constant.

RANIER (anglais) Puissante armée.

RANIT (hébraïque) Chant.

RANKIN (anglais) Bouclier.

RANSFORD (anglais) Gué des corbeaux.

RANSLEY (anglais) Prairie des corbeaux. Dérivés : Ransleigh, Ransly.

RANSOM (anglais) Fils du protecteur. Dérivés : Ransome, Ranson.

RAOUF (arabe) Clément.

RAOUL (germanique) Conseil du loup. Dérivés : Raul, Raulas, Raulo.

RAPHAËL (hébraïque) Dieu a guéri. Raphaël est l'archange guérisseur. Il est également le patron des voyageurs. Le Raphaël le plus célèbre est certainement le peintre italien de la Renaissance. Dérivés : Rafael, Rafel, Rafelo, Raffaello.

RASHAD (arabe) Travail honnête. Dérivé : Rashid.

RASHID (turc) Vertueux. Dérivés : Rasheed, Rasheid, Rasheyd.

RASMUS (grec) Aimé.

RASSIM (arabe) Calme.

RATMIR (slave) Paisible.

RATOLF (germanique) Loup.

RAUF (arabe) Sympathie.

RAVIV (hébraïque) Pluie.

RAVIYA (hébraïque) Quatrième. Dérivé : Ravia.

RAWDON (anglais) Colline rocailleuse.

RAWI (arabe) Fort.

RAY (anglais) Royal. Déri-vés : Rayce, Raydell, Rayder, Raydon, Rayford, Raylen, Raynell.

RAYAN (celtique) Estime. Dérivé : Ryan.

RAYBURN (anglais) Ruisseau pour les cerfs. Dérivés : Rayborn, Raybourne, Rayburne.

RAYHAN (arabe) Préféré de Dieu.

RAYMOND (germanique) Conseiller et protecteur. Ce prénom assez répandu en Europe a commencé à se propager en Amérique dans les années 1900. En France, les personnalités qui illustrent ce prénom sont nombreuses, tant dans la vie politique que dans la vie littéraire : Raymond Poincaré, Raymond Barre, Raymond Radiguet, Raymond

Devos. Citons aussi, de par le monde, Ray Charles, Raimundo Ruggieri. Dérivés : Raimondo, Raimund, Raimunde, Raimundo, Rajmund, Ramon, Ramond, Ramone, Ray, Rayment, Raymondo, Raymund, Raymunde, Raymundo, Reimond.

RAZALI (arabe) Tendre. Dérivé : Ghazali.

RAZI (hébraïque) Mon secret. Dérivés : Raz, Raziel.

READ (anglais) Roux. Dérivés : Reade, Reed, Reid, Reide, Reyd.

READING (anglais) Fils de l'homme roux. Dérivés : Redding, Reeding, Reiding.

REDA (arabe) Plaisir. Dérivé : Rheda.

REDLEY (anglais) Prairie rouge. Dérivés : Radley, Redlea, Redleigh, Redly.

REDMAN (anglais) Cavalier.

REDMOND (irlandais) Conseiller. Variante de Raymond. Dérivés : Radmond, Radmund, Redmund.

REECE (gallois) Brûlant, fervent. Dérivés : Rees, Reese, Rhys.

REEVE (anglais) Huissier. Dérivés : Reave, Reeves.

REG (germanique) Juste.

REGAN (irlandais) Petit roi. Dérivés : Reagan, Reagen, Regen.

REGIN (scandinave) Jugement.

REGINALD (germanique) Puissant conseiller. Reginald est rarement employé dans sa forme originelle. Aux États-Unis, on lui préfère Reggie, moins solennel. Parmi les Reginald connus, mais qui ont changé de nom, on compte Rex Harisson et Elton John. Dérivés : Reg, Reggie, Reginalt, Réginault, Reynaldo, Reynaldos, Reynold, Reynolds, Rinaldo, Ronald.

RÉGIS (latin) Roi.

REHAN (arabe) Repos.

REHOR (tchèque) S'éveiller. Dérivés : Horek, Horik, Rehak, Rehorek, Rehurek.

REIK (arabe) Distingué.

REINHARDT (germanique) Conseil.

REIZ (germanique) Maison du roi.

RÉMI (latin) Remède. Prénom médiéval, passé à la postérité grâce à saint Rémi, qui baptisa le roi franc Clovis. Ce prénom a du succès depuis les années 1990. Dérivés : Rémigio, Rémigius, Rémy.

REMIGIUSZ (polonais) Rameur.

REMINGTON (anglais) Famille de corbeaux. Dérivés : Rem, Remee, Remie, Remmy.

RÉMUS (latin) Rapide.

RENAN (celtique) Royal.

RENATO (latin) Renaissance.

RENAUD (germanique) Conseil, gouverneur. Dérivés : Raynal, Regnaud, Regnault, Rénald, Renilde, Reynaldo, Reynold, Reynolds, Rinald, Rinaldo, Ron, Ronald, Ronnie, Ronny.

RENDOR (hongrois) Policier.

RENÉ (latin) Né à une nouvelle vie. Dérivé : Renato.

RENFRED (anglais) Paix solide.

RENFREW (anglais) Rivière tranquille.

RENNER (germanique) Armée.

RENNY (irlandais) Petit et puissant.

RENSHAW (anglais) Forêt où vivent des corbeaux. Dérivé : Renishaw.

RENTON (anglais) Lieu où vivent les cerfs.

RENZO (italien) Laurier. Diminutif de Lorenzo.

RESHEPH (hébraïque) Flamme. Dérivé : Reshef.

REUEL (hébraïque) Ami de Dieu. Dérivé : Ruel.

REX (germanique) Droiture.

REXFORD (anglais) Gué du roi.

REY (espagnol) Roi. Dérivé : Reyes.

REYHAM (arabe) Choix de Dieu.

REYNOLD (anglais) Conseiller influent. Dérivés : Ranald, Renald, Renaldo, Renauld, Renault, Reynaldo, Reynaldos, Reynolds, Rinaldo.

REZ (hongrois) Roux.

REZAK (arabe) Généreux.

REZKI (arabe) Bienfaiteur.

RHETT (gallois) Impétueux. Dérivé : Rhys.

RHODES (grec) Île des roses. Dérivés : Rhoades, Rhodas, Rodas.

RHODRI (gallois) Souverain de la roue.

RHYDDERCH (gallois) Brun rouge.

RHYS (gallois) Passion.

RIAD (arabe) Épanoui.

RIAGAD (irlandais) Combat de roi.

RICHARD (germanique) Souverain puissant. À la

mode dans les années 1950-1970 en Europe, Richard est en vogue en Amérique où l'on apprécie son côté très anglais et aristocratique. Quelques célébrités qui portent ou ont porté ce prénom : Richard Wagner, Richard Nixon, les acteurs Richard Burton et Richard Chamberlain, les chanteurs Richard Anthony et Dick Rivers. Dérivés : Dic, Dick, Dickie, Dicky, Ricard, Ricardo, Riccardo, Ricciardo, Rich, Richardo, Richards, Richart, Richerd, Richi, Richie, Rick, Rickard, Rickert, Rickey, Rickie, Ricky, Rico, Rihards, Riki, Riks, Riocard, Riqui, Risa, Ritch, Ritchard, Ritcherd, Ritchie, Ritchy, Rostik, Rostislav, Rostya, Ryszard.

RICHMAR (germanique) Fort.

RICKWARD (anglais) Gardien courageux. Dérivés : Rickwerd, Rickwood.

RIDA (arabe) Satisfait. Dérivés : Reda, Rida, Ridha.

RIDER (anglais) Cavalier. Dérivés : Ridder, Ryder.

RIDGE (anglais) Arête, crête. Dérivé : Rigg.

RIDGEWAY (anglais) Route sur la crête.

RIDGLEY (anglais) Prairie sur la crête. Dérivés : Ridgeleigh, Ridgeley, Ridglea, Ridglee, Ridgleigh.

RIDLEY (anglais) Prairie rouge. Dérivés : Riddley, Ridlea, Ridleigh, Ridly.

RIEG (celtique) Roi. Dérivé : Rioc.

RIFAA (arabe) Noblesse.

RIFAT (arabe) Honneur.

RIGAN (celtique) Petit roi. Dérivé : Rhian.

RIGEL (arabe) Pied.

RILEY (irlandais) Brave. Dérivés : Reilly, Ryley.

RIMON (hébraïque) Grenade.

RING (anglais) Anneau.

RINGO (germanique) Loup.

RIO (espagnol) Fleuve. Dérivé : Reo.

RIORDAN (irlandais) Ménestrel. Dérivés : Rearden, Reardon.

RIOWEN (celtique) Heureux roi.

RIP (hollandais) Mûr.

RIPLEY (anglais) Prairie de l'homme qui crie. Dérivés : Ripleigh, Riply, Ripp.

RISHON (hébraïque) Premier.

RISLEY (anglais) Prairie avec des arbustes. Dérivés : Rislea, Rislee, Risleigh, Risly.

RISTON (anglais) Ville près des arbustes.

RISZARD (polonais) Chef émérite. Dérivé de Richard.

RITTER (germanique) Chevalier.

RIVAI (hébraïque) Conflit.

RIWAL (celtique) Valeureux roi. Dérivé : Riwalig.

RIWAN (celtique) Roi qui avance.

RIWARE (celtique) Doux roi. Dérivé : Rivaoré.

RIYAD (arabe) Jardin. Dérivé : Riyadh.

ROALD (germanique) Chef reputé.

ROARK (irlandais) Imposant. Dérivés : Roarke, Rorke, Rourke.

ROBERT (germanique) Grande gloire. Robert est un prénom des plus populaires, dans le monde entier, dès le Moyen-Âge. Il en existe des traductions dans presque toutes les langues. Il n'a guère les faveurs des parents depuis 1950. Parmi les Robert célèbres, citons Robert Schumann, Robert Kennedy, Robert Taylor, Robert Redford ou Robert de Niro. Dérivés : Bob, Bobbey, Bobbie, Bobby, Riobard, Rob, Robb, Robbie, Robbin, Robby, Robbyn, Rober, Robers, Roberto, Roberts, Robi, Robin, Robyn, Roparzh, Rubert, Ruberto, Rudbert, Ruperto, Ruprecht.

ROBERTSON (anglais) Fils de Robert.

ROBIN (germanique) Gloire qui resplendit. Ce dérivé de Robert est très en vogue en France depuis les années 1990.

ROBINSON (anglais) Fils de Robert. Dérivés : Robbinson, Robeson, Robson, Robynson.

ROCCO (italien) Repos. Dérivés : Rock, Rockie, Rocky.

ROCH (hébraïque) Guide.

ROCHESTER (anglais) Forteresse de pierre.

ROCK (anglais) Roc. Dérivés : Rockford, Rockie, Rocky.

ROCKLEY (anglais) Prairie rocheuse. Dérivés : Rocklee, Rockleigh, Rockly.

ROCKWELL (anglais) Puits près des rochers.

RODANI (arabe) Tendre. Dérivé : Ghodani.

RODERICK (germanique) Chef réputé. Dérivés : Rod, Rodd, Roddie, Roddy, Roderic, Roderich, Roderigo, Rodique, Rodrich, Rodrick, Rodrigo, Rodrique, Rurich, Rurik.

RODMAN (anglais) Homme célèbre.

RODNEY (anglais) Clairière de l'île. Dérivés : Rodnee, Rodnie, Rodny.

RODOLPHE (germanique) Loup glorieux. Dérivés : Rode, Rodhulf, Rodin, Rodolfo, Rodolph, Roelf, Rolef, Rolf, Rollon, Rolof, Roluf.

RODRIGUE (germanique) Fort.

ROE (anglais) Chevreuil.

ROGAN (irlandais) Roux.

ROGER (germanique) Guerrier à la lance glorieuse. Ce prénom a été très répandu au début du XXe siècle. Quelques célébrités : Roger Moore, Roger Peyrefitte et Roger Rabbit, le lapin du dessin animé. Dérivés : Rodger, Rogelio, Rogerio, Rogerios, Rogers, Ruggero, Ruggiero, Rutger, Ruttger.

ROHAN (irlandais) Rouge.

ROLAND (germanique) Terre réputée. Roland est un prénom médiéval, illustré par Roland de Roncevaux. Shakespeare nomma ainsi l'un des personnages de *Comme il vous plaira*. Roland n'est plus guère en vogue aujourd'hui en France, mais en revanche, Rollo, l'un de ses dérivés, est très courant en Grande-Bretagne et aux États-Unis. Dérivés : Rolle, Rolli, Rollie, Rollin, Rollins, Rollo, Rollon, Rolly, Rolo, Rolon, Row, Rowe, Rowland, Rowlands.

ROLF (germanique) Célébrité.

ROMAIN (latin) Celui qui vient de Rome. Prénom très à la mode de 1980 à 1990 ; depuis, c'est son dérivé Roman qui a la préférence des futurs parents. Dérivés : Roman, Romano, Romanos, Romulo, Romulos, Romulus, Ruvon.

ROMANY (bohémien) Bohémien.

ROMARIC (germanique) Grande gloire du roi.

ROMÉO (italien) Pélerin venu à Rome.

ROMMEY (gallois) Courbe de la rivière.

ROMUALD (germanique) Gloire du gouverneur.

ROMULUS (latin) Fondateur de Rome.

RONALD (anglais) Conseiller influent. Dérivés : Ranald, Ron, Ronn, Ronney, Ronni, Ronnie, Ronny.

RONAN (irlandais) Petit phoque. Dérivé : Renan.

RONEL (hébraïque) Chanson de Dieu.

RONI (hébraïque) Joyeux.

RONSON (anglais) Fils de Ronald.

ROONEY (irlandais) Roux. Dérivés : Roone, Roonie, Roony.

ROOSEVELT (hollandais) Champ de roses.

ROPARZH (germanique) Grande gloire. Forme bretonne de Robert.

ROPER (anglais) Cordier.

RORY (irlandais) Roi rouge. Très en vogue actuellement en Amérique, ce prénom évoque irrésistiblement un petit garçon plein de vie. Dérivés : Ruaidhri, Ruairi, Ruaraidh.

ROSARIO (portugais) Rosaire.

ROSCOE (scandinave) Forêt de daims.

ROSEIND (germanique) Cheval.

ROSH (hébraïque) Chef.

ROSLIN (écossais) Enfant roux. Dérivés : Roslyn, Rosselin, Rosslyn.

ROSS (écossais) Cap. Dérivés : Rosse, Rossie, Rossy.

ROSSER (germanique) Gloire.

ROSTISLAV (tchèque) Celui qui acquiert la gloire. Dérivés : Rosta, Rostecek, Rostek.

ROSWELL (anglais) Source rose.

ROTH (germanique) Rouge.

ROTHWELL (norvégien) Source rouge.

ROVER (anglais) Vagabond.

ROWAN (irlandais) Rouge. Dérivé : Rowen.

ROWELL (anglais) Source des cerfs.

ROWLEY (anglais) Prairie mal fauchée. Dérivés : Rowlea, Rowlee, Rowleigh, Rowlie, Rowly.

ROXBURY (anglais) Ville du freux.

ROY (irlandais) Rouge.

ROYD (scandinave) Clairière.

ROYDEN (anglais) Colline plantée de seigle. Dérivés : Roydan, Roydon.

ROYSTON (anglais) Nom de famille. Dérivé : Roystan.

ROZEN (hébraïque) Chef.

RUADHAN (irlandais) Roux. Dérivés : Rodan, Rowan, Roy, Ruadh.

RUBEN (hébraïque) Voyez, c'est un fils. Ruben est un

prénom biblique assez méconnu. Personnage de la Bible, Ruben donna naissance à l'une des tribus d'Israël. Dérivés : Reuban, Reubin, Reuven, Reuvin, Rube, Rubin, Rubu.

RUDD (anglais) Rougeaud.

RUDD (scandinave) Loup connu.

RUDEL (germanique) Loup.

RUDOLPH (germanique) Loup et gloire. Rudolph Noureïev, le grand danseur, a illustré ce prénom. Dérivés : Rudi, Rudie, Rudolf, Rudolfo, Rudolpho, Rudolphus, Rudy.

RUDYARD (anglais) Enclos rouge.

RUFORD (anglais) Gué rouge. Dérivé : Rufford.

RUFUS (latin) Roux. Dérivés : Ruffus, Rufo, Rufous.

RUGBY (anglais) Forteresse des freux.

RUGGERO (germanique) Célébrité.

RUMFORD (anglais) Traverser une large rivière.

RUMON (celtique) Romain.

RUMWALD (germanique) Gouvernant.

RUNE (scandinave) Amour secret.

RUPERT (germanique) Gloire éclatante. Variante de Robert. Dérivés : Ruperto, Ruprecht.

RURIK (scandinave) Roi célèbre. Dérivés : Roar, Rorek, Roth, Rothrekr.

RUSH (anglais) Roux. Prénom peu répandu.

RUSHFORD (anglais) Gué bordé de joncs.

RUTH (germanique) Glorieux.

RUTHERFORD (anglais) Passage de bétail. Dérivé : Rutherfurd.

RUTLAND (norvégien) Terre rouge.

RUTLEY (anglais) Pré rouge.

RUVON (latin) Qui vient de Rome. Forme bretonne de Romain.

RYAD (arabe) Jardin.

RYAN (irlandais) Forme de Rayan. Ce prénom est aussi un nom de famille assez répandu. Il doit sa notoriété à l'acteur Ryan O'Neal et à son image d'homme sensible et attentif. Dérivés : Ryne, Ryon, Ryun.

RYCROFT (anglais) Champ de seigle. Dérivé : Ryecroft.

RYE (polonais) Chef redouté.

RYLAND (anglais) Champ de seigle. Dérivé : Ryeland.

SAAD (hébraïque) Chance. Dérivés : Saadia, Saadiah, Saadya, Saadyah.

SAADI (arabe) De bon augure.

SABIH (arabe) Gracieux.

SABIN (latin) Nom d'une famille romaine de l'Antiquité. Dérivés : Sabien, Sabiniano, Sabinu, Sabinus, Saby, Savin, Savinien, Sevin, Sabinien, Sabino.

SABIR (arabe) Patient. Dérivés : Saber, Sabri.

SABURO (japonais) Troisième fils.

SACHA (grec) Qui repousse. Diminutif d'Alexandre, attribué aujourd'hui comme prénom à part entière aussi bien à des garçons qu'à des filles. Dérivés : Sachoura, Sascha, Sasha.

SACHIEL (grec) Ange gardien des Sagittaires.

SACI (arabe) Beau.

SADDAM (arabe) *Définition inconnue*. Prénom très rarement usité, excepté peutêtre en Irak, patrie de Saddam Hussein.

SADEK (arabe) Franc.

SADI (arabe) Heureux.

SADLER (anglais) Sellier. Dérivé : Saddler.

SADOC (arabe) Sincère.

SADORN (celtique) Brillant.

SADOUN (arabe) Heureux.

SAEBHREATHACH (irlandais) Noble juge.

SAFA (arabe) Enfant pur.

SAFFORD (anglais) Gué bordé de saules.

SAFI (arabe) Pur.

SAFOUANE (arabe) Limpide.

SAFWAN (arabe) Pureté.

SAFY (arabe) Candide.

SAGAR (anglais) Champion.

SAHEB (arabe) Compagnon.

SAHEL (arabe) Doux

SAHER (arabe) Sérieux.

SAID (arabe) Heureux. Dérivés : Saeed, Saied, Saiyid, Saiyid, Sayed, Sayeed.

SAÏG (celtique) Francs.

SAJED (arabe) Qui se prosterne.

SAJI (arabe) Paisible.

SAJID (arabe) Qui se prosterne.

SAKARIA (scandinave) Dieu se souvient. Variante de Zacharie. Dérivés : Sakari, Sakarios.

SAKHR (arabe) Roc.

SALAH (arabe) Vertueux. Dérivés : Saladdin, Saladin, Saldin, Saleh, Salih.

SALAHEDDINE (arabe) Intégrité de la religion.

SALAM (arabe) En paix. Dérivés : Salama, Salem, Saloma.

SALAÜN (celtique) Royaume de la paix. Dérivé : Selaven.

SALEHE (africain) Bon.

SALIH (arabe) Juste.

SALIM (arabe) Droit. Dérivés : Saleem, Salem, Salima, Selim.

SALMANE (arabe) Parfaitement sain.

SALOMON (hébraïque) Pacifique. Salomon, fils de David et de Bethsabée, fut roi d'Israël. De tous les prénoms connus figurant dans l'Ancien Testament, Salomon est celui qui semble être le plus apprécié des parents à la recherche d'un prénom biblique un peu moderne. Dérivés : Salamen, Salamon, Salahun, Salaman, Salamone, Samonas, Selam, SeleïmanSlimane, Soghomon, Solamh, Solayman, Solomoni, Suliman, Salamun, Salaun, Salman, Salmon, Salom, Salomo, Salomone, Selim, Shelomoh, Shlomo, Sol, Soliman, Soll, Sollie, Soloman, Solomo, Solomonas, Solomone, Suleima, Suleiman, Zulima, Zulma.

SALTON (anglais) Ville des saules.

SALU (hébraïque) Panier.

SALVATORE (latin) Sauveur. Prénom typiquement italien, il est rendu célèbre par le chanteur Salvatore Adamo. Dérivés : Sal, Salvador, Salvator, Sabattore, Salvadori, Salvaire, Salvat, Salvateur, Salvattore, Salbat, Salbattore, Sauvaire, Sauveur.

SALVE (latin) Sauvé. Dérivés : Salvian, Salvy, Salvi, Salvianu, Salvien, Salvin, Salvinu, Salviu.

SALVIO (latin) Sauver.

SAMAL (hébraïque) Symbole.

SAMI (hébraïque) Ardent.

SAMIH (arabe) Tolérant.

SAMIR (arabe) Amuseur.

SAMMAN (arabe) Épicier.

Dérivé : Sammon.

SAMSON (hébraïque) Soleil. Dérivés : Sampson, Samzun, Sanson, Sansone, Sanso, Sansoun, Shimshon.

SAMUEL (hébraïque) Dieu entend. Ce prénom, en dépit de quelques fluctuations, est apprécié depuis plus d'une centaine d'années. Dans les pays anglophones, c'est l'un de ses diminutifs, Sam, qui est en vogue. Dérivés : Sam, Sami, Sammie, Sammy, Samouel, Samuele, Samuello.

SANBORN (anglais) Rivière sablonneuse. Dérivés : Sanborne, Sanbourn, Sanburn, Sanburne, Sandborn, Sandbourne.

SANCHO (latin) Sacré. Dérivé : Saunco, Sanche, Sanchez, Sancte, Sanctien, Santxi, Santxo, Sanzi.

SANDFORD (anglais) Passage sablonneux. Dérivés : Sandfurd, Sanford.

SANDITON (anglais) Ville sablonneuse.

SANDY (grec) Qui repousse. Diminutif d'Alexandre.

SANTE (latin) Saint.

SANTIAGO (hébraïque) Dieu a soutenu. Forme espagnole de Jacques.

SANTO (espagnol) Saint. Dérivé : Santos.

SARAPH (hébraïque) Brûlé. Dérivés : Saraf, Seraf, Seraph.

SARIEL (hébraïque) Prince de Dieu.

SATURNIN (espagnol) Saturne.

SAÜL (hébraïque) Demandé. Ce nom est le vrai prénom de l'apôtre Paul. Dérivés : Sauli, Saulin, Shaoul.

SAWNEY (écossais) Qui protège les hommes. Dérivés : Sawnie, Sawny.

SAWYER (anglais) Menuisier. Dérivés : Sayer, Sayers, Sayre, Sayres.

SAXON (anglais) Épée. Dérivés : Saxe, Saxen.

SAYED (arabe) Pieux.

SAYID (arabe) Seingneur.

SAYYID (arabe) Chef.

SCANLON (irlandais) Petit trappeur. Dérivés : Scanlan, Scanlen.

SCHUYLER (hollandais) Bouclier. Dérivés : Schuylar, Skuyler, Skylar, Skylr.

SCOTT (anglais) Qui vient d'Écosse. Ce prénom évoque les brumes écossaises, les chiens, les kilts et le whisky. L'auteur américain Scott F. Fitzgerald a ajouté à cette popularité qui toutefois décline légèrement aux États-Unis. Dérivés : Scot, Scottie, Scotto, Scotty.

SCULLY (irlandais) Crieur public.

SEABERT (anglais) Mer scintillante. Dérivés : Seabright, Seber, Seibert.

SEABROOK (anglais) Rivière se jetant dans la mer. Dérivé : Seabrooke.

SEAFRA (irlandais) Paix de Dieu. Dérivés : Sefraid, Seartha, Seathra.

SEAMUS (hébraïque) Celui qui talonne. Variante irlandaise de Jacques. Dérivé : Shamus.

SEAN (hébraïque) Dieu est bon. Variante irlandaise de Jean. Prénom masculin assez répandu, il est devenu également féminin au fil des années, avec parfois une orthographe différente, Shawn. Il n'en demeure pas moins un prénom typiquement masculin, sans doute grâce à la notoriété de Sean Connery et Sean Penn. Dérivés : Seann, Shaine, Shane, Shaughn, Shaun, Shawn, Shayn, Shayne.

SEANAN (irlandais) Vieux et sage. Dérivés : Senan, Sinan, Sinon.

SEARLE (anglais) Cuirasse.

SEATON (anglais) Ville au bord de la mer. Dérivés : Seeton, Seton.

SÉBASTIEN (latin) Honoré. Ce prénom est l'un des grands classiques des années 1970 qui a laissé place aujourd'hui à sa forme simplifiée, Bastien. Dérivés : Bastian, Bastiano, Bastien, Sebastian, Sebbie, Sabastian, Sebastan, Sebaste, Sebasten, Sebastia, Sebastiani, Sebastiano, Sebastianos, Sebastianu, Sebastini, Sebastino, Sebastyen, Sevastian, Sevastiano.

SEDGLEY (anglais) Pré où ont lieu les duels. Dérivés : Sedgeley, Sedgely.

SEDGWICK (anglais) Salle d'escrime. Dérivés : Sedgewick, Sedgewyck, Sedgwyck.

SEDID (arabe) De bon conseil.

SEELEY (anglais) Béni.

SEFFAH (arabe) Très généreux.

SEFIR (arabe) Conciliateur.

SEFTON (anlgais) Ville au milieu des joncs.

SEGAL (celtique) Parent aîné.

SEGEL (anglais) Trésor. Dérivés : Seagel, Segell.

SEGER (anglais) Combattant naval. Dérivés : Seager, Seeger, Segar.

SEGUNDO (espagnol) Second.

SEIFAN (arabe) Svelte.

SEIM (hébraïque) Renommée.

SEIORSE (irlandais) Fermier. Dérivé : Sersa.

SELAH (hébraïque) Chant.

SELBY (anglais) Manoir du village. Dérivé : Shelby.

SELDON (anglais) Vallée de saules. Dérivés : Selden, Sellden.

SELIG (germanique) Béni. Dérivés : Seligman, Seligmann.

SÉLIM (arabe) Parfait.

SELMAN (arabe) Sain. Dérivé : Salman.

SELWYN (anglais) De la forêt. Dérivés : Selvin, Selwin, Selwinn, Selwynn, Selwynne.

SEMEN (hébraïque) Exaucé.

SENI (arabe) Superbe.

SEOSAMH (hébraïque) Celui qui ajoutera. Forme irlandaise de Joseph. Dérivés : Sedsap, Sedsaph.

SEOUD (arabe) Heureux. Dérivé : Saoud.

SEPP (hébraïque) Dieu ajoutera. Variante germanique de Joseph.

SEPTIME (latin) Septième.

SÉRAPHIN (grec) Séraphin. Dérivés : Serafin, Serafino, Seraphim, Seraphimus, Seraffinu, Serafim, Serafinus, Seraph, Serapio, Sérob, Sérop.

SERENO (latin) Serein. Dérivé: Séréné.

SERGE (latin) Serviteur. Saint Serge est le patron de

la Russie. Dérivés : Goulia, Serg, Sergei, Sergey, Sergi, Sergie, Sergio, Sergius, Sergueï, Sergeil, Serghie, Sergine, Sergios, Sergiu, Sergui.

SERNIN (latin) Du nom du dieu Saturne.

SERVAAS (scandinave) Sauvé.

SERVAN (latin) Respectueux. Dérivés : Servais, Servus.

SESTO (grec) Sixième.

SETH (hébraïque) Fondateur. Parmi tous les prénoms connus, Seth occupe une place à part car il n'a ni traduction ni dérivé. Sa sonorité suffit à elle seule. Seth est le troisième fils d'Adam et Ève, né après la mort d'Abel et de Caïn. Il est intéressant de signaler que, dans le passé, ce prénom était souvent donné aux petits garçons nés après le décès d'un enfant de la famille. Seth, aujourd'hui, n'a plus cette connotation un peu morbide. C'est juste un beau prénom.

SETON (anglais) Ville côtière. Dérivé : Seaton.

SEVAN (arménien) Du nom d'un lac d'Arménie. Dérivé : Sévane .

SÉVERIN (latin) Rigoureux. Dérivés : Sévère, Sévériano, Séverino Sévérinus, Dérivés: Seberin, Seberino, Severian, Séverien.

SEVERN (anglais) Limite.

SEVILEN (turc) Aimé.

SEWARD (anglais) Protecteur de la mer. Dérivé : Sewerd.

SEWEL (anglais) Brave en

mer. Dérivés : Sewald, Sewall.

SEXTON (anglais) Gardien d'église.

SEZNI (celtique) Rayon de soleil. Dérivé : Seznec.

SHACHAR (hébraïque) Aurore.

SHACHOR (hébraïque) Noir. Dérivé : Shahor.

SHADI (arabe) Chanteur.

SHADMON (hébraïque) Ferme.

SHADRACH (hébraïque) *Définition inconnue*. Dérivés : Shad, Shadrack.

SHAFAN (hébraïque) Lapin. Dérivé : Shafhan.

SHAFER (hébraïque) Séduisant.

SHAFIQ (arabe) Sympathie. Dérivés : Shaff, Shafi.

SHAI (hébraïque) Cadeau. Ce prénom moderne est très en vogue en Israël.

SHAKIR (arabe) Reconnaissant. Dérivé : Shukri.

SHALEV (hébraïque) Calme.

SHALMAI (hébraïque) Paix.

SHALOM (hébraïque) Paix. Dérivé : Sholom.

SHAMGAR (hébraïque) J'habite là-bas.

SHAMIM (arabe) Parfumé.

SHAMIR (hébraïque) Silex. Dérivé : Shamur.

SHAMMAI (hébraïque) Nom. Dérivé : Shamai.

SHANAHAN (irlandais) Intelligent.

SHANDY (anglais) Bruyant. Dérivés : Shandey, Shandie.

SHANE (hébraïque) Miséricorde de Dieu.

SHANI (hébraïque) Rouge.

SHANK (irlandais) Dieu est bon. Dérivés : Seaghan, Seathan.

SHANLEY (irlandais) Petit et vieux. Dérivés : Shanleigh, Shannleigh, Shannley.

SHANNON (irlandais) Vieux. Jusqu'au début des années 1940, Shannon était un prénom typiquement masculin, puis des parents décidèrent d'appeler ainsi leur petite fille ; à présent, les Shannon filles sont plus nombreuses que les Shannon garçons. Sans doute ce phénomène est-il dû à cette mode des prénoms commençant par sh qui fait fureur actuellement aux États-Unis. Dérivés : Shannan, Shannen.

SHANON (hébraïque) Paisible. Dérivé : Shanan.

SHAREF (arabe) Honnête. Dérivés : Sharif, Shariff.

SHARIL (arabe) Attirant.

SHAWAL (hébraïque) Requête.

SHAWN (anglais) Bouquet d'arbres.

SHEA (anglais) Demandé. Dérivés : Shae, Shaie, Shaye.

SHEEHAN (irlandais) Calme.

SHEFER (hébraïque) Plaisant.

SHEFFIELD (anglais) Prairie incurvée.

SHELBY (anglais) Village sur la corniche. Shelby est un prénom qui pourrait bien remplacer Sheldon, aujourd'hui désuet. Tout comme Shannon et pour les même raisons, il fait une réelle percée chez les filles. Dérivés : Shelbey, Shelbie.

SHELDON (anglais) Vallée escarpée. Dérivés : Shelden, Sheldin.

SHELESH (hébraïque) Troisième enfant.

SHELLEY (anglais) Prairie sur une corniche. Dérivé : Shelly.

SHELTON (anglais) Ville sur une corniche.

SHEM (hébraïque) Célèbre.

SHEMAIAH (hébraïque) Dieu a entendu. Dérivés : Shemaia, Shemaya.

SHEMARIAH (hébraïque) Dieu protège. Dérivés : Shemaria, Shemarya, Shemaryabu, Shmarya, Shmerel.

SHEN (chinois) Pensée profonde.

SHEPERD (anglais) Berger. Dérivés : Shep, Shepard, Shepp, Sheppard, Shepperd.

SHEPLEY (anglais) Pâture pour les moutons. Dérivés : Sheplea, Shepleigh, Sheply.

SHERBORN (anglais) Ruisseau limpide. Dérivés : Sherborne, Sherbourn, Sherburn, Sherburne.

SHERIDAN (irlandais) Homme frustre. Dérivés : Sheredan, Sheridon, Sherridan.

SHERLOCK (anglais) Cheveux brillants. Dérivés : Sherlocke, Shurlock.

SHERMAN (anglais) Tailleur. Dérivés : Scherman, Schermann, Shermann.

SHERWIN (anglais) Ami rayonnant. Dérivés : Sherwind, Sherwinn, Sherwyn, Sherwynne.

SHERWOOD (anglais) Forêt lumineuse. Dérivés : Sherwoode, Shurwood.

SHET (hébraïque) Choisi.

SHEVI (hébraïque) Retour. Dérivés : Shevuel, Shvuel.

SHILLEM (hébraïque) Récompense. Dérivé : Shilem.

SHILOH (hébraïque) *Définition inconnue*. Dérivé : Shilo.

SHIMON (hébraïque) Entendu. Dérivé : Siméon.

SHIMRI (hébraïque) Mon protecteur.

SHIMRON (hébraïque) Observateur.

SHIMSHON (hébraïque) Soleil.

SHING (chinois) Victoire.

SHINICHI (japonais) Vérité.

SHIPTON (anglais) Ville où l'on élève des moutons.

SHIRO (japonais) Quatrième fils.

SHLOMO (hébraïque) Paix.

SHMUEL (hébraïque) Le nom de Dieu. Dérivés : Shemuel, Schmelke, Shmiel, Shmulke.

SHO (japonais) Vigoureux.

SHOLTO (écossais) Semeur.

SHOMARI (africain) Plein de force.

SHOMER (hébraïque) Gardien.

SHONI (hébraïque) Changement.

SHOVAI (hébraïque) Pierre précieuse.

SHOVAL (hébraïque) Route.

SIADHAL (irlandais) Paresse. Dérivé : Siaghal.

SIARL (gallois) Homme.

SID (arabe) Lion.

SIDNEY (anglais) Celui qui viendrait de Saint-Denis, en France. Ce prénom assez aristocratique est devenu progressivement un prénom féminin, sous l'orthographe Sydney. Dérivés : Sid, Siddie, Sidon, Sidonio, Syd, Sydney.

SIDOINE (hébraïque) Qui vient du mont Sidon.

SIDWELL (anglais) Large ruisseau.

SIEGBALD (germanique) Victoire audacieuse. Dérivé: Sigisbald.

SIEGBERT (germanique) Victoire au combat.

SIEGEL (germanique) Triomphe.

SIEGMUND (germanique) Succès.

SIEGRIED (germanique) Victoire et paix. Dérivés : Sifredo, Sigfrid, Sigfrido, Sigfroi, Sigifredo, Sigvard, Segisfredo, Seyfrid, Siffrid, Sigefrido, Sigefroid, Sigefroy, Sigfredo, Sigfried, Sigifrido, Sigisfredo.

SIENCYN (gallois) Dieu est plein de grâce.

SIFRIT (germanique) Paix.

SIGBJORN (scandinave) Ours victorieux. Dérivés : Sigge, Sikke.

SIGISBERT (germanique) Victoire illustre. Dérivé : Sigebert.

SIGISMOND (germanique) Bouclier de la victoire. Dérivés : Siegmund, Sigmond, Segismundo, Sigismondo, Sigismund, Sigismundo, Sigmund, Sigmundo.

SIGISWALD (germanique) Gouverneur de la victoire.

SIGMAR (scandinave) Célèbre par la victoire.

SIGURD (scandinave) Garant de la victoire. Dérivé : Sjurd.

SIGWALD (germanique) Chef victorieux. Dérivé : Siegwald.

SILAN (russe) Moqueur.

SILAS (latin) Sylvestre. Silas est un proche disciple de l'apôtre Paul.

SILVERE (latin) Homme de la forêt.

SILVIO (latin) Forestier.

SIMA (hébraïque) Trésor.

SIMBA (africain) Fort comme un lion.

SIMCHA (hébraïque) Joie.

SIMÉON (hébraïque) Exaucé.

SIMIDH (écossais) Usurpateur.

SIMON (hébraïque) Dieu a entendu. Simon est, dans la Bible, le second fils de Jacob et Léa. Ce prénom est un grand classique chez les familles traditionnalistes. Dérivés : Seymour, Shimon, Siméo, Siméon, Simian, Simms, Simoni, Simoun, Symon, Shiméone, Syméon.

SIMPSON (anglais) Fils de Simon. Dérivé : Simson.

SINAN (arabe) Défenseur.

SINEAD (hébraïque) Miséricorde de Dieu.

SINIBALD (germanique) Chemin audacieux.

SINJON (anglais) Dérivé de saint John. Dérivé : Sinjun.

SIOR (gallois) Fermier. Dérivés : Siors, Siorys.

SIR (anglais) Sire.

SIRAJ (arabe) Lumière.

SIVALD (scandinave) Puissant par la victoire.

SIVAN (hébraïque) Neuvième mois de l'année juive.

SIWATU (africain) Né pendant un conflit.

SIXTE (latin) Sixième. Dérivé : Sixtus.

SKELLY (irlandais) Conteur. Dérivés : Scully, Skelley, Skellie.

SKERRY (norvégien) Île de pierres.

SKIP (scandinave) Capitaine

d'un bateau. Dérivés : Skipp, Skipper, Skippie, Skippy.

SKLAER (latin) Clair. Forme bretonne de Clair.

SLADE (anglais) Vallon. Dérivés : Slaide, Slayde.

SLANE (tchèque) Salé.

SLAVIN (irlandais) Montagnard. Dérivés : Slaven, Slawin, Sleven.

SLAVOMIERZ (polonais) Grande gloire.

SLAVOMIR (tchèque) Grand et célèbre. Dérivé: Slawomir.

SLOAN (irlandais) Soldat. Dérivé : Sloane.

SMAÏN (arabe) Forme dérivée de Ismaël. Dérivé : Smaïl.

SMARAGDE (grec) Émeraude.

SMEDLEY (anglais) Prairie plate. Dérivés : Smeddly, Smedleigh.

SMITH (anglais) Forgeron. Dérivés : Smitty, Smyth, Smythe.

SNOWDEN (anglais) Montagne enneigée. Dérivé : Snowdon.

SOBESLAV (tchèque) Succéder avec gloire. Dérivés : Sobes, Sobik.

SOBIESLAW (polonais) Celui qui met à mal la gloire.

SOBRINO (basque) Neveu.

SOCRATE (grec) Philosophe grec. Dérivés : Socrates, Socratis, Sokrates.

SOFIAN (arabe) Dévoué. Dérivé : Sofiane.

SOFRONIE (hébraïque) Dieu a protégé. Dérivé : Sophonie.

SOHMAN (arabe) Récompense.

SOLEN (latin) Qui revient tous les ans. Ce prénom est

surtout connu sous sa forme féminine Solène, qui est très en vogue depuis les années 1990.

SOLIMAN (hébraïque) Dérivé de Salomon.

SOLOMON (hébraïque) Paisible.

SOLTAN (arabe) Puissance.

SOMERLED (écossais) Marin.

SOMERSET (anglais) Résidence d'été. Dérivés : Sommerset, Summerset.

SOMERTON (anglais) Cité estivale. Dérivés : Somervile. Somerville.

SOMHAIRLE (irlandais) Plaisancier. Dérivé : Sorley.

SON (vietnamien) Montagne.

SONNY (anglais) Fils. Dérivé : Sonnie.

SONO (africain) Eléphant.

SOREN (scandinave) À l'écart.

SORLEY (écossais) Viking.

SOSTHENE (grec) Force indestructible.

SOTERIOS (grec) Saveur.

SOUANN (cambodgien) Or.

SOUFIANE (arabe) Pressé.

SOUHAÏB (arabe) Lionceau.

SOULAÏM (arabe) Petit.

SOUREN (croate) Puissant.

SOUTHWELL (anglais) Puits au sud.

SPALDING (anglais) Pré morcelé. Dérivé : Spaulding.

SPEAR (anglais) Homme armé d'une lance. Dérivés : Speare, Spears, Speer, Speers, Spiers.

SPENCER (anglais) Marchand. Spencer est un prénom très apprécié outre-Atlantique, grâce à Spencer Tracy. Il sera sûrement l'un des grands favoris du XXIᵉ siècle dans les pays anglophones. Dérivés : Spence, Spense, Spenser.

SPIRIDON (grec) Esprit. Dérivés : Spiridion, Spiro, Spiros, Spyridon, Spyros.

SPOORS (anglais) Celui qui fabrique des éperons.

SQUIRE (anglais) Châtelain du Moyen Âge.

STACY (grec) Fertile. Dérivé : Stacey.

STAFFORD (anglais) Terre avec un gué. Dérivés : Stafforde, Staford.

STAMOS (grec) Couronne.

STANBOROUGH (anglais) *Définition inconnue.*

STANBURY (anglais) Fort en pierre. Dérivés : Stanberry, Stanbery.

STANCIE (anglais) *Définition inconnue.*

STANCLIFF (anglais) Falaise rocheuse. Dérivé : Stancliffe.

STANCOMBE (anglais) *Définition inconnue.*

STANDISH (anglais) Parc caillouteux.

STANFIELD (anglais) Pré rocailleux. Dérivé : Stansfield.

STANFORD (anglais) Gué pierreux. Dérivés : Stamford, Stan, Standford.

STANHOPE (anglais) Fossé rocheux.

STANISLAS (polonais) Campement glorieux. Saint Stanislas est le patron de la Pologne. Ce prénom connaît depuis les années 1990 un discret succès. Stanilaus, sa version polonaise, est très populaire dans les pays anglophones. Dérivés : Stach, Stan, Stanek, Stanislao, Stanislau, Stanilaus, Stanislav, Stanislaw, Stas, Stash, Stashko, Stasio Stanzel, Stenz, Stenzel.

STANLEY (anglais) Prairie rocailleuse. On considérait, au XIXᵉ siècle, que ce prénom avait une certaine noblesse. Aujourd'hui, cependant, il évoque surtout Stan Laurel, du célèbre duo Laurel et Hardy. Dérivés : Stan, Stanlea, Stanlee, Stanleigh, Stanly.

STANMORE (anglais) Lac rocailleux.

STANNARD (anglais) Dur comme la pierre.

STANTON (anglais) Ville construite en pierre. Dérivés : Stanten, Staunton.

STANWAY (anglais) Route caillouteuse. Dérivés : Stanaway, Stannaway, Stannway.

STANWICK (anglais) Habitant d'une ville construite en pierre. Dérivés : Stanwicke, Stanwyck.

STANWOOD (anglais) Forêt pierreuse.

STARR (anglais) Étoile.

STAVROS (grec) Couronné.

STEADMAN (anglais) Qui vit dans une ferme. Dérivés : Steadmann, Stedman.

STEELE (anglais) Celui qui résiste. Dérivé : Steel.

STEIN (germanique) Pierre. Dérivé : Steen.

STEINAR (scandinave) Guerrier de pierre. Dérivés : Steen, Stein, Steiner, Sten.

STÉPHANE (grec) Couronné. Variante d'Étienne. Ce prénom a été l'un des préférés entre 1960 et 1980. Ses formes dérivées Esteban et Steven apparaissent. Dérivés : Esteban, Estefan, Estevan, Étienne, Stef, Stefan, Stafano, Stephen, Steve, Steven, Stevie, Steben, Steeve, Stefanos, Stefanus, Steffel, Steffen, Steipan, Stepan, Stephanos, Stephanson, Stephanus, Stevan, Stevenson.

STERLING (anglais) De qualité. Dérivé : Stirling.

STERNE (anglais) Inébranlable. Dérivés : Stearn, Stearnen, Stearns, Stern.

STEVEN (celtique) Couronné.

STEWART (anglais) Régisseur. Dérivés : Stew, Steward, Stu, Stuart.

STIG (scandinave) Vagabond. Dérivés : Styge, Stygge.

STIGGUR (bohémien) Portail.

STILLMAN (anglais) Homme silencieux.

STOCKLEY (anglais) Pré avec des souches. Dérivés : Stocklea, Stocklee, Stockleigh.

STOCKTON (anglais) Ville avec des souches.

STOCKWELL (anglais) Ruisseau bordé de souches.

STODDARD (anglais) Protecteur des chevaux.

STORM (anglais) Tempête.

STRAHAN (irlandais) Ménestrel.

STRATFORD (anglais) Rivière traversant près d'une rue.

STROM (germanique) Rivière.

STRONG (anglais) Fort.

STRUTHERS (irlandais) Ruisseau.

STUART (écossais) Gardien de l'Etat.

STURE (scandinave) Contraire.

STYLES (anglais) Échalier ou échelle.

STYLIAN (grec) Colonne.

SUDI (africain) Chanceux.

SUFFIELD (anglais) Champ au sud.

SUGDEN (germanique) Vallée aux cochons.

SUHAYL (arabe) Étoile. Dérivé : Suhail.

SUIBHNE (irlandais) Agréable. Dérivé : Sivney.

SUITBERT (germanique) Brillante victoire.

SULEIMAN (arabe) Paisible. Dérivés : Shelomon, Siliman, Sulaiman, Sulayman, Suleyman.

SULIAC (celte) Homme du soleil.

SULIEN (gallois) Né du soleil. Dérivé : Sulian.

SULLIVAN (irlandais) Aux yeux noirs. Sullivan, de par des origines irlandaises et son passé de nom de famille, est appelé à une grande popularité. Dérivés : Sullavan, Sullevan, Sulliven.

SULLY (anglais) Prairie du sud. Dérivés : Sulleigh, Sulley.

SULPICE (latin) Nom d'une noble famille romaine de l'Antiquité.

SULWYN (gallois) Soleil éclatant.

SUTCLIFF (anglais) Falaise au sud. Déivé : Sutcliffe.

SUTHERLAND (scandinave) Terre du sud. Dérivé : Southerland.

SUTTON (anglais) Ville au sud.

SVATOPULK (tchèque) Peuple rayonnant.

SVATOSLAV (tchèque) Glorieux et saint.

SVEINN (scandinave) Jeunesse vigoureuse. Dérivés : Svein, Sven, Svend, Svends.

SWAIN (scandinave) Compétent.

SWALEY (anglais) Torrent sinueux. Dérivés : Swailey, Swale, Swales.

SWANN (irlandais) Cygne.

SWEENEY (irlandais) Petit héros. Dérivé : Sweeny.

SWIETOMIERZ (polonais) Saint et célèbre.

SWIETOPELK (polonais) Peuple saint.

SWIETOSLAW (polonais) Sainte gloire.

SWINBOURNE (anglais) Ruisseau où boivent les porcs. Dérivés : Swinborn, Swinborne, Swinburn, Swinbyrn, Swynborne.

SWINDEL (anglais) Vallée des cochons. Dérivés : Swyndel, Swyndell, Swyndelle.

SWINFORD (anglais) Gué des cochons. Dérivé : Swynford.

SWINTON (anglais) Ville aux cochons.

SYING (chinois) Etoile.

SYLVAIN (latin) Forêt. Dérivés : Silas, Silva, Silvain, Silvan, Silvano, Silvanus, Silvio, Silban, Silbano, Silbio, Sylas, Sylvan, Sylvanus.

SYLVESTRE (latin) Homme de la forêt. Ce prénom fait bien sûr instantanément penser à Sylvester Stallone. Dérivés : Silvester, Silvestre, Silvestro, Sly, Sylvester.

TAB (germanique) Brillant. Dérivé : Tabb.

TABBAI (hébraïque) Bon.

TABET (arabe) Persévérant.

TABIB (turc) Docteur. Dérivé : Tabeeb.

TAD (gallois) Père. Dérivé : Tadd.

TADHG (irlandais) Poète.

TAGGART (irlandais) Fils du pasteur.

TAHAR (arabe) Pur, sans tache. Dérivé : Taher.

TAHIR (arabe) Pur.

TAHUITI (polynésien) Petit feu.

TAI (vietnamien) Talentueux.

TAIL (arabe) Prospérité.

TAIZOU (japonais) Possesseur du large.

TAKEHIKO (japonais) Sage.

TAKESHI (japonais) Brave.

TAKUMI (japonais) Artisan.

TAL (hébraïque) Pluie. Dérivé : Talor.

TALA (arabe) Noblesse.

TALAL (arabe) Élégance.

TALAN (celte) Front.

TALBOT (anglais) Nom de famille. Dérivés : Talbert, Talbott, Tallbott.

TALFRYN (gallois) Haute colline.

TALIANE (congolais) Sauveur.

TALIB (arabe) Sauveteur. Dérivé : Taleb.

TALIESIN (arabe) Front radieux. Dérivé : Taltesin.

TALMAI (hébraïque) Sillon. Dérivé : Talmi.

TALMAN (hébraïque) Blesser. Dérivés : Tallie, Tally, Talmon.

TALOR (hébraïque) Rosée du matin.

TAM (vietnamien) Cœur.

TAMA (polynésien) Enfant.

TAMAHERE (tahitien) Enfant aimé.

TAMAHERE (tahitien) Enfant aimé.

TAMAN (serbo-croate) Noir.

TAMANUI (polynésien) Petit enfant.

TAMAR (hébraïque) Palmier.

TAMATEA (tahitien) Enfant blanc.

TAMIL (arabe) Soutien.

TAMIRAT (africain) Miracle.

TAN (vietnamien) Nouveau.

TANCREDE (françisque) Pensée. Dérivés : Tancred, Tankred.

TANGUY (celtique) Guerrier de feu. Dérivé : Tanneguy.

TANIG (celtique) Agitation.

TANNER (anglais) Tanneur. Tanner fait partie de ces prénoms commençant par un t, comme Taylor, Tucker ou Travis qui ont beaucoup de succès en Amérique. Il ne serait pas étonnant que dans les dix ans à venir, il se classe au palmarès des cinquante ou cent prénoms favoris. Dérivés : Tan, Tanier, Tann, Tanney, Tannie, Tanny.

TANTON (anglais) Ville au bord d'une rivière silencieuse.

TAO (chinois) Création.

TARAISE (grec) Originaire de Tarente.

TARAN (celtique) Dieu du Tonnerre.

TAREK (arabe) Courageux. Dérivé : Tarik.

TARIEG (celte) Colline.

TARLETON (anglais) Ville de Thor.

TARO (japonais) Premier fils.

TARRANT (gallois) Tonnerre. Dérivé : Tarrent.

TAS (bohémien) Nid.

TASLIM (arabe) Se livre à Dieu.

TATE (anglais) Heureux. Dérivés : Tait, Taitt, Tayte.

TATIEN (latin) Originaire de la famille des Tatius.

TAVARES (espagnol) Fils d'un ermite.

TAVAS (hébraïque) Paon.

TAVI (hébraïque) Bon.

TAVISH (irlandais) Jumeau. Dérivés : Tavis, Tevis.

TAVOR (hébraïque) Malchanceux. Dérivé : Tabor.

TAWFIQ (arabe) Bonne fortune. Dérivé : Tawfi.

TAWL (arabe) Grand. Dérivé : Taweel.

TAWNO (bohémien) Petit.

TAYEB (arabe) Bon.

TAYLOR (anglais) Tailleur. Dans les pays de langue anglaise, ce prénom prend de plus en plus d'importance et il semble qu'il se féminise. Dérivés : Tailer, Tailor, Tayler, Taylour.

TEAGAN (irlandais) Poète.

TEANUANUA (tahitien) Arc-en-ciel.

TEARLACH (écossais) Homme.

TEBALDO (germanique) Hardi.

TECHOMIR (tchèque) Grande consolation.

TECHOSLAV (tchèque) Glorieuse consolation.

TEDMUND (anglais) Celui qui veille sur la terre. Dérivé : Tedmond.

TÉGONEC (celte) Chien. Dérivé : Tégoneg.

TEHEN (celtique) Ancien.

TEHUIARII (tahitien) Roi suprême.

TEHUIARII (tahitien) Roi suprême.

TEILO (celte) Peuple.

TEISSIR (arabe) Prospérité.

TEL (germanique) Pouvoir.

TÉLAMON (grec) Personnage mythologique.

TELEK (polonais) Ferronier.

TELEM (hébraïque) Sillon.

TÉLÉMAQUE (grec) Qui combat au loin.

TELESPHOROS (grec) Mettre un terme à quelque chose.

TELO (gallois) *Définition inconnue*. Dérivé : Theliau.

TEM (bohémien) Campagne.

TEMAM (arabe) Perfection. Dérivé : Temim.

TEMAN (hébraïque) Sur la droite.

TEMPLE (anglais) Temple.

TEMPLETON (anglais) Ville près d'un temple. Dérivés : Temple, Templeten.

TÉNÉNAN (celte) Elévation. Dérivé : Ténédor.

TENNANT (anglais) Locataire. Dérivés : Tenant, Tennent.

TENNESSEE (anglais) État des États-Unis

TENNYSON (anglais) Fils de Denis. Dérivés : Tenney,

Tennie, Tenny.

TENSHI (japonais) Ange.

TEOZEN (celtique) Bon.

TERACH (hébraïque) Chèvre. Dérivés : Tera, Terah.

TÉRENCE (latin) Nom d'une famille romaine de l'Antiquité. Ce prénom rarissime jusqu'aux années 1990 fait de timides apparitions, à la suite de Maxence. Dérivés : Tarrance, Terencio, Terrance, Terrence, Terrey, Terri, Terry, Téréciano, Térencien, Térentien, Terenziano, Terenzio, Terenti, Teriocha, Teriokha.

TERNEG (celte) Chef.

TERRIL (germanique) Celui qui accompagne Thor. Dérivés : Terrall, Terrel, Terrell, Terryl, Terryll, Tirrell, Tyrrell.

TERRY (latin) Diminutif de Térence.

TESFAYE (africain) Mon espoir.

TESHER (hébraïque) Donation.

TEVA (hébraïque) Nature.

TEVAIARII (tahitien) Eau royale.

TÉWENN (Breton) Sacré.

TÉWI (Breton) Dieu.

TEWINNIN (celtique) Bonheur et blanc.

THADDÉE (araméen) Brave. Thaddée est un apôtre de Jésus. Dérivés : Taddeo, Tadeo, Tadio, Thad, Thaddaus.

THAÏ (vietnamien) Multiple.

THANE (anglais) Propriétaire terrien. Dérivés : Thain, Thaine, Thayn, Thayne.

THANG (vietnamien) Vainqueur.

THANH (vietnamien) Achevé.

THANOS (grec) Royal. Dérivé : Thanasis.

THAOURA (arabe) Fortune.

THATCHER (anglais) Couvreur. Dérivé : Thacher, Thatch, Thaxter.

THAW (anglais) Fusion.

THÉGONNEC (Breton) Guerrier.

THÉMISTOCLE (grec) Gloire légitime.

THÉO (grec) Dieu. Considéré comme un diminutif de Théodore, Théo est devenu un prénom à part entière dans les années 1990. Dérivé : Théau, Théon, Théonas, Théoneste, Théonitas, Theus.

THÉOBALD (germanique) Peuple audacieux. Dérivés :

Dietbald, Dietbold, Téobald, Teobaldo, Théodebald, Thibald, Thibaud, Thierry.

THÉOBERT (germanique) Peuple illustre. Dérivés: Théodebert, Théotard, Theudebert

THÉODARD (germanique) Peuple dur.

THÉODEMIR (germanique) Peuple slave.

THÉODOALD (germanique) Peuple qui gouverne.

THÉODORE (grec) Don de Dieu. Dérivés : Derek, Dorle, Doorje, Dorian, Dorvan, Fédor, Féodor, Fjodor, Thederl, Theodor, Théodoric, Théodorik, Théodose, Téo, Téodor, Teodoreto, Téodorico, Téodoro, Téodosio, Théodorit, Théodoro, Théodorus, Théodos, Théodosii, Théodosios, Théodosius,

Théodote, Théodotion.

THÉODULE (grec) Serviteur de Dieu.

THÉODULPHE (germanique) Loup du peuple. Dérivé : Théodulfe.

THÉODWIN (germanique) Peuple ami.

THÉOFREDE (germanique) Peuple en paix. Dérivés : Théodfrède, Théoffrey

THÉOPHANE (grec) Dieu lumineux.

THÉOPHILE (grec) Qui aime Dieu. Dérivés : Teofil, Theophilus.

THÉOPHRASTE (grec) Qui parle de Dieu.

THÉOTIME (grec) Honneur de Dieu.

THÉRON (grec) Chasseur.

THÉSÉE (grec) Personnage mythologique grec.

THIASSI (scandinave) Héros de la mythologie. Dérivés : Thiazi, Thjazi.

THIBAUD (germanique) Peuple audacieux. Dérivés : Thebaud, Thebault, Théobald, Thibault, Thibaut, Tibold, Tiebold, Thibaudet, Thibaudon, Tiebold, Thiebaud, Thiébault, Thiébaut, Tibalt, Tibaud.

THIBERT (germanique) Peuple illustre.

THIEMO (germanique) Peuple.

THIERRY (germanique) Peuple audacieux. Dérivés : Dieter, Dietrich, Dirk.

THIETMAR (germanique) Peuple.

THIKOMIR (slave) Doux.

THOMAS (araméen) Jumeau. Saint Thomas l'incrédule est apôtre de Jésus. Il est le patron des architectes et des juges. Thomas est l'un des prénoms vedettes depuis les années 1980, et son succès ne semble pas faiblir. Dérivés : Tam, Tameas, Thom, Thoma, Thompson, Thomson, Thumas, Thumo, Tom, Tomas, Tomaso, Tomasso, Tomaz, Tomcio, Tomek, Tomelis, Tomi, Tomie, Tomislaw, Tomm, Tommy, Tomsen, Tomson, Toomas, Tuomas, Tuomo, Tamas, Thomase, Thomasin, Thomasse, Thomassin, Thomé, Thömel, Thomelin, Toma, Tommie.

THOR (norvégien) Tonnerre. Ce prénom qui symbolise la puissance est l'un des prénoms les plus populaires en Scandinavie, mais il n'a pas encore atteint notre pays. Dérivés : Tor, Torr.

THORALD (norvégien) Celui qui accompagne Thor. Dérivés : Thorold, Torald.

THORBERT (norvégien) Splendeur de Thor. Dérivé : Torbert.

THORBURN (norvégien) Ours de Thor.

THORER (scandinave) Guerrier de Thor. Dérivé : Thorvald.

THORLEY (anglais) Pré de Thor. Dérivés : Thorlea, Thorlee, Thorleigh, Thorly, Torley.

THORMOND (anglais) Défendu par Thor. Dérivés : Thurmond, Thurmund.

THORNDIKE (anglais) Rive épineuse. Dérivés : Thorndyck, Thorndyke.

THORNE (anglais) Épine. Dérivé : Thorn.

THORNEY (anglais) Prairie épineuse. Dérivés : Thornlea, Thornleigh, Thornly.

THORNTON (anglais) Ville épineuse.

THORPE (anglais) Village. Dérivé : Thorp.

THORVALD (scandinave) Puissance de Thor. Dérivé : Thorwald.

THRASÉAS (grec) Courageux.

THURIAU (Breton) Homme. Dérivé: Turiau.

THURLOW (anglais) Colline de Thor.

THURSTON (scandinave) Pierre de Thor. Dérivés : Thorstan, Thorstein, Thorsteinn, Thorsten, Thurstain, Thurstan, Thursten, Torstein, Torsten, Torston.

TIARNACH (irlandais) Dévot. Dérivé : Tighearnach.

TIBÈRE (latin) Originaire des bords du Tibre.

TIBERIUS (latin) Du Dieu des eau Tiber.

TIBOR (slave) Lieu sacré. Dérivés : Tiebout, Tubalt, Tybald, Tybault.

TIBURCE (latin) Originaire de la ville de Tibur.

TIERNAN (irlandais) Petit seigneur. Dérivés : Teyrnon, Tiarnan, Tigernan.

TIERNEY (gaélique) Chef. Dérivés : Tiarnach, Tigernach.

TILDEN (anglais) Vallée fertile.

TILFORD (anglais) Gué fertile.

TILL (germanique) Souverain du peuple.

TILLMANN (germanique) Souverain.

TILON (hébraïque) Colline.

TILTON (anglais) Ville fertile, domaine.

TIMIN (arabe) Serpent de mer.

TIMOTHÉE (grec) Celui qui craint Dieu. Très rare pendant plusieurs centaines d'années, Timothée est apparu dans les années 1970 et semble s'affirmer. Dérivés : Tim, Timmothy, Timmy, Timo, Timofeo, Timon, Timoteo, Timothe, Timotheo, Timotheus, Timothey.

TIMOUR (arabe) Fer.

TIMUR (hébraïque) Grand.

TIN (celtique) Pur.

TIPHAINE (grec) Apparition des dieux.

TIPI (basque) Petit.

TIT (latin) Méritant.

TITO (espagnol) Honorer.

TITOUAN (latin) Estimable. Dérivé occitan d'Antoine.

TITUS (latin) *Définition inconnue*. Dérivés : Tito, Titos.

TIVIZIO (celtique) Science.

TIVON (hébraïque) Amoureux de la nature.

TOAL (irlandais) Peuple courageux. Dérivés : Tuathal, Tully.

TOAN (vietnamien) Sauvé.

TOBBAR (bohémien) Route.

TOBIAS (hébraïque) Dieu est bon. Dérivés : Tobe, Tobey, Tobia, Tobiah, Tobie, Tobin, Toby, Tobby, Tobbye, Tobit, Tobyas.

TODD (anglais) Renard. Dérivé : Tod.

TOIRDEALBHACH (irlandais) À l'image de Thor, le dieu norvégien du Tonnerre. Dérivés : Tirloch, Turlough.

TOMER (hébraïque) Grand.

TOMI (japonais) Riche.

TOMLIN (anglais) Petit jumeau. Dérivé : Tomlinson.

TOMOO (japonais) Ami.

TONG (vietnamien) Parfum.

TONY (latin) Estimable. Diminutif d'Anthony qui est devenu un vrai prénom. Dérivés : Toney, Tonie.

TOORU (japonais) Transparent.

TORD (scandinave) Paix de Thor.

TORGER (scandinave) Glaive de Thor. Dérivés : Terje, Torgeir.

TORIN (irlandais) Chef.

TORKEL (scandinave) Chaudron de Thor. Dérivés : Thorkel, Torkil, Torkild, Torkjell, Torquil.

TORMOD (écossais) Homme du Nord.

TOROLF (scandinave) Loup de Thor. Dérivés : Thorolf, Tolv, Torolv, Torulf.

TORRANCE (irlandais) Petites collines. Dérivés : Torin, Torrence, Torrey, Torrin, Torry.

TOSHIHIRO (japonais) Sage.

TOUFIK (arabe) Assisté de Dieu.

TOUSSAINT (latin) Tous les saints.

TOV (hébraïque) Bons. Dérivés : Tovi, Toviel, Toviya, Tuvia, Tuviah, Tuviya.

TOVE (scandinave) Loi de Thor. Dérivé : Tuve.

TOVIA (hébraïque) Bonté de Dieu.

TOWNLEY (anglais) Prairie du village. Dérivés : Townlea, Townlee, Townleigh, Townlie, Townly.

TOWNSEND (anglais) Fin de la ville.

TRAHAEARN (gallois) Dur

comme le fer. Dérivés : Trahern, Traherne.

TRAUTMAR (germanique) Fort.

TRAYTON (anglais) Ville près des arbres.

TREMAIN (celtique) Maison de pierre. Dérivés : Tremaine, Tremayne.

TREMEUR (celtique) Grand. Dérivés : Trefor, Treveur, Trevor.

TRENT (latin) Fleuve impétueux. Dérivés : Trenten, Trentin, Trenton.

TRESTAN (celtique) Agitation.

TREVOR (gallois) Grand domaine. Dérivés : Trefor, Trev, Trevar, Trever, Trevis.

TREY (anglais) Trois.

TRIMOËL (breton) Grande victoire.

TRISTAN (gallois) Personnage du folklore gallois. Dérivés : Dristan, Drustan, Trestan, Tristam, Trystan.

TROFIM (grec) Fertile. Dérivés : Trophime, Truphème.

TROND (scandinave) De Trondelag, une région du centre de la Norvège.

TROPEZ (latin) Qui met l'ennemi en déroute.

TROWBRIDGE (anglais) Pont près d'un arbre.

TROY (irlandais) Soldat. Dérivés : Troi, Troye.

TRUMAN (anglais) Loyal. Dérivés : Trueman, Trumaine, Trumann.

TRUMBLE (anglais) Puissant. Dérivés : Trumball, Trumbell, Trumbull.

TRYPHON (grec) Magnifique.

TSIDKIEL (hébraïque) Justice de Dieu.

TUAL (celtique) Population. Dérivé : Tudal.

TUCKER (anglais) Celui qui travaille le tissu.

TUDEG (celtique) Peuple. Dérivé : Tudi.

TUDOR (gallois) Dynastie royale. Dérivé : Tudur.

TUDUAL (celtique) Grande valeur. Dérivés : Tual, Tudal, Tudgual, Tudwal, Tuzwal, Thual, Tugdual, Tugal, Tudalen, Tutgual, Tuzal.

TUDYR (grec) Cadeau de Dieu.

TULLY (irlandais) Paisible. Dérivés : Tull, Tulley, Tullie.

TUNG (chinois) Universel.

TURIBE (grec) Issue.

TURLOUGH (celtique) Assistant. Dérivés : Tarmaigh, Tarlagh, Traolach, Turley.

TURNER (anglais) Menuisier.

TUWA (hébraïque) Bonté divine.

TUYEN (vietnamien) Ange.

TWAIN (anglais) Divisé en deux. Dérivés : Twaine, Twayn.

TWYFORD (anglais) Endroit où les rivières se rejoignent.

TXAPARRO (basque) Petit.

TXILAR (basque) Bruyère.

TYCHO (scandinave) Prêt pour le départ. Dérivés : Tyge, Tyko.

TYDÉE (grec) Personnage mythologique.

TYLER (anglais) Celui qui fait des tuiles. Dans les pays anglophones, Tyler est très apprécié. Simple et élégant, c'est un prénom mixte, plus souvent attribué aux petites filles. Dérivés : Ty, Tylar.

TYMON (grec) Dieu soit loué.

TYMOTEUSZ (polonais) Louer Dieu. Dérivés : Tomek, Tymek, Tymon.

TYNAN (irlandais) Sombre.

TYR (scandinave) Celui qui brille.

TYRELL (latin) Du nom d'une famille de la Rome antique. Dérivés : Terrell, Tirell, Tyrrell.

TYRONE (irlandais) Terre d'Eoghan. Dérivés : Tiron, Tirone, Ty, Tyron.

TYSON (anglais) Brandon. Dérivés : Tieson, Tison, Tysen.

TZACH (hébraïque) Propre. Dérivés : Tzachai, Tzachar.

TZADIK (hébraïque) Vertueux. Dérivés : Zadik, Zadoc, Zadok, Zaydak.

TZADKIEL (hébraïque) Vertueux envers Dieu. Dérivé : Zadkiel.

TZALMON (hébraïque) Sombre. Dérivé : Zalmon.

TZEPHANIAH (hébraïque) Dieu protège. Dérivés : Tzefanya, Zefania, Zefaniah, Zephania, Zephaniah.

TZEVI (hébraïque) Cerf. Dérivés : Tzeviel, Zevi, Zeviel.

TZURIEL (hébraïque) Dieu est mon roc. Dérivé : Zuriel.

UALTAR (irlandais) Chef des armées. Dérivés : Uaitcir, Ualteir.

UBADAH (arabe) Serviteur de Dieu.

UBALD (germanique) Savoir.

UDALRIC (germanique) Intelligence royale.

UDELL (anglais) Bouquet d'ifs. Dérivés : Dell, Eudel, Udall, Udel.

UDOLF (anglais) Loup et riche. Dérivés : Udolfo, Udolph.

UGAITZ (basque) Torrent.

UINSEANN (irlandais) Celui qui conquiert. Dérivé : Uinsionn.

ULBERT (germanique) Brillante richesse.

ULBRECHT (germanique) Grandeur.

ULDARIC (germanique) Puissante richesse. Dérivés : Uldarico, Ulderic, Ulderico

ULF (scandinave) Loup. Dérivé : Ulv.

ULFRID (germanique) Paix du loup.

ULL (scandinave) Gloire.

ULLEOG (irlandais) Petit protecteur. Déivés : Uilleac, Uillioc.

ULMER (anglais) Loup célèbre. Dérivés : Ullmar,

Ulmar.
ULPHARD (germanique) Loup fort.
ULRIC (germanique) Pouvoir du loup. Dérivés : Ulrich, Ulrick, Ulrike, Ullman, Ullmann, Ulrico, Ulrique, Ultsch, Utz.
ULRIK (scandinave) Noble souverain.
ULTAIN (Breton) Feu.
ULTAN (irlandais) Habitant de l'Ulster.
ULYSSE (latin) Courroucé. Variante d'Odysseus. Dérivés : Ulises, Ulisse, Ulysses, Uillioc, Ulisses, Ulixes, Ulyxco.
UMAR (arabe) Fleurir.
UMBERTO (germanique) Germain célèbre. Variante italienne d'Humbert. Dérivé : Umbert.
UNER (turc) Réputé.

UNWIN (anglais) Ennemi. Dérivés : Unwinn, Unwyn.
UPTON (anglais) Ville sur la colline.
UPWOOD (anglais) Forêt sur la colline.
URBAIN (latin) Urbain, civilisé. Ce prénom, connu surtout grâce à plusieurs papes, n'est plus guère employé. Toutefois, depuis quelque temps en Amérique, il bénéficie d'une légère faveur de la part de quelques parents à la recherche d'un prénom original. Dérivés : Urbaine, Urbane, Urbano, Urbanus, Urb, Urbà, Urbaen, Urban, Urbanu, Urbas, Urbice, Urbin, Urvan.
URFOL (celtique) Héritier mystique.
URI (hébraïque) Lumière de Dieu. Dérivés : Uria, Uriah,

Urias, Urie, Uriel, Ouriel.
URIA (grec) Paradis.
URIEN (gallois) Naissance privilégiée.
URJASZ (polonais) Dieu est lumière.
URSAN (latin) Ours. Dérivés : Urson, Urciscène, Urcisin, Urcisse, Urcize, Ursane, Ursin, Ursisin, Ursix.
URSMAR (germanique) Ours célèbre.
USAMAH (arabe) Lion. Dérivé : Usama.

USTIN (russe) Juste.
UTHMAN (arabe) Oiseau. Dérivés : Ohman, Usman.
UTO (germanique) Aisance.
UZEL (breton) Noble guerrier. Dérivés : Uhel, Utel, Uzaelou
UZIAH (hébraïque) Dieu est ma force. Dérivés : Uzia, Uziya, Uzziah.
UZIEL (hébraïque) Puissant. Dérivé : Uzziel.

VACLAV (germanique) Remuer.

VADIM (slave) Qui attire.

VAIATUA (tahitien) Divin pour l'éternité.

VAIL (anglais) Ville du Colorado. Dérivés : Vaile, Vale, Vayle.

VAIMANA (tahitien) Sacré pour l'éternité.

VAINO (finnois) Charron.

VALBERT (germanique) Illustre qui gouverne. Dérivés : Valdebert, Vaubert

VALDEMAR (germanique) Chef glorieux. Dérivés : Valdo, Voldemar.

VALENTIN (latin) Fort. Dérivés : Val, Valentino, Valenty, Vailintin, Valence, Valent, Valenti, Valentik, Valentinien, Valentinu, Valention, Valentyn, Valt, Valtin.

VALÈRE (latin) Valeureux. Ce prénom, porté par plusieurs personnages de Corneille et de Molière, pourrait bien intéresser des parents amoureux de théâtre classique. Dérivés : Valeran, Valéri, Valeriano, Valerianu, Valerianus, Valéric, Valérin, Valeriu, Valerius, Valero, Valiérian, Valore

VALÉRIEN (latin) En bonne

santé. Dérivés : Valère, Valérian, Valerio, Valery.

VALI (scandinave) Personnage de la mythologie.

VALLIER (latin) Qui fortifie.

VALMOND (germanique) Protection du gouverneur. Dérivé : Valmont

VALTHÈNE (germanique) Gouverneur.

VAMBERT (germanique) Illustre gouverneur.

VANCE (anglais) Marécage. Dérivés : Van, Vancelo, Vann.

VANDA (lithuanien) Peuple dominateur. Dérivé : Vandele.

VANDYKE (hollandais) De la digue. Dérivé : Van Dycke.

VANENG (germanique) Président.

VANIA (russe) Dieu est bon. Version russe de Jean. Dérivés : Vanek, Vanka.

VANSLOW (anglais) *Définition inconnue*. Dérivés : Vansalo, Vanselow, Vanslaw.

VARICK (germanique) Souverain protecteur. Dérivé : Varrick.

VARTAN (arménien) Rose.

VASCO (espagnol) Basque.

VASSILI (tchèque) Royalement. Variante de Basile. Dérivés : Vasile, Vasilek, Vasili, Vasilios, Vasilis, Vasilos, Vasily, Vassily, Vassia, Vassil, Vassilio, Vassyl, Vasyl, Vasylko.

VAUGH (gallois) Petit. Bien que ce joli prénom soit d'origine galloise, il est, depuis le milieu du siècle, bien plus populaire aux États-Unis qu'en Grande-Bretagne. Dérivés : Vaughan.

VAVILA (araméen) Portes de

Dieu. Dérivés : Vavil, Vavili, Vavylo

VEASNA (cambodgien) Chanceux.

VELESLAV (tchèque) Grande gloire. Dérivés : Vela, Velek, Velousek.

VENANCE (latin) Bienvenu. Dérivé : Venant.

VENANZIO (latin) Chasseur.

VENCEL (hongrois) Guirlande de fleurs.

VENCESLAV (tchèque) Gouvernement glorieux.

VENDÉMIAIRE (latin) Vendange. Dérivés : Vandémiaire, Vendimien, Vindémial

VENEDICT (latin) Béni. Version slave de Benoît. Dérivés : Venedick, Venka, Venya.

VENOU (celtique) Ciel.

VENTURIN (latin) Avenir. Dérivés : Venturinu, Venturo

VERED (hébraïque) Rose.

VERNEY (germanique) Armée qui protège. Forme dérivée de Werner.

VESPASIEN (latin) Issue de la famille des Vespasius.

VI (celtique) Océan.

VIANNEY (français) Nom de famille de saint Jean-Marie Vianney.

VICENTE (latin) Consécration.

VICTOR (latin) Conquérant. Victor, à l'époque romaine, était un prénom très apprécié, sans doute à cause de sa signification. Il a ensuite perdu un peu de sa splendeur au Moyen Âge, puis a retrouvé une certaine popularité dans les pays anglo-saxons au milieu du siècle.

Il a été en France l'un des préférés des années 1990. Parmi les Victor connus, Victor Hugo est le plus illustre. Dérivés : Vic, Vick, Victoir, Victorien, Victorino, Victorio, Viktor, Vitenka, Vito, Vittore, Vittorio, Vittorios, Vicken, Vickes, Vico, Victeur, Victorian, Victoriano, Victoric, Victorice, Victorico, Victorik, Victorin, Victorius, Victour, Victurnien, Viggo, Viguen, Viki, Vikke, Viktori, Viktorik, Viktorino, Vitchen, Vitor, Vittoriano, Vittorino, Vittoriu, Vittoru, Vitturianu, Vitturinu.

VIDA (anglais) Aimé.

VIDAR (scandinave) Personnage de la mythologie.

VIDKUN (scandinave) Grande expérience.

VIDOR (hongrois) Heureux.

VILA (tchèque) Vient de William. Dérivés : Vilek, Vilem, Vilhelm, Vili, Viliam, Vilko, Ville, Vilmos.

VILJO (finnois) Gardien.

VILMOS (germanique) Soldat courageux.

VINCENT (latin) Celui qui gagne. Ce joli prénom a toujours été apprécié au fil des siècles et son succès ne se dément pas aujourd'hui. Les Américains connaissent surtout deux de ses variantes, Vinnie et Vince. Au nombre des Vincent célèbres dans le monde, citons Vincent Van Gogh, le président Vincent Auriol et l'auteur Vincent Scotto. Dérivés : Vikent, Vikenti, Vikesha, Vin, Vince, Vincente, Vincenz, Vincenzio, Vincenzo, Vinci, Vinco,

Vinn, Vinnie, Vinny, Visant, Vicencio, Vicent, Vicentello, Vicentius, Vicentus, Vicenze, Vicenzo, Vincen, Vincenc, Vincencio, Vincèns, Vincentien, Vincentin, Vincentius, Vincenziu, Vincien, Vinzene, Vinzenne, Vinzenz.

VINE (anglais) Vigneron.

VINH (vietnamien) Glorieux.

VINSON (anglais) Fils de Vincent.

VIRGILE (latin) D'après le poète latin Virgilus. Prénom raffiné et bucolique, qui reste rare. Dérivés : Vergile, Virgili, Virgilio, Virgiliu, Virgilius, Virgiliz

VIRGINIEN (latin) Vierge.

VITALIS (latin) Vie. Dérivés : Vial, Vidal, Vital, Vitali, Vitalien, Vitalii, Vitalin, Vitaly

VITO (latin) Vivant. Dérivés : Vital, Vitale, Vitalis. Vivian.

VIVIEN (latin) Dynamique. Dérivés : Fithian, Vivence, Viventien, Viviano, Vivianu

VLADEN (russe) Prénom composé à partir de Vladimir et de Lenine. Vladimeer, Vladko, Vladlen, Volodia.

VLADIMIR (slave) Prince renommé. Dérivés : Vlad, Vladamir, Vladia, Vladimiro, Vlodomer, Volia, Volodymyr.

VLADISLAV (tchèque) Souverain glorieux. Dérivés : Ladislav, Vladislas, Vladislaw.

VLAS (russe) Celui qui bégaie. Dérivés : Vlasi, Vlass, Vlassi.

VOJTECH (tchèque) Soldat réconfortant. Dérivés :

Vojta, Vojtek, Vojtresek.

VOLKER (germanique) Protecteur du peuple.

VOLKMAR (germanique) Peuple célèbre. Dérivés : Folkmar, Volcmar, Volkmer, Volmar

VOLNEY (germanique) Esprit du peuple.

VOLYA (russe) Souverain du peuple. Version russe de Walter. Dérivés : Vova, Vovka.

VON (scandinave) Espoir.

VOUGAY (celtique) Étincelle.

WACIL (arabe) Ami.

WADDAH (arabe) Lumineux.

WADE (anglais) Gué de la rivière.

WADIH (arabe) Pur.

WADLEY (anglais) Prairie près d'un endroit de la rivière franchissable. Dérivés : Wadlegh, Wadly.

WADSWORTH (anglais) Village près d'un endroit où on peut franchir la rivière. Dérivé : Waddsworth.

WAFIK (arabe) Compagnon.

WAGNER (germanique) Charron. Dérivé : Waggoner.

WAHIB (arabe) Généreux.

WAHID (arabe) Exceptionnel.

WAIL (arabe) Celui qui se tourne vers Allah.

WAITE (anglais) Gardien. Dérivés : Waits, Wayte.

WAJDI (arabe) Affectueux.

WAJIH (arabe) Extraordinaire. Dérivé : Wagih.

WAKEFIELD (anglais) Champ humide. Dérivé : Wake.

WAKELEY (anglais) Pré détrempé. Dérivés : Wakelea, Wakeleigh, Wakely.

WAKEMAN (anglais) Surveillant.

WALBERT (germanique) Gouvernant. Dérivés : Waldabert, Waldebert.

WALCOTT (anglais) Cottage près d'un mur. Dérivés : Wallcot, Wallcott, Wolcott.

WALDEMAR (germanique) Souverain illustre. Dérivé : Valdemar.

WALDEN (anglais) Vallée boisée. Ce prénom élégant et d'une belle sonorité est pour les parents épris de nature. Dérivé : Waldon.

WALDO (germanique) Fort.

WALDRED (germanique) Paisible souverain.

WALDRON (germanique) Grand corbeau.

WALERAN (germanique) Corbeau étranger. Dérivés : Galeran, Walerian.

WALFORD (anglais) Endroit où passer la rivière.

WALFROY (germanique) Etranger et Paix. Dérivés: Valafrid, Walafrid, Walfrid, Walfried, Walfroi, Walfroid

WALID (arabe) Nouveau-né. Dérivé : Waleed.

WALKER (anglais) Celui qui foule le tissu. Nom de famille.

WALLACE (écossais) Celui qui vient du Pays de Galles. Dérivés : Wallach, Wallie, Wallis, Wally, Walsh, Welch, Welsh.

WALLER (anglais) Maçon.

WALLIG (celtique) Roi.

WALTER (germanique) Celui qui gouverne le peuple. Très répandu dans les années 1930-1940, ce prénom peut paraître aujourd'hui un peu démodé, mais il commence néammoins à séduire bon nombre de futurs parents en quête d'un prénom simple à la sonorité toute british. Parmi les Walter connus, on peut mentionner Walt Disney et Walter Scott, le romancier. Dérivés : Vaalto, Valter, Valterri, Volter, Waclaw, Walder, Walt, Walther, Waltr, Watkin.

WALTON (anglais) Ville fortifiée.

WALWORTH (anglais) Ferme fortifiée.

WALWYN (anglais) Ami gallois. Dérivés : Walwin, Walwinn, Walwynn, Walwynne.

WAMIK (arabe) Aimé.

WANDRILLE (germanique) Qui donne l'espoir.

WARBURTON (anglais) Vieille forteresse.

WARD (anglais) Gardien. Dérivé : Warde, Warden, Worden.

WARDELL (anglais) Colline du gardien.

WARDLEY (anglais) Prairie du gardien. Dérivés : Wardlea, Wardleigh.

WARE (anglais) Surveillant.

WARFIELD (anglais) Pré près du barrage à poissons.

WARFORD (anglais) Gué près du barrage à poissons.

WARLEY (anglais) Prairie près du barrage à poissons.

WARREN (germanique) Ami et protecteur. L'acteur Warren Beatty a fait beaucoup pour populariser ce prénom, lui apportant une note de charme et une reconnaissance internationale. Dérivés : Warrin, Warriner.

WARWICK (anglais) Maison

W

C'est un garçon

près d'un barrage. Dérivés :
Warick, Warrick.

WASHBURN (anglais) Rivière en crue.

WASHINGTON (anglais)
Ville des hommes intelligents.

WASIM (arabe) Séduisant.
Dérivé: Wacim.

WASSEM (arabe) Beau. Dérivé : Wassim.

WATHIK (arabe) Ami.

WATSON (anglais) Fils de
Walter.

WAVERLY (anglais) Pré
planté de peupliers. Dérivés : Waverlee, Waverleigh,
Waverley.

WAYLON (anglais) Terre qui
borde la route. Dérivés :
Way, Waylan, Wayland, Waylen, Waylin.

WAYNE (anglais) Charron.
Autre version de Wainright.

Dérivés : Wain, Wainwright,
Wayn, Waynwright.

WEBLEY (anglais) Pré du tisserand. Dérivés : Webbley,
Webbly, Webly.

WEBSTER (anglais) Tisserand. Dérivés : Web, Webb,
Weber.

WELBORN (anglais) Rivière
gonflée par la fonte des
neiges. Dérivés : Welborne,
Welbourne, Welburn, Wellborn, Wellbourn, Wellburn.

WELBY (anglais) Ferme au
bord de l'eau. Dérivés : Welbey, Welbie, Wellbey, Wellby.

WELDON (anglais) Puits
près d'une colline. Dérivés :
Welden, Welldon.

WELFORD (anglais) Puits
près d'un gué. Dérivé : Wellford.

WELLINGTON (anglais)
Temple dans une clairière. À

ne pas confondre avec El-
lington.

WELLS (anglais) Source.

WELTON (anglais) Source
de la ville.

WEN (arménien) Né en
hiver.

WENCESLAUS (slave) Couronne de laurier. Dérivé :
Wenceslas.

WENDELL (germanique) Vagabond. Dérivés : Wendel,
Wendle.

WENTWORTH (anglais)
Ville de l'homme blanc.

WENZEL (latin) Célèbre.

WERNER (germanique)
Armée de défense. Dérivés :
Warner, Wernher.

WESH (bohémien) Forêt.

WESLEY (anglais) Prairie au
nord. Ce prénom fut d'abord
connu grâce aux deux fon-
dateurs de l'église métho-
diste de Grande-Bretagne,
puis les parents membres de
cette congrégation appelè-
rent ainsi leurs fils, en leur
honneur. Wesley à présent
ne compte pas parmi les
prénoms les plus courants
et il est à craindre qu'il
tombe définitivement dans
l'oubli. Dérivés : Wes, Wesly,
Wessley, Westleigh, Westley.

WESTBROOK (anglais) Ruisseau à l'ouest. Dérivés :
Wesbrook, West, West-
brooke.

WESTBY (anglais) Ferme à
l'ouest.

WESTCOTT (anglais) Cottage à l'ouest. Dérivés : Wes-
cot, Wescott, Westcot.

WESTON (anglais) Ville à
l'ouest. Dérivés : Westen,
Westin.

WETHERBY (anglais) Ferme

du bélier châtré. Dérivés :
Weatherbey, Weatherbie,
Weatherby, Wetherbie.

WETHERELL (anglais) Ber-
gerie. Dérivés : Weatherell,
Weatherill, Wetherill, We-
thrill.

WETHERLY (anglais) Pré des
moutons. Dérivés : Weather-
ley, Weetherly, Wetherleigh,
Wetherley.

WHALLEY (anglais) Forêt
sur la colline. Dérivé : Whal-
lie.

WHARTON (anglais) Ville au
bord du fleuve. Ce nom est
surtout un nom de famille,
mais il commence toutefois
à être employé comme pré-
nom, principalement aux
États-Unis. Dérivé : Warton.

WHEATLEY (anglais) Champ
de blé. Dérivés : Wheatlea,
Wheatleigh, Wheatlie,
Wheatly.

WHEATON (anglais) Ville du
blé.

WHEELER (anglais) Charron.

WHISTLER (anglais) Surnom. Siffleur ou cornemu-
seur.

WHITBY (anglais) Ferme
aux murs blancs. Dérivés :
Whitbey, Whitbie.

WHITCOMB (anglais) Vallon
blanc. Dérivé : Whitcombe.

WHITELAW (anglais) Colline
blanche. Dérivé : Whitlaw.

WHITFIELD (anglais)
Champ blanc.

WHITFORD (anglais) Gué
blanc.

WHITLEY (anglais) Pré
blanc.

WHITLOCK (anglais) Mèche
de cheveux blancs. Ce nom
est en fait un nom de fa-

mille qui pourrait fort bien devenir prénom, particulièrement pour un petit garçon aux cheveux blonds très clairs.

WHITMAN (anglais) Homme blanc.

WHITMORE (anglais) Lande blanche. Dérivés : Whitmoor, Whittemore, Witmore, Wittemore.

WHITTAKER (anglais) Champ blanc. Dérivés : Whitacker, Whitaker

WIBERT (germanique) Forêt.

WICKHAM (anglais) Enclos du village.

WIELISLAW (polonais) La gloire est agréable. Dérivés : Wiesiek, Wiesiulek, Wiestaw.

WILBUR (germanique) Brillant. Dérivés : Wilber, Wilbert, Wilburt, Willbur.

WILDON (anglais) Vallée sauvage.

WILEY (anglais) Champ souvent innondé. Dérivés : Willey, Wylie.

WILFORD (anglais) Gué bordé de saules.

WILFRID (germanique) Paix voulue. Dérivés : Wilfred, Wilfredo, Wilfried, Wilfryd.

WILHELM (germanique) Volontaire.

WILKINSON (anglais) Fils du petit Will. Dérivés : Wilkes, Wilkie, Wilkins, Willkinson.

WILLIAM (germanique) Volonté et protection. Ce prénom, version anglaise de Guillaume, est l'un des plus populaires dans les pays de langue anglaise, car il évoque de grandes personnalités, comme William

Shakespeare, William Faulker ou William Holden. Il a été le prénom de plus de quarante rois et de quatre présidents américains et, assez curieusement, il est plus fréquent aux États-Unis dans les familles noires que dans les familles blanches. En France, il est moins courant que Guillaume, mais il est toujours présent. Dérivés : Bill, Billie, Billy, Vas, Vasilak, Vasilous, Vaska, Vassos, Vila, Vildo, Vilek, Vilem, Vilhem, Vili, Viliam, Vilkl, Ville, Vilmos, Vilous, Will, Willem, Willi, Williamson, Willie, Willil, Willy, Wilso, Wilhelm.

WILLIAMSON (anglais) Fils de William. Dérivés : Willey, Willi, Willie, Willis, Wylie.

WILLIS (germanique) Otage et volonté. Dérivé : Willigis.

WILLOUGHBY (anglais) Ferme du saule. Dérivés : Willoughbey, Willoughbie.

WILMER (germanique) Constante renommée. Dérivés : Vilmar, Vulmar, Vulmer, Willimar, Willimer, Wymer.

WILSON (anglais) Fils de Will. Dérivé : Willson.

WILTON (anglais) Ville avec un puits. Dérivés : Wilt, Wylton.

WIMAR (germanique) Illustre.

WINDHAM (anglais) Ami de la ville. Dérivés : Win, Winn, Wyndham, Wynne.

WINDSOR (anglais) De la famille des Windsor. Dérivé : Wyndsor.

WINFIELD (anglais) Champ d'un ami. Dérivés : Winnfield, Wynfield, Wynnfield.

WINFRED (anglais) Ami paisible.

WINGATE (anglais) Portail pivotant.

WINSLOW (anglais) Colline d'un ami.

WINSTON (anglais) Ville d'un ami. Ce prénom, quand on est fumeur, fait penser à une marque bien connue de cigarettes, mais il évoque surtout la formidable personnalité de l'homme politique Winston Churchill. Dérivés : Winsten, Winstone, Winstonn, Winton, Wynstan, Wynston.

WINTHROP (anglais) Village de l'ami.

WINWARD (anglais) Forêt de mon frère.

WIT (polonais) Vie.

WITHNEY (anglais) Île blanche. Ce prénom mixte est beaucoup plus fréquent pour les filles.

WLADYSLAW (polonais) Souverain glorieux. Dérivé : Wtodzistaw.

WLODZIMIERZ (polonais) Souverain fameux.

WOJTEK (polonais) Soldat consolateur. Dérivé : Wojteczek.

WOLCOTT (anglais) Cottage du loup.

WOLFE (anglais) Loup. Dérivés : Wolf, Woolf.

WOLFGANG (germanique) Loup et assaut. Mozart est sans doute le Wolfgang le plus célèbre au monde.

WOODFIELD (anglais) Champ dans la forêt.

WOODFORD (anglais) Gué dans la forêt. Dérivé : Woodforde.

WOODROW (anglais) Rangées d'arbres. Dérivés : Wood, Woody.

WOODVILLE (anglais) Ville forestière.

WOODWARD (anglais) Gardien de la forêt. Dérivé : Woodard.

WORTH (anglais) Ferme fortifiée.

WORTHY (anglais) Clôture. Dérivés : Worthey, Worthington.

WRIGHT (anglais) Charpentier.

WYATT (germanique) Forêt.

WYBERT (anglais) Brillant au combat.

WYCLIFF (anglais) Falaise blanche. Dérivé : Wycliffe.

WYNDHAM (anglais) Ville près du chemin. Dérivé : Windham.

WYNN (anglais) Ami. Dérivés : Win, Winn, Wynne.

XABAT (basque) Sauveur. Dérivés : Xalbador, Xalbat, Xalbator, Xalbatore, Xalbor, Xobat

XANTHÉAS (grec) Originaire de la ville de Xanthos. Dérivé :Xanthias.

XANTHUS (grec) Blond. Dérivés : Xanthos, Xante, Xanthe.

XAVIER (basque) Maison neuve. Ce prénom basque n'a jamais été au hit-parade, mais il est classique, ne se démode pas, et apparaît régulièrement à l'état civil. Dérivés : Javier, Javieri, Saverio, Saver, Savieri, Saviero, Xaver, Xavieri, Xaviero, Xabi, Xabier, Xablier, Xaveer, Xavel, Xaverius, Xaverl, Xever, Xidi, Zaverio, Zavié, Zavier.

XENAT (latin) Etranger.

XÉNOPHON (grec) Voix étrangère.

XERXES (perse) Souverain.

XIMEN (espagnol) Obéissant. Dérivés : Ximenes, Ximon, Ximum.

XINQI (chinois) Nouveau levé.

XUAN (vietnamien) Printemps.

XYLON (grec) Celui qui vit dans les bois.

YAAKOV (hébraïque) Celui qui talonne. Version slave de Jacob. Dérivé : Yankov, Yaacov, Yacov.

YAAR (hébraïque) Forêt.

YACOUB (hébraïque) Forme arabe de Jacob.

YADID (hébraïque) Aimé.

YADIN (hébraïque) Dieu jugera. Dérivé : Yadon.

YAFEU (africain) Chauve.

YAGO (hébraïque) De Jacob fils d'Isaac.

YAGUEL (hébraïque) Il exultera. Dérivé : Yagu.

YAHYA (arabe) Dieu est bon. Dérivé : Yihya.

YAIR (hébraïque) Dieu illuminera. Dérivé : Jair.

YAKAR (hébraïque) Chéri. Dérivé : Yakir.

YAKDAN (arabe) Prudent.

YAKIM (hébraïque) Dieu multipliera. Dérivé : Jakim.

YALE (anglais) Au sommet de la colline.

YAMIN (arabe) Chanceux. Dérivé : Jamin.

YANA (hébraïque) Celui qui répond. Dérivés : Janai, Jannai, Yan, Yannai.

YANG (chinois) Arbre.

YANKA (russe) Dieu est bon.

YANN (hébraïque) Dieu est bon. Forme bretonne de

Jean. Dérivé : Evan.

YANNICK (hébraïque) Dieu est bon. Autre forme bretonne de Jean, mise à l'honneur par le tennisman Yannick Noah. Dérivés : Yannig, Yannik.

YANNIS (hébraïque) Dieu est bon. Version grecque de Jean. Dérivés : Yannakis, Yanni, Yiannis, Yanis.

YANOACH (hébraïque) Repos.

YAO (chinois) Elégant.

YAPHET (hébraïque) Séduisant. Dérivés : Japhet, Japheth, Yapheth.

YAQUB (arabe) Atrapper par le talon. Dérivé : Yaqoob.

YARB (bohémien) Herbe.

YARDAN (arabe) Roi.

YARDLEY (anglais) Prairie clôturée. Ce prénom évoque les produits de toilette bien connus, mais il a une belle sonorité, typiquement anglaise. Dérivés : Yardlea, Yardlee, Yardleigh, Yardly.

YARIN (hébraïque) Compendre.

YARLIB (arabe) Puissant.

YASAHIRO (japonais) Calme.

YASER (arabe) Riche. Dérivés : Yaser, Yasir, Yasser, Yassir.

YASSIN (arabe) Les lettres arabes y et s désignent deux sourates du Coran.

YASSOUB (arabe) Responsable.

YASUO (japonais) Tranquillité.

YATES (anglais) Portes. Dérivé : Yeats.

YAZID (arabe) Supérieur.

YBILLEAU (gallois) Branche.

YDRISS (arabe) Connaissance.

YECHEZKEL (hébraïque) Dieu fortifiera. Dérivés : Chaskel, Chatzkel, Keskel.

YEHOCHANAN (hébraïque) Dieu est bon. Dérivés : Yochanan, Yohannan.

YEHONATAN (hébraïque) Dieu donne.

YEHOSHUA (hébraïque) Dieu est salut. Dérivé : Yeshua, Yehoshoua.

YEHOYAKIM (hébraïque) Dieu édifiera. Dérivés : Jehoiakim, Yehoiakim, Yoyakim.

YEHUDI (hébraïque) Louanges. Ce prénom est connu dans le monde entier grâce au célèbre violoniste Yehudi Menuhim. Dérivés : Yechudi, Yechudil, Yehuda, Yehudah.

YEKAMIA (hébraïque) Dieu se lèvera.

YEKEL (celtique) Grandeur d'âme.

YELTAZ (celtique) Cheveux. Dérivé : Yeltazig.

YEOMAN (anglais) Serviteur.

YERED (hébraïque) Descendre. Dérivé : Jered.

YEREL (hébraïque) Fondé par Dieu. Dérivé : Jeriel.

YERIK (russe) Dieu est haut. Variante de Jérémie. Dérivé : Yeremey.

YESHAYAHU (hébraïque) Dieu sauve. Dérivé : Yeshaya.

YEUN (celtique) Bienveillant.

YEVGENYI (russe) Bien né.

YIRMEYAHU (hébraïque) Dieu réparera.

YISHACHAR (hébraïque) Récompense. Dérivés : Issachar, Sachar, Yisaschar.

YISRAËL (hébraïque) Israël.

YITRO (hébraïque) Beaucoup. Dérivé : Yitran.

YITZCHAK (hébraïque) Rire. Nous avons tous pris connaissance de ce nom grâce à Itzhak Rabin, l'homme d'état israélien. Dérivés : Itzhak, Yitzhak, Yitshaq.

YMIR (scandinave) Personnage mythologique.

YOAH (hébraïque) Dieu est un frère.

YOAV (hébraïque) Dieu du père.

YOLAN (grec) Aube. Dérivé : Yoland.

YON (grec) Fils de Io, premier des Ioniens ou (latin) De la famille des Ionis. Dérivés : Ygnon, Yonel, Yoni, Yonnel

YONATAN (hébraïque) Don de Dieu. Dérivé : Yonathan.

YORATH (anglais) Dieu de vertu. Dérivés : Iolo, Iorwerth.

YORK (anglais) If. Dérivés : Yorick, Yorke, Yorrick.

YOSEF (hébraïque) Dieu multiplie. Forme originelle de Joseph. Dérivés : Yossef, Yosseph, Yusef, Yoseff, Yosif, Yousef, Youssef, Youssouf, Yusif, Yusuf, Yuzef.

YOSHA (hébraïque) Sagesse.

YOUEN (celtique) If.

YUCEL (turc) Noble.

YUL (latin) De la famille Julius. Forme arabe de Jules. L'acteur Yul Bryner a popularisé ce prénom.

YULE (anglais) Noël, la fête.

YUNIS (arabe) Colombe. Dérivés : Younis, Yunus.

YURI (russe) Fermier. Version russe de Georges. Dérivés : Iouri, Youri, Yura, Yurchik, Yurik, Yurko, Yurli, Yury.

YUSHUA (arabe) Aide de Dieu.

YUSTYN (russe) Juste.

YUSUF (arabe) Dieu multipliera. Dérivés : Youssef, Yousuf, Yusef, Yussef.

YUVAL (hébraïque) Ruisseau. Dérivé : Jubal.

YVAIN (celtique) If. Forme médiévale de Yves.

YVAN (hébraïque) Miséricorde de Dieu.

YVES (celtique) If. Saint Yves est le patron des avocats. Dérivés : Erwann, Yf, Yoen, Yonen, Youwan, Yun Yve, Yvelain, Yvelin, Yvi, Yvias Yvo, Yvonet, Yvonnet, Yvonick, Yvonnic, Yvonnick, Ivi, Ivo, Ivor, Iwein, Youn, Youenn, Yvain, Yven, Yvon, Yv.

ZABAL (basque) Large.
ZACCHEUS (hébraïque) Pur.
ZACHARIE (hébraïque) Dieu s'est souvenu. Dans la Bible, Zacharie est le mari d'Élisabeth, le père de saint Jean Baptiste. Dérivés : Zacaria, Zacarios, Zach, Zacharia, Zacharias, Zachary, Zachery, Zack, Zackariah, Zackerias, Zackery, Zak, Zakarias, Zac, Zacarie, Zacaries, Zacario, Zaccaria, Zaccharie, Zacchary, Zachariah, Zacharian, Zacher, Zacherl, Zacchée, Zakar, Zakari, Zakaria, Zakary, Zakarya, Zakhar, Zakharei, Zekharia.
ZAFAR (arabe) Gagner. Dérivé : Zafir.
ZAHAVI (hébraïque) Or.
ZAHID (arabe) Strict.
ZAHIL (arabe) Serein.
ZAHIR (hébraïque) Brillant. Dérivés : Zaheer, Zahur.
ZAHRAN (africain) Brillant.
ZAHUR (arabe) Fleur.
ZAÏD (arabe) Abondance.
ZAÏDANE (arabe) Accroissement. Dérivé : Zéidane
ZAIDE (hébraïque) Plus vieux.
ZAIG (germanique) Combattant.
ZAIM (arabe) Général.
ZAISHENG (chinois) Naître

de nouveau.

ZAITIAN (chinois) Ajouter de nouveau.

ZAITOUN (arabe) Olivier. Dérivés : Zeïtoun, Zitoun. Zakarie, Zako, Zeke.

ZAKI (arabe) Vertueux.

ZAKUR (hébraïque) Masculin. Dérivé : Zaccur.

ZALE (grec) Puissance venant de la mer. Dérivé : Zayle.

ZALMAN (hébraïque) Paisible.

ZAMIEL (germanique) Dieu a entendu. Variante de Samuel.

ZAMIL (arabe) Ami.

ZAMIR (hébraïque) Chanson.

ZAN (hébraïque) Bien nourri.

ZANE (anglais) Dieu est bon. Variante de Jean. Zane est un prénom qui, en Amérique, pourrait dépasser Zacharie en popularité. Il est le nom de famille du fondateur d'une petite ville de l'Ohio. Dérivés : Zain, Zayne.

ZARED (hébraïque) Piège.

ZAREK (polonais) Que Dieu protège le roi.

ZAVAD (hébraïque) Cadeau. Dérivé : Zabad.

ZAVDIEL (hébraïque) Cadeau de Dieu. Dérivés : Zabdiel, Zebedee.

ZAYD (arabe) Accroître. Dérivés : Zaid, Zayed, Ziyad.

ZAYN (arabe) Beauté.

ZBIGNIEW (polonais) Se débarrasser de la colère. Dérivé : Zbyszko.

ZBYHNEV (tchèque) Débarassé de la colère. Dérivés : Zbyna, Zbynek, Zbysek.

ZDENEK (tchèque) Dieu du Vin. Dérivés : Zdenecek, Zdenko, Zdenousek, Zdicek.

ZDESLAV (tchèque) Ici est la gloire. Dérivés : Zdik, Zdisek, Zdislav.

ZDZISLAW (polonais) Ici est la gloire. Dérivés : Zdich, Zdziech, Zdziesz, Zdzieszko, Zdzis, Zdzisiek.

ZEBADIHA (hébraïque) Présent de Dieu. Dérivés : Zeb, Zebediah.

ZÉBULON (hébraïque) Résident. Dérivés : Zebulen, Zebulun.

ZEDEKIAH (hébraïque) Dieu est juste. Dérivés : Tzedekia, Tzidkiya, Zed, Zedechiah, Zedekia, Zedekias.

ZEEMAN (hollandais) Marin.

ZEEV (hébraïque) Loup.

ZEHARIAH (hébraïque) Lu-mière de Dieu. Dérivés : Zeharia, Zeharya.

ZEHEB (turc) Or.

ZEKE (hébraïque) Force de Dieu. Zeke, diminutif d'Ézéchiel, est devenu, aux États-Unis, un véritable prénom.

ZEKI (turc) Intelligent.

ZELIG (hébraïque) Sacré.

ZELIMIR (slave) Celui qui désire la paix.

ZEMARIAH (hébraïque) Chanson. Dérivés : Zemaria, Zemarya.

ZEMISLAV (russe) Gloire de la Terre.

ZENAS (grec) Don de Zeus. Dérivés : Zene, Zeno, Zenon.

ZENDA (tchèque) Bien né.

ZENDE (africain) Fort.

ZENOBE (grec) Vie de Zeus. Dérivés : Zenob, Zénobien, Zénobius, Zénop, Zinovi.

ZÉNON (grec) L'étranger.

Dérivés : Xeno, Zenos.

ZEPHANIAH (hébraïque) Protection. Dérivés : Zeph, Zephan.

ZÉPHIRIN (grec) Vent d'ouest. Zéphir, dans la mythologie, est le dieu du Vent d'ouest. Dérivés : Zéphir, Zéphyr, Zéphyre, Zéphyrin, Zeyphirin.

ZERACH (hébraïque) Léger. Dérivés : Zerachia, Zerachya, Zerah.

ZEREM (hébraïque) Torrent.

ZERIKA (hébraïque) Averse.

ZÉRO (arabe) Sans valeur. Il est difficile d'imaginer qu'on puisse donner un nom pareil à un enfant, mais pour les Arabes, comme pour les Chinois, ce prénom est censé ne pas attirer les mauvais esprits sur l'enfant.

ZETÂN (hébraïque) Cultiva-teurs d'oliviers.

ZÉTHOS (grec) Fils de Zeus qui construisit Thèbes et la muraille qui l'entourait.

ZEUS (grec) Vivant. Le roi des dieux. Dérivés : Zeno, Zenon, Zinon.

ZEVACH (hébraïque) Sacrifice. Dérivés : Zevachia, Zevachtah, Zevachya, Zevah.

ZEVADIAH (hébraïque) Dieu accorde. Dérivés : Zevedia, Zevadya.

ZEVID (hébraïque) Présent.

ZEVULUN (hébraïque) Maison. Dérivés : Zébulon, Zebulun, Zevul.

ZHAO (chinois) Promenade.

ZIA (hébraïque) *Définition inconnue.*

ZIDANE (arabe) Prospérité. Dérivés : Zéïd, Zéïdan, Zeydan, Zidan.

ZILAR (basque) Argenté.

ZIMRAAN (arabe) Célébré.
ZIMRAN (hébraïque) Sacré.
ZIMRI (hébraïque) Précieux.
ZINDEL (hébraïque) Protecteur de l'Humanité. Variante d'Alexandre. Ce prénom est assez en vogue, mais peut-être est-il préférable de donner à l'enfant sa version originelle et de faire de Zindel un diminutif. Dérivés : Zindil.
ZINE (arabe) Beau.
ZINEDINE (arabe) Parure de la religion. Dérivés : Zaineddine, Zeineddine, Zineddine.
ZION (hébraïque) Terre protégée.
ZITOMER (tchèque) Vivre dans la gloire. Dérivés : Zitek, Zitousek.
ZITOUN (arabe) L'olivier.
ZIV (hébraïque) Briller. Dérivés : Zivan, Zivi.

ZIVAN (tchèque) En vie. Dérivés : Zivanek, Zivek, Zivko.
ZIVEN (slave) Vivant. Dérivés : Ziv, Zivon.
ZIYA (arabe) Lumière. Dérivé : Zia.
ZIYAD (arabe) Accroître.
ZLATAN (tchèque) Doré. Dérivés : Zlatek, Zlaticek, Zlatik, Zlatko, Zlatousek.
ZOLTAN (hongrois) Vie. Dérivé : Zoltin.
ZOMEIR (hébraïque) Celui qui taille les arbres. Dérivé : Zomer.
ZORYA (slave) Étoile.
ZOSSIM (grec) Qui se prépare. Dérivé : Zosime
ZOUBIR (arabe) Robuste.
ZOWIE (grec) Vie.
ZOZIME (grec) Vigoureux. Dérivé : Zozimène.
ZUHAYR (arabe) Boutons de fleurs. Dérivé : Zuhair.

C'est une fille

AAMU (finlandais) Matin.

AARDINE (germanique) Aigle qui gourverne. Féminin néerlandais d'Arnaud.

AATA (polynésien) Enfant gai de la lune.

ABARRANE (basque) Forme féminine d'Abraham.

ABÉLIE (hébraïque) Soupir. Version féminine d'Abel. Dérivés : Abélia, Abelinde, Abella, Abelle, Abeltje, Avela, Avelia, Aveline, Avella.

ABELINE (hébraïque) Souffle. Dérivé : Aveleenh

ABELKE (germanique) Reconnue.

ABELONE (danois) Féminin d'Apollon. Dérivés : Abbelina, Abbeline, Abellona, Apolline, Apollina, Appoline, Appolinia.

ABEYTU (amérindien) Feuille verte.

ABEYTZI (amérindien) Feuille jaune.

ABIA (arabe) Grande.

ABIAH (hébraïque) Dieu est mon père. Dérivés : Abi, Abia, Abida, Abiela, Avia, Aviah, Aviya.

ABICHAYIL (hébraïque) Père autoritaire. Dérivés : Avichayil, Avihayil.

ABIDA (arabe) Dévote.

ABIGAËL (hébraïque) Joie

paternelle. Abigaël est un merveilleux prénom qui fut porté, dans la Bible, par la femme de David. Il évoque l'Amérique du XVIIIe siècle, et il est très courant outre-Atlantique. Dérivés : Abagael, Abagail, Abagale, Abbey, Abbi, Abbie, Abbigael, Abbigail, Abbigale, Abby, Abbye, Abbygael, Abbygail, Abbygale, Abigale, Abigayle, Avigail, Gail, Abaigh Abbie Abaigeal.

ABINA (latin) Blanche.

ABIR (arabe) Arôme.

ABIRA (hébraïque) Forte. Dérivé : Abi.

ABISHA (hébraïque) Dieu est mon père. Dérivés : Abijah, Abishah.

ABITAL (hébraïque) Mon père vient de la rosée. Le symbole de l'eau, sous forme de rosée ou de source, est très courant dans l'étymologie des prénoms hébraïques. Dérivé : Avital.

ABLA (arabe) Potelée. Dérivé : Ablah.

ABONDANCE (latin) Abondance.

ABRA (hébraïque) Mère de la multitude. Version féminine d'Abraham.

ACACIA (grec) Acacia, l'arbre.

ACAIJA (grec) Joie.

ACANTHA (grec) Épine.

ACCALIA (grec) Personnage de la mythologie romaine.

ACHAVA (hébraïque) Amitié.

ACHÉQA (arabe) Aimante.

ACHILA (grec) féminin de Akkileus. Dérivé : Achilléa.

ACHIMA (hébraïque) Dieu lève.

ACHIQA (arabe) Qui aime.

ACHSAH (hébraïque) Anneau de cheville. Dérivé : Achsa.

ACIMA (hébraïque) Dieu juge. Dérivés : Achima, Achimah, Acimah.

ACTON (anglais) Ville de Grande-Bretagne.

ADA (germanique) Noble. Ce prénom Dérivé d'Adélaïde est synonyme d'aristocratie pour les Allemands. Dérivés : Adamine, Adaminna, Addie, Mina, Minna.

ADAH (hébraïque) Ornement. Dérivés : Ada, Adaïa, Adaya, Adda, Addie, Adi, Adia, Adiah, Adie, Adiel, Adiella, Adiya.

ADALBERGE (germanique) Noble combat.Dérivés : Adelburge.

ADALBERTA (germanique) Aristocratie.

ADALBERTE (germanique) Noble et illustre.

ADALGISE (germanique) Noble otage.

ADALHEIDIS (germanique) Noble. Forme scandinave d'Adèle. Dérivés : Aalt, Aaltje, Adalheid, Aleida, Alida.

ADALIA (hébraïque) Dieu protège.

ADALSINDE (germanique) Noble et douce.

ADALTRUDE (germanique) Noble et fidèle.Dérivé : Adeltrude

ADAMA (hébraïque) Forme féminine d'Adam. Dieu ayant créé Adam à partir la glèbe, une terre rouge, ce prénom signifie aussi terre rouge. Dérivé : Adamina.

ADAMANTE (latin) Qui

commence.

ADARA (grec) Beauté. Dérivé : Adra.

ADBA (arabe) Douce.

ADÉLA (germanique) Equitable.

ADÉLAÏDE (germanique) Noble. L'une des variantes d'Adèle. Ce prénom ancien redevient à la mode depuis les années 1980, tout comme Alice et Alix, qui ont la même étymologie.

ADÈLE (germanique) Noble. Prénom typique du XIVe siècle.

ADELHEID (germanique) noble

ADELINDE (germanique) Douce et noble. Dérivé : Alinda.

ADELINE (germanique) Noble. Version moderne d'Adèle, qui fut très en vogue dans les années 1970. Dérivés : Adaline, Adelina, Edeline.

ADELIZA (anglais) Combinaison d'Adélaïde et de Liza.

ADELPHA (grec) Sœur charitable. Dérivés : Adelphia, Adelphie, Adelphine.

ADENOR (celtique) Honorifique.

ADERES (hébraïque) Cape. Dérivés : Aderet, Aderetz.

ADIBA (arabe) Cultivée, raffinée. Dérivé : Adibah.

ADILA (arabe) Bien faite. Dérivé : Adilah.

ADINA (hébraïque) Gentille, délicate. Dérivés : Adeana, Adin, Adine.

ADIRA (hébraïque) Noble.

ADIVA (arabe) Gentille.

ADJIBA (arabe) Merveille.

ADOLPHA (germanique) Noble et loup. Féminin

d'Adolphe.

ADONCIA (espagnol) Sucrée.

ADONIA (grec) Beauté. Version féminine d'Adonis. Ce nom est aussi celui d'une fête qui se tient après les moissons.

ADORA (latin) Adorée. Dérivés : Adoree, Adoria, Adorlee, Dora, Dori, Dorie, Dorrie.

ADRA (arabe) Jeune fille.

ADRASTÉE (grec) Nymphe qui prit soin de Zeus quand il était bébé.

ADRIA (anglais) Sombre. Féminin d'Adrien. Dérivés : Adrea, Adreea, Adriah.

ADRIANA (latin) Originaire d'Adria. Féminin d'Adrien dans les langues latines. Ce prénom est très apprécié également dans les pays anglo-saxons. Dérivés : Adrianna, Adriannah, Arina, Ariska, Arita.

ADRIENNE (latin) Originaire d'Adria. Ce prénom n'a jamais été très courant, et il semble aujourd'hui très démodé, contrairement à son masculin Adrien qui connaît un grand succès. Dérivés : Adriana, Adriane, Adriena, Adrienah, Arienne.

AEGINA (grec) Personnage de la mythologie.

AEGLE (grec) Personnage de la mythologie.

AELIA (grec) Messager de Dieu. Forme bretonne d'Angèle. Dérivés : Aelig, Aëlle, Aella.

AENA (grec) Précieuse.

AENOR (grec) Compassion. Forme bretonne d'Éléonore. Dérivé : Aanor.

AEOLA (grec) Déesse des Vents.

AETHRA (grec) Personnage de la mythologie.

AFAF (arabe) Vertueuse. Dérivés : Afef, Afifa, Afifah.

AFAITU (polynésien) Envoyée du ciel.

AFAQ (arabe) Horizons.

AFERA (anglais) Jeune cerf. Dérivés : Affera, Affra, Aphra.

AFFRICA Dérivés : Affraic, Aifric.

AFIA (arabe) Paix.

AFIFA (arabe) Chaste.

AFPRICA (irland.) Agréable. Dérivés : Afric, Africa, Aifric.

AFRA (grec) Écume.

AFRAIMA (hébraïque) Fertile.

AGALIA (grec) Heureuse.

AGALIA (grec) Joie.

AGAPE (grec) Amour. Dérivés : Agapi, Agappe.

AGATHE (grec) Bonne. Sainte Agathe est la patronne des nourrices. Ce prénom a eu un bref moment de succès dans les années 1980. Dérivés : Agaath, Agace, Agacia, Agafia, Agascha, Agata, Agate, Agatha, Agatta, Ageneti, Aggi, Aggie, Ago, Aggy, Akeneki.

AGAVE (grec) Noble.

AGDA (grec) Bon. Forme scandinave d'Agathe.

AGGIE (grec) Pureté.

AGHAISTIN (latin) Auguste. Forme irlandaise d'Augustine.

AGHNA (grec) Chaste. Forme irlandaise d'Agnès.

AGLAÉ (grec) L'une des Grâces de la mythologie grecque.

AGNÈS (grec) Virginale.

Grand cassique sobre, discret, élégant, déjà en vogue à la Renaissance. Il est un peu passé de mode aujourd'hui, remplacé par Inès. Agnès Sorel est la plus belle illustration de ce prénom. Dérivés : Agnella, Agnesa, Agnesca, Agnese, Agnesina, Agneska, Agness, Agnessa, Agneta, Agneti, Agnetta, Agnola, Agnolah, Agnolla, Agnolle, Nesa, Ness, Nessa, Nessi, Nessia, Nessie, Nessy, Nesta, Senga, Ynes, Ynesita, Ynez.

AGRIPPINE (latin) Ce prénom signifie née les pieds en premier. Dérivés : Agrafina, Agrippa, Agrippina.

AGURTZANE (basque) Adoration.

AGUSTINA (latin) Grandeur.

AHAVA (hébraïque) Aimée.

Dérivés : Ahavah, Ahavat, Ahouva, Ahuda, Ahuva.

AHEZ (celtique) Bonne

AHLAM (arabe) Rêve. Dérivé : Ahlem.

AHLIMA (arabe- Clémente.

AHUARII (polynésien) Vêtement royal.

AHUTIARE (polynésien) Vêtement de fleurs.

AI (japonais) Amour.

AÏANA (hébraïque) Source.

AIATA (polynésien) Mangeuse de nuages.

AIBHISTIN (hébraïque) Vie. Forme irlandaise d'Evelin.

AIBHLIN (grec) Éclat du soleil. Forme gaélique d'Hélène. Dérivés : Aibhlin, Ailbhe.

AIBREANN (irlandais) Avril. Dérivé : Aibrean.

AICHA (arabe) Celle qui vivra. Ce prénom fut celui

de l'épouse favorite de Mahomet. Dérivés : Aïchoucha, Aouicha, Aishah, Aisia, Aisiah, Asha, Ashah, Ashia, Ashiah, Asia, Asiah, Ayeesa, Ayeesha, Ayeeshah, Ayeisa.

AIDA (arabe) Récompense. Ce prénom est aussi le titre d'un opéra de Guiseppe Verdi.

AIDAN (irlandais) Feu. Aidan est un prénom androgyne, même s'il est plus courant chez les garçons que chez les filles. Dérivés : Aidana, Aydana, Edana.

AIDHA (arabe) Protectrice.

AIDLINN (germanique) Noble. Forme irlandaise d'Adeline.

AIGNEIS (grec) Chaste. Forme irlandaise d'Agnès.

AIGNÉIS (grec) Pureté.

AIKO (japonais) Enfant de l'amour.

AIKO (japonais) Fille de l'amour. Le suffixe KO signifie « fille » en japonais.

AILA (finnois) Lumière éclatante. Dérivés : Aile, Ailee, Ailey, Aili, Ailis, Ailse.

AILAINA (écossais) Roc. Dérivés : Alaine, Alanis.

AILBHE (irlandais) Blanche. Variation : Oilbhe.

AILEAN (german.) Noble. Forme irlandaise d'Adeline.

AILEEN (grec) Éclat du soleil. Forme irlandaise d'Hélène.

AILIONORA (grec) Compassion. Forme irlandaise d'Éléonore.

AILIS (germanique) Noble. Forme irlandaise d'Alice. Dérivés : Ailisa, Ailise, Ailish, Ailse.

AILIS (germanique) Noblesse, grandeur.

AILSA (écossais) Prénom inspiré par une île d'Écosse, Ailsa Craig.

AIMATA (polynésien) Clin d'œil.

AIMÉE (latin) Aimée. Dérivé : Amata.

AIMILIONA (grec) Adroite. Forme irlandaise de Émilie.

AIMILIONA (irlandais) Travailleuse.

AIMONE (germanique) Nation.

AIN (arabe) Trésor.

AINA (hébraïque) Grâce. Forme irlandaise d'Anne. Dérivés : Aine, Enya.

AÏNARE (basque) Hirondelle.

AINE (irlandais) Joyeuse.

AÏNESA (basque) Chaste.

AINGEAL (grec) Émissaire.

AINHO (basque) Un des noms de la Vierge Marie.

AÏNO (finlandais) Unique.

AINO (finnois) Personnage de la mythologie scandinave.

AINSLEY (écossais) Prairie. Dérivés : Ainslee, Ainsleigh, Ainslie, Ansley, Aynslee, Aynsley.

AINTZA (basque) Glorieuse.

AIRARO (polynésien) Princesse.

AIRLEA (grec) Aérienne, fragile. Dérivé : Airlia.

AIRMED (irlandais) Mesure.

AISCHA (turc) Épouse de Mohammed.

AISLINN (irlandais) Rêve. Dérivés : Ailsinn, Ashling, Isleen.

AÏSSOUBA (arabe) Libellule.

AÏTANA (basque) Gloire.

AITHNE (irlandais) Petit feu. Autre version d'Aidan.

Dérivés : Aideen, Aine, Aithnea, Eithne, Ethnah, Ethnea, Eethnee.

AIYANA (amérindien) Fleur éternelle.

AIZPEA (basque) Pierre.

AJIBA (arabe) Agréable.

AKAKO (japonais) Rouge.

AKANE (japonais) Fleur rouge.

AKEMI (japonais) Beauté.

AKI (japonais) automne.

AKIKO (japonais) Enfant de l'automne.

AKIKO (japonais) fille de l'automne. Ce prénom est très usité au Japon.

AKILAH (arabe) Intelligente.

AKILINA (grec) Aigle. Dérivés : Acquilina, Aquilina.

AKIVA (hébraïque) Abri. Dérivés : Kiba, Kibah, Kiva, Kivah.

AKRI (arabe) Belle femme.

AKSA (hébraïque) Bracelet.

ALABHAOIS (irlandais) Sage. Dérivé : Alaois.

ALAIA (arabe) Vertueuse. Dérivés : Alaoia, Alouia.

ALAINE (gaélique) Roc. Féminin d'Alan, Alain en français. Dérivés : Alaina, Alana, Alane, Alanna, Alannah, Alayna, Alayne, Alena, Alene, Alenne, Aleyna, Aleynah, Aleyne, Allaine, Allayne, Alleen, Alleine, Allena, Allene, Alleynah, Alleyne, Allina, Allinah, Allyna, Allynn, Allynne, Alynne.

ALAÏTZ (basque) Noble. Variante de Alice.

ALALA (grec) Sœur d'Arès, dieu grec de la Guerre.

ALAMEA (hawaïen) Précieuse.

ALANA (celtique) Pierre.

ALANA (hawaïen) Cadeau.

ALANAGH (germanique) Noble. Forme irlandaise d'Aline.

ALANI (hawaïen) Oranger.

ALANNAH (irlandais) Enfant.

ALAOUIA (arabe) Femme digne. Dérivé : Alouia.

ALARA (celtique) Élue. Dérivés : Aléra, Elara.

ALARICE (grec) Noble. Dérivé : Alarica.

ALARY (germanique) Force.

ALASTAIRE (grec) Gardienne. Forme écossaise d'Alexandra. Dérivé : Alastriona.

ALAULA (hawaïen) Lumière de l'aube.

ALAVA (irlandais) Nom d'une déesse renommée pour sa puissance et sa force.

ALAYA (arabe) Elévation.

ALAZNE (basque) Miracle.

ALBANE (latin) Blanche. Ce prénom élégant est assez fréquent depuis les années 1990. Dérivés : Alba, Albane, Albine, Albina, Albinia, Albinka, Alva.

ALBAROSA (latin) Rose blanche.

ALBERGE (latin) Noble. Dérivé : Alberga.

ALBERTE (germanique) Illustre. Ce prénom est une version féminine d'Albert très peu courante. Dérivés : Alberta, Elberta

ALBERTINE (germanique) Illustre. Cette forme féminine d'Albert, moins sévère qu'Alberte, a eu un certain succès au début du XXe siècle. Dérivé : Elbertina.

ALBINE (latin) Blanche. Proche parente d'Albane.

Dérivés : Albinia, Albinka, Alvinia, Alwine, Elberta, Elbertina, Elbertine, Elbi, Elbie, Elby.

ALBJORG (islandais) noble protection.

ALBREDA (germanique) Conseillée par les elfes.

ALBY (irlandais) Montagne.

ALCESTE (grec) Héroïne d'une pièce d'Euripide.

ALCINE (grec) Sorcière. Dérivés : Alcina, Alcinia, Alsina, Alsinia, Alsyna, Alzina.

ALDA (italien) Vieille. Dérivés : Aldabella, Aldea, Aldina, Aldine, Aleda, Alida.

ALDARA (grec) Cadeau ailé. Dérivé : Aldora.

ALDEGONDE (germanique) Bataille.

ALDINA (germanique) Ancêtre.

ALDIS (anglais) Celle qui a l'expérience du combat. Dérivés : Ailith, Aldith.

ALDONZA (espagnol) Douce.

ALDREDA (anglais) Doyenne des conseillers.

ALEA (arabe) Honorable. Dérivé : Aleah.

ALEEN (hollandais) Lumière éclatante. Dérivés : Aleena, Aleene, Aleezah, Aleine, Alena, Alene, Alisa, Alitza, Aliza, Alizah.

ALEGRIA (espagnol) Joie. Dérivés : Alegra, Allegria.

ALEI (hébraïque) Feuille.

ALENA (hébraïque) Colonne.

ALENA (latin) Originaire des Alani. Forme féminine d'Alain.

ALESIA (grec) Protège.

ALETA (espagnol) Petit être ailé.

ALETHEA (grec) Vérité. Dérivés : Alathea, Alathia, Aleethia, Aleta, Aletea, Aletha, Alethia, Aletta, Alette, Alithea, Alithia.

ALEXANDRA (grec) Celle qui se défend. Version féminine d'Alexandre. Il se dégage de ce prénom fort et de ses variantes une note aristocratique. Alexandra est un prénom royal : la princesse du Danemark, la tsarine de Russie, la reine Victoria qui se prénommait Alexandrina l'ont dignement illustré. Alexandra est très en vogue depuis 1970, ainsi que ses Dérivés : Alejandrina, Aleka, Aleksasha, Aleksey, Alesia, Aleska, Alessa, Alessandra, Alessi, Alex, Alexa, Alexanderia, Alexanderina, Alexena, Alexene, Alexi, Alexia, Alexie, Alexina, Alexiou, Lesia, Leska, Lesken, Sandra, Sandrine.

ALEXIA (grec) Celle qui se défend. Forme féminine d'Alexis, très en vogue dans les années 1980. Dérivés : Lexa, Lexane, Lexia.

ALEY (anglais) Pré.

ALFGARD (germanique) Protège.

ALFHILD (norvégien) qui combat avec les elfes.

ALFINA (latin) Blancheur.

ALFREDA (ang.) Conseillée par les elfes. Version féminine d'Alfred. Dérivés : Alfre, Alfredah, Alfredda, Alfreeda, Alfrieda, Alfryda, Allfredda, Allfrie, Allfrieda, Allfry, Allfryda, Elfre, Elfrea, Elfredah, Elfredda, Elfreeda, Elfrida, Elfrieda, Elfryda, Elfrydah, Elva, Elvah, Freda, Freddi, Freddie, Freddy, Fredi,

Fredy, Freeda, Freedah, Frieda, Friedah, Fryda, Frydah.

ALFRUN (germ.) Spontanée.

ALHENA (arabe) Bague.

ALIA (arabe) Supérieure. Dérivés : Alie, Allie, Ally.

ALICE (germanique) Noble. Originellement de la même famille qu'Adélaïde, Alice est un prénom très en vogue en France depuis les années 1980. Dérivés : Alis, Alles, Allice, Allyce, Alye.

ALICIA (germanique) Noble. Version anglaise, espagnole, suédoise d'Alice. Ce prénom élégant figure régulièrement au palmarès des vingt prénoms féminins préférés aux États-Unis. Mentionnons pour la petite histoire que c'est le vrai nom de l'actrice Jodie Foster. Dérivés :

Alesha, Alesia, Alisha, Alissa, Alycia, Alysha, Alyshia, Alysia, Ilysha.

ALIDA (espagnol) Aile. Dérivés : Alaida, Alda, Aldina, Aldine, Aldyne, Aleda, Aleta, Aletta, Alette, Alidah, Alidia, Alita, Alleda, Allida, Allidah, Allidia, Allidiah, Allyda, Allydah, Alyda, Alydah.

ALIENOR (grec) Compassion. Prénom médiéval Dérivé d'Éléonore.

ALIETTE (germanique) Grandeur.

ALIMA (arabe) Savante. Dérivé : Ahlima.

ALINA (grec) Éclat du soleil. Forme russe d'Hélène. Dérivés : Aleen, Aleena, Alenah, Aline, Alline, Allyna, Alyna, Alynah, Alyne, Leena, Leenah, Lena, Lenah, Lina, Lyna, Lynah.

ALINE (germanique) Noble.

ALIONKA (grec) Astre éblouissant.

ALISA (hébraïque) Bonheur. En dépit de leur ressemblance, Alicia et Alisa ont des origines bien différentes. Alicia a la préférence des familles catholiques, tandis qu'Alisa a la faveur des parents juifs. Rare il y a quelques dizaines d'années, il est en passe, aux États-Unis, grâce à la vogue des prénoms en Al, de détrôner Lisa qui pourtant lui ressemble beaucoup. Dérivés : Alisanne, Alisha, Alissa, Alissah, Aliza, Allisa, Allisah, Allissa, Allisah, Allyea, Allyssah, Alyssa, Alyssah.

ALITA (espagnol) Noblesse.

ALITZAH (hébraïque) Heureuse. Dérivé : Aleeza.

ALIX (germanique) Noble. Dérivé d'Alice très apprécié pour sa vigueur et sa distinction.

ALIX (grec) Combattant.

ALIYA (arabe) Exaltée. Dérivés : Aliye, Allyah, Alya.

ALIZA (hébraïque) Joyeuse. Dérivés : Alitza, Alitzah, Aliz, Alizka.

ALKE (germanique) Noble.

ALLA (germanique) Grandeur.

ALLEGRA (latin) Joie. Dérivé : Allegria.

ALLISON (germanique) Noble. Diminutif d'Alice. Ce prénom Dérivé d'Alice a séduit, en France, par sa sonorité anglo-saxonne. Il est l'un des favoris des années 1990. Dérivés : Alisann, Alisanne, Alison, Alisoun, Alisun, Allcen, Allcenne, Allicen, Allicenne, Allie, Allisann, Allissanne, Allison, Allisoun, Ally, Allysann, Allysanne, Allyson, Alyeann, Alysanne, Alyson.

ALLYA (hébraïque) Émaner.

ALMA (latin) Nourrissante. Dérivés : Allma, Almah.

ALMEDA (latin) Vouée au succès. Dérivés : Allmeda, Allmedah, Allmeta, Almedah, Almeta, Almetah, Almida, Almidah, Almita.

ALMENA (anglais) Protectrice fidèle. Féminin de William. Dérivés : Almeena, Almina, Elmena, Elmina.

ALMERA (arabe) Femme raffinée. Dérivés : Allmeera, Allmera, Almeria, Almira, Almyra, Elmerya, Elmyrah, Meera, Merei, Mira, Mirah, Myra, Myrah.

ALMIKA (basque) Princesse.

ALMINA (latin) Met au monde.

ALMODINE (latin) Pierre.

ALMOND (anglais) Amande.

ALMUDENA (arabe) Petite ville.

ALMUT (germanique) Grandeur.

ALOHA (hawaïen) Amicale.

ALOHI (hawaïen) Brillante.

ALOHILANI (hawaïen) Ciel lumineux.

ALOÏSE (germanique) Glorieuse combattante. Variante de Louise. Dérivés : Aloïsa, Aloïsia, Aloysa, Aloysia.

ALONA (hébraïque) Chêne. Dérivés : Allona, Allonia, Alonia, Eilona.

ALONSA (espagnol) Prête au combat. Dérivé : Alonza.

ALPHA (grec) Alpha est la première lettre de l'alphabet

grec. Dérivé : Alfa.

ALPHONSINE (germanique) Noble. Féminin d'Alphonse. Dérivés : Alfonsia, Alfonsine, Alonza.

ALRUN (germanique) noble et sage.

ALRUNE (germanique) Fée.

ALTA (latin) Haute. Dérivé : Allta.

ALTAIR (arabe) Oiseau.

ALTHAEA (grec) Guérisseuse.

ALTHEA (grec) Celle qui a le pouvoir de guérir. L'althea est aussi un arbuste à fleurs bleues. Il se dégage de ce joli prénom une grande impression de légèreté. Dérivés : Altha, Althaia, Altheta, Althia.

ALTHEDA (grec) Fleur en bouton.

ALUDRA (grec) Vierge.

ALUMIT (hébraïque) Secret. Dérivés : Aluma, Alumice.

ALURA (anglais) Conseillère religieuse. Dérivés : Allura, Alurea.

ALVA (irlandais) Âme. Dérivé : Almha.

ALVA (scandinave) Moitié.

ALVARTE (arménien) Rose rouge.

ALVINA (anglais) Conseillée par les elfes. Dérivés : Alvedine, Alveena, Alveene, Alveenia, Alverdine, Alvine, Alvineea, Alvinia, Alwinna, Alwyna, Alwyne, Elveena, Elvena, Elvene, Elvenia, Elvina, Elvine, Elvinia.

ALVISE (germanique) Guerrière.

ALVITA (latin) Énergique.

ALYA (arabe) S'élever.

ALYSSA (germanique) Noblesse.

ALZBETA (tchèque) Sacrée.

ALZENA (arabe) Femme. Dérivés : Alzeena, Alzina.

ALZUBRA (arabe) Étoile de la constellation du Lion.

AMABELLE (latin) Aimable. Dérivés : Ama, Amabel, Amabillis, Amalie, Amalia, Amalina.

AMADEA (latin) Féminin d'Amadéus qui signifie celui qui aime Dieu. Dérivés : Amadee, Amedee.

AMADIA (latin) Qui aime Dieu.

AMADORE (italien) Cadeau de l'amour. Dérivé : Amadora.

AMAÏA (basque) Fin.

AMAL (arabe) Espoir. Dérivés : Amahl, Amahla, Amala.

AMALIA (latin) Efficace.

AMALTHÉE (grec) Chèvre qui, dans la mythologie grecque, allaita Zeus.

AMALUR (basque) Patrie.

AMANA (hébraïque) Loyale. Dérivés : Amania, Amaniah, Amanya.

AMANCE (latin) Aimée.

AMANDA (latin) Aimable. Amanda est un prénom ancien, déjà recherché au XVIIe siècle ; il est très prisé dans les pays anglophones aujourd'hui, sans doute en raison de son élégance, mais aussi parce que son diminutif Mandy est très populaire. Dérivés : Amandi, Amandie, Amandy, Amata, Manda, Mandaline, Mandee, Mandi, Mandie, Mandy.

AMANDINE (latin) Aimable. Ce prénom a eu une période faste dans les années 1980.

AMANE (arabe) Résistante.

AMANI (arabe) Vouloir. Dérivé : Amany.

AMARANTE (grec) Belle et immortelle jeune fille. Dérivés : Amara, Amarande, Amaranta, Amarantha, Amarinda, Amarra, Amarrinda, Mara, Marra.

AMARIS (hébraïque) Alliance avec Dieu. Dérivés : Amaria, Amariah.

AMARYLLIS (grec) Fleur du même nom.

AMATA (latin) Aimée. Version italienne d'Aimée.

AMAYA (basque) Aimée.

AMAYA (latin) Aimée.

AMBRE (anglais) Immortelle. Forme féminine d'Ambroise. Ce prénom est apparu en 1960 aux États-Unis grâce au livre, puis au film *Forever Amber*. Il était alors pour ainsi dire inconnu en France. Il est apparu dans les années 1990, sous sa forme anglaise, Amber, tout d'abord, puis plus récemment sous sa forme française.

Dérivés : Ambar, Amber, Amberetta, Amberly, Ambur.

AMBROGIA (grec) Immortelle.

AMBROSINE (grec) Immortelle. Dérivés : Ambrosia, Ambrosina, Ambrosinetta, Ambrosinette, Ambroslya, Ambrozetta, Ambrozia, Ambrozine.

AMEDEA (latin) Amoureuse de Dieu.

AMELA (arabe) Espérance. Dérivé : Amel.

AMÉLIE (germanique) Puissante. Prénom de reine et d'héroïnes de la littérature, Amélie, très en vogue au XIXe siècle, revient discrètement aujourd'hui en France. Dérivés : Amalia, Amalie, Amelcia, Ameldy, Amelina, Amelinda, Amelita, Amella.

AMELINE (germanique) Forte.

AMENIS (arabe) Mère des hommes.

AMENTI (égyptien) Déesse de l'ouest. Dérivés : Ament, Iment.

AMERICA (anglais) Amérique.

AMÉTHYSTE (grec) Pierre précieuse de couleur violette.

AMETZ (basque) Rêve. Dérivé : Ametza.

AMICA (italien) Amie très proche. Dérivé : Amice.

AMIDAH (hébraïque) Honnête. Dérivé : Amida.

AMIELA (hébraïque) Peuple

de Dieu. Dérivé : Ammiela.

AMINA (arabe) Honnête. Dérivés : Ameena, Aminah, Amine, Amineh, Amma, Mina.

AMINAÏA (arabe) Loyale.

AMINTA (latin) Gardienne. Dérivé : Amynta.

AMIRA (arabe) Princesse. Dérivés : Ameera, Ameerah, Amirah, Meerah, Mira.

AMISSA (hébraïque) Amie. Dérivés : Amisa, Amita.

AMITAÏ (hébraïque) Fidélité.

AMITIÉ (latin) Amitié. Dérivé : Amity.

AMOR (espagnol) Amour. Dérivé : Amorette.

AMRA (arabe) Religieuse.

AMURA (polynésien) Éclipse du soleil

AMY (latin) Aimée. Version anglaise d'Aimée. Après une

brève éclipse dans les années 1970 dans les pays anglo-saxons, il a fait un retour en force à partir de 1980. Dérivés : Aimie, Amada, Amata, Amice, Amie, Amil.

AMYIA (hébraïque) Peuple de Dieu.

AMYMONE (grec) Personnage de la mythologie.

ANAHITA (perse) Déesse de l'Eau et des Rivières.

ANAÏS (hébraïque) Gracieuse. Dérivé d'Anne.

ANAKELA (hawaïen) Ange.

ANASTASIE (grec) Résurrection. Anastasie et sa version russe Anastasia sont de merveilleux prénoms évocateurs du romantisme slave. Dérivés : Anastace, Anastacia, Anestacie, Anastasia. Anastasija, Anastasiya, Anas-

tassia, Anastatia, Anastzia, Anastice, Anastyce.

ANATA (hawaïen) Douce comme la brise.

ANATOLA (grec) Aurore. Féminin d'Anatole.

ANAWEDD (gallois) Riche.

ANCELINE (germanique) Protégée du dieu Ans.

ANCI (hongrois) Grâce de Dieu.

ANDELA (tchèque) Ange. Dérivés : Andel, Andelka.

ANDERAZU (basque) Variante d'Andrée. Dérivé : Andéré.

ANDRÉA (grec) Homme. Forme latine d'Andrée. Ce prénom figure au nombre des cinquante prénoms préférés depuis les années 1950 aux États-Unis, même si son diminutif Andie, comme Andie MacDowell, est encore plus courant. En Europe, Andréa est en faveur depuis les années 1990. Dérivés : Andréana, Andréane.

ANDREBA (basque) Variante d'Andrée. Dérivé : Andrekina.

ANDRÉE (grec) Homme. Forme féminine d'André. Ce prénom a été en vogue au début du XXe siècle. Dérivés : Andera, Andica, Andie, Andra, Andrea, Andrene, Andrette, Andria, Andriana, Andrianna, Andrienne, Andrietta, Andrina, Andrine.

ANDROMÈDE (grec) Celle qui réfléchit.

ANDULA (tchèque) Grâce de Dieu. Dérivé : Andulka.

ANEIRA (gallois) Blanche comme la neige.

ANEKO (japonais) sœur aînée.

ANÉMONE (grec) Fleur du vent. Nymphe de la mythologie. Dérivés : Annamone, Annemone.

ANESH (tchèque) Virginale. Dérivés : Anesa, Aneska, Neska.

ANGÈLE (grec) Messagère de Dieu. Prénom apprécié dans les pays anglophones sous ses versions Angela et Angie, Angèle est un peu boudé par les parents, qui lui ont préféré, dans les années 1960, Angélique. Dérivés : Aingeal, Ange, Angel, Angèle, Angelene, Angélia, Angelica, Angelika, Angelina, Angeline, Angélique, Angelita, Angie, Angiola, Anjelica, Anngilla.

ANGENI (amérindienne) Esprit.

ANGHARAD (gallois) Aimée.

ANH (Vietnamien) Brillante.

ANIA (hébraïque) Gracieuse. Forme scandinave d'Anne. Dérivés : Anika, Anina, Annika, Anninka.

ANIELA (hébraïque) Gracieuse. Forme slave d'Anne. Dérivés : Anja, Anjuschka, Anjuta, Anka, Anke, Anuschka.

ANIKA (hébraïque) Gracieuse. Dérivés : Anja, Annaik.

ANINA (hébraïque) Répondre à une prière.

ANISSA (arabe) Amicale. Dérivés : Anisa, Anise, Anisha, Annissa.

ANITEA (polynésien) Femme blanche.

ANNABELLE (hébraïque et français) Gracieuse et belle. Dérivés : Anabel, Anabele, Anabell, Annabel, Annabell.

ANNE (hébraïque) Grâce. Anne, ainsi que ses nombreuses variantes, fut l'un des prénoms féminins les plus répandus jusqu'à la fin des années 1960. Anne et Ann, la version anglaise, sont toutes deux populaires, mais Anne ne s'est vraiment imposé dans les pays anglo-saxons qu'après la naissance de la princesse Anne. En France, c'est sa forme hébraïque Hannah qui a davantage de succès aujourd'hui. Dérivés : Ana, Anita, Anitra, Anitee, Anitya, Ann, Anna, Annah, Annaïc, Annaïk, Annaïg, Annette, Annick, Annie, Annita, Annitra, Annitta, Anouchka, Anouck, Antina, Hanna, Hannele, Hannah, Hanneke, Hannelore, Hannie, Hanny, Nana,

Nancie, Nancy, Nanette, Nanon, Nettia, Nettie, Netty, Nina, Ninette, Ninon, Nita.

ANNELE (hébraïque) Grâce.

ANNE-MARIE (hébraïque) Anne et Marie. Combinaison élégante de deux grands classiques qui ne s'est jamais démodée.

ANNIE (hébraïque) Gracieuse. Dérivé d'Anne très courant dans les années 1950, et complètement tombé en désuétude. Dérivé : Annick.

ANNORA (latin) Avec honneur. Dérivés : Anora, Anorah, Nora, Norah, Onora.

ANNUNCIATA (latin) L'Annonciation. Dérivés : Annunziate, Anonciada, Anunciacion, Anunciata, Anuneziata.

ANONA (latin) Ananas. Dérivé : Anonna.

ANOUAR (arabe) Lumière.

ANOUCHE (arménien) Lumineuse.

ANOUCHKA (hébraïque) Beauté. Dérivé : Antje.

ANSA (finlandais) Vertueuse.

ANSELMA (germanique) Bouclier du dieu Ans. Féminin d'Anselme. Dérivés : Ansellotte, Selma, Thelma, Zelma.

ANSFRIDE (germanique) Paix du dieu Ans.

ANSGARDE (germanique) Maison du dieu Ans.

ANSONIA (grec) Fils d'un dieu.

ANSTRUDE (germanique) Fidélité au dieu Ans.

ANTHÉA (grec) Fleur. Anthéa, proche d'Althéa, est également très populaire en

Grande-Bretagne. Héra, la reine grecque de l'Olympe, était parfois appelée ainsi.

ANTHINEA (grec) Fleurie.

ANTIGONE (grec) La fille d'Œdipe et de Jocaste.

ANTOINETTE (latin) Estimable. Féminin d'Antoine, qui n'a pas eu le même succès que lui au cours des dernières années.

ANTONIA (latin) Estimable. Forme féminine d'Antoine dans les pays latins.

ANTONINE (latin) Inestimable.

ANTSA (basque) Sainte. Dérivé : Antxa.

ANUHEA (hawaïen) Doux parfum.

ANWEN (gallois) Belle. Dérivé : Anwyn.

ANYA (letton) Grâce de Dieu. Dérivé : Anyuta.

ANZU (japonais) abricot

AODHAMAIR (irlandais) Feu. Première religieuse d'Irlande au VIe siècle.

AODREN (germanique) Anciennne. Forme celtique d'Aude. Dérivés : Aoda, Aodez, Aodrena, Eodez.

AOIBHEALL (irlandais) Eclat du feu.

AOIBHEANN (irlandais) Belle. Dérivés : Aibfinnia, Aoibh, Aoibhinn, Eavan.

AOIFE (irlandais) Jolie. Dérivé : Aoiffe.

AOIFE Dérivé : Aife.

AOLANI (hawaïen) Nuage céleste.

AOUEREGAN (celtique) Grande naissance.

AOURELL (latin) En or. Forme bretonne d'Aurélie.

AOURGENN (celtique) Bien née. Dérivés : Oregen, Oureguen.

AOUTIF (arabe) Affectueux.

APALA (basque) Humble.

APHRA (hébraïque) Poussière. Dérivés : Affrey, Afra, Afrat, Afrit, Aphrat, Aphrit.

APHRODITE (grec) Déesse de l'Amour et de la Beauté.

APIRKA (basque) Agréable.

APOLLINE (grec) En rapport avec Apollon. Ce prénom très rare remporte un grand succès depuis 1990. Dérivés : Apollonia, Apollonie.

APRIL (anglais) Mois d'avril. Certains parents, dans les pays anglo-saxons, choisissent ce nom uniquement parce que c'est le mois de naissance de leur fille. Dérivés : Abrial, Abril, Aprilete, Aprilette, Aprili, Aprille, Apryl, Averil.

AQILA (arabe) Avisée.

AQUENE (amérindien) Paix.

AQUILA (arabe) Sage.

AQUILINE (grec) Comme un aigle. Dérivé : Aquilina.

ARA (arabe) Pluie. Dérivés : Aria, Arin, Arria.

ARABELLA (anglais) En prière. Dérivés : arabel, arabela, arabell, arabella, Bel, Bella, Belle, Orabella, Orbella.

ARACELI (basque) Autel dans le ciel.

ARACHNÉE (grec) Araignée.

ARALDA (germanique) Commandant.

ARAMINTA (anglais) Nom littéraire créé au XVIIIᵉ siècle.

ARANROD (gallois) Cercle d'argent.

ARANTXA (basque) Epine. Dérivés : Arantsa, Arantcha,

Arantza, Arantzazu.

ARCADIE (grec) Pastorale. Dérivé : Arcadia.

ARCELIA (espagnol) Coffre à trésors.

ARDAH (hébraïque) Bronze. Dérivés : Arda, Ardath, Ardona, Ardonah.

ARDELLE (latin) Enthousiasme. Dérivés : Arda, Ardela, Ardelia, Ardelis, Arden, Ardia, Ardra.

AREFA (arabe) Sage.

AREGONDE (germanique) Aigle de combat. Dérivé : Arnegonde.

ARELLA (hébraïque) Ange. Dérivé : Arela.

ARELLA (hébraïque) Messagère.

ARETA (grec) Vertueuse. Dérivés : Arete, Aretha, Arethi, Arethusa, Aretina, Aretta, Arette.

ARÉTHUSE (grec) Nymphe des bois.

ARGENTA (latin) Argent, le métal.

ARGIA (basque) Lumière. Dérivés : Argitxa, Argitxu.

ARIA (italien) Mélodie.

ARIANE (grec) Nom d'une héroïne de la mythologie, épouse de Dionysos. Dérivés : Ariadna, Ariadne, Arene, Argana, Ariana, Arietta, Ariette.

ARIANELL (gallois) Argent.

ARIANRHOD (gallois) Grande roue.

ARIANWEN (gallois) Argent blanc.

ARIANWYN (gallois) Blanc argent.

ARICIE (grec) La meilleure.

ARIELLE (hébraïque) Vaillante. Ce prénom s'est raréfié, sans doute à la suite du lancement d'une marque de lessive qui porte ce nom. Dérivés : Aeriel, Aeriela, Ari, Ariela, Ariella, Ariellel.

ARIETTA (latin) Chansonnette.

ARIFA (arabe) Équitable.

ARIJ (arabe) Parfumée.

ARISTA (grec) Récolte.

ARISTÉE (grec) La meilleure fille.

ARIZA (hébraïque) Fait de cèdre.

ARKADIA (grec) Lieu antique.

ARLENE (anglais) Serment. Dans les années 1940-1950, Arlene était très répandu, mais il est passé de mode. Dérivés : Arleen, Arlie, Arliene, Arlina, Arline, Arlise, Arlys.

ARLETTE (germanique) Viril.

ARMANDE (germanique) Forme féminine d'Armand qui signifie homme fort.

ARMELLE (celtique) Princesse et ours. Version féminine d'Armel. Dérivés : Armaëlle, Armeline, Arzhela, Arzhelenn, Ermelle, Ermeline.

ARMGARD (germanique) Qui aide.

ARMINA (anglais) Femme en guerre. Dérivés : Armida, Armine.

ARNA (hébraïque) Cèdre ; (scandinave) Aigle. Dérivés : Arni, Arnice, Arnit.

ARNA (scandinave) Aigle.

ARNHILD (scandinave) Combat de l'aigle.

ARNINA (hébraïque) Montagne. Dérivés : Arnice, Arnie, Arnit.

ARNTRAUD (germanique)

Vigoureuse.

AROTI (polynésien) Femme de la maison agréable.

AROUSSIA (arménien) Etoile du matin.

ARROXA (basque) Rose. Dérivé : Arrosane.

ARSINOË (grec) Virile.

ARTÉMIS (grec) Déesse de la Chasse. Dérivé : Artemisia.

ARTHURINA (gaélique) Roc, noblesse. Dérivés : Arthia, Arthelia, Arthene, Arthuretta, Arthurine, Artina, Artis, Artri.

ARUB (arabe) Épouse aimante.

ARVADA (scandinave) Aigle brave.

ARWA (arabe) Chevreau.

ASA (japonais) Aube.

ASAKO (japonais) Fille du matin.

ASAMI (japonais) Mer du matin.

ASCELINE (germanique) Noble. Dérivé : Asseline.

ASCENCION (espagnol) S'élever.

ASDIS (islandais) Déesse.

ASDRIG (arménien) Petite étoile.

ASELA (espagnol) Frêne.

ASELLE (latin) Petite ânesse. Dérivés : Azélia, Azélie, Azella, Azeline.

ASHILD (scandinave) Combattante des dieux Ases.

ASHIRA (hébraïque) Riche.

ASHLEY (anglais) Frêne. Ashley se fit remarquer d'abord en tant que prénom masculin, dans *Autant en emporte le vent*, puis la sensibilité du personnage de Margaret Mitchell fit que l'on considéra qu'il pouvait parfaitement convenir à une fille. Devenu l'un des prénoms féminins les plus appréciés aujourd'hui, personne n'oserait plus baptiser ainsi un petit garçon, sous peine de le ridiculiser. Dérivés : Ashely, Ashla, Ashlan, Ashlea, Ashlee, Ashleigh, Ashlie, Ashly, Ashton.

ASIA (anglais) Asie, le continent.

ASIMA (arabe) Protectrice.

ASISA (hébraïque) Mur.

ASISYA (hébraïque) Élixir divin. Dérivé : Asisia.

ASLAUG (scandinave) Vouée à Dieu. Dérivé : Aslog.

ASMA (arabe) Renommée pour sa beauté.

ASNAT (hébraïque) Buisson épineux.

ASPASIE (grec) Bienvenue. Dérivés : Aspasia, Aspa, Aspia.

ASPEN (anglais) Le tremble. Aspen est une ville de l'ouest des États-Unis qui est le parfait exemple du nom géographique devenu prénom.

ASPHODÈLE (grec) Lys.

ASRAR (arabe) Confidentiel.

ASSA (celte) Facile.

ASSIA (arabe) Consolatrice.

ASSILA (arabe) Noble.

ASSILA (arabe) Noble.

ASSUNTA (latin) Saisir.

ASSYA (arabe) Orientale.

ASTA (scandinave) Étoile.

ASTASIE (grec) Renaître.

ASTERA (hébraïque) Étoile. Dérivés : Asta, Asteria, Asteriya, Astra.

ASTERIA (grec) Personnage de la mythologie.

ASTRÉE (grec) Cieux étoilés. Dérivé : Astrae.

ASTRID (scandinave) Beauté

et force divines. Astrid, tout comme Ingrid, est un prénom nordique très populaire. Astrid, de sonorité plus douce, semble cependant avoir la préférence des parents. Dérivés : Astrud, Astryd.

ASYA (hébraïque) Réponse. Dérivé : Assia.

ATALANTE (grec) Personnage mythologique.

ATARA (hébraïque) Couronne.

ATAROA (polynésien) Grand sourire.

ATEA (polynésien) Lointaine.

ATEFA (arabe) Affectueuse.

ATHALIE (hébraïque) Rosée de Dieu. Athalie, fille du roi d'Israël et de la reine de Juda, est aussi l'héroïne de la tragédie de Racine qui porte son nom. Dérivés : Atalia, Ataliah, Atalie, Atalya, Athalia, Athalina.

ATHANASIE (grec) Immortelle.

ATHÉNAÏS (grec) Déesse de la Sagesse. Dérivés : Arthellaïs, Athan, Athina.

ATIDA (hébraïque) Futur.

ATIFA (arabe) Compatissante. Dérivés : Atefa, Atifah.

ATIKA (arabe) Généreuse.

ATIRA (hébraïque) Prière.

ATIYA (arabe) Cadeau.

ATTRACTA (irlandais) Attrayante.

AUBANE (latin) Blanc. Forme Dérivée d'Albane.

AUBREY (anglais) Conseillée par les elfes.

AUD (norvégien) Non peuplée.

AUDHILD (scandinave) Heureux au combat. Dérivés :

Aud, Audny.

AUDHILD (scandinave) Noble combat.

AUDOVERE (germanique) Noble et illustre.

AUDREY (celtique) Puissant et royal. Audrey Hepbrun a largement contribué à faire apprécier ce prénom vers la fin des années 1950 aux États-Unis. Il a été à son apogée en France dans les années 1980. Dérivés : Audey, Audi, Audie, Audra, Audre, Audree, Audreen, Audri, Audria, Audrie, Audry, Audrye, Audy.

AUDRICA (germanique) Noble.

AUFREY (germanique) Meilleure.

AUGUSTINE (latin) Majestueuse. Version féminine d'Auguste et d'Augustin.

Dérivés : Agusta, Augusta, Augustia, Augustina, Augustyna, Augustyne, Austina, Austine, Austyna, Austyne.

AUKAÏ (hawaïen) Marine.

AULANI (hawaïen) Messagère royale.

AULII (polynésien) Exquise.

AUNEMONDE (germanique) Noble protection.

AUNI (finlandais) chaste. Dérivé : Aune.

AURA (latin) Or. Dérivés : Aure, Aurea, Auria, Auriane.

AURDDOLEN (gallois) Anneau d'or.

AURE (latin) En or. Dérivés : Auregan, Aureguenn, Aourell.

AURÉLIE (latin) Doré. Prénom en vogue dans les années 1970. Dérivés : Arela, Arella, Aurelia, Aureliane, Aurene, Aureola, Auriel, Aurielle.

AURIANE (latin) Forme Dérivée d'Aure qui a pris le relais d'Aurélie au hit-parade des prénoms en vogue. Dérivé : Oriane.

AURISTELLE (latin) Etoile d'or.

AURORE (latin) Déesse romaine de l'Aube. Dérivé : Aurora.

AURUBITA (basque) Aurore.

AUSTIN (latin) Sublime.

AUSTREBERTE (germanique) Est brillant.

AUSTREGILDE (germanique) Combat à l'Est.

AUTONOE (grec) Personnage de la mythologie.

AVA (anglais) Comme un oiseau. Ava restera toujours un prénom lié à l'actrice Ava Gardner. Dérivés : Aualee, Avah, Avelyn, Avia, Aviana, Aviance, Avilina, Avis, Aviva.

AVALON (gaélique) Île aux pommes.

AVELA (celtique) vent.

AVELIA (german.) Aimée.

AVELINE (irlandais) *Définition inconnue*.

AVENA (latin) Champ d'avoine.

AVERILL (anglais) Avril. Dérivés : Avaril, Averil, Averilla, Averyl.

AVERY (anglais) Conseillée par les elfes. Ce prénom, très apprécié aux États-Unis, correspond bien à la tendance actuelle des prénoms mixtes qui ont été pendant longtemps des noms de famille.

AVI (hébraïque) Mon père. Dérivés : Avey, Avie, Avy.

AVIA (hébraïque) Dieu est père.

AVIHA (hébraïque) Dieu est mon père.

AVIS (latin) Ancienne famille de la Rome antique. Dérivé : Avice.

AVITA (hébraïque) Oiseau

AVITAL (hébraïque) Mère de la rosée.

AVIVAH (hébraïque) Printemps. Dérivés : Abiba, Abibah, Abibi, Abibit, Avivi, Avivit.

AVTALIA (hébraïque) Agneau. Dérivé : Avtalya.

AWANATA (amérindien) Tortue.

AWATIF (arabe) Amitié.

AWEL (gallois) Brise.

AWEN (celtique) De haute lignée.

AWENA (celtique) Élégante.

AWINITA (amérindien) Faon.

AXELLE (hébraïque) Calme.

AYA (hébraïque) Oiseau.

AYALAH (hébraïque) Gazelle. Dérivés : Ayala, Ayaleth, Ayel.

AYAME (japonais) Gazelle.

AYASHA (arabe) Épouse.

AYAT (arabe) Merveille.

AYDA (arabe) Secours.

AYELET (hébraïque) Cerf.

AYESHA (perse) Petite fille.

AYLA (hébraïque) Chêne. Dérivé : Ayala.

AYLEMA (arabe) Délicate.

AYLIN (Turc) clair de lune.

AYMONE (germanique) Conseil et monde. Dérivé de Raymonde.

AYNA (arabe) Jeune fille au regard profond. Dérivé : Aïna.

AZA (arabe) Réconfort.

AZABA (hébraïque) Nom biblique. Dérivé : Azabah.

AZALÉE (latin) Fleur du

même nom. Dérivés : Azalea, Azalia.

AZAR (persan) Rouge feu.

AZARIA (hébraïque) Aidé de Dieu. Dérivés : Azariah, Azelia.

AZENOR (celtique) Honneur retrouvé.

AZHAR (arabe) Blancheur éclatante.

AZHAR (arabe) Fleur.

AZIADE (arabe) Prospérité.

AZILIZ (latin) Aveugle.

AZIZA (arabe) Aimée.

AZIZE (turc) Chérie.

AZMA (arabe) Beauté.

AZMIYA (arabe) Fidèle.

AZNIVE (arménien) Noble.

AZORA (persan) Ciel bleu.

AZRA (hébraïque) Cadeau de Dieu.

AZRIELA (hébraïque) Dieu est ma force.

AZZA (arabe) Gazelle.

AZZURA (Italien) Bleue.

BABESNE (basque) Protection.

BACHRA (arabe) Bon augure.

BADDA (arabe) Délicate.

BADIA (arabe) Merveilleuse. Dérivé : Bédia.

BADIRA (arabe) Semblable à la lune.

BADRA (arabe) Éclatante.

BADRA (arabe) Lumineuse.

BADRIYAH (arabe) Pleine lune. Dérivé : Budur.

BAHARAK (persan) Printemps.

BAHDJA (arabe) Joie.

BAHIA (arabe) Superbe.

BAHIRA (arabe) Resplendissante. Dérivé : Bahéra.

BAHJA (arabe) Allégresse.

BAHRIA (arabe) Meilleure.

BAIBIN (grec) Forme irlandaise de Barbara. Dérivé : Bairbre.

BAIDZARE (arménien) Brillante.

BAILE (Irlande) Folie.

BAILEY (anglais) Huissier. Bailey, prénom masculin à l'origine, a été adopté par les filles dans les années 1980 et cette tendance aujourd'hui prend de l'ampleur dans les pays anglo-saxons. Dérivés : Bailee, Baylee, Bayley, Baylie.

BAKARA (hébraïque) Celle qui rend visite.

BAKARNA (basque) Unique. Dérivés : Bakarne, Bakartxo.

BAKHTA (arabe) Félicité.

BAKURA (hébraïque) Mûre. Dérivé : Bikura.

BALBINE (italien) Bègue. Dérivé : Balbina.

BALDINA (germanique) Ami fort.

BALDWINE (germanique) Amie sûre. Féminin de Baldwin. Dérivé : Baldwina.

BALSAMIE (latin) Baume. Dérivé : Balsamine.

BAMBI (italien) Enfant. Dérivés : Bambie, Bambina, Bamby.

BANAN (arabe) Bout des doigts.

BANBHA (Irlande) Sanglier.

BAPTISTA (latin) Celle qui baptise. Dérivés : Batista, Battista, Bautista.

BAQIRA (arabe) Riche.

BARA (hébraïque) Choisir. Dérivés : Bari, Barra.

BARBA (celtique) Étrangère.

BARBARA (grec) Barbare. Barbara a longtemps été un prénom très répandu aux États-Unis, beaucoup plus rare en Europe. Parmi les Barbara célèbres, on peut mentionner la chanteuse Barbara, Barbra Streisand, Barbara Stanwyck et la poupée Barbie. Dérivés : Barb, Barbary, Barbel, Barberine, Barbette, Barbey, Barbie, Barbra, Barby, Basha, Basia, Berbel, Berber, Vaoka, Varenka, Varina, Varinka, Varka, Varvara, Varya, Vava.

BARBE (grec) Barbare.

BARIA (arabe) Excellente.

BARIAH (arabe) Réussir.

BARIKA (arabe) Floraison.

BARISA (arabe) Remarquable.

BARKAIT (hébraïque) Étoile du matin. Dérivé : Barkat.

BARRAN (irlandais) Petit dessus.

BARRIE (anglais) Objet pointu. Féminin de Barry.

BASHIYRA (arabe) Joie.

BASIA (hébraïque) Fille de Dieu. Dérivés : Basha, Basya.

BASILIA (grec) Royale. Version féminine de Basile. Dérivés : Basila, Basilea, Basilie.

BASIMA (arabe) Sourire. Dérivés : Basimah, Basma.

BASMAT (hébraïque) Parfumée.

BASSIRA (arabe) Intuitive.

BASTIANNE (grec) Honorée.

BASTIENNE (grec) Couronnée. Féminin de Bastien.

BAT (hébraïque) Fille. Dérivé : Bet.

BATHIA (hébraïque) Fille de Dieu. Dérivés : Basha, Baspa, Batia, Bayta, Bitya, Peshe, Pessel.

BATHILDE (germanique) Femme soldat. Dérivés : Bathild, Bathilda, Bathylle, Beaudour.

BATHSHEBA (hébraïque) Celle qui promet.

BATILDE (germanique) Hardie.

BATOUL (arabe) Vierge.

BATOULA (arabe) Consacrée à Dieu.

BATTISTA (grec) Baptisée.

BATZRA (hébraïque) Forteresse.

BAUCIS (latin) Heureuse.

BAUDOUINE (germanique) Amie audacieuse.

BAYA (arabe) Lumineuse. Dérivé : Beya.

BAZILA (arabe) Généreuse.

BAZKAORA (hébraïque) Forme basque de Pascale.

BEASAG (hébraïque) Forme galloise d'Élisabeth.

BEATA (latin) Bénie. Dérivé : Beate.

BEATHA (irlandais) Vie. Dérivé : Betha.

BEATHAG (hébraïque) Forme écossaise d'Élisabeth.

BÉATRICE (latin) Heureuse. Béatrice est un prénom qui apparaît dans *La Divine Comédie* de Dante ainsi que dans *Beaucoup de bruit pour rien* de Shakespeare. Il offre aussi de jolies variantes qui s'accordent aussi bien à une enfant qu'à une femme.
Dérivés : Bea, Beatrisa, Beatrise, Beatrix, Beatriz, Beattie, Bebe, Bee, Beitris, Beitriss, Trixie.

BEBHINN (irland.) Femme douce.

BECHIRA (hébraïque) Choisie.

BEDRISKA (tchèque) Paisible souverain.

BEGGE (germanique) Bavarde.

BEHIRA (arabe) Brillante.

BEHIRA (hébraïque) Lumière éclatante.

BÉHJA (arabe) Joie.

BEIBHINN (irlandais) Douce femme. Dérivés : Bebhinn, Bebhionn Bebinn, Befind, Bevin, Binne.

BEILEAG (hébraïque) Forme écossaise d'Isabelle.

BEITRIS (latin) Forme écossaise de Béatrice.

BELA (Slave) Blanche.

BELE (germanique) Lumineuse.

BELEN (basque) Originaire de Bethléem.

BELEN (espagnol) Bethléem.

BELIA (espagnol) Serment de Dieu. Dérivés : Belica, Belicia.

BELINDA (anglais) Dragon. Dérivé : Belynda.

BELINE (germanique) Patronyme mythologique. Dérivé : Belise.

BELITA (espagnol) Petite beauté.

BELKA (Russe) Ecureuil.

BELTZANE (basque) Fille aux cheveux noirs.

BENA (hébraïque) Intelligente.

BÉNÉDICTE (scandinave) Bénie. Version féminine de Benoît. Dérivés : Benedikta, Benedikte, Bente.

BENGTA (latin) Forme scandinave de Bénédicte.

BENIGNA (latin) Bonne.

BENITA (latin) Bénie.

BENJAMINE (hébraïque) Fille de bon augure. Féminin de Benjamin.

BENNIGA (celtique) Bénie.

BENOITE (latin) Bénie. Féminin de Benoît. Dérivés : Bena, Benedetta, Benita, Benja, Benitri, Bennie, Binnie.

BENTLEY (anglais) Prairie. Dérivés : Bentlea, Bentlee, Bentleigh, Bently.

BENVENUTA (latin) Bienvenue.

BERA (germanique) Ourse.

BERACHAN (hébraïque) Bénédiction. Dérivés : Beracha, Berucha, Beruchiya, Beruchya.

BÉRANGÈRE (germanique)

Ours et lance. Féminin de Béranger.

BERC'HED (celtique) Valeur. Forme Dérivée de Brigitte.

BERDINE (grec) Vierge radieuse.

BERECYNTHIA (phrygien) Déesse de la Terre.

BÉRÉNICE (grec) Celle qui apporte la victoire. Dérivés : Bema, Beranice, Berenike, Bernelle, Bernetta, Bernette, Bernice, Bernicia, Bernie, Bernyce, Véronique.

BÉRÉTRUDE (germanique) Illustre combat.

BERGLIOT (Norvège) petit secours.

BERIT (scandinave) Brillante.

BERITH (hébraïque) Alliance.

BERNADETTE (germanique) Ours fort. Féminin de Bernard.

BERNARDE (germanique) forte comme une ourse. Dérivés : Bernardine, Birna.

BERNEEN (irlandais) Forte comme un ours.

BERNHILDE (germanique) Combat de l'ourse. Dérivé : Bjarnhild.

BEROUKHAT (hébraïque) Bénie.

BERTHE (germ.) Brillante. Ce prénom connut une très grande popularité dans les années 1870, tant en Europe qu'en Amérique. Par la suite, et notamment avec le surnom de Grosse Bertha donné à un canon allemand durant la Première Guerre mondiale, il prit une connotation négative, et fut abandonné.

Dérivés : Bartke, Berta, Berti, Bertie, Bertilda, Bertilde, Bertina, Bertine, Bertuska, Bird, Birdie, Birdy, Birtha.

BERTILLE (germanique) Héroïne.

BERTOAIRE (germanique) Brillante armée.

BERTRADE (germanique) Illustre conseillère.

BERTRANDE (germanique) Illustre corbeau. Féminin de Bertrand.

BERTRUDE (germanique) Grande fidélité.

BERTRUN (germanique) Vigoureuse.

BERURA (hébraïque) Pure.

BERURIA (hébraïque) Choisie par Dieu.

BÉRYL (grec) Pierre précieuse de couleur verte. Dérivés : Beril, Berrill, Berry, Beryla, Beryle.

BESRA (arabe) Souriante.

BESSORA (hébraïque) Annonce.

BETA (tchèque) Grâce de Dieu. Dérivés : Betka, Betuska.

BETEIDE (irlandais) Désirée.

BETHAN (gallois) Consacré à Dieu.

BÉTHANIE (héb.) Humble demeure. Village biblique près de Jérusalem. Il semblerait que ce prénom, dans sa version anglaise, Bethany, soit sur le point de supplanter Tiffany. Dérivés : Bethanee, Bethani, BethAnn, Bethann, Bethanne, Bethannie, Bethanny.

BETHEL (hébraïque) Dieu est serment.

BETHEL (héb.) Temple.

BÉTHESDA (hébraïque) Lieu biblique.

BETHIA (hébraïque) Fille de

Jéhovah. Dérivés : Betia, Bithia.

BETHSABÉE (hébraïque) Nom biblique. Épouse d'Urie, puis de David. Dérivés : Bathseva, Batsheba, Batsheva, Batshua, Sheba.

BETI (bohémien) Petite.

BETIKO (basque) Eternelle.

BETIL (arabe) Chaste.

BETIZA (latin) Forme basque de Pierrette. Dérivé : Betriska.

BETLAH (hébraïque) Jeune femme. Dérivés : Bethula, Bethlah, Betula.

BETOUL (arabe) Pieuse.

BETRYS (latin) Formegalloise de Béatrice. Dérivé : Betris.

BETTINA (hébraïque) Forme Dérivée d'Élisabeth.

BETUEL (hébraïque) Fille de Dieu. Dérivé : Bethuel.

BEULAH (hébraïque) Mariée. Dérivés : Beelah, Beula.

BEUZEGA (celtique) Victorieuse.

BEVERLY (anglais) Rivière aux castors. Beverly est le parfait exemple d'un prénom typiquement masculin devenu féminin. Il fut plus populaire dans la première partie de ce siècle qu'il ne l'est à présent. Dérivés : Bev, Beverelle, Beverle, Beverlee, Beverlie, Beverlye.

BEVIN (gaélique) Chanteuse.

BIANCA (germ.) Christalline.

BIARNI (scandinave) Forte comme un ours.

BIBI (arabe) Dame. Dérivés : Bibiana, Bibianna, Bibianne, Bibyana.

BIBIANE (latin) Vivante.

BIDELIA (irlandais) Forte. Dérivés : Bedilla, Biddy, Bidina.

BIENVENUE (latin) Bienvenue. Dérivés : Benvenida, Benvenista, Benvenuta.

BIGANNA (celtique) Mer.

BILHILD (scandinave) Douce combattante. Dérivé : Bilichilde

BILLIE (germanique) Protectrice fidèle. Féminin anglais de William. Billie Holiday, Billie Jean King et la chanson *Billie Jean* de Michael Jackson en ont fait un prénom attrayant. Dans les pays de langue anglaise, il arrive que la coexistence des Billy garçons et des Billie filles dans les écoles crée une certaine confusion mais, en général, les Billy masculins optent pour William à l'âge adulte. Dérivés : Billa, Billee, Billey, Billi, Billy.

BINA (celtique) Blanc.

BINA (hébraïque) Savoir. Dérivés : Bena, Binah, Byna.

BINYAMINA (hébraïque) Main droite.

BIRA (hébraïque) Forteresse. Dérivés : Biria, Biriya.

BIRCIT (norvégien) Pouvoir. Dérivé : Birgit.

BIRDIE (anglais) Oiseau. Dérivés : Bird, Birdy, Byrd, Byrdie.

BIRGITTA (celtique) Valeur. Forme scandinave de Brigitte. Dérivés : Bibienne, Birgit, Birte.

BIRNA (germanique) Forme norvégienne de Bernadette.

BITHIA (hébraïque) Fille de Dieu.

BITHRON (hébraïque) Fille

du chant.

BITKI (turc) Plante.

BITTAN (suédois) Force.

BITTORI (latin) Forme basque de Victoire.

BIZENTA (latin) Forme basque de Victoire.

BJARNHILD (germanique) Forme scandinave de Bern-hild.

BJÖRK (islandais) Bouleau.

BLAEZA (celtique) Tresse.

BLAINE (gaélique) Mince.

BLAIR (anglais) Terre plate. Dans les années 1950, Blair était un prénom masculin très répandu dans les familles américaines blanches d'origine anglo-saxonne (WASP), puis vers 1970-1980, il devint un prénom de fille. Dérivés : Blaire, Blayre.

BLAISIANE (latin) Bègue. Féminin de Blaise.

BLAKE (anglais) Claire ou sombre.

BLANCHE (latin) Blanche. Dérivés : Bianca, Blanca, Blancha, Blancheflor, Blanka, Blanshe, Blenda.

BLANDA (latin) Amie.

BLANDINE (latin) Séduisante. Sainte Blandine, jeune fille de seize ans jetée aux lions dans l'arène, est l'une des plus célèbres martyrs chrétiennes. Dérivés : Blanda, Blandina.

BLATHIN (irlandais) Fleur. Dérivés : Blaithm, Blaithnaid, Blathnait.

BLATHIN Dérivés : Blaithin, Blanaid, Blanid.

BLATHNAT (irlandais) Petite fleur.

BLEIZA (celtique) Bégaie.

BLESSING (anglais) Sanctifier.

BLEUENN (celtique) Fleur.

BLEUWEN (celte) Fleur blanche. Dérivés : Bleue, Bleuven, Bleuzen.

BLEUZENN (celtique) Lys.

BLIMA (hébraïque) Fleur. Dérivés : Blimath, Blime.

BLINNE (germanique) Resplendissante.

BLITHILDE (germanique) Guerrière agile.

BLODEUWEZ (gallois) Celle qui est comme une fleur.

BLODWEN (gallois) Fleur blanche. Dérivés : Bleuzenn, Blodwyn, Blodyn.

BLOSSOM (anglais) Fleur. Blossom est un prénom qui date de la seconde moitié des années 1980 et même si les noms de fleur sont assez recherchés aujourd'hui, il possède une connotation hippie qui le dessert.

BLUEBELL (anglais) Jacinte sauvage. Dérivé : Bluebelle.

BLUM (hébraïque) Fleur. Dérivé : Bluma.

BLYTHE (anglais) Heureuse. Dérivés : Blithe, Blyth.

BLYTHE (gallois) Heureuse.

BOBBIE (anglais) Gloire resplendissante. Version féminine de Robert. Dérivés : Bobbe, Bobbette, Bobbi, Bobby, Bobbye, Bovina.

BODH (irlandais) Corneille.

BODIL (scandinave) Bataille. Dérivés : Bothild, Bothilda.

BODIL (scandinave) Combattante. Dérivé : Bothilde

BODMAELA (celt.) Prince et victoire. Féminin de Bodmaël. Dérivé : Bodvaela.

BOÉCIA (latin) Originaire de Boétie. Dérivé : Boéciane.

BOGDANA (polonais) Cadeau de Dieu. Dérivés :

Boana, Bocdana, Bogna, Bohdana, Bohna.

BOGUMILA (polonais) Pardon de Dieu.

BOGUSLAWA (polonais) Pardon de Dieu.

BOLESLAWA (polonais) Gloire inébranlable.

BONA (héb.) Constructeur.

BONFILIA (italien) Bonne fille.

BONIFATIA (latin) Ouverte.

BONITA (espagnol) Jolie. Dérivés : Bo, Boni, Bonie, Nita.

BONNIE (anglais) Bonne. Bonnie est souvent considéré comme un surnom, mais c'est un prénom à part entière, qui fut révélé par les films *Autant en emporte le vent* ou *Bonnie and Clyde*. Dérivés : Boni, Bonie, Bonne, Bonnebell, Bonnee, Bonni, Bonnibel, Bonnibell, Bonnibelle, Bonny.

BORGHILD (scandinave) Fortifiée en vue de la bataille.

BORGHILD (scandinave) Guerrière protectrice

BORGLINDE (germanique) Douce protection. Dérivé : Berglinde.

BORGNY (scandinave) Récemment fortifiée.

BORISKA (Slave) Etrangère. Dérivé : Borka.

BORISLAVA (Slave) Combattante pour la paix.

BORNIS (arabe) Poussin.

BOSKE (hongrois) Lys.

BOTHILDE (scandinave) Combattante héroïque.

BOUCHRA (arabe) Heureuse nouvelle.

BOZENA (Slave) Don de Dieu.

BOZIDARA (tchèque) Cadeau divin. Dérivés : Boza, Bozena, Bozka.

BRACHA (hébraïque) Bénédiction. Dérivé : Brocha.

BRADLEY (anglais) Vaste prairie. Dérivés : Bradlee, Bradleigh, Bradlie, Bradly.

BRAHA (hébraïque) Bénédiction.

BRANCA (latin) Blanche. Forme portugaise de Blanche.

BRANDANA (celtique) Corbeau.

BRANDY (anglais) Le brandy, l'alcool. Dérivés : Brandais, Brande, Brandea, Brandee, Brandi, Brandice, Brandie, Brandye, Branndea.

BRANNA (celte) Femme aux cheveux noirs. Dérivé : Brannagh.

BRANWEN (gallois) Sein blanc.

BREANA (celtique) Forte. Féminin de Brian. Dérivés : Breann, Breanna, Breanne, Briana, Briane, Briann, Brianna, Brianne, Briona, Bryanna, Bryanne.

BRECK (gaélique) Taches de rousseur.

BREDA (irlandais). Grande déesse.

BREE (anglais) Personne venant d'Angleterre. Dérivés : Brea, Bria, Brielle.

BRENDA (anglais) En feu. Ce prénom doit sa vogue dans les pays anglophones à un personnage de la série télévisée *Beverly Hill*, Brenda Walsh. Dérivés : Bren, Brendalynn, Brenn, Brennda, Brenndah.

BRENNA (anglais) Corbeau,

cheveux noir corbeau.

BRETISLAVA (tchèque) Bruit glorieux. Dérivés : Breeka, Breticka.

BRETT (latin) Originaire de Bretagne, au sens Grande-Bretagne. Dérivé : Brette.

BRIAGELL (celtique) Irlande.

BRIANA (Celtique) Courageuse.

BRICE (anglais) Rapide. Dérivé : Bryce.

BRIDE (irlandais) Déesse irlandaise de la Poésie et du Chant.

BRIEGA (celtique) Élevée.

BRIGITTE (irlandais) Force. Ce prénom, en Irlande ou en Suède, est un symbole du catholicisme puisque chacun d'eux a une sainte patronne ainsi prénommée. Brigitte est aussi devenu un prénom évocateur de la fé-minité et de la sensualité grâce à Brigitte Bardot. Il connut un très grand succès dans les années 1950.

Dérivés : Birgit, Birgitt, Birgitte, Breeda, Brid, Bride, Bridget, Bridgett, Bridgette, Bridgitte, Brigantia, Brighid, Brigid, Brigida, Brigit, Brigitt, Brigitta, Brygida, Brygitka, Bébélia, Bidelia, Bree, Berit, Birgitta, Birthe, Briet, Piritta Pirjo, Pirkko.

BRINA (slave) Défenseur. Dérivés : Breena, Brena, Brinna, Bryn, Bryna, Brynna, Brynne.

BRISA (espagnol) Personnage de la mythologie grecque. Dérivés : Breezy, Brisha, Brisia, Brissa, Briza, Bryssa.

BRISÉIS (grec) Dans la mythologie, Briséis est la reine

de Lyrnessus qu'Achille gagna au combat.

BRIT (celtique) Avec des taches de rousseur.

BRITES (portugais) Force.

BRITTANY (anglais) Formé à partir de Britain, Bretagne. Déjà très apprécié depuis le milieu des années 1980, ce prénom devrait se classer au palmarès des dix prénoms favoris aux États-Unis. Dérivés : Brinnee, Britany, Britney, Britni, Brittan, Brittani, Brittania, Britannie, Brittannia, Brittanye, Britteny, Brittni, Brittnie, Brittny.

BRIVAELLE (celte) Estime. Dérivés : Brewallen, Briaga, Brivaëla, Brivela.

BROGAN (irlandais) Petit soulier.

BRONA (tchèque) Celle qui gagne.

BRONACH (irlandais) Douleur. Dérivé : Bronagh.

BRONISLAVA (Slave) Gloire qui protège.

BRONISLAVA (tchèque) Glorieuse armure. Dérivés : Brana, Branislava, Branka, Brona, Bronicka, Bronka.

BRONISLAWA (polonais) Protection glorieuse. Dérivé : Bronya.

BRONWYN (gallois) Au sein pur. Dérivé : Bronwen.

BROOKE (anglais) Celle qui vit près d'un ruisseau. C'est l'actrice Brooke Shields, dans les années 1970, qui lança ce prénom désormais en vogue. Dérivé : Brook.

BRUNE (germanique) Bouclier. Féminin de Bruno. Dérivés : Bruna, Brunetta.

BRUNEHILDE (germanique)

Guerrière en armure se battant à cheval. Ce prénom évoque irrésistiblement les Walkyries, célébrées par Wagner. Dérivés : Brunehaut, Brunhild, Brunhilda, Brunhilde, Brunnhilda, Brunnhilde, Brynhild, Brynhilda.

BRYN (gallois) Montagne. Dérivés : Brinn, Brynn, Brynne.

BRYNDIS (scandinave) Déesse cuirassée.

BRYNNJA (islandais) Bouclier.

BRYONY (anglais) Vigne. Dérivés : Briony, Bronie, Bryonie.

BUENA (espagnol) Bonne.

BUNNY (anglais) Bonne ou lapin. Diminutif de Bonnie. Dérivés : Bunni, Bunnie.

BURGHILD (germanique) Combat.

BUTHAYNA (arabe) Prairie. Dérivés : Busayna, Buthaynah.

CADENCE (latin) Rythme. Dérivés : Cadena, Cadenza, Kadena, Kadence, Kadenza.

CAILIDA (espagnol) Adorant.

CAILIDORA (grec) Cadeau de la beauté.

CAILIN (irlandais) Jeune fille. Dérivés : Caeilainn, Caelan, Caileen, Cailyn, Calunn, Cauleen, Caulin.

CAINWEN (gallois) Celle qui est juste et bénie. Dérivés : Ceinwen, Kayne, Keyne, Caitlen, Caitlin, Caitlinn, Caitlyn, Caitlynne, Caitria.

CAITLIN (grec) Pure. Caitlin, irlandais, créé à partir de Katherine et de Lynn, acquit une grande notoriété dans les années 1990. Il était toutefois déjà connu aux États-Unis dès 1980, puisqu'il faisait partie des dix prénoms les plus répandus, en raison de son orthographe originale et de sa sonorité néanmoins familière. Dérivés : Caitlan, Caitlion, Caitlon, Caitlyn, Caitlynne, Catlin, Kaitlin, Kaitlyn, Kaitlynn, Kaitlynne, Katelin, Katelynn.

CAITLIN Dérivés : Cailin, Caiti, Caitilin, Caitin.

CAITRIN (grec) Angélique.

CAITRIN Dérivés : Caitriona, Catarionna, Caitrìonag.

CALA (arabe) Forteresse.

CALANDRA (grec) Alouette. Dérivés : Cal, Calandria, Calendre, Calinda, Callee, Callie.

CALANTHA (grec) Jolie fleur. Dérivés : Cal, Calanthe, Callee, Calley, Callie, Cally.

CALATÉE (grec) Personnage mythologique. Dérivé : Calatea.

CALEDONIA (latin) Région d'Écosse.

CALIDA (espagnol) Chaude. Dérivé : Callida.

CALLA (grec) Lys.

CALLIDORA (grec) Beauté.

CALLIGENIA (grec) Personnage de la mythologie.

CALLIOPE (grec) Muse de la poésie épique et de l'éloquence. Dérivés : Kalliope, Kallyope.

CALLIRHOE (grec) Belle fontaine.

CALLISTA (grec) La plus belle. Dérivés : Cala, Calesta, Cali, Calissa, Callie, Callistine, Cally, Callysta, Calysta, Kala, Kallie.

CALLISTA Dérivés : Calliste, Calista, Calixta, Calixte, Callixte.

CALLISTHENA (grec) Belle force.

CALLULA (latin) Petite beauté.

CALTHA (latin) Fleur du même nom. Dérivé : Kaltha.

CALUMINA (écossais) Colombe. Dérivé : Calaminag.

CALVINA (latin) Chauve. Féminin de Calvin. Dérivé : Calvine.

CALYPSO (grec) Fille qui se

cache. Nymphe de l'Odyssée, elle recueillit Ulysse après son naufrage.

CAMÉLIA (anglais) Fleur du même nom. Dérivés : Camellia, Kamelia.

CAMEO (italien) Bijou appelé camée. Dérivé : Cammeo.

CAMERON (Ecossais) Nez crochu.

CAMILA (arabe) Idéale.

CAMILLE (latin) Assistante de l'officiant dans les cérémonies païennes dans la Rome antique. Ce prénom est mixte, mais il est beaucoup plus souvent attribué à des filles. En France, son succès ne se dément pas depuis les années 1980. Dérivé : Camilla.

CANDACE (anglais) Titre de noblesse que portaient les reines d'Éthiopie. Dérivés : Candee, Candice, Candie, Candis, Candiss, Candy, Candyce, Kandace, Kandi, Kandice, Kandy, Kandyce.

CANDICE (latin) Blanche. Dérivés : Candie, Candy.

CANDIDA (latin) Blanche. Dérivé : Candide.

CANDRA (latin) Radieuse.

CANNELLE (français) Nom de l'épice extraite du cannelier. Ce prénom a eu ses heures de gloire dans les années 1980, mis à l'honneur par la chanson d'Antoine.

CANTARA (arabe) Petit pont.

CAOILFHIONN (irlandais) Mince et blonde. Dérivé : Coelfinnia.

CAOILFHIONN Dérivés : Caelan, Caoilainn, Caoilin.

CAOIMHE (Ecossais) Belle.

CAPRAISE (latin) Chèvre.

CAPRICE (italien) Caprice. Dérivés : Capriana, Capricia, Caprie, Kapri, Kaprice, Kapricia, Kaprisha.

CAPUCINE (Français) Du nom de la fleur.

CARA (italien) Chérie. Dérivés : Caera, Caireann, Cairenn, Caralea, Caralee, Caralisa, Carella, Cari, Carita, Carra, Kara, Karah, Karry.

CARAGH (Gaélique) Amie. Dérivé : Caera.

CARDA (germanique) Force.

CARELLE (germanique) Virile.

CAREY (gallois) Près d'un château. Carey est également un nom de garçon assez souvent employé. Dérivés : Caree, Carree.

CARI (gallois) Aimée. Dérivés : Carey, Kary.

CARINE (grec) Pure. Forme Dérivée de Catherine. Dérivé : Karine.

CARINTHIE (germanique) Région d'Autriche. Dérivé : Carinthia.

CARISSA (grec) Raffinée. Dérivés : Carisa, Carisse.

CARITA (italien) Charité. Dérivé : Caritta.

CARLA (germanique) Virile. Version féminine de Carlo, Dérivé italien de Charles. Ce prénom semble vouloir s'imposer en Europe. Dérivés : Carli, Carlie, Carly, Carlye.

CARLA Dérivé : Carleen.

CARMA (latin) Conte.

CARMEL (hébraïque) Verger. Dérivés : Carma, Carmania, Carmaniya, Carmela, Carmeli, Carmia, Carmiela, Carmit, Carmiya, Karmel,

Karmela, Karmeli, Karmit, Karmiya.

CARMEN (hébraïque) Verger. Forme espagnole de Carmel. Dérivé : Carmina.

CARNI (hébraïque) Corne. Dérivés : Carna, Carney, Carnia, Carnie, Carniela, Carniella, Carniya, Carny, Karni, Karnia, Karniela, Karniella, Karniya.

CAROLE (germanique) Virile. L'une des versions féminines de Charles. Carole a été un prénom très répandu il y a une vingtaine d'années. Sa chute a été aussi rapide que son succès. Dérivés : Carel, Carey, Cari, Carleen, Carlene, Carley, Carlin, Carlina, Carline, Carlita, Carlota, Carlotta, Carlyn, Carlynn, Caro, Carol, Carola, Carolee, Caroll, Carri, Carrie, Carroll, Carry, Caru, Cary, Caryl, Caryle, Caryll, Carylle, Kari, Karie, Karri, Karry, Karrye.

CAROLINE (germanique) Virile. Diminutif de Carole, version féminine de Charles. Caroline est un prénom qui est plus fréquemment attribué que Carole. Il aurait pu, comme sa proche cousine, passer très vite de mode, mais des célébrités comme Caroline de Monaco ou Caroline Kennedy lui ont redonné un certain lustre. Dérivés : Carolenia, Carilon, Carolina, Carolyn, Carolynn, Carolynne, Karolin, Karolina, Karoline, Karolyn, Karolyna, Karolyne, Karolynn, Karolynne.

CARON (gallois) Amour. Autre orthographe de

Karen, prénom assez répandu. Dérivés : Carren, Carrin, Carron, Carrone, Caryn, Carynn.

CARSON (écossais) Nom de famille.

CARYS (gallois) Aimée.

CARYS Dérivés : Ceri, Cerian.

CASEY (irlandais) Vigilante. C'est également un prénom de garçon qui, contrairement aux autres noms adoptés par les filles, est resté très populaire pour le sexe fort. Très classique, il s'adapte très bien à tous les âges de la vie. Dérivés : Cacia, Casee, Casie, Cassie, Caycey, Caysey, Kacey, Kacia, Kasee, Kasie, Kaycey, Kaysey.

CASILDE (latin) Petite maison.

CASILDE Dérivé : Casille.

CASSANDRE (grec) Protectrice. Cassandre est un personnage de la mythologie grecque. Ce prénom assez raffiné, très courant dans les familles afro-américaines des années 1960, s'est étendu à présent à toutes les couches de la société. Il remporte un beau succès également en Europe. Dérivés : Casandera, Casandra, Cass, Cassaundra, Casson, Cassondra, Kasandera, Kasandra, Kass, Kassandra, Kassandre, Kassaundra, Kassie, Kasson, Kassondra.

CASSIANE (latin) Issue de la famille Cassianus, patriciens de l'Antiquité à Rome. Dérivé : Cassienne.

CASSIANE Dérivé : Cassia.

CASSIDY (gaélique) Maline.

Dérivés : Cassidey, Cassidi, Cassidie, Kasady, Kassidey, Kassidi, Kassidie, Kassidy.

CASTALIE (grec) Personnage mythologique.

Catharina, Catharine, Cathelène, Catheline, Cathelle, Cationa, Catoun, Catrino, Catriona, Catrìonag, Ceitag, Iekaterina, Kathelle.

CATHERINE (grec) Pure. Discret, distingué, traditionnel tout en restant moderne, Catherine est le grand classique par excellence. Sa période de gloire se situe dans les années 1940-1950. Son dérivé, Carine, a pris le relais dans les années 1980. Parmi les Catherine les plus célèbres, on peut citer : sainte Catherine d'Alexandrie, la tsarine Catherine de Russie, Katharine Hepburn ou Catherine Deneuve. Dérivés : Carine, Catalina, Catarina, Catarine, Cateline, Catharine, Catharyna, Catharyne, Cathe, Cathel, Cathelina, Catheline, Cathelle, Catherina, Cathi, Cathie, Cathleen, Cathy, Catrien, Catrina, Catrine, Catryna, Caty, Karine, Kate, Kathel, Kathleen, Katia, Katinka, Katiouchka, Katje, Katrina, Katriona, Katy, Ketty, Kitty.

CATHERINE Dérivés : Caetje, Caiterina, Catalin, Catarino

CEALLAGH (celte) Église.

CÉCILE (latin) Aveugle. Cecil, forme masculine, n'existe que dans les pays anglo-saxons. Sainte Cécile, jeune chrétienne romaine, est la patronne des musiciens. Cécile a connu un franc succès de 1970 à 1980 ; aux États-Unis, ce prénom doit surtout sa popularité à une chanson de Paul Simon, *Cecilia*, et à ses nombreuses variantes, Cecily tout spécialement. Dérivés : Azilis, C'Cel, Cacilia, Cecely, Ceci, Cecia, Cecilie, Cecille, Cecilyn, Cecyle, Cecylia, Ceil, Cele, Celenia, Celia, Celie, Celina, Celinda, Céline, Celinna, Celle, Cesia, Cespa, Cicely, Cicilia, Cycyl, Cäcilia, Cäcilie, Caécilia, Caesia, Ceelken, Cillie, Cilly, Cili, Ciliken, Seelia, Seelie, Seely, Seslia, Sessaley, Sesseelya, Seesile, Sessilly, Sheelagh, Sheelah, Sheila, Sheilagh, Sheillah, Shela, Shelah, Shelia, Shiela, Sile, Sileas, Siseel, Sisely, Siselya, Sisilya, Sisley, Sissela.

CEDRICA (gallois) Cadeau.

CEINWEN (gallois) Joyaux.

CEITEAG (écossais) Pure.

CELANDINE (grec) Fleur de couleur jaune.

CÉLESTE (latin) Paradis. Joli prénom, doté d'une belle sonorité, Céleste n'est pas très répandu pour l'instant, mais il semble que quelques parents s'y intéressent, et il est probablement voué au succès. Dérivés : Cela, Celesse, Celesta, Celestia, Celestiel, Celestina, Célestine, Celestyn, Celestyna, Celika, Celisse, Cesia, Inka, Selinka.

CÉLIMÈNE (grec) Lune. Ce prénom est celui d'un personnage du théâtre de Molière. Dérivé : Séléné.

CÉLINE (latin) Celle qui ferme.

CELOSIA (grec) En feu.

CELSA (latin) Excellence.

CENOBIA (grec) Puissance de Zeus. Dérivés : Cenobie, Zenobie, Zénobi.

CENZA (latin) Triomphante.

CERELLA (anglais) Printanière. Dérivé : Cerelia.

CÉRES (latin) Déesse romaine de l'Agriculture.

CERIDWEN (gallois) Poète blond. Dérivés : Ceri, Ceridwyn.

CERISE (français) Du nom du fruit.

CERYS (gallois) Amour. Dérivés : Ceri, Ceries, Cerri, Cerrie.

CÉSARINE (latin) Qui coupe. Féminin de César. Dérivés : Cesarea, Cesarina.

CESKA (latin) Française. Forme tchèque de Françoise.

CHAANACH (hébraïque) Gracieuse. Dérivés : Chana, Chanah, Chani, Hana, Hende, Hendel, Hene, Heneh, Henna.

CHABIBA (arabe) Jeune.

CHADIA (arabe) Odorante.

CHAFIA (arabe) Apaisante.

CHAFIKA (arabe) Tendre.

CHAHERA (arabe) Distinguée.

CHAHINAZ (persan) Favorite

CHAHRA (arabe) Illustre.

CHAHRAZAD (arabe) D'une grande intelligence. Dérivé : Shéhérazade.

CHAKIRA (arabe) Rend grâce.

CHALABEYA (arabe) Coquette.

CHALINA (espagnol) Une rose.

CHALMONA (hébraïque) Pacifique.

CHALVA (hébraïque) Sérénité.

CHAMA (arabe) Belle.

CHAMANIA (hébraïque) Tournesol. Dérivés : Chamanniya, Hamania, Hamaniya.

CHANI (hébraïque) Écarlate. Dérivés : Chanita, Hanit, Hanita.

CHANIA (hébraïque) Campement. Dérivés : Chaniya, Hania, Haniya.

CHANINA (héb.) Grâce. Dérivé : Hanina.

CHANTAL (français) Nom de famille de sainte Jeanne-Françoise de Chantal. Prénom phare des années 1950, mais son succès s'estompa rapidement à la suite d'un sketch qui lui octroyait une connotation snob.

CHANYA (hébraïque) Grâce divine. Dérivé : Hanya.

CHARA (espagnol) Une rose. Dérivé : Charo.

CHARAF (arabe) Honneur.

CHARDE (arabe) Celle qui part.

CHAREL (germanique) Virile.

CHARIFA (arabe) Aristocrate.

CHARIFA Dérivé : Cherifa.

CHARIS (grec) Grâce. Dérivés : Charissa, Charisse.

CHARITA (espagnol) Princesse.

CHARITY (latin) Chère. Ce prénom, avec Prudence et Patience, était très à la mode au XVIIIe siècle. Dans les années 1960, il fut très répandu dans les milieux hippies, mais il se fait plus rare aujourd'hui. Dérivés : Charita, Charitee, Charitye, Sharita.

CHARLOTTE (germanique) Virile. Version féminine de Charles, qui fut le prénom n° 1 au hit-parade en France dans les années 1980-1990. Dérivés : Charlaine, Charlayne, Charbella, Charbelle, Charleen, Charlena, Charlene, Charli, Charlie, Charline, Cherlene, Cherline, Sharlayne, Sharleen, Sharlene.

CHARMIAN (grec) Joie.

CHARO (espagnol) Une rose.

CHASHMONA (hébraïque) Princesse. Dérivé : Chashmonit.

CHASIA (hébraïque) Protégée par Dieu. Dérivés : Chasya, Hasia, Hasya.

CHASIDA (hébraïque) Honnête. Dérivés : Chasidah, Hasida.

CHASINA (hébraïque) Forte. Dérivé : Hasina.

CHASTITY (latin) Pureté. Dérivés : Chasta, Chastina, Chastine.

CHAVA (hébraïque) Vie. Dérivés : Chabah, Chapka, Chaya, Hava, Haya.

CHAVI (anglais, bohémien) Fille. Dérivé : Chavali.

CHAVIVA (hébraïque) Aimée.

CHAVON (hébraïque) Dieu est bon. Dérivé : Chavonne.

CHAZONA (hébraïque) Celle qui prédit.

CHEBBA (arabe) Jeune fille.

CHEBHA (arabe) Belle allure.

CHEDINE (arabe) Petite gazelle.

CHEDNA (arabe) Pierre précieuse.

CHEDRA (hébraïque) Bonheur. Dérivé : Hedra.

CHEFTZIBA (hébraïque) Celle qui fait mon délice. Dérivés : Cheftzibah, Cheftziya, Hefibah, Hefzi, Hefzia, Hejziba, Hephzibah, Hepzi, Hepzia, Hepziba, Hepzibah.

CHEHBA (arabe) Étoile

CHEHLA (arabe) Aux yeux bleus.

CHEIFA (hébraïque) Abri. Dérivés : Chaifa, Haifa, Heifa.

CHÉKIBA (arabe) Généreuse.

CHEKILA (arabe) Coquette.

CHELSEA (anglais) Port. Prénom très populaire, il évoque non seulement la Grande-Bretagne mais aussi un quartier de Londres et de New York. Autre point qui n'a pas manqué d'accroître sa popularité, c'est également le nom de la fille du président Clinton et on peut dire sans crainte de se tromper qu'il restera en vogue tant que le président américain restera au pouvoir. Dérivés : Chelsa, Chelsee, Chelsey, Chelsi, Chelsie, Chelsy.

CHEMDA (héb.) Charme. Dérivé : Hemmda.

CHEMDIAH (hébraïque) Dieu est mon espoir. Dérivés : Chemdia, Chemdiay, Hemdia, Hemdiah.

CHEMOUR (arabe) Diamant.

CHEMSA (arabe) Brillante.

CHENIA (hébraïque) Grâce divine. Dérivés : Chen, Chenya, Hen, Henia, Henya.

CHEPI (amérindien) Fée.

CHERA (arabe) Elégante.

CHERIFA (arabe) Honorable. Dérivé : Charifa.

CHERMONA (hébraïque) Montagne sacrée. Dérivé : Hemrona.

CHERYL (anglais) Charité. Dérivés : Cher, Cherill, Cherrill, Cherryl, Cheryle, Cheryll, Sherryll, Sheryl.

CHESNA (Slave) Paisible.

CHESNA (slave) Paisible.

CHEYENNE (ang.) Cheyenne. Dérivé : Chayenne.

CHIAKI (japonais) Terre d'automne.

CHIARA (latin) Claire. Forme italienne de Claire.

CHIBA (hébraïque) Amour. Dérivé : Hiba.

CHICA (espagnol) Fille.

CHIFRA (hébraïque) Belle.

CHIKA (japonais) Sagesse.

CHIKAKO (japonais) Fille de la sagesse.

CHILALI (amérindien) Oiseau des nuages.

CHILAM (amérindien) Oiseau des neiges.

CHIMALIS (amérindien) Oiseau bleu.

CHIMÈNE (hébraïque) Dieu a entendu.

CHINE (français) Pays du même nom. Ce prénom géographique se rencontre aussi parfois dans les pays anglo-saxons sous la forme China.

CHIONA (grec) Blanche comme la neige. Dérivé : Chionie.

CHIQUITA (espagnol) Petite fille.

CHIRINE (arabe) Séduisante.

CHISATO (japonais) Terre natale.

CHITA (italien) Perle.

CHITSA (amérindien) Jolie.

CHIYO (japonais) Mille générations

CHIYOKO (japonais) Fille de 1000 générations.

CHIZU (japonais) Mille Cigognes.

CHLOÉ (grec) Jeune pousse. Chloé est un prénom évocateur d'une jeune fille aux longs cheveux, à la tenue romantique, rêveuse et solitaire. Ce prénom s'est fait connaître d'abord par la Bible, dans la 2e Épître aux Corinthiens, puis dans plusieurs romans du XVIIe siècle. Déjà très populaire en Europe dans les années 1970, il traversa l'Atlantique au début des années 1990, où sa notoriété se confirma. Il est l'un des prénoms préférés à l'aube du troisième millénaire en France.

CHLOMITH (hébraïque) Petite paix.

CHLORIS (grec) Déesse des Fleurs.

CHO (japonais) Crépuscule.

CHOCHANA (hébraïque) Lys.

CHOFA (espagnol) Intelligente. Dérivé : Chofi.

CHOKRIA (arabe) Grâce de Dieu.

CHOLENA (amérindien) Oiseau.

CHOMEÏSSA (arabe) Jeune fille au teint clair. Dérivé : Soumeïssa.

CHOUCHANE (arménienne) Fleur de lys.

CHRÉTIENNE (latin) Aime le Christ.

CHRISTA (latin) Chrétien.

CHRISTEL (grec) Chrétienne. Dérivés : Christabel, Christabelle, Christal, Christalle.

CHRISTELLE Dérivés : Chrystal, Chrystale, Chrystalise, Chrilène, Chryslène, Crestiano, Crestina, Crestino, Creuddylad, Criosa, Criosaidh, Criostiona, Cristiana

CHRISTIANE (grec) Chrétienne. Féminin de Christian.

CHRISTINE (latin) Chrétienne. Christine était à la mode dans les années 1950 dans sa forme simple, ou composée avec Marie ; Christelle a pris le relais dans les années 1970. Dérivés : Chris, Chrissy, Christen, Christi, Christiana, Christiane, Christiann, Christianna, Christie, Christina, Christy, Teena, Teina, Tena, Tina, Tinah.

CHRISTINE Dérivés : Cairistìona, Chreschtin, Chrestienne.

CHRYSEIS (grec) Fille en or.

CHULA (hébraïque) Musicienne.

CHULDA (hébraïque) Belette. Dérivés : Hulda, Huldah.

CHUMANI (amérindienne) Goutte de rosée.

CHUMINA (espagnol) Dieu.

CHYNNA (anglais) La Chine. Dérivé : China

CIANA (latin) Brillante.

CIANNAIT (irlandais) Ancienne. Dérivé : Ciannata.

CIARA (irlandais) Noire. Dérivés : Ceara, Ciarra, Ciera, Cierra.

CINDERELLA (anglais.) Cendre.

CINDY (anglais) Cendrillon.

CINDY (anglais) Diminutif de Cendrillon. Ce prénom a

été mis à la mode dans les années 1990 par le top-model Cindy Crawford.

CINNAMONE (hébraïque) Fleur de cannelle. Dérivé : Cinnamome.

CIORSTAIDH (écossais) Celle qui accompagne le Christ. Dérivés : Ciostag, Curstag, Curstaidh.

ÇIPPORA (hébraïque) Petit oiseau. Épouse de Moïse. Dérivés : Cipora, Tzipeh, Tzipora, Tzippe, Zipeh, Zipporah, Ziporah, Ziposra.

CIRA (grec) Soleil.

CIRCE (grec) Nom d'une magicienne de la mythologie qui transformait en animaux les hommes qui l'approchaient.

CLAIRE (latin) Brillante. Claire est un prénom discret, classique, à l'abri des modes. Sa forme latine Clara est particulièrement appréciée depuis quelques années. Dérivés : Clair, Clairette, Clairine, Clare, Claartje, Claatje, Claerken, Clara, Clarabelle, Clairemonde, Claramunda, Clareto, Claro, Claroun, Clorinda, Claresta, Clareta, Clarette, Clarice, Clarie, Clarinde, Clarine, Claris, Clarissa, Clarisse, Clarita, Claryce, Clerissa, Clerisse, Cleryce, Clerysse, Klara, Klari, Klarice, Klarissa, Klaryce, Klaryssa.

CLAUDE (latin) Du nom de famille Claudius, famille patricienne de Rome dans l'Antiquité. Ce prénom mixte est devenu rare depuis les années 1950. Saint Claude est le patron des buralistes. Dérivés : Claudette, Claoda, Claudia, Claudie.

CLAUDINE (latin) Dérivé de Claude. Ce prénom, très en vogue dans les années 1950 est complètement démodé aujourd'hui.

CLÉLIE (latin) Celle qui adoucit. Dérivés : Cléa, Clélia, Cloélia, Lélia, Loélia.

CLEMATIA (grec) Vigne blanche.

CLÉMATITE (grec) Plante du même nom.

CLÉMENCE (latin) Bonté. Forme féminine de Clément, au hit-parade des prénoms depuis les années 1990.

CLÉMENTINE (latin) Bonté. Dérivés : Clementia, Clementina, Clemenza.

CLEOMENE (grec) Gloire de l'esprit. Dérivé : Climène.

CLEONICE (grec) Glorieuse victoire.

CLÉOPÂTRE (grec) Qui célèbre. Ce prénom évoque inévitablement la reine d'Égypte, qui séduisit Marc-Antoine. Dérivés : Cléo, Cléopatra, Cléopatras.

CLEOPHEE (grec) Qui célèbre.

CLEVA (anglais) Celle qui vit sur une colline.

CLIANTHE (grec) Fleur. Dérivés : Cleantha, Cleanthe.

CLINA (gaélique) Prénom Dérivé de Clidna, nom de la déesse de la Beauté dans la mythologie irlandaise. Dérivé : Cliona.

CLIO (grec) Muse de l'Histoire.

CLODAGH (irlandais) Rivière.

CLODOALDA (germanique)

Ancienne gloire.Dérivés : Clodoaldia, Clodoaldine.

CLORIS (latin) Pure, blanche. Dérivé : Chloris.

CLOTILDE (germanique) Gloire au combat. En France, ce prénom suit la vogue des prénoms médiévaux, mais il n'atteint pas le succès de Mathilde. Dérivés : Clothilda, Clothilde.

CLOVER (anglais) Trèfle.

CLYMÈNE (grec) Célèbre.

CLYTIE (grec) Magnifique. Dérivés : Clyte, Clytia.

COCHAVA (héb.) Étoile.

COLBY (anglais) Ferme noire.

COLETTE (grec) Victoire du peuple. Dérivé de Nicole.

COLINE (grec) Victoire du peuple. Autre Dérivé de Nicole. Plus courant aujour-d'hui que Colette, il suit la vogue montante de son masculin Colin.

COLLEEN (gaélique) Jeune fille. Dérivés : Coleen, Colene, Caeilainn.

COLOMBE (celtique) Colombe. Forme féminine de Colomban. Dérivés : Coloma, Colomba, Coulm, Coulma, Colombelle, Colombine, Columba, Columbia, Columbina, Coulombe, Koulma.

COMFORT (anglais) Réconfort.

CONCEPCION (latin) Conception. Dérivés : Concetta, Concettina.

CONCHITA (espagnol) Forme Dérivée de Conception. Dérivé : Concha

CONCORDIA (grec) Déesse de l'Harmonie.

CONNIE (latin) Persévérance. Dérivé anglo-saxon de Constance.

CONNOR (anglais) Grand désir. Ce prénom, très populaire pour les garçons aux États-Unis, semble se féminiser.

CONRADINE (germanique) Conseiller.

CONSTANCE (latin) Fidélité. Dérivés : Connie, Constancia, Constancy, Constanta, Constantia, Constantina, Constanza.

CONSTANCE Dérivé : Costanza.

CONSUELA (espagnol) Consolation. Dérivé : Consuelo.

CORA (grec) Jeune fille. Dérivés : Corabel, Corabella.

CORA (latin) Graine. Corabelle, Corianne

CORAL (anglais) Corail. Dérivés : Caryl, Koral.

CORALIE (germanique) Virile. Forme féminine de Charles. Dérivés : Coraline, Coralise, Coralyne, Corella.

CORAZON (espagnol) Cœur. Dérivé : Corazana.

CORBY (anglais) Ville de Grande-Bretagne.

CORDÉLIA (anglais) Cœur. Dérivés : Cordella, Cordelle.

CORDELIA (grec) Qui vient de Delos. Dérivé : Diane.

CORDULA (latin) Jolie.

CORENTINE (celtique) Amie. Forme féminine de Corentin.

COREY (irlandais) Fossé. Dérivés : Cori, Corie, Corri, Corrie, Corry.

CORINNE (grec) Nom de famille d'une poétesse de l'Antiquité.

CORINTHIA (grec) Habitante de Corinthe.
CORLISS (anglais) Généreuse. Dérivé : Corlyss.
CORNÉLIE (latin) Corneille. Version féminine de Cornélius. Dérivés : Cornela, Cornélia, Cornella, Corrie, Corrien, Neelia, Neely, Neelya, Nela, Nelia, Nila.
CORONA (espagnol) Couronne. Dérivé : Coronetta.
CORVINA (latin) Corbeau.
COSETTE (grec) Triomphe.
COSIMA (grec) Ordre. Forme féminine de Côme. Dérivés : Cosma, Cosmana.
COSTANZA (latin) Constance.
COURTNEY (anglais) Celle qui vit dans la cour. Ce prénom évoque une jeune fille de la bonne société dont les après-midi sont rythmés par les leçons de piano ou les cours de danse classique. Après une période de grande popularité dans les pays anglo-saxons, ce prénom est tombé en désuétude. Dérivés : Cortney, Courtenay, Courteney, Courtnie.
CREIRWY (gallois) Bijou.
CRESCENTIA (latin) Se multiplie.
CRESSIDA (grec) Or.
CRISPINE (latin) Crépue. Version féminine de Crépin.
CRISPINE Dérivé : Crespine.
CRYSTAL (grec) Glace, cristal. Ce prénom était déjà très répandu dans les familles afro-américaines avant de devenir plus que populaire grâce à l'héroïne de *Dynastie*, jouée par Linda Evans. Fait curieux, ce prénom dans l'Angleterre du XIXe siècle était parfois

porté par des hommes. Dérivés : Christal, Crisralle, Cristel, Crystol, Kristal, Kristle, Kristol, Krystal, Krystalle, Krystel, Krystle.

CUNÉGONDE (germanique) Combat audacieux.

CUNEGONDE Dérivés : Ceuntge, Cunégunda, Cunneda.

CYANÉE (grec) Bleue.

CYBELE (grec) Déesse de la Terre.

CYDALISE (grec) Glorieuse.Dérivé : Cyd.

CYMA (grec) En fleur. Dérivé : Syma.

CYNTHIA (grec) D'après l'autre nom de la déesse de la Lune. Dérivés : Cinthia, Cintia, Cyndi, Cynth, Cynthie, Cyntia, Kynthia.

CYPRIENNE (grec) Originaire de Chypre. Dérivés :

Cipriane, Ciprianna, Cypriana.

CYRA (perse) Soleil.

CYRÈNE (grec) Ville de la Grèce antique. Dérivés : Cyrana, Cyrane, Cyranna, Cyranne, Cyrénie, Cyriane, Cyrienne, Cyrilla, Cyrine.

CYRIELLE (grec) Le Seigneur. Forme féminine de Cyril.

CYRIELLE Dérivés : Cirila, Cirilla, Ciriola, Cirola.

CYTHÈRE (grec) Île grecque possédant un sanctuaire voué à Aphrodite. Dérivés : Cytherea, Cytheria.

CZARINA (latin) Impératrice.

DABORA (tchèque) Celle qui combat au loin. Dérivés : Dalena, Dalenka.

DACEY (irlandais) Celle qui vient du sud. Dérivés : Dacee, Daci, Dacia, Dacie, Dacy, Daicee, Daicy.

DACIA (latin) De Dacie.

DAE (amérindien) Jour. Dérivé : Daelynn.

DAGANA (hébraïque) Grain. Dérivés : Dagan, Dagania, Deganya.

DAGHILD (scandinave) Guerrière brillante comme le jour.

DAGMAR (germanique) Gloire. Dérivés : Daga, Daggi, Dagi, Dagmara, Dagomar.

DAGNA (scandinave) Jour nouveau. Dérivés : Dagne, Dagney, Dagny.

DAGOBERTE (germanique) Illustre jour.

DAGRUN (scandinave) Secret du jour.

DAHLIA (suédois) Fleur du même nom.
Dérivés : Dahla, Dalia, Daliah, Daliane.

DAHUD (celtique) Magie.

DAÏ (japonais) Grande.

DAIRINN (irlandais) Princesse.

DAISY (latin) Perle. Forme

anglaise de Marguerite. Dérivés : Dacey, Dacia, Dacy, Daisey, Daisha, Daisi, Daisie, Daizy, Daysi, Deyci.

DAITHE (irlandais) Lumière.

DAIYA (polonais) Cadeau.

DAKOTA (anglais) Nom d'un État américain. Ce prénom très en vogue aux États-Unis est aussi donné à des garçons.

DALAL (arabe) Courtisant. Dérivé : Dhelal.

DALAYA (héb.) Branche. Dérivés : Dalia, Daliya.

DALE (anglais) Vallée. Dérivés : Dael, Daelyn, Dhal.

DALILA (hébraïque) Délicat. Dalila est un prénom mélodieux, mais il est surtout connu pour avoir été porté par la traîtresse qui fut la cause de la fin tragique de Samson comme le raconte la Bible, dans le Livre des Juges. Dérivés : Delila, Delilah.

DALIT (hébraïque) Eau courante.

DALLAS (anglais) Ville d'Écosse et des États-Unis. Ce prénom est parfois aussi attribué à des garçons. Dérivé : Dallis.

DALMACIE (latin) Contrée au bord de l'Adriatique. Féminin de Dalmace. Dérivés : Dalma, Dalmassa, Dalmatia.

DAMALIS (grec) Veau. Dérivés : Dainala, Damalas, Damali, Damalla.

DAMARIS (latin) Veau. Dérivés : Damar, Damaress, Dameris, Dameryss, Damiris.

DAMHNAIT (irlandais) Poète. Dérivés : Deonet, Devnet, Downet, Downett,

Dympha.

DAMIA (grec) Déesse de la Fertilité. Version féminine de Damien. Dérivés : Damiane, Damienne.

DAMITA (espagnol) Demoiselle.

DAMITHA (arabe) Délicate.

DAMITHA (arabe) Facile à vivre.

DANA (anglais) Danois. Dana est un prénom mixte, mais il est plus souvent attribué à des petites filles. Dérivés : Daina, Danay, Danaye, Dane, Danee, Danet, Danna, Dayan, Deana.

DANAÉ (grec) Personnage de la mythologie.

DANIAH (hébraïque) Jugement de Dieu. Dérivés : Dania, Daniya, Danya.

DANIC (slave) Étoile du matin.

Dérivés : Danika, Dannica, Dannika.

DANIELLE (hébraïque) Dieu m'a jugé. Féminin de Daniel. Ce prénom a été très répandu dans les années 1940 ; il est aujourd'hui complètement oublié. Dérivés : Daleen, Dana, Danee, Danela, Danele, Danell, Danella, Danette, Daney, Dani, Danitza, Danuta, Deniela, Denielez, Dania, Danica, Danice, Danie, Daniela, Daniella, Danika, Danila, Danine, Danique, Danita, Danja, Dany.

DANU (gallois) La mère des dieux.

DANUTA (polonais) Donné par Dieu. Dérivé : Danouta.

DAPHNÉ (grec) Laurier. Nymphe de la mythologie

qui fut changée en laurier. En Amérique, au XIXe siècle, de nombreuses esclaves noires portaient ce prénom. Aujourd'hui, il est toujours très fréquent chez les femmes afro-américaines, mais il s'est répandu dans tous les milieux ethniques, et sa vogue est discrète mais constante en France. Dérivés : Dafne, Daphney, Daphny.

DARA (hébraïque) Intelligence. Dérivés : Dahar, Dareen, Darice, Darissa, Darra, Darrah.

DARALIS (anglais) Adorée. Dérivé : Daralice.

DARBY (anglais) Endroit où paissent les cerfs. C'est également un prénom de garçon.

DARCI (irlandais) Celle qui est brune. Dérivés : D'Arcy, Darcee, Darcey, Darcie, Darcy, Darsi, Darsie.

DARDA (hébraïque) Perle de sagesse.

DARENA (Slave) Cadeau. Dérivé : Darina.

DARIA (grec) Luxueuse. Dérivés : Darian, Darianna, Dariele, Darienne, Darrelle.

DARIA (grec) Riche. Dérivés : Darie, Darielle.

DARINA (latin) Féminin de Darius. Dérivé : Darja.

DARLENE (anglais) Chérie. Dérivés : Darla, Darleane, Darleen, Darleena, Darlena, Darlina, Darline.

DARNELL (anglais) Déguisement. Dérivés : Darnae, Darnelle, Darnetta, Darnisha.

DARRELLYN (anglais) Mélange de Darrell et de Lynn. Dérivé : Daryllyn.

DARYL (anglais) Nom de famille. Daryl est originellement un prénom masculin qui se féminise depuis une dizaine d'années. Dérivés : Darel, Darrel, Darrell, Darrelle, Darryl, Darrylene, Darrylin, Darryllyn, Darylin, Daryline, Darylyne.

DARYN (grec) Présent, cadeau. Dérivés : Daryan, Daryanne.

DASHA (grec) Manifestation de Dieu.

DASHAWNA (américain) Forme dérivée de Shawna.

DATHIAH (hébraïque) Loi de Dieu. Dérivés : Datia, Datiya, Datya.

DAUPHINE (latin) Dauphin. Forme Dérivée de Delphine.

DAVINA (écossais) Amie chérie. Version féminine de David. Dérivés : Daveen, Da-vene, Davia, Daviana, Daviane, Davianna, Davidine, Davine, Davita, Davonna, Davy, Davynn, Devanda, Davidka, Davinia.

DAWIA (arabe) Lumineuse.

DAWIA (arabe) Radieuse.

DAWN (anglais) Aurore. Dawn fut un prénom très apprécié par les communautés hippies des années 1960-1970, aux États-Unis, bien qu'il fût un prénom anglais traditionnel. Dérivés : Dawna, Dawne, Dawnelle, Dawnetta, Dawnette, Dawnielle, Dawnika, Dawnn.

DAY (anglais) Journée.

DAYA (arabe) Lumière.

DAYA Dérivé : Dya.

DAYENA (arabe) Pieuse.

DAYNA (arabe) Triomphante.

DEA (latin) Déesse.

DEANA (anglais) Vallée. Forme féminine de Dean. Dérivés : Deana, Deanna, Deena, Dene, Denna.

DEANNA (anglais) Aimant l'océan. Dérivés : Deane, Deann, Deanne, Deeana, Deeann, Deeanna, Deena, Deona, Deondra, Deonna, Deonne.

DEARBHAL (irlandais) Fille d'Irlande. Dérivés : Dearbhail, Dearghal, Deirbhile, Dervla.

DÉBORAH (hébraïque) Abeille. Très courant dans les années 1970, ce joli prénom est à présent un peu moins populaire. Dérivés : Deb, Debbi, Debbie, Debby, Debi, Debora, Deborrah, Debra, Debrah, Devora Devorah, Devra.

DECEMBRA (perse) Dix fois.

DECHTIRE (irlandais) Adresse. Dérivé : Dechtine.

DECIMA (latin) Dixième. Féminin d'un obscur prénom masculin Decimus.

DECLA (irlandais) Qui fait partie de la famille. Féminin de Declan.

DEEDEE (hébraïque) Adorée.

DEGULA (hébraïque) Célèbre.

DEHA (arabe) Intelligente.

DEHBIA (arabe) En or.

DEIDRE (irlandais) Colère, peur. Ce prénom présente un gros défaut : son orthographe, qui peut représenter un réel handicap pour un enfant comme un adulte. Dérivés : Dedra, Deidra, Deirdra, Deirdre, Deirdrie, Diedre, Dierdre.

DEIRBHILE (irlandais) Fille du poète. Dérivés : Dervila,

Dervla.

DEIRDRE (irlandais) Jeune fille. Dérivés : Dedra, Deirdriu.

DÉJANIRE (grec) Épouse d'Hercule.

DELANEY (irlandais) Enfant de sportif. Dérivés : Delaina, Delaine, Delayna, Delayne.

DELIA (grec) Visible. Dérivés : Del, Delise, Delta, Delys, Delyse, Diliane.

DELJA (polonais) Fille de la mer.

DELLA (anglais) Peut se traduire par de la ou du. C'est aussi un Dérivé d'Adélaïde.

DELLE (hébraïque) Jarre.

DELORA (espagnol) Venant de l'océan.

DELOULA (arabe) Aimée.

DELPHA (grec) Diminutif de Philadelphia qui veut dire amour fraternel. Dérivés :

Delphe, Delphia.

DELPHINE (latin) Dauphin. Dérivés : Dauphine, Delfia, Delfina, Delbin, Delphinez.

DELTA (grec) Delta est la quatrième lettre de l'alphabet grec, mais c'est également un prénom très répandu dans le sud des États-Unis.

DELWYN (gallois) Jolie et bénie.

DELYA (arabe) Distinguée.

DELYTH (gallois) Joli mythe.

DEMETRIE (grec) Vient de Déméter, la déesse de l'Agriculture. Nous sommes plus familiarisés avec son diminutif Demi que l'actrice Demi Moore a révélé au grand public. Dérivés : Déméter, Demetra, Demetris, Demi, Demitra, Dimetria.

DENA (hébraïque) Innocent.

DENIELA (celtique) Dieu juge.

DENISE (grec) Issu de Dionysos, dieu de la Vigne et du Vin. Féminin de Denis, ce prénom fut en vogue dans les années 1920 ; il a maintenant complètement disparu de l'état civil. Dérivés : Deneza, Denia, Denijse, Denissa, Denissia, Denyse, Deonisa, Deonniza, Diona, Dioniglia, Dionisia, Dionysia, Denixe, Denisha, Denyse, Diunisia.

DEODATE (latin) Dieu donne. Dérivé : Déoterie.

DEOIRIDH (écossais) Gazelle.

DEOLINDA (portugais) Dieu magnifique.

DEONAID (écossais) Dieu est toute grâce.

DEOTILLE (grec) Pareille à Dieu.

DEOTILLE Dérivés : Déotila, Déotilde, Déotilie.

DERICA (anglais) Chérie. Dérivés : Dereka, Derrica.

DERIKA (germanique) Puissante dans le peuple. Dérivé : Dedrika.

DERORA (hébraïque) Indépendance. Dérivés : Derorice, Derorit.

DERRY (irlandais) Rousse. Dérivés : Deri, Derrie.

DERYA (hawaïen) Océan.

DERYN (gallois) Oiseau. Dérivés : Derren, Derrin, Derrine, Derron, Deryn.

DESDÉMONE (grec) Tristesse. Héroïne féminine d'Othello, de Shakespeare. Dérivés : Desdemona, Desdemonia.

DÉSIRÉE (latin) Désirée. Dérivés : Desiderata, Desideria.

DESMA (grec) Serment.

DESSA (grec) Nomade.

DEVA (Indien) Divine.

DEVANY (gaélique) Brune. Dérivés : Davanfe, Devaney, Devenny, Devinee, Devony.

DEVASHA (hébraïque) Miel. Dérivé : Devash.

DEVENE (écossais) Aimée. Féminin de David. Dérivés : Devean, Deveen.

DEVIN (irlandais) Poète. Dérivés : Deva, Devinne.

DEVKA (Slave) Jeune fille.

DEVON (anglais) Région du sud de l'Angleterre. Dérivés : Devan, Devana, Devanna, Devona, Devondra, Devonna, Devonne, Devyn, Devynn.

DEVORGILLA (écossais) Vérité. Dérivés : Dearbhforgail, Diorbhail, Diorbhorguil.

DEXTRA (anglais) Celle qui teint les tissus, droitier. Forme féminine de Dexter.

DEZIG (celtique) Riche.

DIAMOND (anglais) Diamant. Parfois aussi employé pour les garçons. Dérivés : Diamanda, Diamante, Diamonique, Diamontina.

DIANE (latin) Divine. Déesse romaine de la Lune et de la Chasse. Diane symbolise en France l'élégance et la distinction. Diane de Poitiers reste la plus fidèle image de ce prénom. Il a toujours été un prénom apprécié dans les pays anglophones, mais il a pris de l'importance grâce à l'actrice Diane Keaton et surtout à la princesse Diana. En Angleterre, les mésaventures sentimentales de la princesse de Galles avaient partagé l'opinion publique en deux camps : les partisans de ce prénom et ses adversaires. Apparemment, ce prénom devrait continuer à remporter les faveurs des futurs parents pendant quelques années encore. Dérivés : Dee, Diahann, Dian, Diana, Dianna, Dianne, Didi, Dyan, Dyana.

DIANTHA (grec) Fleur divine. Dérivés : Diandre, Dianthe, Dianthia.

DIARMAID (irlandais) Oubli. Dérivé : Dermaid.

DICKIE (germanique) Témérité.

DICKLA (hébraïque) Palmier. Dérivés : Dikla, Diklice, Diklit.

DIDIANE (latin) Désirée. Forme féminine de Didier.

DIDON (grec) Princesse de la Grèce antique.

DIDRIKA (germanique) Souverain du peuple. Forme féminine de Dietrich.

DIETLIND (germanique) Doux peuple.

DIGNA (latin) Précieuse. Dérivé : Dinya.

DILWEN (gallois) Vraie et bénie.

DILYS (gallois) Fidèle. Dérivés : Dylis, Dyllis, Dylys.

DIMA (arabe) Pluie.

DIMITRA (latin) Du Dieu Déméter.

DINAH (hébraïque) Dieu jugera. Dérivés : Deena, Denora, Dina, Dinorah, Diondra, Dyna, Dynah.

DINIA (hébraïque) Sagesse de Dieu. Dérivé : Diny.

DIONNE (grec) Dionée, nymphe de la mythologie grecque. Également version féminine de Denis, découlant de Dionysos, dieu grec du Vin. La chanteuse Dionne Warwick est la seule Dionne célèbre à ce jour. Dérivés : Deonne, Dion, Diona, Dionna, Dionysia.

DISA (norvégien) Lutin.

DITA (tchèque) Richesse. Également diminutif d'Édith qui parfois veut aussi dire butin. Dérivé : Ditka.

DITGARDE (germanique) protectrice du peuple.

DITHILDE (germanique) Combattante du peuple.

DITSA (hébraïque) Joie.

DITTA (germanique) Combattant.

DIVINE (anglais) Amie aimée. Féminin de David. Dérivés : Divina, Divinia.

DIVONAH (hébraïque) Sud. Dérivés : Dimona, Dimonah, Divona.

DIYA (arabe) Lumière.

DIYANA (arabe) Loyauté.

DIZA (hébraïque) Joie. Dérivés : Ditza, Ditzah.

DJAMILA (arabe) Jolie.

DJOUMANA (arabe) Perle.

DOBRILA (tchèque) Bonne.

DOBROMILA (tchèque) Bonne grâce.

DOBROMIRA (tchèque) Bonne et célèbre.

DOBROSLAVA (tchèque) Bonne et gentille.

DODIE (hébraïque) Aimée. Dérivés : Dodee, Dodey, Dodi, Dody.

DOGMAËLLE (celtique) Féminin de Dogmaël qui signifie bon prince. Dérivés : Dogmaëlla, Dogmaëllig.

DOLI (amérindien) Oiseau blanc.

DOLLY (anglais) Poupée. Diminutif de Dorothée. Dérivés : Doll, Dollee, Dolley, Dollie.

DOLORÈS (espagnol) Douleur. Dérivés : Delores, Doloras, Doloris, Doloritas.

DOMINA (latin) Femme. Dérivé : Domini.

DOMINIQUE (latin) Vouée au Seigneur. Ce prénom mixte qui existe depuis le XIIIe siècle a été très populaire chez les filles comme chez les garçons dans les années 1950. Dérivés : Dominica, Diminika, Demiku, Doumenge, Doma, Domeca, Domeka, Domenec, Domenga, Domenica, Domenika, Domikusa, Dominga, Dominica, Dominig, Domna, Domnica, Domnina, Dumenica, Daimhlaic.

DOMITIENNE (latin) Mai-son. Féminin de Domitien. Dérivés : Domitia, Domitiana, Domitianne.

DOMITILLE (latin) Maison. Autre version féminine de Domitien.

DONA (anglais) Puissant. Féminin de Donald. Dérivés : Donella, Donelle, Donetta.

DONATA (latin) Donnée. Dérivés : Donatella, Donka.

DONATIENNE (latin) Donation. Dérivés : Donatiane, Donatille, Donella, Donelle.

DONELLE (irlandais) Souveraine du monde. Dérivé : Donla.

DONNA (italien) Maîtresse de maison. Très courant dans les années 50-60 dans les pays latins. Dérivés : Dahna, Donielle, Donisha, Donetta, Donnalee, Donnalyn, DonaMarie, Donni, Donnie, Donya.

DONNAG (écossais) Souveraine du monde. Dérivés : Doileag, Dolag, Dollag.

DORA (grec) Cadeau. Diminutif de Theodora. Dérivés : Doralia, Doralyn, Doraynn, Doreen, Dorelia, Dorelle, Dorena, Dorenne, Dorette, Dori, Doria, Dorie, Dorinda, Doru, Doralia, Doralice, Doralie Doraline, Doralise.

DORCAS (grec) Gazelle. Dérivé : Doreka.

DOREEN (irlandais) Sombre. Dérivés : Doireann, Dorene, Dorine, Dorinia, Doyrne.

DORIA (arabe) Étoile scintillante.

DORIANE (grec) Don de Dieu. Dérivé de Dorothée. Prénom en vogue aujourd'hui après avoir été très longtemps méconnu. Dérivés : Doriana, Dorianne, Dorrian, Dorryen.

DORIS (grec) Déesse de la mythologie grecque. Ce nom demeura inconnu dans les pays anglophones jusqu'à ce que Dickens l'adopte dans ses romans à la place de Dorothée qui était alors à la mode. Dérivés : Dorice, Dorisa, Dorlisa, Dorolice, Dorosia, Dorrie, Dorrys, Dorys, Doryse.

DORIT (hébraïque) Génération.

DORORIYA (irlandais) Océan.

DOROTHÉE (grec) Cadeau de Dieu. Dérivés : Dolly, Dorante, Doriane, Dorienne, Dorine, Dorothy, Diorbhail, Dodie, Doireann, Doorsie, Doortje, Dorchen, Dordi, Doreken, Dorella, Dorelle,

Dorice, Dorika, Dorina, Dorinda, Dorit, Dorita, Dorke, Dorocha, Dorofeïa, Doronna, Doropheya, Dorota, Doroté, Dorotea, Doroteya, Dorothea, Dorotheo, Dorothy, Dorottya, Dorte, Dorthe, Dortken, Dota.

DOUCE (latin) Bonne. Dérivés : Docina, Dolça, Doltza, Dossa, Dulce, Dulcie, Dulcinéa.

DOUHA (arabe) Matin.

DOUJA (arabe) Protectrice.

DOUNIA (arabe) Univers.

DOUNIAZAD (persan) Noble univers.

DOVA (anglais) Colombe.

DOVEVA (hébraïque) Souple. Dérivés : Dovevet, Dovit.

DRAHOMIRA (tchèque) Sincèrement aimée.

DRIEKA (germanique) peuple puissant.

DRIFA (arabe) Charmante.

DRINA (grec) Protectrice. Dérivés : Dreena, Drena.

DRUCHT (irlandais) Rosée.

DRUDWEN (gallois) Précieuse.

DRUSILLA (hébraïque) Dans la Bible, Drusilla est la fille d'Hérode. Dérivés : Drewsila, Drucella, Drucie, Drucilla, Drucy, Druscilla.

DUA (arabe) Prier.

DUANA (irlandais) À la peau brune. Féminin de Duane. Dérivés : Duna, Dwana.

DUBH (irlandais) Sombre.

DUBHAIN (irlandais) Chant.

DUBHEASA (irlandais) Sombre cascade.

DUDEE (bohémien) Étoile.

DUEÑA (espagnol) Chaperon.

DUHA (arabe) Invisible.

DUILIA (latin) Duel.

DULCIE (latin) Douce. Dérivés : Delcina, Delcine, Delsine, Dulce, Dulcea, Dulci, Dulcia, Dulciana, Dulcibella, Dulcibelle, Dulcina, Dulcinea.

DUMIA (hébraïque) Calme. Dérivé : Dumiya.

DUNE (germanique) Colline. Dérivés : Duna, Dunia.

DUNFLAITH (irlandais) Princesse brune. Dérivé : Dunlaith.

DUNJA (grec) Noble origine.

DUNVEL (celtique) Princesse.

DUSANA (tchèque) Esprit. Dérivés : Dusa, Dusanka, Dusicka, Duska.

DUSCHA (russe) Âme.

DUSTINE (anglais) Endroit poussiéreux. Forme féminine de Dustin. Dérivés : Dustee, Dusty.

DWYNWEN (irlandais) Vague blanche.

DYANI (amérindien) Cerf.

DYLANA (gallois) Née de la mer. Version féminine de Dylan.

DYMPNA (irlandais) Ce prénom est très rare, Dympna étant la patronne des malades mentaux en Irlande. Dérivé : Dymphna.

DYONISE (grec) Fille de Dieu.

EABHA (hébraïque) La vie.

EACHNA (irlandais) Cheval. Dérivé : Echna.

EADOIN (irlandais) Celle qui a de nombreux amis.

EALAISAID (écossais) Dieu est mon serment.

EALGA (irlandais) Noble.

EALGA (irlandais) Noble.

EAMHAIR (écossais) *Définition inconnue*. Dérivé : Eimhear.

EANA (irlandais) Enseignante.

EARINE (grec) Paix. Forme américaine d'Irène. Dérivé : Earina.

EARLENE (anglais) Chef. Féminin de Earl. Dérivés : Earla, Earlenne, Earley, Earlie, Earlinda, Earline, Erlene, Erlina, Erline.

EARTHA (anglais) Terre. Dérivés : Erta, Ertha, Hertha.

EASTER (anglais) Pâques.

EAVAN (irlandais) Belle.

EBBA (scandinave) Forte comme un sanglier. Dérivés : Eba, Ebbe.

EBERTA (germanique) Brillante.

ECATERINA (grec) Angélique.

ECHNA (irlandais) Cheval.

ÉCHO (grec) Nymphe de la mythologie.

EDA (anglais) Heureuse. Dérivés : Edda, Edde, Ede.

EDDA (scandinave) Personnage de la mythologie nordique.

EDDI (germanique) Protectrice des biens. Version féminine anglaise d'Edward, Édouard. Dérivés : Eddie, Eddy, Eddye.

EDELBURGE (germanique) Noble forteresse. Dérivé : Edelberga.

EDELGARD (germanique) Aristocrate.

EDELMIRA (germanique) Très noble.

EDELTRAUD (germanique) Vigoureuse.

EDEN (hébraïque) Paradis.

EDEN (hébraïque) Plaisir. Dérivés : Eaden, Eadin, Edana, Edena, Edenia, Edin.

EDENTRUDE (germanique) Fidèle honneur.

EDER (basque) Belle. Dérivé : Edera.

EDERNA (celtique) Démesurée.

EDGARDE (germanique) Riche lance.

EDIAH (hébraïque) Parure destinée à Dieu. Dérivés : Edia, Ediya, Edya, Edyah.

EDIKA (germanique) Abondance.

EDILMA (germanique) Noble protectrice.

EDILTRUDE (germanique) Noble vérité. Dérivé : Ediltruda.

EDINA (anglais) Celle qui vient d'Édimbourg, la capitale de l'Écosse. Dérivés : Edeena, Edena, Edyna.

ÉDITH (germanique) Prospère au combat. Dérivés : Edie, Edita, Edithe, Edy,

Edyth, Edytha, Edythe, Eydie, Eydith, Edda,Edit, Editke, Editta, Edyta, Etita, Ekika, Ekiya.

EDLINE (germanique) Noble. Variante d'Adèle.

EDLYN (anglais) Noble petite fille.

EDMA (germanique) Richesse.

EDMÉE (germanique) Protectrice des richesses. Dérivé : Edme.

EDMONDE (germanique) Riche protectrice. Féminin d'Edmond. Dérivés : Edmonda, Edmunda

EDNA (hébraïque) Plaisir. Dérivé : Ednah.

EDREA (anglais) Riche. Dérivés : Edra, Eidra, Eydra.

EDRICE (anglais) Riche propriétaire. Version féminine d'Edric. Dérivés : Edris,

Edryce, Edrys, Eidris, Eydris.

EDURNA (basque) Neige.

EDWARDINE (anglais) Riche protectrice. Forme féminine d'Edward, Édouard en français. Dérivés : Édouardine, Edwarda, Edwardeen, Edwardene, Edwardyne.

EDWIGE (germanique) Richesse et combat.

EDWINA (anglais) Riche amie. Féminin d'Edwin. Dérivés : Edween, Edweena, Edwena, Edwuna, Edwyna.

EEVA (polynésien) Etoile qui s'élève dans la nuit.

EFAH (hébraïque) Tristesse. Dérivés : Efa, Eifa, Eifah, Ephah.

EFFIE (grec) Conversation chantante. Dérivés : Eff, Efy, Ephie, Eppie, Euphemia, Euphémie, Euphie.

EFFLAMA (celtique) Rayonnante.

EFRATA (hébraïque) Fertile. Dérivés : Efrat, Ephrat, Ephrata.

EGERIA (grec) Déesse des Sources. Dérivé : Égérie.

EGIDIA (écossais) Chevreau.

EGLAH (hébraïque) La ronde. Dérivé : Egla.

EGLANTINE (latin) Porteuse d'épines.

EGYPE (anglais) L'Égypte.

EHUARII (polynésien) Rousse.

EIBHLIN (germanique) Beauté.

EIBHLIN (irlandais) Brillante. Variante d'Hélène en français.

EIDDWEN (gallois) Gentille et bénite.

EIFIONA (gallois) Région du Pays de Galles.

EILAH (hébraïque) Chêne.

Dérivés : Aila, Ailah, Ala, Alah, Ayla, Eila, Eilona, Ela, Elah, Elona, Eyla.

EILEEN (irlandais) Brillante. Diminitif de Helen. Dans le passé, ce prénom était courant dans les familles irlandaises. Aujourd'hui, il fait surtout office de second prénom. Dérivés : Aileen, Ailene, Alene, Aline, Ayleen, Eilean, Eilleen, Ilene.

EILEITHYA (grec) Déesse de la Naissance. Dérivé : Llithyia.

EILUNED (gallois) Idole.

EILWEN (gallois) Juste.

EIMHEAR (irlandais) Rapide. Dérivé : Emer.

EININ (irlandais) Petit oiseau. Dérivé : Eneen.

EINMYRIA (scandinave) Personnage de la mythologie.

EIR (norvégien) Pitié.

EIRA (gallois) Neige.

EIRA (gallois) Neige. Dérivé : Eyra.

EIRA (scandinave) Déesse de la Médecine.

EIRALYS (gallois) Flocon de neige. Dérivé : Eirlys.

EIRENE (grec) paix. Dérivés : Eirena.

EIRIAN (gallois) Argent, le métal. Dérivé : Eirianwen.

EIRLINA (irlandais) Fille d'Irlande. Dérivé : Eirina, Erina.

EIRPNE (grec) Paix.

EIRWEN (gallois) Juste. Dérivé : Erwyn.

EISA (scandinave) Personnage de la mythologie.

EISTIR (hébraïque) Histoire.

EITHNE (irlandais) Amande. Dérivés : Eithna, Ena, Enay, Ethenia, Ethna, Ethnah, Ethnea, Ethnee.

EITHNE Dérivé : Eithlenn.

EIZWEN (gallois) Pur désir.

ELAÏA (basque) Hirondelle.

ELAMA (hébraïque) Peuple de Dieu.

ELARA (celtique) Noblesse.

ELATA (latin) Tenue en haute estime.

ELBERTA (anglais) Noble, brillante. Version féminine d'Elbert. Dérivés : Elbertina, Elbertine, Elbie.

ELBORG (germanique) Noble protectrice.

ELDORA (espagnol) Dorée. Dérivés : Eldoree, Eldoria, Eldoris.

ELDREDA (anglais) Doyen des conseillers.

ELDRID (scandinave) Qui chevauche le feu.

ÉLECTRE (grec) Brillante. Personnage de la mythologie grecque qui poussa son frère à tuer sa mère et son amant pour venger le meurtre de leur père. Dérivés : Electra, Elektra.

ELEN (gallois) Nymphe. Dérivés : Elin, Ellin.

ÉLÉONORE (grec) Compassion. Ce prénom médiéval revient au goût du jour, tout comme sa forme médiévale Aliénor. Dérivés : Aanor, Aenor, Aliénor, Eleanor, Eileánóir, Eilionoir, Eliénor, Ellenore, Elliner, Ellinor, Eleanore, Elenore, Eleonora, Elianor, Elinor, Ellinor, Léonor, Léonora, Liénor, Liénora, Noriane, Norina, Noreen, Noriana.

ELERI (gallois) Amère. Dérivés : Ellery, Melleri.

ELETTRA (grec) Brillant.

ELEUTHERE (grec) Liberté. Dérivés : Eleuthéria.

ELFLEDA (germanique) Noble paix. Dérivé : Elfie, Elfrida, Elfride.

ELGA (slave) Houx.

ELI (norvégien) Lumière.

ELIA (hébraïque) Féminin de Elie. Dérivés : Eliette, Ella, Elle.

ÉLIANE (hébraïque) Dieu a entendu mes prières. Dérivés : Aeliana, Eliana, Elinda.

ELIBOUBANN (hébraïque) Dieu est plénitude. Forme bretonne d'Élisabeth.

ELIDA (grec) d'Elide, région de Grèce.

ELIDI (grec) Cadeau du soleil.

ELIDIE (grec) Cadeau du soleil.

ELIETTE (hébraïque) Jéhova est Dieu.

ELIEZRA (hébraïque) Dieu est salut.

ELIN (latin) Guérit.

ELINA (grec) Éclat du soleil. Dérivé d'Hélène.

ELINED (gallois) Idole.

ELIORA (hébraïque) Dieu est lumière. Dérivé : Eleora.

ÉLISABETH (hébraïque) Dieu est promesse. Classique, traditionnel, élégant, Elisabeth est, sous l'une de ses multiples versions, l'un des prénoms les plus répandus au monde. Dérivés : Alzebat, Babette, Bess, Bessey, Bessi, Bessie, Bessy, Bet, Beta, Beth, Betina, Betine, Betka, Betsey, Betsi, Betsy, Bett, Betta, Bette, Betti, Bettina, Bettine, Betty, Betuska, Boski, Eilis, Eliboubann, Elis, Élisa, Elisabet, Elisabeta, Elisabetta, Elisabette, Eliska, Elisauet, Elisaveta, Élise, Elisaka, Elissa, Eli-sueta, Eliza, Elizabetta, Elizabette, Elliza, Elsa, Elsbet, Elsbeth, Elsbietka, Elschen, Else, Elsee, Elsi, Elsie, Elspet, Elspeth, Elyse, Elyssa, Elyza, Elzbieta, Elzunia, Isabeau, Isabelita, Isabelle, Liaska, Lib, Libbee, Libbey, Libbi, Libbie, Libby, Libbye, Lieschen, Liese, Liesel, Lis, Lisa, Lisbet, Lisbete, Lisbeth, Lise, Lisenka, Lisettina, Lisveta, Liz, Liza, Lizabeth, Lizanka, Lizbeth, Lizka, Lizzi, Lizzie, Lizzy, Vetta, Yelisaveta, Yelizaueta, Yelizaveta, Ysabel, Zizi, ZsiZsi.

ÉLISE (hébraïque) Dieu est plénitude. Diminutif d'Élisabeth devenu un prénom à part entière. Dérivé : Elisa.

ELISHA (hébraïque) Dieu est mon sauveur. Dérivés : Eliseva, Elisheba, Elisheva.

ELITA (latin) Choisie.

ELIVAH (hébraïque) Dieu peut. Dérivé : Eliava.

ELKANA (hébraïque) Dieu a créé. Dérivé : Elkanah.

ELKE (germanique) Noble. Dérivé : Elka.

ELLA (germanique) Tout.

ELLEN (grec) Éclat du soleil. Variante anglaise d'Hélène, qui est devenu un prénom à part entière. Dérivés : Elan, Elen, Elena, Eleni, Elenyl, Ellan, Ellene, Ellie, Ellon, Ellyn, Elyn, Lene, Wily.

ELLETRA (grec) Chatoyante.

ELLI (scandinave) Grand âge.

ELLICE (grec) Noble. Version fémininie d'Élie. Dérivé : Elyce.

ELMA (germanique) Casque. Dérivé : Elme.

ELMIRA (arabe) Princesse.

ELMIRE (germanique) Noble et illustre.

ELNA (grec) Éclat de soleil.

ELNA (grec) Légère.

ÉLODIE (latin) Propriété. Ce prénom pour ainsi dire inconnu est apparu dans les années 1970 ; son succès a duré presque vingt ans.

ELONA (hébraïque) Chêne. Féminin d'Elon. Dérivé : Alonah.

ELORRI (basque) Epine. Dérivé : Elorria.

ELOUANE (celte) Belle lumière. Dérivés : Eloane, Loana, Loane, Louane.

ELRICA (germanique) Grand chef.

ELSA (hébraïque) Dieu est plénitude. Dérivé d'Élisabeth, Elsa est un joli prénom en vogue à la fois dans les pays scandinaves et hispaniques. C'est également celui de l'un des personnage de l'opéra de Wagner *Lohengrin*, et le prénom de la femme de Louis Aragon, qu'il célébra dans son poème *Les Yeux d'Elsa*. Dérivés : Else, Elsie, Elsy.

ELUNED (gallois) Forme. Dérivé : Eiluned.

ELUSKA (basque) Jeune fille.

ELVA (anglais) Variante d'Olivia.

ELVINA (anglais) Elfe ami. Version féminine d'Alvin. Dérivés : Elvie, Elvy, Elwina.

ELVIRE (germanique) Noble gardienne. Dérivés : Alvera, Alvira, Elva, Elvera, Elvia, Elvira.

ELWYNN (gallois) Sourcils blonds.

ELYSIA (latin) Des Champs-Élysées, le paradis dans la mytholigie grecque. Dérivés : Eliese, Elise, Elyse, Ileesai, Iline, Illsa, Ilyse, Ilysia.

EMA (arabe) Faveur.

ÉMELINE (latin) Adversaire.

EMER (irlandais) Ambroisie. Dérivés : Eimhear, Eimear.

EMERA (anglais) Habile.

EMERENTIA (latin) Estimable.

ÉMEURAUDE (grec) Pierre précieuse.

EMI (japonais) Beauté.

EMI (japonais) Beauté.

EMIKO (japonais) Enfant de la beauté.

ÉMILIE (grec) Adroite. Émilie est l'un des prénoms phare des années 1970. Pour la petite histoire, notons qu'aux États-Unis Emily est le prénom le plus souvent choisi par les mères ayant fait des études universitaires. Dérivés : Aimil, Amalea, Amalia, Amélie, Ameline, Amy, Eimilie, Em, Ema, Emalee, Emalia, Emelda, Emelene, Emelia, Emelina, Émeline, Emelyn, Emelyne, Emelynne, Emera, Emi, Emie, Emila, Emilea, Emilia, Emilka, Emma, Emmalee, Emmali, Emmaline, Emmalynn, Emmele, Emmeline, Emmiline, Emylin, Emyllynn, Emlyn.

EMIRI (polynésien) Basilic don des dieux.

EMLY (latin) Rival.

EMMA (hébraïque) Dieu avec nous. Emma, diminutif d'Emmanuelle, est devenu un prénom à part entière. Il évoque le personnage de Flaubert, Emma Bovary, et son aspect rétro séduit de très nombreux parents aujourd'hui. Dérivés : Em, Emmi, Emmie, Emmy.

EMMANUELLE (hébraïque) Dieu avec nous. Lancé en France dans les années 1970 par la littérature érotique, ce prénom a eu une très belle carrière jusqu'en 90. Dérivés : Emma, Emmanuela, Emmie, Emmy.

EMMELIE (germanique) Harmonieuse. Dérivé : Emmelia.

EMMELINE (germanique) Douce maison.

EMMERANE (germanique) Maison du corbeau.

EMNA (arabe) Croyante.

EMOUNA (hébraïque) Confiance.

EMUNA (hébraïque) Fidèle.

ENA (hawaïen) Abondance.

ENA (irlandais) Brillante. Peut-être un dérivé d'Hélène.

ENARA (basque) Hirondelle.

ENAT (irlandais) Feu.

ENDA (Irlande) Oiseau.

ENDORA (grec) Beau cadeau. Dérivé : Eudora.

ÉNÉA (grec) Féminin d'Énée, héros de la mythologie.

ENEKA (basque) Feu. Dérivé : Enekoïza.

ENFYS (gallois) Arc en ciel.

ENFYS (gallois) Arc-en-ciel.

ENGELMA (germanique) Lance illustre.

ENGRACIA (espagnol) Grâce.

ENGUERRANDE (germanique) Ange.

ENIDE (gallois) Vie. Dérivés : Eanid, Enid, Enud, Enudd.

ENIMIE (grec) Bonne loi.

ENNIA (celte) Avenir.

ENNIS (irlandais) Ville de l'ouest de l'Irlande. Dérivé : Inis.

ENORA (celtique) Honneur. Dérivé : Enor.

ENRICA (germanique) Maison de roi. Forme féminine italienne d'Henri. Dérivés : Enrieta, Enriqueta, Riqueta, Riquita.

ENVELA (celte) Princesse heureuse.

ENZA (latin) Vainqueur.

ENZA (latin) Victorieuse.

EODEZ (germanique) Ancienne. Forme bretonne d'Aude.

EOGHANIA (gallois) Jeunesse.

EOLIA (grec) du dieu Eole.

EOS (grec) Aurore.

EOZEN (celte) If. Forme bretonne d'Yvonne. Dérivé :

Eozena.

EOZENA (celtique) Bonne.

EPHRONA (hébraïque) Petite biche.

EPIPHANIA (grec) Qui se manifeste. Dérivés : Epiphanie, Feofana, Feofania.

ERCOLINA (latin) Du dieu Hercule.

ERCONGOTE (germanique) Honneur de Dieu.

ERELA (hébraïque) Ange.

ERELL (celtique) Extrémité.

EREMBERTE (germanique) Illustre honneur.

ERENTRUDE (germanique) Fidèle honneur.

ÉRIANTHE (grec) Celle qui aime les fleurs.

ÉRICA (germanique) Roi. Féminin d'Éric. Ce prénom, courant dans les pays nordiques, est parvenu aux États-Unis au milieu du XIXe siècle. Il a connu une certaine popularité qui se maintient. Dérivés : Airica, Airika, Ayrika, Enrica, Enricka, Enrika, Ericka, Erika, Errika, Eyrica.

ERIN (gaélique) Île de l'Ouest. L'Irlande elle-même. Curieusement, ce prénom très couru aux États-Unis ne l'est pas du tout dans le pays qu'il représente. Dérivés : Erene, Ereni, Eri, Erina, Erinn, Eryn, Eireann.

ERLE (celtique) Abondante.

ERLEA (basque) Hirondelle.

ERLINA (Irlande) Fille d'Irlande.

ERLINDA (hébraïque) Esprit.

ERMA (germanique) Gardienne.

ERMANDA (germanique) Guerrier.

ERMELINDE (germanique) Doux honneur. Dérivés : Erma, Ermelina, Ermeline, Linda, Melinda.

ERMENBURGE (germanique) Forteresse d'Irmin.

ERMENGARDE (germanique) Demeure du dieu Irmin. Dérivés : Irma, Irmengarde.

ERMENHILD (germanique) Combattante d'Irmin.

ERMENTRUDE (germanique) Puissance.

ERMESSENDE (germanique) Grande route. Dérivé : Ermessinde.

ERMIN (gallois) Hautaine. Dérivé : Ermine.

ERNA (germanique) Guerrière.

ERNA (scandinave) Capable.

ERNESTINE (germanique) Grave. Forme féminine d'Ernest. Dérivés : Aerna, Erna, Ernaline, Ernesta, Ernestyna.

ERRAMONA (germanique) Forme basque de Raymonde. Dérivés : Erramuna, Erramune.

ERROLYN (anglais) Région de Grande-Bretagne. Féminin d'Errol.

ERROXA (latin) Forme basque de Rose. Dérivés : Errosa, Errosali.

ERRUKINE (basque) Pitié.

ERSILIA (grec) Délivre.

ERWANNA (celtique) If. Féminin d'Erwann. Dérivé : Erwannig.

ERWINA (anglais) Sanglier, ami. Version féminine d'Erwin.

ERYL (gallois) Observateur.

ESKARNE (basque) Pitié.

ESMEE (germanique) Forme

dérivée d'Edmée.

ESMERALDA (espagnol) Émeraude. Dérivés : Emerant, Émeraude, Esma, Esmaralda, Esmarelda, Esmiralda, Esmirelda, Ezmeralda.

ESPERANZA (espagnol) Espoir. Dérivés : Espérance, Esperantia.

ESSIE (latin) Astre.

ESTEBANIA (grec) Forme basque de Stéphanie. Dérivés : Estebaniz.

ESTEFANIA (grec) Couronnée.Dérivé : Estève.

ESTELLE (anglais) Étoile. Dérivés : Essie, Essy, Estee, Estela, Estelita, Estella, Estrelita, Estrella, Estrellita, Stella.

ESTELLE Dérivés : Estello, Etelka

ESTHER (hébraïque) Dérivés : Esfir, Esteri, Eszter.

ESTHER (hébraïque) Étoile. Dérivés : Essie, Essy, Esta, Ester, Etti, Ettie, Etty.

ESTIBALIZ (basque) Douce comme le miel.

ESTRELLA (anglais) L'enfant des étoiles. Dérivé : Estrelle.

ESWEN (gallois) Force.

ETAIN (irlandais) Jalousie. Personnage de la mythologie, symbole de la beauté. Dérivé : Eadaoin.

ETANA (hébraïque) Dévouement. Version féminine d'Ethan.

ETENIA (amérindien) Riche.

ETETARA (polynésien) Corbeille de la déesse

ETHEL (germanique) Noble. Ethel, autrefois, était le joli diminutif de prénoms comme Ethelinda, Ethelberta ou Etheldreda. Jugé paradoxalement peu distingué par la suite, il tomba progressivement en désuétude. Dérivés : Ethelda, Etheline, Ethelyn, Ethelynne, Ethille, Ethlin, Ethyl.

ETHELBURGE (germanique) Noble forteresse.

ETHELGARD (germanique) Noble maison.

ETHELINDA (germanique) Noble serpent. Dérivés : Etheleen, Ethelena, Ethelende, Ethelina, Ethelind, Ethylinda.

ETHELRED (germanique) Noble gloire. Dérivé : Etheldred, Etheldreda.

ETHNE (irlandais) Le feu. Dérivés : Ethna, Ethnea, Ethnee.

ETINI (polynésien) Fleurs blanches sur la route.

ETSI (basque) Miel.

ETSU (japonais) Plaisir.

ETSUKO (japonais) Enfant du plaisir.

ETTA (anglais) Diminutif.

EUBH (écossais) Vie. Dérivé : Eubha.

EUDELINE (germanique) Richesse. Dérivés : Eudiane, Eudine, Odine.

EUDORA (grec) Cadeau altruiste. Dérivé : Eudore.

EUDOXIE (grec) Beau cadeau. Dérivés : Eudocia, Eudokia, Eudoxia.

EUDOXIE Dérivés : Evdokiya, Ievdokeïa, Ievdokia.

EUFERNIA (grec) Bon présage.

EUGÉNIE (grec) Bien née. Féminin d'Eugène. Ce prénom, qui est celui de la deuxième fille du duc et de la duchesse de York, prend un certain essor et ne devrait pas manquer, dans les années à venir, d'être en bonne place parmi les prénoms les plus attribués. Dérivés : Eugena, Eugenia, Eugina, Eguskina, Eguskine, Eukene, Eukeni, Evguecha, Evguénia, Eizenija, Ievdenia, Ievguenia.

EULALIE (grec) Beau chant. Dérivés : Elalee, Elaylia, Eula, Eulalia, Eulaylie.

EUMAELLE (celte) Bonne princesse.

EUNICE (grec) Victorieuse. Dérivés : Eniss, Eunys.

EUPHAMIA (grec) Celle qui parle en bien.

EUPHÉMIE (grec) Qui parle bien. Dérivés : Eufémia, Euphémia.

EUPHRASIE (grec) Belle élocution. Dérivé : Euphrosine.

EUPHRONIE (grec) Intelli-gente. Dérivé : Eufronie, Euphrosina, Eurose, Eurosie, Euphrosyne Eufruzsina.

EUPHROSINE (grec) Bel esprit. Dérivés : Eufrosina.

EURIA (basque) Pluie.

EURIEL (celtique) Ange.

EURYDICE (grec) Dans la mythologie, épouse d'Orphée. Dérivé : Euridice.

EUSÉBIE (grec) Dévouée. Dérivés : Eusébia, Euxébia, Euzébia, Euzébie.

EUSTACIA (grec) Féconde, fertile. Féminin d'Eustache.

EUTERPE (grec) Agréable.

EUTROPE (grec) Favorable. Dérivés : Eutropia, Eutropie.

EUXANE (grec (Hospitalière) Forme dérivée d'Auxane.

EUZEBIA (polonais) Dévouée.

EVADINE (grec) Chance. Dérivés : Evadney, Evadnie, Evie.

EVAËLLE (hébraïque) Qui donne la vie. Dérivé de Eve.

EVALYN (germanique) Grâce.

ÉVANGELINE (grec) Bonnes nouvelles. Dérivés : Evangelia, Envangelina, Evangeliste.

EVANIA (grec) Sereine.

EVARISTA (grec) Qui plait.

ÈVE (hébraïque) Celle qui donne la vie. Dérivés : Ebba, Eva, Evaine, Evathia, Evchen, Evelina, Eveline, Evi, Evicka, Evike, Evita, Evka, Evonne, Evy, Ewa, Yeuka, Yeva.

ÉVELYNE (hébraïque) Celle qui donne la vie. Prénom composé de Ève et de Line. Dérivés : Eibblin, Eibhilin, Eibhlin, Eibhliu Evaleen, Evaline, Evalyn, Evalynne, Evelaine, Eveliina, Evelina, Eveline, Evelyn, Evelyna, Evelynn, Evelynne.

EVERELDA (anglais) Sanglier se battant. Version féminine d'Averill.

EVGUENIA (grec) Noblesse.

EVITA (hébraïque) Donne naissance.

EVONA (celte) If. Dérivé : Evin.

EVZENIE (tchèque) Bien née. Dérivés : Evza, Evzendak, Evzikcka.

EWELINA (polonais) Vie. Dérivé : Ewa.

EXUPERANCE (latin) Qui se surpasse. Dérivé : Exupétentia

EYBA (arabe) Bonheur.

FAANUI (hawaïen) Belle femme de la vallée.

FABIENNE (latin) Celle qui fait pousser des fèves. Forme féminine de Fabien. Dérivés : Fabia, Fabiana, Fabiane, Fabianna, Fabiola.

FABRIZIA (italien) Celle qui travaille de ses mains. Dérivés : Fabricia, Fabrienne, Fabritzia.

FADELA (arabe) Méritante.

FADIA (arabe) Sacrifiée.

FADILA (arabe) Vertu. Dérivé : Fadilah.

FADILLA (latin) Franche.

FAHIMA (arabe) Intelligente.

FAHMIA (arabe) Compréhensive.

FAIDA (arabe) Abondance. Dérivé : Fayda.

FAIKA (arabe) Eclipse.

FAILA (hébraïque) Dieu guérisseur.

FAIMANO (Polynésie) Révélation.

FAÏNA (grec) Brillante.

FAÏROUZ (arabe) Turquoise. Dérivés : Féirouz, Firouz, Firouza.

FAITH (latin) Foi. Dérivé anglais de Foy.

FAKHITA (arabe) Colombe.

FALAK (arabe) céleste.

FALDA (islandais) Ailes repliées.

FALINE (latin) Comme un chat.

FALLON (irlandais) Alliée d'un chef. Dérivé : Falon.

FALZAH (arabe) Triomphante.

FANCHON (latin) Française. Forme familière de Françoise.

FAND (irlandais) Hirondelle.

FANNY (latin) Française. Version provençale de Françoise. Dérivé : Fannette.

FANNY Dérivés : Fani, Fania, Fanni, Fannie.

FANTINE (latin) Enfant.

FANTOU (celtique) Originaire des Francs.

FAOILTIARNA (irlandais) Seigneur des loups.

FAOUZ (arabe) Délivrance.

FAOUZIA (arabe) Qui réussi.

FARAH (arabe) Réjouie.

FARALDA (germanique) Vagabonde.

FARDOOS (arabe) Utopie.

FARE (celte) Froment.

FAREWELL (anglais) Adieu ou magnifique printemps

FARHAT (arabe) Joie.

FARIA (arabe) Belle.

FARICA (germanique) Chef pacifique.

FARIDA (arabe) Unique. Dérivés : Faridah, Farideh.

FARIHA (arabe) Heureuse. Dérivé : Farihah.

FAROUJA (arabe) celle qui console.

FARRAH (arabe) Agréable. Dérivés : Fara, Farah, Farra.

FARREN (anglais) Nom de famille. Dérivé : Faren.

FATEN (arabe) Charme.

FATENA (arabe) Subtile.

FATHIA (arabe) Généreuse.

FATHIYA (arabe) Victorieuse.

FATHIYA Dérivés : Fathia, Fatiha.

FATIMA (arabe) Nom de la fille préférée du prophète Mahomet. Ce prénom est porté par un grand nombre de fillettes musulmanes à travers le monde, et il est très courant en Europe. En revanche, il n'est arrivé aux États-Unis qu'assez récemment, et il rencontre parfois des réticences, car le mot fat qui signifie gros en anglais peut être la source de moqueries. Dérivés : Fatimah, Fatma, Fatuma.

FATIMATA Dérivés : Fatimata, Fatimatou, Fatna, Fatoumata.

FATIN (arabe) Ensorcelée. Dérivés : Fatina, Fatinah.

FATINE (arabe) Attrayante.

FAUSTINE (latin) Chanceuse. Féminin de Faust. Ce prénom était très répandu dans l'Antiquité à Rome. Il est réapparu voici quelques années ; son succès est discret, mais constant. Dérivés : Fausta, Fauste, Faustina.

FAWN (anglais) Le faon.

FAWZIA (arabe) Glorieuse.

FAYE (latin) Foi. Forme anglaise de Foy. Dérivé : Faith.

FAYINA (ukrainien) Femme venue de France.

FAYRUZ (arabe) Turquoise.

FAYZA (arabe) Gagnante. Dérivés : Faiza, Faizah, Fawzia.

FEBA (grec) Brillante.

FEBRONIE (latin) Fièvre. Dérivés : Fébronia, Févronia, Févronie.

FÉDILA (arabe) Digne.

FEDORA (grec) Cadeau de Dieu. Dérivés : Féodora, Féodosia, Fjodora.

FEIDHELM (irlandais) *Définition inconnue*. Dérivés : Fedelma, Fidelma.

FEIGE (hébraïque) Oiseau. Dérivés : Faga, Faiga, Faigel, Feiga, Feigel.

FEIKA (arabe) Sublime.

FEIZA (arabe) Supérieure.

FELDA (germanique) Qui vient des champs.

FÉLICIE (latin) Heureuse. Dérivés : Felcia, Féliciana, Félicienne, Felizia, Felitsa, Felitza, Felixa, Felixi, Felixia, Felixana, Felixiane, Felizia, Filicina, Filizia.

FÉLICITÉ (latin) Heureuse. Version féminine de Félix. Félicité est un joli prénom au charme un peu désuet qui redevient à la mode, accompagné de Félicie. Félicienne, qui semble vieillot, est encore boudé par les futurs parents. Dérivés : Falecia, Falicia, Falicie, Falisha, Falishia, Felice, Felicia, Feliciana, Felicidad, Félicienne, Felicita, Felicitas, Felicity, Felise, Felita, Feliza, Felissada, Felissata, Felizitate.

FENIA (scandinave) Personnage de la mythologie. Dérivé : Fenja.

FEODORA (russe) Présent de Dieu. Forme féminine de Théodore, Fédia, Fédiana, Fédiouka, Fédora, Fédorka, Fédossia, Fedotia, Fedoulia, Fedoussia, Féodossa, Féodossia, Fiodora, Fiodorka.

FEOFILA (grec) Qui aime Dieu.

FERDINANDE (germanique)

Bravoure.

FERDINANDE Dérivé : Ferdinanda.

FERGIE (Ecossais) Énergique.

FÉRIA (arabe) Splendide.

FERIAL (arabe) Justice

FERNANDE (germanique) Paix et courage ou voyageur hardi. Féminin de Fernand.

FERNANDE Dérivés : Fernanda, Ferranda, Ferrexon.

FERNLEY (anglais) Valllée de fougères. Dérivés : Fern, Ferne, Fernlee, Fernleigh, Fernly.

FETHA (arabe) Épanouie.

FETHIA (arabe) Grâce divine

FETIA (polynésien) Etoile

FETINA (arabe) Charmante.

FIA (grec) Sagesse.

FIALA (tchèque) Violette.

FIAMMETTA (italien) Flamme crépitante. Dérivé : Fia.

FIANNA (irlandais) Guerrière.

FIDDA (arabe) Argent, le métal.

FIDELE (latin) Fidèle. Dérivés : Fidéla, Fidélia.

FIDELMA (irland.) Constante. Dérivé : Fedelma.

FIKEN (grec) Sensée.

FIKRIYA (arabe) Méditer.

FILIA (grec) Amitié.

FILIPPINA (italien) Qui aime les chevaux. Féminin de Philippe. Dérivé : Filippa.

FINA (hébraïque) Flamber.

FINDCHOEM (irlandais) Douce blonde.

FINDTIGERN (irlandais) Tête blonde.

FINE (hébraïque) Diminutif de Joséphine.

FINN ((irlandais) Blanche. Dérivé : Findabair, Finnseach.

FINOLA (irlandais) Blanches épaules. Dérivés : Effie, Ella, Fenella, Finella, Fionnaghuala, Fionneuala, Fionnghuala, Fionnuala, Fionnula, Fionola, Fynella, Nuala.

FINOLA Dérivés : Fionnghuala, Fionnguala, Fionnoula, Fionnuala, Fionnula, Fionola

FIONA (irlandais) Blonde, blanche. Dérivés : Fionna, Fionne.

FIONA Dérivés : Fianait, Fianna, Finna

FIONNUIR (irlandais) Esprit blanc

FIRDOUS (persan) Paradis

FIRMINA (latin) Persuasive.

FIRMINA Dérivés : Fermine, Firmaine, Firmiane, Firmina, Firmine, Firminie.

FLAMENN (celtique) Enflammée.

FLAMINIA (latin) Prêtre.

FLANN (irlandais) Rousse. Dérivés : Flanna, Flanney.

FLANNERY (gaélique) Jeune fille aux sourcils roux.

FLAVIE (latin) Blonde. Dérivés : Flavia, Flaviane, Flaviere, Flayia.

FLEUR (Français) Fleur. Dérivés : Fleurance, Fleurimonde

FLORALBA (latin) Fleur blanche.

FLORE (latin) Fleur. Flore est aujourd'hui le plus en vogue des prénoms « florissants ». Flora est aussi populaire en Suède, en Grande-Bretagne, en Allemagne et en Russie, et elle devrait connaître un beau succès outre-Atlantique. Dérivés : Fiora, Fiore, Fiorentina, Fiorenza, Fiori,

Fleur, Fleurette, Fleurine, Flo, Flor, Florance, Florann, Floranne, Flore, Florella, Florelle, Florence, Florencia, Florentia, Florentine, Florenze, Floretta, Florette, Flori, Floria, Floriane, Florianan, Florie, Floriese, Florina, Florinda, Florine, Floris, Florrie, Florry, Floss, Flossey, Flossie, Fionnaghal, Fioraidh, Fiurentin, Flocelle, Floor, Floorken, Floireans, Florag, Floraidh, Floraine, Florange, Floréale, Florencia, Florenço, Florenta, Florentia, Florentina, Florentine, Florentxa, Florentxi, Florentyna, Florentza, Florès, Floreta, Floriana, Florimonde, Florida, Florinde.

FLORIDA (espagnol) Fleurie.

FLORIMEL (latin) Fleur et miel.

FLOWER (anglais) Fleur.

FODLA (Irlande) Souveraine.

FORTUNATA (latin) Chanceuse. Dérivés : Fortuna, Fortune.

FORTUNATA Dérivés : Fortunate, Fortunée.

FOY (latin) Foi. Foy est l'un de ces prénoms exprimant une vertu, comme Charité ou Prudence, que les puritains du XVIIe siècle aimaient tant. Dérivés : Faith, Fiona.

FOY Dérivés : Fé, Fédé.

FRAGANA (celtique) Druidesse.

FRANCE (française) Qui vient de France. Ce prénom est classique mais rare. Sa version anglaise Frances a connu un certain succès jusqu'à la crise de 1929, puis elle est un peu tombée dans l'oubli jusqu'à 1980, époque à laquelle elle est redevenue très chic. Dérivés : Fan, Fancy, Fania, Fanee, Fanney, Fannie, Fanny, Fanya, Franca, Francee, Franceline, Francena, Francene, Francetta, Francette, Francey, Franchesca, Francie, Francina, Francine, Franciska, Franeka, Franja, Franni, Frannie, Franzetta, Francette, Francia, Franka, Franceschina, Fran, Fantaou, Fantig, Fantou, Francian, Franciszka, Françoun, Franeka, Franga, Frankeline, Franni, Frannsaid, Franny, Fransenda , Franseza, Fransi.

FRANÇOISE (latin) Française. Féminin de François.

Ce prénom a atteint le summum de sa popularité dans les années 1950 ; elle est devenue rarissime aujourd'hui. Parmi les Françoise connues, on peut citer Françoise Dolto ou Françoise Sagan, Françoise Giroud, Françoise Mallet-Joris, Françoise Chandernagor. Dérivés : Ceska, Fanchon, Fannette, Fanny, Francesca, Frances, Franceso, Franceza, Fransje, Fransoez , Frantcha, Frantiska, Frantsesa , Frantxa, Frantzesa, Frantziska, Franziska, Paquita, Soizic.

FRANTISKA (tch.) Femme libre. Dérivés : Frana, Franka.

FRAYDA (hébraïque) Heureux. Dérivés : Fradel, Frayde, Freida, Freide.

FREDA (germanique) Paisible. Dérivés : Freada, Freddi, Freddie, Freddy, Frederica, Frédérique, Freeda, Frida, Frieda, Fritzi, Fryda.

FREDEGONDE (germanique) Combat pour la paix.

FRÉDÉRIQUE (germanique) Paix du roi. Féminin de Frédéric. Dérivés : Frédérica, Frédérika, Frida, Frieda, Federica, Ferika, Frederika, Frédrika, Freken, Frerika, Fricka, Fridrika, Frieda, Friedderike, Friederik, Friederike, Frika, Frikkie, Fryda.

FREDERUNE (germanique) paix du monde.

FREYA (suédois) Noble dame. Dérivés : Freja, Freyja, Froja.

FRIDEBORG (germanique) Protectrice de la paix.

FRIDEHILD (germanique) Guerrière qui protège.

FRIDESWIDE (germanique) Gouverneur de la paix.

FRIEDBURG (germanique) Défense.

FRIGG (scandinave) Aimée. Dérivé : Frigga.

FUKAYNA (arabe) Qui sait.

FULBERTE (germanique) Élite.

FULLA (scandinave) Déesse de la Fertilité.

FULVIE (latin) Jaune.

FURSY (germanique) Princesse.

FUSCIANE (latin) Noire. Dérivés : Fescenia, Fusca, Fuscia, Fuscienne.

GABRIELLE (hébraïque) Dieu est ma force. Mélodieux, élégant, Gabrielle est un classique qui revient en force en France. En Amérique, Gabrielle, tout comme son diminutif Gaby, connaît un joli succès et se classe dans les cinquante prénoms les plus populaires. Parmi les Gabrielle connues, citons l'actrice Ga-brielle Lazure ou la joueuse de tennis Gabriella Sabatini. Dérivés : Gabbi, Gabby, Gabi, Gabriela, Gabriell, Ga-briella, Gaby.

GABRIELLE Dérivés : Ga-vriila, Gavrila, Gavriouna.

GADA (hébraïque) Chanceuse.

GADIELLA (hébraïque) Agneau de Dieu.

GAELIG (celtique) Étrangère.

GAELLE (celtique) Seigneur généreux. Féminin de Gaëlle.

GAENOR (gallois) Blanche, lisse.

GAÉTANE (latin) Habitante de Gaète, ville italienne. Dérivé : Gaétana.

GAFNA (hébraïque) Vigne vierge.

GAIA (grec) Divinité de la

Terre. Dérivés : Gaïane, Gaioa, Gaya.

GAID (grec) Perle. Forme bretonne de Marguerite. Dérivé : Gaïdig.

GAIL (hébraïque) Mon père se réjouit. Ce prénom est, au départ, une variante d'Abigaël qui naquit aux États-Unis dans les années 1940 quand les américains commencèrent à se lasser des prénoms traditionnels. Dérivés : Gaël, Gaile, Gale, Gayle.

GAILLARDE (latin) Fleurs.

GAÏNKO (basque) Hauteur.

GALA (scandinave) Chanson, célébration. Dérivé : Galla.

GALATHÉE (grec) Blanche comme du lait. Dérivé : Galatea.

GALENA (grec) Guérisseuse.

GALI (hébraïque) Colline, mont. Dérivés : Gal, Galice.

GALIA (hébraïque) Dieu est clément. Dérivés : Galiana, Galiane.

GALIENA (germanique) Grande. Dérivés : Galiana, Galianna.

GALINA (grec) Éclat du soleil. Forme slave d'Hélène. Dérivé : Galinda.

GALITH (hébraïque) Petite vague.

GALLA (latin) de Gaule. Dérivés : Gallia, Galliane, Gallienne.

GALLEZOU (celtique) Brave.

GALSINDE (germanique) Chemin étranger. Dérivés : Galsende, Galsonde.

GALTHIERE (germanique) Protectrice de l'armée. Dérivé : Galtière.

GALVINA (celte) Faucon.

GALYA (hébraïque) Dieu a racheté nos fautes. Dérivés : Galia, Gallia, Gallya.

GAMALIELLE (hébraïque) Récompense de Dieu.

GAMMA (grec) Troisième lettre de l'alphabet grec.

GAMRA (arabe) Jeune fille au teint clair. Dérivé : Gamria.

GANIT (hébraïque) Jardin. Dérivés : Gana, Ganice.

GANYA (hébraïque) Jardin de Dieu.

GARABI (basque) Purification.

GARANCE (français) Plante à fleurs jaunes. Ce prénom rare a été connu grâce au personnage Garance joué par Arletty dans le film *Les Enfants du paradis*. Et s'il n'a pas tenté les parents au moment de la sortie du film, il est aujourd'hui en très bonne place à l'état civil.

GARDA (germanique) Dure lance. Forme féminine de Gérard.

GARDENIA (anglais) Fleur du même nom.

GARI (germanique) Lance. Féminin de Gary.

GARMIA (arabe) Épouse du seigneur.

GARNET (anglais) Grenat, la pierre précieuse. Dérivés : Garnetta, Garnette.

GAROA (basque) Rosée.

GASHA (russe) Bonne. Version russe d'Agathe. Dérivé : Gashka.

GATIENNE (latin) De la famille Gatius. Dérivé : Gatiane.

GAUBURGE (germanique) Qui gouverne la forteresse.

GAUDEBERTE (germanique)

Illustre forteresse.

GAUDENCE (latin) Qui se réjouit. Dérivé : Gaudencia.

GAVRILLA (hébraïque) Héroïne.

GAYNOR (celtique) Écume.

GAYNOR Dérivés : Gayna, Gayner.

GAYORA (hébraïque) Vallée de lumière.

GAZELLE (latin) Animal du même nom. Dérivé : Gazella.

GAZIT (hébraïque) Pierre douce.

GAZTAIN (basque) Noisette.

GEELA (hébraïque) Joie.

GEFEN (hébraïque) Vigne blanche. Dérivés : Gafna, Gafnit, Gaphna, Geffen.

GEFJUN (scandinave) Celle qui apporte la richesse. Dérivés : Gefion, Gefjon.

GEILEIS (irlandais) Cygne.

GEIRGIA (grec) Paysanne.

GELILAH (hébraïque) Collines onduleuses. Dérivés : Gelalia, Gelalya, Gelila, Gelilia, Geliliya.

GELSEY (anglais) Nom de famille.

GELYA (russe) Messagère.

GEMINI (grec) Jumelle. Dérivés : Gemella, Gemelle, Gemina, Geminine.

GEMMA (irlandais) Bijou ; (italien) Pierre précieuse. Dérivé : Gem.

GENEA (phénicien) Premiers habitants de la Phénicie.

GENESIS (hébraïque) Commencement.
Dérivés : Genessa, Genisa, Genisia, Genisis, Jenessa.

GENEVIÈVE (germanique) Femme de bonne race. Geneviève est un prénom typiquement européen et assez sophistiqué. L'actrice Geneviève Bujold est, à cet égard, très représentative. En France, il a presque complètement disparu. En Amérique, en revanche, où la culture européenne est appréciée, il pourrait bien connaître une certaine vogue. Dérivés : Genavieve, Geneva, Genevote, Gennie, Genny, Genovefa, Genovera, Gina, Guénia, Gwenivar, Janeva, Jenvieve, Genna, Gennia, Genofa, Genoveva, Genowefa, Genuvefa,Ginette, Guenovera, Jenofa, Jenovefa.

GENIA (grec) Noblesse.

GENNA (arabe) Petit oiseau.

GENOVEFA (germanique) Femme de bonne race. Forme médiévale de Geneviève.

GENTIANE (latin) De la plante éponyme.

GENTILIS (latin) Jeune fille de bonne famille. Dérivé : Gentilina.

GEONA (hébraïque) Glorification. Dérivé : Geonit.

GEORGIA (latin) Fermier. Féminin de Georges. Ce prénom fut lancé par la chanson de Ray Charles, *Georgia*, dans les années 1970. Dérivés : Georgeann, Georgeanne, Georgeina, Goergena, Georgene, Georgetta, Georgette, Georggann, Georgganne, Georgiana, Georgianne, Georgie, Georgienne, Georgina, Georgine, Giorgia, Giorgina, Giorgyna, Jorgina.

GEORGIA Dérivés : Giorgia, Györgike, Györgyi.

GÉRALDINE (germanique)
Lance qui gouverne.

GERALDINE Dérivés : Géralda, Géraldina, Giralda, Guiralda, Guiraude.

GÉRANIUM (latin) Fleur du même nom.

GÉRARDE (germanique)
Brave.

GÉRARDE Dérivés : Gérarda, Gérardine.

GÉRAUDE (germanique)
Lance puissante. Dérivés : Giraude, Guérande.

GERD (scandinave) Gardée. Dérivés : Gard, Gerda.

GERDA (germanique) Protectrice. Dérivés : Garda, Gerdina, Gerralda, Gerry, Gerta.

GERHILD (germanique)
armé d'une lance.

GERLINDE (germanique)
Lance sage.

GERMAINE (germanique)
De même sang. Féminin de Germain.

GERMAINE Dérivés : Germana, Germane, Germena, Germonda, Germinie, Guermana, Guermane, Guermoussia, Jermana, Jermena.

GERRY (germanique) Règne.

GERSANDE (germanique)
Lance victorieuse. Dérivés : Garsande, Garsende, Garswinde, Gersende, Gerswinde.

GERSEMI (scandinave) Pierre précieuse.

GERTRUDE (germanique)
Avec la force d'une lance. Prénom tombé en désuétude. L'écrivain Gertrude Stein illustre ce prénom. Variantes : Geertrui, Geertruida, Geertge, Geertrui , Geertruida, Gertie, Gertrud,

Gertruda, Gertrudis, Gertrui, Gerty, Gela, Gerd, Gerda, Gertie, Gertina, Gertraud, Gertrud, Gertruda, Gerty, Truda, Trude, Trudey, Trudi, Trudie, Trudy, Trudye.

GERUSHAH (hébraïque) Bannissement. Variante : Gerusha.

GERVAISE (germanique) Lance audacieuse. Dérivés : Gervasia, Gersazia.

GERZPE (basque) Refuge.

GESA (germanique) Fidélité.

GEVA (hébraïque) Colline.

GEVIRAH (hébraïque) Reine. Variante : Gevira.

GHADA (arabe) Gracieuse. Variantes : Ghadah, Ghayda.

GHADIR (arabe) Rivière.

GHAFIRA (arabe) Clémence.

GHALIYA (arabe) Parfum. Variante : Ghaliyah.

GHANIA (arabe) Vertueuse.

Dérivé : Rania.

GHAZELLA (arabe) Gazelle.

GHISLAINE (germanique) Doux otage. Féminin de Ghislain. Dérivés : Ghisline, Guilaine, Guylaine.

GHITA (grec) Perle.

GHORA (arabe) Noble.

GHUFRAN (arabe) Qui pardonne.

GIA (italien) Reine.

GIACINTA (italien) Jacinthe.

GIACOMA (hébraïque) Forme italienne de Jacqueline. Dérivés : Giacoba

GIACOMINA (hébraïque) Préférée.

GIALIA (italien) Juvénile. Version féminine de Giulio. Variantes : Giala, Gialiana, Gialietta.

GIANNA (hébraïque) Dieu est bon. Version féminine de Gianni, Jean en italien. Variantes : Giancinthia, Gianetta, Gianina, Giannina, Giannine, Jacenda, Jacenta, Jacey, Jacie.

GIBORAH (hébraïque) Forte. Dérivé : Gibora.

Giertru, Giertruda, Kerrtu, Kertutti.

GILA (germanique) Dureté.

GILADAH (hébraïque) Colline du témoignage. Dérivés : Galt, Geela, Gila, Gili, Gilia.

GILANAH (hébraïque) Heureuse. Dérivé : Gilania.

GILBERTE (germanique) Brillante otage. Féminin de Gilbert. Dérivés : Gilberta, Wilberta, Wilberte.

GILDA (anglais) Dorée.

GILDA (celte) Chevelure Dérivé : Gweltaz.

GILIAH (hébraïque) Joie de Dieu. Dérivés : Gilia, Giliya, Giliyah.

GILL (anglais) Duveteuse.

GILLIAN (anglais) Jeune. Dérivés : Gilian, Gillan, Gillianne, Gillyanne.

GILLONE (grec) Protection.

GILSEY (anglais) Jasmin.

GIN (japonais) Argent.

GINA (hébraïque) Jardin ; (italien) Diminutif de Regina ou d'Angelina. Gina a été, dans les années 1950-1960, le prénom exotique par excellence grâce à Gina Lollobrigida. En Amérique, il représentait même le summum du charme et de la sophistication européenne. Dérivés : Geena, Gena, Ginat, Ginia.

GINETTE (germanique) Femme de bonne race. Forme Dérivée de Geneviève.

GINGER (anglais) Gin-gembre. Prénom illustré par l'actrice Ginger Rogers.

GINNY (anglais) Diminutif de Virginie. Dérivés : Gin-ney, Ginnie.

GIOCONDA (grec) Sympa-thique.

GIOELLA (hébraïque) Forme italienne de Joëlle.

GIORDANA (hébraïque) Forme italienne de Jordane.

GIORGIA (grec) Paysanne.

GIOVANNA (hébraïque) Dieu est bon. Version fémi-nine italienne de Jean.

GISA (hébraïque) Pierre à aiguiser. Dérivés : Gissa, Gisse, Giza, Gizza.

GISÈLE (germanique) Flèche. Giselle est le nom d'un grand ballet classique qui fait rêver toutes les futures étoiles de la danse. Dérivés :

Gelsi, Gelsy, Gisela, Gisella, Gizela, Gizella, Gisabel, Gi-selda, Gisla.

GISLAUG (scandinave) Otage sacrée. Dérivé : Gis-log.

GISLINDE (germanique) Sage otage.

GISMONDE (germanique) Victoire et protection. Forme féminine de Sieg-mund. Dérivé : Gismonda.

GITANA (espagnol) Gitane. Dérivés : Gitane, Gitanna.

GITEL (hébraïque) Bonne. Dérivés : Gitela, Gitele, Git-tel.

GITTA (hongrois) Pouvoir. Diminutif de Brigitte. Dé-rivé : Gitte.

GITUSKA (tchèque) Perle.

GIUDITTA (héb.) Forme ita-lienne de Judith.

GIULIA (latin) Forme italienne de Julie.

GIULIA (latin) Originaire de la famille Julius. Forme italienne de Julie. Dérivé : Giulietta.

GIULIETTA (latin). Forme italienne de Juliette.

GIUSEPPA (hébraïque). Forme italienne de Joséphine. Dérivé : Giuseppina.

GIUSTINA (latin) Juste. Forme italienne de Justine. Dérivé : Giusta.

GIVOLA (hébraïque) En fleur.

GLADEZ (celtique) Richesse.

GLADYS (gallois) Paysanne. Il y a environ cent ans, Gladys était considéré comme un prénom des plus originaux et des plus sensuels. Dérivés : Gladez, Gwaldys.

GLADYS Dérivé : Gwalduz.

GLAIN (gallois) Joyau.

GLANNON (celtique) Pure.

GLEDA (islandais) Heureuse.

GLENDA (gallois) Sainte et bonne.

GLENNA (celte) Vallée. Dérivés : Glen, Glenda, Glennis.

GLENNA (irlandais) Vallée étroite. Dérivés : Glen, Glenn.

GLENNETTE (écossais) Vallée étroite. Féminin de Glen.

GLENYS (gallois) Sainte. Dérivés : Glenice, Glenis, Glenise, Glennis, Glennys, Glenyse, Glenyss, Glynis.

GLORIA (latin) Gloire. Parmi les très nombreuses Gloria à travers le monde, citons Gloria Swanson, Gloria Vanderbilt, Gloria Lasso. Dérivés : Gloree, Glori, Glorie, Glorria, Glory.

GLORVINA (irlandais) Héroïne d'un roman irlandais.

GLOSSINDE (germanique) Chemin de gloire.

GLYNIS (gallois) Vallon. Dérivés : Glinnis, Glinys, Glyn, Glynes.

GODEBERTHE (germanique) Dieu illustre. Déri-vés : Goberta, Goberte.

GODELIEVE (germanique) Qui aime Dieu.

GODELINDE (germanique) Doux dieu.

GODIG (celtique) Perle.

GODIVA (anglais) Cadeau de Dieu.
Godoleva, Godolieba

GOÏZARGI (basque) Lumière de l'aurore.

GOIZEDER (basque) Aurore. Dérivé : Goïzane.

GOLDA (anglais) Dorée. Dérivés : Goldarina, Goldarine, Goldia, Goldie, Goldif, Goldina, Goldy.

GOMRIA (arabe) Colombe.

GOMRIA (arabe) Colombe.

GONTHILDE (germanique) Grand combat.

GORMLAITH (Gaélique) Illustre princesse. Dérivés : Gormla, Gormley, Gormly.

GOTLIND (germanique) Soyeuse.

GOULVENEZ (celtique) Joie.

GOULWENA (gallois) Angélique.

GOZALA (hébraïque) Oisillon.

GRÂCE (latin) La grâce. L'existence de ce prénom remonte au Moyen Âge. Il ne s'est jamais démodé et des femmes comme la chanteuse Grace Jones ou la princesse Grâce de Monaco ont largement contribué à sa popularité. Dérivés : Engracie, Graca, Gracey, Graci, Gracia, Graciana, Gracie, Gracy, Gratia, Grazia, Graziella, Grazielle, Graziosa, Grazyna, Garaxane, Garaxi, Gartxi, Gatxina, Gartz, Gaxia, Gaxima, Gaxina, Gaxine, Geaxane, Geaxi, Geaxia, Geaxina, Geaxine.

GRANIA (irlandais) Déesse du Grain. Dérivés : Grainne, Granna.

GRANIA Dérivés : Grainne, Granna.

GREDA (grec) Perle.

GREER (écossais) Celle qui veille. Féminin de Gregory, Grégoire en français.

GREGORIA (grec) Qui veille. Dérivés : Grégoriane, Grégorine

GRESSA (norvégien) Herbe.

GRETA (latin) Perle. Diminutif de Marguerite. Dérivés : Gretchen, Grete, Gretel, Greten, Grethe, Grethel, Grette, Griet, Grietje , Grietken, Gritta, Gryta.

GRETEL (grec) Perle. Forme alsacienne de Marguerite. Dérivés : Gretchen, Greten.

GRETNA (écossais) Village.

GRIMHILD (scandinave) Guerrière casquée.

GRISELDA (germanique) Guerrière grise. Dérivé : Grizelda.

GRISELDA Dérivés : Griseal, Griséldis, Grisélidis, Grishilda, Grishilde, Grissel, Grissil, Grizel, Grizzel.

GUADALUPE (espagnol) Vallée des loups.

GUDLAUG (scandinave) Consacrée aux dieux.

GUDRUN (scandinave) Bataille. Dérivés : Cudrin, Gudrenn, Gudrinn, Gudruna, Guro.

GUDULE (german.) Combat. Dérivés : Gunilda, Gunilde.

GUDULE Dérivés : Goele, Gondela, Gudélia, Gudélie.

GUELIA (Slave) Soleil.

GUENIA (german.) Jeune femme.

GUENIEVRE (celte) Blanche et douce. Dérivés : Ginebra, Ginevra.

GUENIÈVRE (celt.) Blanche. Forme médiévale de Gwenn.

GUÉNOLÉ (celt.) Blanche et valeureuse. Ce prénom est mixte.

GUENOLE Dérivés : Guénola, Gwénola, Gwenolé, Gwendola, Gwendolé, Guglielma, Guglielmina.

GUIDA (italien) Guide.

GUILA (hébraïque) Joie.

GUILI (hébraïque) ma joie.

Dérivé :Guiléa

GUILLEMETTE (germanique) Volonté de protection. Forme féminine de Guillaume. Dérivés : Wilhelmina, Wilhelmine, Gillama, Gillema, Guillaumette, Guillemine, Guillema, Guillerma, Guillermine, Gulilma, Gwilhamet, Gwilhmet, Mina, Minella.

GUILLERMA (germanique) Version féminine espagnole de Guillaume.

GUILONE (hébraïque) Petite joie.

GUINEVERE (gallois) Juste, accommodante. Dérivés : Gaenor, Gayna, Gaynah, Gayner, Gaynor.

GUINIA (latin) Pure.

GUISLAINE (germanique) Farouche.

GUIVEA (hébraïque) Petite colline.

GULIZAR (persan) Rose d'or.

GULL (scandinave) Or.

GUNHILD (germanique) Guerrière.

GUNHILDA (norvégien) Guerrière. Dérivés : Gunda, Gunhilde, Gunilda, Gunilla, Gunnhilda.

GUNN (scandinave) Combat. Dérivé : Gun.

GUNNBORG (scandinave) Siège d'un château. Dérivé : Gunborg.

GUNNLOD (scandinave) Personnage de la mythologie.

GUNNVOR (scandinave) Prudente durant les combats. Dérivés : Gunver, Gunvor.

GURICE (hébraïque) Lionceau. Dérivé : Gurit.

GURTZA (basque) Adoration.

GURVANA (celtique) Passion.

GUSSIE (latin) Respectable.

GUSSY (latin) Grandeur.

GUSTAVA (suédois) Servante des dieux. Version féminine de Gustave. Dérivés : Gusta, Gustha.

GUYENNE (français) Nom de la province d'Aquitaine.

GUYONNE (germanique) Bois. Dérivés : Guidone, Guyette.

GWELLAOUEN (celtique) Blanche et joyeuse.

GWENAELLE (celte) Ange blanc. Dérivés : Gwanaëlle, Gwenoal, Gwenvaëlle.

GWENDA (gallois) Blanche et bonne.

GWENDOLINE (gallois) Front pur. Dérivés : Guendolen, Guenna, Gwen, Gwenda, Gwendaline, Gwendia,

Gwendolen, Gwendolene, Gwendoli, Gwendolyne, Gwendolynn, Gwendolynne, Gwenette, Gwenie, Gwenn, Gwenna, Gwenny.

GWENEAL (gallois) Ange sacré.

GWENIVAR (celte) Vague blanche.

GWENIVAR (celtique) Sacrée.

GWENLUAH (gallois) Eaux sacrées.

GWENN (celte) Sacrée. Dérivés : Gwenda, Gwendal, Gwenna, Gwennaïc, Gwennaïg, Gwenneth, Gwenora, Gwennan, Gwennen, Gwennez, Gwennou, Gwennin, Gwennina, Gwenny, Gwyn, Gwynna.

GWENN (celtique) Blanche.

GWENVRED (celtique) Pensée sacrée. Dérivé : Gwenfrewi.

GWENVRED Dérivés : Gwenfred, Gwenfredig, Gwenvredig.

GWERFUL (gallois) Timide. Dérivés : Gweirful, Gwerfyl.

GWILHMET (celtique) Volontaire.

GWLADYS (celtique) Qui espère.

GWYNEIRA (celte) Blanche neige.

GWYNETH (gallois) Bonheur. Gwyneth et Gwendolyn sont deux prénoms très appréciés, car ils possèdent à la fois originalité et raffinement. Gwyneth, grâce à l'actrice Gwyneth Paltrow, est plus répandu aux États-Unis. Dérivés : Gwenith, Gwennyth, Gwenyth, Gwynith, Gwynn, Gwynna, Gwynne, Gwynneth.

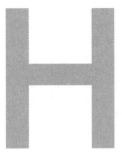

HABERILLA (latin) Qui part. Dérivé : Haberille.

HABIBA (arabe) Aimée. Dérivés : Habibah, Haviva.

HACENA (arabe) Honnête.

HADANA (norvégien) Celle qui est à demi scandinave. Dérivé : Haldane.

HADASSAH (hébraïque) Myrte. Dérivés : Hada, Hadas, Hadasa, Hadassa, Hodel.

HADDA (arabe) Enjouée.

HADI (arabe) Calme.

HADIA (arabe) Cadeau.

HADIL (arabe) Pigeon qui roucoule.

HADLEY (anglais) Pré où pousse la bruyère. Dérivés : Hadlea, Hadlee, Hadleigh.

HADMUT (germanique) Guerre.

HADYA (arabe) Guide. Dérivé : Hadiya.

HAFIDA (arabe) Protectrice.

HAFIZA (arabe) Préserve.

HAFSAH (arabe) Petite lionne. Épouse de Mohammed. Dérivé : Hafza.

HAGAR (hébraïque) Abandonnée. Hagar est le prénom de la servante de Sarah, l'épouse d'Abraham. Sarah qui ne peut avoir d'enfant propose à son mari de prendre Hagar pour concubine afin qu'elle lui donne un enfant. Hagar met au monde Ismaël, peu de temps avant que Sarah, contre toute attente, accouche d'un fils, Isaac. Hagar, victime de la jalousie de Sarah, est répudiée par Abraham. Dérivé : Haggar.

HAGIA (hébraïque) Joie. Dérivés : Hagice, Hagit.

HAGNE (grec) Pure.

HAIDEE (grec) Modeste. Dérivé : Haydee.

HAÏFA (arabe) Gracieuse.

HAILA (arabe) Lumière.

HAIWEE (amérindien) Colombe.

HAÏZA (basque) Vent. Dérivé : Haïzea.

HAJAR (arabe) Distinguée. Dérivé : Hagir.

HAJILA (arabe) Petite perdrix.

HAJIRA (arabe) Généreuse.

HAKIMA (arabe) Philosophe.

HALA (arabe) Halo autour de la Lune. Dérivé : Halah.

HALCYON (grec) Paisible. Dérivés : Halcion, Halcione, Halcyone.

HALELA (héb.) Louange.

HALEY (scandinave) Héroïne. Dérivés : Halli, Hallie, Hally.

HALFRIDA (germanique) Héroïne paisible.

HALIMA (arabe) Gentille. Dérivé : Halimah.

HALIMEDA (grec) Qui vient de la mer.

HALINA (russe) Brillante. Traduction russe d'Hélène.

HALLDORA (scandinave) Pierre du dieu Thor.

HAMA (japonais) Plage.

HAMAKO (japonais) Fille de

la plage.

HAMAMA (arabe) Colombe.

HAMIDA (arabe) Digne d'éloges. Dérivés : Hameedah, Hamidah.

HAMIMA (arabe) Aimante.

HAMITA (hébraïque) Rosée.

HAMITAL (hébraïque) Chaleur de la rosée.

HANA (arabe) Bonheur.

HANA (japonais) Fleur.

HANA Dérivé : Hanaé.

HANAKO (japonais) Fille de fleur.

HANAN (arabe) Compatissante.

HANH (Vietnamien) Belle.

HANIA (hébraïque) Lieu de repos. Dérivé : Haniya.

HANIFA (arabe) Fleur de l'Islam. Dérivés : Haneefa, Hanifah.

HANIYYA (arabe) Heureuse. Dérivé : Haniyyah.

HANNAH (hébraïque) Grâce. Forme originelle d'Anne. Dans la Bible, Hannah est la mère du prophète Samuel. Hannah fut un prénom très répandu en Grande-Bretagne du XVIIIe au XIXe siècle quand les prénoms bibliques étaient de règle. Il est à présent très en vogue aux États-Unis, sans doute à cause du film de Woody Allen, *Hanna et ses sœurs*. En France, il connaît également un bon succès, aux dépens de sa forme Dérivée, Anne, qui fait partie des grands classiques. Dérivés : Hana, Hanah, Hanna, Hanne, Hannele, Hannelore, Hannie, Honna.

HANOUNA (arabe) Tendre.

HANSINE (scandinave) Dieu est bon.

HANSY (hébraïque) La miséricorde de Dieu

HAO (Vietnamien) Parfaite.

HAOUA (hébraïque) La vie.

HAPPY (anglais) Heureuse.

HAQIKAH (arabe) Loyale.

HARALDA (norvégien) Pouvoir des armées. Version féminine de Harold.

HARALDA (scandinave) Glorieuse.

HARLEY (anglais) Pré où broutent les lapins. Dérivés : Harleigh, Harlie, Harly.

HARMKE (germanique) Guerrière.

HARMONIE (latin) Harmonie. Dérivés : Harmonne, Harmoni, Harmonia, Harmony.

HARPER (anglais) Harpiste.

HARRIETTE (germanique) Maîtresse de la maison. Féminin de Harry. Dérivés : Harrie, Harrietta, Harriet, Harriot, Harriott, Hatsie, Hatsy, Hattie, Hatty.

HARU (japonais) Printemps.

HARUKO (japonais) Enfant du printemps.

HASANATI (arabe) Bonne.

HASNA (arabe) Forte.

HASNIA (arabe) Beauté.

HASSANA (arabe) Excellence.

HASSIBA (arabe) Noble.

HASSINA (arabe) De bonne naissance.

HATHOR (égyptien) Déesse de l'Amour.

HATHSHIRA (arabe) Septième fille.

HATSU (japonais) Aînée.

HATTIE (germanique) Domicile.

HAU (polynésien) Paix.

HAUNANI (polynésien) Rosée.

HAVEN (anglais) Refuge.

HAVIVA (hébraïque) Aimée.

HAWA (hébraïque) Naissance.

HAWEDA (arabe) Indulgence.

HAWNA (arabe) Modeste.

HAYAT (arabe) Vivante.

HAYFA (arabe) Délicate.

HAYLEY (anglais) Champ de foin. Hayley est très apprécié depuis les années 1990 dans les pays anglo-saxons. Dérivés : Hailee, Hailey, Haley, Halie, Halley, Halli, Hallie, Hally, Haylee, Hayleigh, Haylie.

HAZEL (anglais) Noisetier. Dérivés : Hazal, Hazeline, Hazell, Hazelle, Hazle.

HEALOHA (polynésien) Aimée.

HEATHER (anglais) Bruyère. Ce prénom est assez répandu en Grande-Bretagne depuis les années 1950 et aux États-Unis depuis 1970-1980.

HEAVEN (anglais) Paradis.

HEBDA (arabe) Celle qui a de beaux yeux.

HÉBÉ (grec) Déesse de la Jeunesse.

HEDDA (anglais) Guerre. Dérivés : Heda, Heddi, Heddie, Hetta.

HEDELTRUDE (germanique) Noble fidélité.

HEDIA (arabe) Tranquille.

HEDIAH (hébraïque) Écho de Dieu. Dérivés : Hedia, Hedya.

HEDVIKA (tchèque) Conflits incessants.

HEDWIG (germanique) Lutte. Dérivés : Hadvig, Hadwig, Hedvig, Hedviga, Hedvige, Hedwigan, Hedwige.

HEDY (grec) Merveilleuse. Dérivés : Hedia, Hedyla.

HEDYA (arabe) Cadeau.

HEFSIBA (hébraïque) Désirée.

HEGATZI (basque) Oiseau.

HEIDI (germanique) Noble. Forme germanique d'Adélaïde. Dérivés : Hedie, Heida, Heide, Heidie, Hydie.

HEIDRUN (germanique) magique.

HEIFARA (tahitien) Couronne de pandanus.

HEIKE (germanique) Domicile.

HEILKE (germanique) Guerrière.

HEILWIG (germanique) Triomphe.

HEIMANA (polynésien) Couronne des dieux.

HEIMANA (tahitien) Couronne sacrée.

HEIMANU (polynésien) Couronne d'oiseaux.

HEIPUA (polynésien) Couronne de fleurs.

HEIRANI (polynésien) Couronne de nuages.

HEITIARE (polynésien) Couronne de fleurs de tiare.

HEITIARE (tahitien) Couronne de fleur.

HEIURA (tahitien) Couronne qui brille.

HELA (arabe) Auréole.

HELEA (hébraïque) Dame d'atours.

HELEA (hébraïque) Femme d'atours.

HELEDD (gallois) *Définition inconnue*. Dérivé : Hyledd.

HÉLÈNE (grec) Éclat du soleil. L'histoire de ce prénom remonte à l'Antiquité. Pour la mythologie, elle est la sœur de Castor et Pollux, mais pour l'histoire elle est la mère de l'empereur Constantin, au IVe siècle avant J.-C. Très classique, ce prénom est très populaire dans de nombreux pays. En France, sa forme hongroise Ilona apparaît discrètement à l'état civil, depuis la naissance de la fille de David et Estelle Hallyday. Dérivés : Aileen, Alione, Eileen, Elaine, Elena, Eleni, Eline, Ellen, Hela, Hele, Helen, Helena, Hellen, Helli, Hilchen, Iléana, Ilona, Ilonka, Nelly, Oliona, Heilani, Helen, Helena, Héléni, Hélénia , Hélenka, Hélia, Hélicia, Héliciane, Hélicie, Hélina, Hélinie, Hélixane, Hell, Hilchen, Ielena, Ileana, Ileen, Ilena, Ilen, Ilka, Ilona, Ilonk, Iluska, Inka.

HELGA (norvégien) Sainte.

HELIA (grec) Soleil.

HELIA (grec) Soleil.

HÉLICE (grec) Hélice.

HELIODORA (grec) Cadeau du soleil.

HELLE (scandinave) Sainte. Dérivé : Hella.

HELLEBORG (germanique) Retraite.

HELMA (germanique) Casque. Dérivés : Hillma, Hilma.

HELMI (scandinave) Perle.

HELMINE (germanique) Protectrice fidèle. Version féminine de William.

HELMTRAUD (germanique) Pouvoir.

HÉLOÏSE (germanique) Glorieuse combattante. Forme médiévale de Louise. Dérivés : Aloïse, Aloyse, Éloïse.

HELSA (danois) Gloire à Dieu.

HEMMA (germanique) Décidée.

HEMSA (arabe) Secret.

HENDA (arabe) Câline.

HENRIETTE (germanique) Maîtresse de la maison. Féminin d'Henri. Dérivés : Hattie, Hatty, Hendrika, Henka, Hennie, Henrie, Henrieta, Henrietta, Henrika, Hetta, Hettie, Riquita.

HENRIETTE Dérivés : Hendrina, Henna, Henni, Henryka, Hinka, Hinke.

HEODEZ (celtique) Ancienne. Forme Dérivée d'Aude. Dérivés : Aoda, Aodez, Eode.

HEPHZIBAH (hébraïque) Mon plaisir est en elle. Ce prénom biblique faisait partie des noms préférés des puritains anglais, mais il est aujourd'hui tombé dans l'oubli. Dérivés : Hephsibah, Hephzabah, Hepzibah.

HÉRA (grec) Épouse de Zeus.

HERA Dérivé : Héraïs.

HEREATA (Polynésie) Nuage amoureux.

HEREITI (Polynésie) Petit amour.

HEREMOANA (Polynésie) Océan amoureux.

HEREMOANA (tahitien) Océan d'amour.

HERLIND (germanique) Doux.

HERLINDIS (scandinave) Noble armée.

HERMANCE (grec) du dieu Hermès.

HERMELINDE (germanique) Douceur du dieu Irmin. Dérivés : Hermelinda, Hermeline

HERMENBERGE (germanique) Forteresse du dieu Irmin. Dérivé : Hermenburge.

HERMENEGILDE (germanique) Otage du dieu Irmin.

HERMENGARDE (germanique) Combat du dieu Irmin.

HERMENTRUDE (germanique) Fidélité au dieu Irmin.

HERMINE (latin) Nom d'une famille de rongeurs dont la fourrure est très recherchée. Dérivés : Hermienne, Herminie, Irma, Hermina, Herminia.

HERMIONE (grec) Féminin d'Hermès, le messager des dieux de la mythologie grecque. Dérivés : Herma, Hermaine, Hermia, Hermina.

HERMONE (hébraïque) Lieu sacré. Dérivé : Hermona.

HERMOSA (espagnol) Belle.

HERTA (germanique) Féconde.

HERVÉA (celtique) Ardente, vive.

HERVEA (celtique) Forte et ardente. Forme féminine d'Hervé. Dérivés : Herveline, Hervelina, Herveva, Hervie, Houarneva, Houarneven, Véïa, Véïg, Véïlana.

HESPER (grec) Étoile du soir. Dérivés : Hespera, Hesperia.

HESTER (grec) Étoile. Variante d'Esther. Dérivés : Hesther, Hestia.

HETTIE (germanique) Domicile.

HEULWEN (gallois) Soleil.

HEYLA (arabe) Très belle.

HEYNA (arabe) Paisible.

HIBA (arabe) Cadeau.

HIBERNIA (latin) Nom latin de l'Irlande.

HIBISCUS (latin) Fleur du même nom.

HIDAYAT (arabe) Guide.

HIKARI (japonais) Lumière.

HIKMAT (arabe) Intelligente.

HILA (hébraïque) Auréole.

HILARGI (basque) Lune.

HILARY (grec) Gaie. Ce prénom, pour les années à venir, fera immédiatement penser à l'épouse du président américain Bill Clinton. Dérivés : Halaria, Hilarie, Hillary, Hillery, Hilliary.

HILDA (germanique) Guerrière. Dérivés : Hilde, Hildie, Hildt, Hylda.

HILDEBERTE (germanique) Illustre combat.

HILDEBORG (germanique) Combat protecteur.

HILDEBRAND (germanique) Bouclier de combat.

HILDEGARDE (germanique) Dure au combat. Dérivés : Hildaggard, Hildaggarde.

HILDEGONDE (germanique) Guerrière au combat. Dérivés : Hildegonda, Hildegunda, Hildegundis, Hilgonda, Hilgonde.

HILDELITTE (germanique) Combat du peuple. Dérivé : Hildelitta.

HILDEMAR (germanique) Célèbre au combat.

HILDESWINTHE (germanique) Combat victorieux. Dérivé : Hilsinde.

HILDRED (germanique) Conseillère de guerre.

HILDRETH (germanique) Conseillère militaire. Dérivé : Hildred.

HILDRUN (germanique) Secrète.

HILDUR (islandais) Combat.

HILJA (scandinave) Silence.

HILLEVI (scandinave) Protégée durant la bataille.

HILMA (germanique) Diminutif de Wilhelmina.

HILTRAUD (germanique) Guerrière.

HILTRUDE (germanique) Fidèle au combat.

HILYA (arabe) Bijou.

HIMAYA (arabe) Protection.

HIMELINE (germanique) Douceur

HIMELINE (germanique) Travailleuse. Dérivés : Himelinda, Himelinde

HINA (Polynésie) Arrière petite fille.

HINANO (tahitien) Fleur odorante du pandanus.

HIND (arabe) Câline.

HINDA (arabe) Biche. Dérivés : Hindel, Hindelle, Hynda.

HINERAVA (tahitien) Femme brune.

HIPPOLYTE (grec) Chevaux. Dans la mythologie grecque, la reine des Amazones.

HIRIA (arabe) Victoire.

HIRMENGARDE (germanique) Arme.

HIROKO (japonais) Généreuse.

HISA (japonais) Longue vie. Dérivé : Hisaé.

HISANO (japonais) Longue plaine.

HISKIA (hébraïque) Dieu est mon combat.

HIZIA (arabe) Victoire.

HJORDIS (scand.) Déesse de l'Épée.

HLIN (scandinave) Personnage de la mythologie.

HOA (Vietnamien) Paix.

HOANI (polynésien) Chérie des dieux.

HODAÏA (hébraïque) Magnificence de Dieu.

HODEI (basque) Nuage. Dérivé : Hodéïza.

HOELA (celtique) Émouvante.

HOÏLDE (germanique) Gloire au combat.

HOKU (hawaïen) Étoile.

HOKULANI (hawaïen) Étoile dans le ciel.

HOLA (espagnol) Bonjour !

HOLDA (germanique) Cachée. Dérivés : Holde, Holle, Hulda.

HOLDA (scandinave) Indulgente.

HOLIA (arabe) Bijou.

HOLLIS (anglais) Près du houx. Dérivé : Holice.

HOLLY (anglais) Houx.

Holly est un prénom typiquement anglo-saxon qui est plus répandu en Grande-Bretagne qu'aux États-Unis. Il est dans la vague des prénoms évocateurs de la nature, très appréciés actuellement. Dérivés : Hollee, Holley, Holli, Hollie, Holyann.

HONEY (anglais) Miel, mon chéri ou ma chérie.

HONOREE (latin) Honorable. Dérivés : Enola, Enora.

HONORINE (latin) Femme honorable. Dérivés : Honner, Honnor, Honnour, Honor, Honora, Honorah, Honorata, Honoria, Honour.

HONORINE Dérivé : Honorina.

HOPE (anglais) Espoir.

HORATIA (anglais) De Horatius, une grande famille de l'époque romaine. Dérivé : Horacia.

HORIA (persan) Feu. Dérivé : Houria.

HORTENSE (latin) Nom d'une famille romaine de l'Antiquité. L'une de ses variantes, Hortensia, est aussi le nom d'une fleur. Dérivés : Horsensia, Hortencia, Ortensia.

HORUNN (scandinave) Aimée par Thor.

HOSANNA (grec) Prière. Dérivé : Hosannie.

HOSHI (japonais) Etoile.

HOSHIKO (japonais) Fille des étoiles.

HOSHIYO (japonais) Nuit étoilée.

HOSNIA (arabe) Bonne.

HOSSANA (arabe) Généreuse.

HOSTAÏKA (latin) Forme basque de Marguerite. Dérivé : Hostaïza.

HOUDA (arabe) La voie.

HOULDA (hébraïque) Belette.

HOURIA (arabe) Très grande beauté. Dérivé : Housn.

HOUSNIA (arabe) Beauté.

HRISOULA (grec) Dorée.

HUALI (hawaïen) Pure.

HUBERTA (germanique) Intelligente. Féminin de Hubert.

HUDA (arabe) Direction. Dérivé : Hoda.

HUGOLINE (germanique) Douce et intelligente. Dérivés : Hugolina, Hugolinde.

HUGUETTE (germanique) Intelligence. Féminin de Hugues. Dérivé : Hughette.

HULDA (scandinave) Douce.

HULDAH (hébraïque) Be-

lette ou taupe. Dérivés :
Hulda, Huldi, Huldie,
Huldy.
HUMBERTE (germanique)
Brillante. Dérivés : Humberta, Humbertina, Humbertine.
HUNTER (anglais) Chasseresse.

HURIYYAH (arabe) Ange.
HUSNI (arabe) Beauté. Dérivés : Husniya, Husniyah.
HUSNIYA (arabe) Excellence. Dérivés : Husniyah.
HYACINTHE (grec) Jacinthe.
HYPATHIA (grec) La plus élevée.

mode au début du XXe siècle. Aujourd'hui, malgré la vogue des prénoms anciens, Ida reste dans l'ombre. Dérivés : Idalene, Idalia, Idalina, Idaline, Idalya, Idalyne, Ide, Idell, Idella, Idelle, Idetta, Idette, Idia, Idaïa, Idalia, Idalie, Idania, Idanie, Idchen, Idella, Idelle, Idetta, Idette, Idia, Idie, Idy, Iete, Ietje, Ietse, Ita, Itchen, Ite, Itis, Itje, Itta, Itte.

IANTHE (grec) Fleur. Dérivé : Iantha.

IBAÏ (basque) Rivière. Dérivé : Ibaïa.

IBTIHAJ (arabe) Bonheur.

IBTISAM (arabe) Sourire. Dérivés : Ebtissam, Essam, Ibtissam, Issam.

ICHI (japonais) Première née.

IDA (germanique) Femme. Ida fut un prénom très à la

IDA Dérivés :,

IDE (irlandais) Soif. Dérivé : Ita.

IDONY (scandinave) Déesse du Printemps. Dérivés : Idone, Idun, Itiunnr.

IDRA (hébraïque) Figuier.

IDRYA (hébraïque) Canard. Dérivé : Idria.

IDUNA (norvégien) Aimée.

Dérivé : Idonia.

IENEGA (basque) Feu.

IGNACIA (latin) Ardente. Féminin d'Ignace. Dérivés : Ignatia, Ignazia, Iniga.

IHAB (arabe) Donner.

IHILANI (hawaïen) Splendeur céleste.

IHINTSA (basque) Rosée. Dérivés : Ihintza, Ihitsa, Ihitza.

IHSAN (arabe) Bienveillante. Dérivés : Ihsana, Ihsanah.

IHSANA (arabe) Humble.

IKBAL (arabe) Bonne fortune.

IKIA (hébraïque) Dieu m'aide.

IKRAM (arabe) Faveur.

ILANA (hébraïque) Arbre. Dérivés : Elana, Elanit, Ilanit.

ILHEM (arabe) Inspiration divine

ILIA (anglais) Celle qui vient de la ville de Troie, en Asie Mineure, aussi appelée Ilion.

ILIA (latin) Personnage mythologique. Mère des fondateurs de Rome Romulus et Rémus.

ILIAN (arabe) Noblesse. Dérivé : Iliana.

ILIANA (hébraïque) Dieu est plénitude.

ILKA (slave) Admiratrice.

ILMA (anglais) Variante de William.

ILONA (grec) Éclat du soleil. Forme hongroise d'Hélène.

ILSE (germanique) Serment de Dieu. Variante d'Élisabeth. Dérivés : Ilsa, Ilsie.

ILSE Dérivés : Ilsabe, Ilsabey, Ilsebey.

ILTA (finlandais) Nuit.

ILTUDA (celtique) Peuple. Dérivés : Iltuden, Iltudez.

IMA (japonais) Aujourd'hui. Dérivé : Imaé

IMAKO (japonais) Enfant de ce jour.

IMAN (arabe) Foi.

IMELDA (italien) Prenant part à la bataille. Dérivé : Imalda.

IMIN (arabe) Conviction.

IMMA (latin) Celle qui s'élève. Dérivés : Immina.

IMMACULADA (espagnol) Immaculée. Dérivé : Immaculata.

IMOGÈNE (latin) Dernière-née, innocent. Prénom peu courant dont la diffusion commencerait à reprendre dans les pays de langue anglaise. Dérivés : Imogen, Imogenia, Imogine.

IMPERIA (latin) Impériale.

IMPI (Finlande) Vierge.

INA (grec) Pure. Dérivé : Ena.

INAM (arabe) Charitable. Dérivé : Enam.

INANNA (babylonien) Déesse de la Guerre.

INAS (arabe) Amicalement. Dérivés : Inaya, Inayah.

INDIA (anglais) Inde.

INDIA Dérivé : Indiana.

INDIGO (latin) Bleu indigo.

INDIRA (Indien) Splendeur. Dérivé : Indra.

INÈS (grec) Pure. Variante espagnole d'Agnès. Ce prénom très distingué prend la suite d'Agnès, mais il reste assez peu courant. Dérivés : Inesita, Inessa, Inetta, Inez, Ynes, Ynesita, Ynez,Inez, Nessa, Nessia, Nessie.

INGA (scandinave) Dans la mythologie nordique,

déeesse de la Fertilité et de la Paix. Dérivés : Ing, Ingaar, Ingo, Ingvio.

INGA Dérivés : Inge, Inka.

INGEBORG (scandinave) Garde d'Ing, le dieu norvégien de la Paix. Dérivés : Ingaberg, Ingaborg, Ingeberg, Inger, Ingmar, Ingeburge.

INGEGERD (scandinave) Forteresse. d'Ing. Dérivés : Ingegard, Ingjerd.

INGRID (scandinave) Belle. De tous les prénoms féminins nordiques, Ingrid est le plus répandu grâce à la merveilleuse Ingrid Bergman. Très courant durant les années 1950-1960, il a perdu récemment un peu son lustre mais pourrait bien redevenir à la mode, très prochainement.

INGRID Dérivé : Inkeri.

INGRUD (germanique) Mystérieuse.

INGVILD (norvégien) Puissance du dieu Ing.

INOA (hawaïenne) Chant.

INOCENCIA (espagnol) Innocence. Dérivés : Inocenta, Inocentia.

INOULIA (grec) Paysanne.

INSAF (arabe) Equité.

INSIA (arabe) Humaine.

IOLA (gallois) Dieu estimé. Dérivé : Iole.

IOLANDA (germanique) Territoire.

IOLANTHE (anglais) Violette.

IONA (grec) Île d'Écosse.

IONE (grec) Violette. Dérivés : Ionia, Ionie.

IPHIGÉNIE (grec) Sacrifice. Dérivé : Iphigenia.

IPPOLITA (grec) Équidé.

IRA (hébraïque) Ville.

IRAÏDA (grec) de la déesse Héra. Dérivé : Héraïde.

IRAITZ (basque) Féminine.

IRAUN (basque) Persévérante.

IRDHA (arabe) Satisfaction.

IRÈNE (grec) Paix. Irène fut d'abord un nom très populaire dans la Rome antique, puis au IVe siècle. Il est ensuite resté très courant jusque dans les années 1950 où un léger déclin s'est amorcé. Dans les pays slaves, Irina est un grand classique.
Dérivés : Arina, Arinka, Eirena, Eirene, Eirini, Erena, Erene, Ereni, Errena, Ira, Iraïs, Iranda, Iréa, Irayna, Ireen, Iren, Irena, Irénée, Irenka, Irina, Irine, Irini, Irisha, Irka, Irusya, Iryna, Orina, Orya, Oryna, Reena, Reenie, Rina, Yarina, Yaryna.

IRFAN (arabe) Connaissance.

IRIATA (polynésien) Petite messagère blanche.

IRIS (grec) Fleur du même nom. Aussi la déesse de l'Arc-en-ciel. Dérivés : Irisa, Irisha.

IRMA (germanique) Accomplie.

IRMENGARDE (germanique) Armée.

IRMHILD (germanique) Combat du dieu Irmin. Dérivés : Imalda, Imelda, Inalda, Inelda.

IRMINE (germ.) Consacrée au dieu Irmin. Dérivés : Irma, Irmchen, Irmeline, Irmelinde, Irmina, Irminie.

IRVETTE (anglais) Amie de la mer. Féminin d'Irving.

IRVINA (germanique) Affectueuse.

IRVINE (celte) Belle. Dérivé : Irvina.

ISA (japonais) Solide.

ISABELLE (hébraïque) Dieu est promesse. Ce prénom est un Dérivé d'Élisabeth. Bien que très ancien, Isabelle est encore très répandu. L'actrice Isabella Rossellini en est le témoin idéal. Dérivés : Isa, Isabeau, Isabel, Isabelita, Isabella, Isabelette, Isalis, Isobel, Issi, Issie, Issy, Ibea, Ibolya, Isabe, Isabela, Isabèu, Isacot, Isaline, Isambour, Isbeal, Iseabail, Isebeeuke, Isebey, Iseline, Isibeal, Isobel, Isoline, Isotta, Izabela, Izabell, Izaline, Izabel, Izabele, Izabella, Izabelle, Izebela, Ysabel.

ISADORA (latin) Cadeau d'Isis. Version féminine d'Isidore. Dérivé : Isidora.

ISALIS (hébraïque) Dieu est promesse. Forme contractée d'Isabelle et de Lise.

ISAMU (japonais) Energique.

ISAMU (japonais) Robuste.

ISARNE (germanique) Solide comme le fer.

ISAURE (grec) Contrée d'Asie Mineure. Dérivé : Isaura.

ISELINE (hébraïque) Dieu est mon serment.

ISEUT (celtique) Belle. Dérivés : Iseult, Yseut, Yseult.

ISHA (hébraïque) Femme.

ISHI (japonais) Pierre.

ISIS (égyptien) Déesse de l'Ancienne Égypte.

ISLA (écossais) Rivière d'Écosse.

ISLEEN (irlandais) Vision.

ISMA (arabe) Chasteté.

ISMA (arabe) Intouchable.

ISMAELA (hébraïque) Dieu écoute. Dérivés : Isma, Mael, Maella.

ISMÈNE (grec) Fille d'Œdipe et de Jocaste.

ISOARDE (germanique) Glace dure. Dérivé : Isoarda.

ISOLDE (celtique) Belle. Forme bretonne d'Iseut. Dérivés : Iselda, Isolda, Isolette, Isotta, Izild, Izold.

ISRA (arabe) Voyage nocturne.

ISTEBANI (grec) Forme basque de Stéphanie.

ISTRUD (germanique) Robustesse.

ISTVAN (grec) Couronnée de laurier.

ITALIA (italien) De l'Italie. Dérivé : Talia.

ITIAH (hébraïque) Dieu est

ici. Dérivés : Itia, Itiel, Itil, Itiya.

ITIDAL (arabe) Milieu de la route.

ITO (japonais) Grâce.

ITSANE (basque) Mer. Dérivés : Itsaso, Itsaxo.

ITTA (hébraïque) Juive.

ITXARO (basque) Espoir.

IVANA (celtique) Dieu est bon. Féminin d'Ivan, forme slave de Yves. Dérivés : Iva, Ivania, Ivanka, Ivanna, Ivannia.

IVONA (celtique) Arbre.

IVORY (latin) Ivoire. Ce nom est très populaire parmi les familles afro-américaines. Dérivés : Ivoreen, Ivorine.

IVRIA (hébraïque) Sur la terre d'Abraham. Dérivés : Ivriah, Ivrit.

IVY (anglais) Lierre. Dérivés : Iva, Ivey, Ivie.

IWALANI (hawaïen) Oiseau dans le ciel.

IXONE (basque) Calme.

IZAR (basque) Etoile. Dérivés : Izarne, Izarra

IZASKUN (hébraïque) Forme basque d'Isabelle.

IZDIHAR (arabe) En fleur.

IZIA (grec) Reine. Dérivés : Iscia, Isciane

IZOENN (celte) If. Dérivé : Izoène.

IZOLD (celtique) Belle. Dérivé : Izolda.

IZORA (basque) Aurore.

IZUMI (japonais) Fontaine.

JACINTHE (grec) Fleur du même nom. Dérivés : Cynthia, Jacinta.

JACINTHE Dérivés : Jacenta, Jachinta, Jacinda, Jacinth Jakinda, Jakinde, Yacintha, Yacinthe.

JACQUELINE (hébraïque) Forme féminine de Jacques. Dérivés : Giacoba, Giacomina, Iacoba, Jacquemine, Jackie, Jacky, Jacquine, Ja-keza, Jamesa, Jaccoline, Jacelyn, Jackaleen, Jackalene, Jackaline, Jackalyn, Jacoba, Jacobée, Jacobina, Jacobine, Jacoline, Jacomine, Jacomynken, Jacotte, Jacoumeto, Jacquelène, Jacquelyne, Jacquemine, Jacquine, Jakelin, Jakeza, Jaki, Jakira, Jakobä, Jamesina, Jametta, Jamie, Javotte.

JADE (espagnol) Minéral du même nom. Dérivés : Jada, Jadee, Jadira, Jady, Jaida, Jaide, Jayde, Jaydra.

JADWIGE (polonais) Salut pendant le combat. Dérivé : Jadwiga.

JAE (latin) Geai. Dérivés : Jaya, Jaylee, Jaylene, Jaylynn.

JAËL (hébraïque) Chèvre des neiges.

JAFFA (hébraïque) Belle.

Version féminine de Yaffa. Dérivés : Jaffi, Jaffice, Jaffit, Jafit.

JAHEDA (arabe) Courageuse.

JAHIDA (arabe) S'impose.

JAIMIE (anglais) Celle qui remplace. Féminin de James. Jaimie est devenu populaire dans les années 1970 aux États-Unis. Dérivés : Jaime, Jaimey, Jaimi, Jaimy, Jamee, Jami, Jamie, Jayme.

JAIRA (espagnol) Dieu enseigne.

JAKEZA (celtique) Favorite de Dieu.

JALA (arabe) Lumière.

JALIA (arabe) Claire.

JALILA (arabe) Grande. Dérivés : Galila, Galilah, Jalilah, Jallila.

JALOUA (arabe) Lumineuse.

JAMAICA (anglais) Jamaïque.

JAMELIA (arabe) Séduisante. Version féminine de Jamal. Dérivés : Jamell, Jamila.

JAMILA (arabe) Belle. Dérivés : Gamila, Gamlah, Jameela, Jamilah, Jamilla, Jamillah, Jamille, Jamillia.

JAMILA (arabe) Jolie.

JAN (hébraïque) Dieu est bon. Dérivés : Jana, Janina, Janine, Jann, Janna.

JANAE (hébraïque) Dieu répond. Dérivés : Janai, Janais, Janay, Janaya, Janaye, Jannae, Jeanae, Jeanay, Jenae, Jenai, Jenay, Jenaya, Jenee, Jennae, Jennay.

JANAN (arabe) Inspirée.

JANET (anglais) Diminutif de Jane, Jeanne en français. Ce prénom connaît une certaine vogue grâce à la chanteuse Janet Jackson alors qu'il sommeillait depuis les années 1960. Dérivés : Janeta, Janeth, Janett, Janetta, Janette, Jannet, Janneth, Jannetta, Jenet, Jenett, Jenetta, Jenette, Jennetta, Jennette, Joanet, Sinead, Siobahn, Sioban, Siobhan.

JANINE (hébraïque) Dieu est bon. L'une des versions féminines de Jean, qui eut son heure de gloire dans les années 1920-1930. Dérivés : Janina, Jannine, Jenee, Jenine.

JANITA (hébraïque) Dieu est bon. Version scandinave féminine de Jean. Dérivés : Jaantje, Jannike, Jans, Jansje.

JANNA (arabe) Paradis.

JAOUHARA (arabe) Bijou.

JAOUZA (arabe) Gratification.

JARDENA (hébraïque) Descendre. Féminin de Jordan.

JARKA (tchèque) Printemps. Dérivés : Jaruse, Jaruska.

JARMILA (tchèque) Celle qui aime le printemps.

JARNSAXA (scandinave) Personnage de la mythologie.

JAROSLAVA (tchèque) Printemps éclatant.

JASMINE (perse) Jasmin. Ce prénom très féminin, évocateur des parfums et des fastes de l'Orient, revit aux États-Unis, sans doute grâce à *Aladin*, le dessin animé des studios Disney. Il est encore rare en Europe pour l'instant. Dérivés : Jasmeen, Jasmina, Jazmin, Jazmine, Jessamine, Jessamyn, Jasmée, Jasmeen, Jazmin, Yasiman, Yasman, Yasmine, Yasmina.

JATHIBIYYA (arabe) Séduisante. Dérivés : Gathbiyya, Gathbiyyah, Gathibiyya, Gathibiyyah, Gazbiyya, Gazbiyyah, Jathbiyya, Jathbiyyah, Jathibiyyah.

JAVIERA (basque) Maison neuve. Forme espagnole féminine de Xavier. Dérivés : Javeera, Xaviera.

JAWAHIR (arabe) Pierre précieuse. Dérivé : Gawahir.

JAWIDA (arabe) Bonne.

JAY (latin) Heureuse. Dérivés : Jai, Jaie, Jaye.

JAYLENE (anglais) Geai bleu. Dérivés : Jae, Jaye, Jayline, Jaynell.

JAYLIN (hébraïque) Forme américaine de Jeanne. Dérivés : Jae, Jailin, Jay, Jayleen, Jayline.

JAZOUA (arabe) Cadeau.

JEAN (hébraïque) Dieu est bon. Variante anglaise de Jeanne. Dérivés : Jeana, Jeanette, Jeanna, Jeanne, Jeannie, Jennette, Jeana, Jeanae, Jeanie , Jeanine, Jeanna, Jeannelle, Jeanneton, Jeannie, Jeannine, Jehanne, Jenae, Jenaya, Jenna, Jeneken, Jengen,Jenna, Jennae, Jennie, Jenny, Jenske, Jana, Janaïka, Jane, Janedig, Janekin, Janelle, Janello, Janet, Janeta, Janey, Jania, Janica, Janice, Janie, Janig, Janik Janika, Janine, Janique, Janita, Janka, Jann, Janna, Janneken, Jannick, Jannike, Jansje, Januska, Joan, Joana, Joaneta, Joanie, Joanina, Joanitza, Joanka, Joanna,Joanne, Joannie, Johana, Johani, Johanna, Jona, Jonie.

JEANNE (hébraïque) Dieu miséricordieux. Ce grand classique a traversé les siècles en toute sérénité ; il fut l'un des principaux prénoms féminins au Moyen Âge, puis au début du XXe siècle. Oublié jusqu'en 1990, il revient en force et son évolution semble prometteuse. Dérivés : Hanka, Hanke, Hanne, Hanneke, Hannele, Hanschen, Hansie, Hanska, Jance, Jane, Janey, Janica, Janice, Janicia, Janie, Janiece, Janis, Janise, Jannice, Jannis, Jayne, Sheenagh, Sheenah, Shena, Shiena.

JEHIDA (arabe) Appliquée.

JEKATERINA (grec) Chaste.

JELENA (russe) Lumière.

JELILA (arabe) Beauté.

JÉLILA (arabe) Jolie.

JELKA (grec) Beauté.

JEMAA (arabe) Intègre.

JEMILA (arabe) Belle.

JEMIMA (hébraïque) Colombe. Dérivés : Jamima, Jemimah, Jemmie, Jemmimah, Jemmy, Mima, Mimma.

JEMINA (hébraïque) Droitière. Dérivés : Jem, Jemi, Jemma, Jemmi, Jemmie, Jemmy, Mina.

JEMMA (anglais) Pousse.

JENELLE (anglais) Accommodante. Variante de Guenièvre.

JENNA (arabe) Petit oiseau. Dérivés : Jannarae, Jena, Jenesi, Jenn, Jennabel, Jennah, Jennalee, Jennalyn, Jennasee.

JENNICA (anglais) Dieu est

bon. Dérivés : Jenica.

JENNIFER (gallois) Blanche, lisse, douce. Jennifer est une variante de Guenièvre et c'est l'exemple type de prénom dont la popularité a explosé au début des années 1970 avant de s'éteindre au début des années 1990. Bien qu'il soit toujours en vogue, de plus en plus de parents hésitent à appeler ainsi leur fille, du fait de cette trop grande diffusion. Il avait déjà connu un sort semblable dans les années 1950 en Grande-Bretagne. Dérivés : Genn, Gennifer, Genny, Ginnifer, Jen, Jena, Jenalee, Jenalyn, Jenarae, Jenene, Jenetta, Jenita, Jeni, Jenice, Jeniece, Jenifer, Jeniffer, Jenilee, Jenilynn, Jenise, Jenn, Jennessa, Jenni, Jennie, Jen-nika, Jennilyn, Jennis, Jen-nyann, Jennylee, Jeny, Jinny.

JÉRÉMIA (hébraïque) Le Seigneur est grand. Version féminine de Jérémie.

JÉROMINE (grec) Nom sacré. Forme féminine de Jérôme.

JERSEY (anglais) Nom géographique.

JERTA (germanique) Courageux.

JERUSHA (hébraïque) Mariée.

JESSENIA (arabe) Fleur.

JESSICA (hébraïque) Celle qui voit. Tout comme Jennifer, Jessica fut un prénom très apprécié du début des années 1970 à la fin des années 1980. Il possède une longue histoire puisqu'il apparaît dans la Genèse, puis dans Le Marchand de Venise, de Shakespeare. Dérivés : Jesica, Jess, Jessa, Jesse, Jesseca, Jessi, Jessie, Jessika, Jessye.

JESUSA (espagnol) Féminin du prénom espagnol Jesús.

JETHRA (hébraïque) Beaucoup.

JETTE (danois) Noire. Dérivé : Jetta.

JEWIHRA (arabe) Joyau.

JEWNA (arabe) Soleil. Dérivé : Jawna.

JÉZABEL (hébraïque) Virginale. Dérivés : Jez, Jezzie.

JEZEKELA (celtique) Prodigue.

JEZIA (arabe) Récompense.

JEZILA (arabe) Distinguée.

JEZLA (arabe) Considérable.

JIDA (arabe) Excellente.

JILDAZA (celtique) Cheveux.

JILL (anglais) Jeune. Diminutif de Julienne. Dérivés : Gil, Gill, Gyl, Gyll, Jil, Jilli, Jillie, Jilly, Jyl, Jyll.

JILLIAN (anglais) Jeune. Dérivés : Gilli, Gillian, Gillie, Jilian, Jiliana, Jillan, Jilliana, Jillianne, Jilliyanne, Jillyan, Jillyanna.

JIMENA (espagnol) Chimène.

JIN (japonais) Gentille.

JINAN (arabe) Paradis.

JINDRISKA (tchèque) Maîtresse chez elle. Dérivés : Jindra, Jindrina, Jindruska.

JINX (latin) Maléfice. Dérivé : Jynx.

JIRINA (tchèque) Fermière. Dérivé : Jiruska.

JOAKIMA (hébraïque) Dieu jugera.

JOAN (hébraïque) Dieu est bon. Aux États-Unis, ce prénom acquiert une immense popularité au milieu du XXᵉ siècle, probablement grâce aux actrices Joan Crawford et Joan Fontaine. Dérivés : Joani, Joanie, Joannie, Jonee, Joni.

JOANNE (hébraïque) Dieu est bon. Variante de Jeanne. Dérivés : Joana, Joanna, Joannah, Johanna, Johanne.

JOAQUINA (espagnol) Fleur. Dérivé : Joaquine.

JOBEÏDA (arabe) Celle qui a un beau visage.

JOBY (hébraïque) Persécutée. Version féminine de Job.

JOCASTA (italien) Heureuse.

JOCELYNE (germanique) Issu de Gauz, divinité teutonne. Dérivés : Joceline, Joci, Jocie, Josaline, Josceline, Joscelyne, Joseline, Joselyne, Josiline, Josline.

JOCONDA (latin) Agréable.

JOCOSA (latin) Espiègle.

JODI (hébraïque) Glorifiée. Dérivés : Jodie, Jody.

JOËLLE (hébraïque) Yahvé est Dieu. Féminin de Joël.

JOELLE Dérivés : Jodella, Jodelle, Joëliane, Jonelle, Yaëlle, Yoëlle.

JOÉVA (latin) Issue de Jupiter. Forme féminine de Joévin.

JOHANNA (hébraïque) Dieu a fait grâce. Variante de Jeanne. Dérivé : Iohanna.

JOHAR (arabe) Joyau.

JOLAN (hongrois) Fleur pourpre.

JOLANDA (latin) Violette.

JOLANTA (latin) Violette. Forme tchèque de Yolande. Dérivé : Jolana.

JONELLE (hébraïque) Dieu est bon. Variante de Jeanne. Dérivés : Jonella, Joni, Jonie, Jony.

JONINA (hébraïque) Colombe. Dérivés : Jona, Jonati, Jonit, Yona, Yonit, Yonita.

JONNA (hébraïque) Dieu est bon. Variante féminine anglaise de Jean. Dérivés : Jahnna, Johnna.

JONQUILLE (espagnol) Fleur du même nom. Dérivés : Jonquil, Jonquila.

JORA (hébraïque) Pluie d'automne. Dérivé : Jorah.

JORDAN (anglais) Descendre. Ce prénom a une curieuse histoire. À l'époque des Croisades, les soldats rapportèrent chez eux de l'eau du Jourdain avec laquelle ils baptisèrent leurs petits garçons en leur donnant ce prénom, qui resta masculin jusque vers 1980. Il a été ensuite assez fréquemment donné à des filles, et aujourd'hui, aux États-Unis, il est presque exclusivement féminin, alors qu'en Europe il est encore typiquement masculin. Dérivés : Jordana, Jordon, Jordyn.

JORGINA (grec) Celle qui cultive la terre. Féminin de Jorge, version espagnole de Georges.

JOSÉE (hébraïque) Dieu ajoutera. Féminin de José. Dérivés : Josette, Josiane, Josie, Pépita, Peppa.

JOSÉPHINE (hébraïque) Dieu ajoutera. Version féminine de Joseph. Dérivés : Jo, Joey, Josefa, Josefina, Josefine, Josepha, Josephe, Josephene, Josephina, Josetta, Josette, Josey, Josi, Josie.

JOSEPHINE Dérivés : Josafat, Joseba, Josebe, Joséfiina, Josepa, Joska, Jouséfino, Jovanka.

JOUDA (arabe) Perfection.

JOUDIA (arabe) Tendre.

JOUMANA (arabe) Perle. Dérivé : Joman, Jovenka, Joxepa, Joxin, Joxune, Jozéfa

JOVITA (latin) Heureuse.

JOY (anglais) Joie. Dérivés : Gioia, Joi, Joie, Joya, Joye.

JOYCE (latin) Joyeuse. Joyce, à l'origine, était le prénom d'un saint du VIIᵉ siècle. Cet usage masculin se perpétua durant le Moyen Age alors que le prénom n'était que peu répandu. Ensuite avec les Années Folles, il devint si courant pour les filles que, dans les années 1950, il fut classé en troisième position des prénoms les plus attribués aux États-Unis. Dérivés : Joice, Joyousa.

JOYITA (espagnol) Bijou.

JUANA (hébraïque) Dieu est bon. Féminin de Juan, forme espagnole de Jean. Dérivés : Juanetta, Juanita.

JUDITH (hébraïque) Juive. Dérivés : Jitka, Jucika, Judey, Judi, Judie, Judit, Judita, Judite, Juditha, Judithe, Judy, Judye, Jutka, Jetta, Jette, Jodie, Jody, Judy, Judintha, Jutke, Jutta, Juuta, Juytken, Jytte, Yehoudit.

JULA (polonais) Duveteuse.

JULIE (latin) Descendante des Julius, grande famille de la Rome antique. Julie est un prénom qui a un long passé. Déjà, dans la Rome antique, les femmes à Rome donnaient souvent ce nom à leur bébé en l'honneur de Jules César. Julie fut très apprécié au milieu du XIXe siècle avant de connaître une période de désaffection. Il réapparut ensuite dans les années 1970. Dérivés : Giulia, Gualiana, Julia, Jula, Julcia, Julee, Juley, Juli, Juliana, Juliane, Julianna, Julianne, Julica, Julienne, Julina, Juline, Julinka, Juliska, Julissa, Julka, Yula, Yulinda, Yuliya, Yulka, Yulya.

JULIETTE (latin) Descendante des Julius. Forme Dérivée de Julie. Ce prénom, révélé par Juliette Gréco dans les années 1950, était néammoins resté dans l'ombre ; il apparaît aujourd'hui à la suite de Julie. Dérivés : Juliet, Julieta, Julietta, Julita, Julischka, Juliska, Julitte, July

JUMANA (arabe) Perle. Dérivé : Jumanah.

JUN (japonais) Obéissante.

JUNA (celtique) Jeune.

JUNE (anglais) Juin. Dérivés : Junae, Junel, Junella, Junelle, Junette, Juno.

JUNKO (japonais) Dévouée.

JUNKO (japonais) Fille de l'obéissance.

JUSTINE (latin) Juste. Forme féminine de Justin. Ce prénom mutin est en vogue depuis le début des années 1990.

JUSTINE Dérivés : Justa, Justina, Justya, Justyna, Jusztina, Juxta.

KAARINA (grec) Pure. Forme finnoise de Karine, Dérivé de Catherine.

KACI (slave) Celle qui exige la paix. Féminin anglais de Casimir. Dérivés : Kacey, Kacia, Kacie, Kacy, Kaycee, Kayci.

KADENZA (latin) Avec rythme.

KADIAH (hébraïque) Pichet. Dérivés : Kadia, Kadya.

KAGAMI (japonais) Miroir.

KAI (grec) Chaste.

KAISA (suédois) Pure.

KAITLIN (anglais) Prénom composé de Kate et de Lynn. Dérivés : Kaitlinn, Kaitlinne, Kaitlynn, Katelin, Katelyn, Katelynne.

KAL (anglais) Fleur jaune.

KALANIT (hébraïque) Fleur. Dérivés : Kalanice, Kaleena, Kalena, Kalina.

KALIGENIA (grec) Fille magnifique.

KALILA (arabe) Aimée. Dérivés : Kaila, Kailey, Kaleela, Kaleigh, Kalie, Kalila, Kaly, Kayle, Kaylee, Kayleen, Kayleigh, Kaylene, Kayley, Kaylie, Kaylil, Kylila.

KALINA (polonais) Fleur. Dérivés : Kalee, Kaleena, Kalena, Kalene.

KALINN (scandinave) Torrent.

KALLI (grec) Rossignol. Dérivés : Cal, Calli, Callie, Collie, Kal, Kallie, Kallu, Kally.

KALLIRROE (grec) Magnifique ruisseau. Dérivés : Callirhoe, Callirhot, Calliroe, Callirrhoe, Callirroe, Callirrot.

KALLISTA (grec) La plus belle. Forme féminine de Calliste. Dérivés : Cala, Calesta, Calista, Callie, Cally, Kala, Kalesta, Kali, Kalie, Kalika, Kalli, Kallie, Kally, Kallysta.

KALONICE (grec) Belle victoire.

KALTHUM (arabe) Joufflue. Dérivé : Kalsum.

KALYCA (grec) Bouton de rose. Dérivés : Kali, Kalica, Kaly.

KAMA (hébraïque) Mûre.

KAMILA (arabe) Parfaite. Contrairement aux apparences phonétiques, Kamila n'a pas la même origine que Camille. Dérivés : Kameela, Kamilah, Kamillah, Kamla.

KANARA (hébraïque) Canari. Dérivé : Kanarit.

KANDIDA (latin) Resplendissante.

KANEZA (arabe) Joyaux.

KANNA (celtique) Lumineuse, blanche.

KAOURA (celtique) Secours.

KARA (latin) Chère. Kara est une forme Dérivée du prénom italien Cara. Dérivés : Kaira, Karah, Karalee, Karaly, Karalynn, Kari, Kariana, Karianna, Karianne, Karie, Karielle, Karrah, Karrie, Kary.

KAREN (scandinave) Diminutif de Katerina. Dérivés :

Caren, Carin, Caryn, Karin, Karina, Karon, Kerena.

KARENZA (écossais) Amour. Dérivés : Kerensa, Kerenza.

KARI (grec) Pure. Forme scandinave de Catherine. Dérivés : Karianne, Karien, Karijn.

KARIDA (arabe) Virginale.

KARIMA (arabe) Noble. Dérivé : Karimah.

KARIN (grec) Chaste.

KARIS (grec) Grâce.

KARISMA (anglais) Variante de Charisma.

KARISSA (grec) Chérie.

KARLA (germanique) Libre.

KARLENE (germanique) Virile. Forme féminine lettone de l'une des variantes de Charles. Dérivés : Karlean, Karleen, Karlen, Karlina.

KARMEL (hébraïque) Verger, vigne. Dérivés : Carmel, Carmi, Carmia, Karmeli, Karmi, Karmia, Karmiel, Karmielle.

KARMEN (anglais) Jardin. Variante de Carmen. Dérivés : Karmina, Karmine, Karmita.

KARMIL (hébraïque) Rouge.

KAROLA (germanique) Virile.

KASMIRA (slave) Qui apporte la paix. L'un des prénoms féminins issus de Casimir.

KASSANDRE (grec) Variante de Cassandre. Dérivé : Kassandra.

KATALIN (grec) Pure. Forme hongroise de Catherine. Dérivés : Kata, Katalina.

KATANIYA (hébraïque) Petite. Dérivés : Katiania, Ketana.

KATHEL (grec) Pure. Forme bretonne de Catherine.

KATHERINE (grec) Pure. Katherine, quelle que soit son orthographe, est un prénom courant depuis ses origines, dès l'Antiquité, et sous ses diverses formes. L'une des grandes Katherine est bien sûr l'actrice Katherine Hepburn qui laissa sa marque sur ce prénom. La tendance étant aux prénoms celtiques, Katriona ou Caitrionna ont la cote aujourd'hui aux États-Unis. Dérivés : Caitriona, Caren, Caron, Caryn, Caye, Kaethe, Kai, Kaila, Kait, Kaitlin, Karen, Karena, Karin, Karina, Karine, Karon, Karyn, Karyna, Karynn, Kata, Kataleen, Katalin, Katalina, Katarina, Kate, Katee, Kateke, Katerina, Katerinka, Katey, Katey, Katharin, Katharina, Katharine, Katharyn, Kathereen, Katherin, Katherina, Kathey, Kathi, Kathie, Kathleen, Kathlyn, Kathlynn, Kathren, Kathrine, Kathryn, Kathryne, Kathy, Kati, Katia, Katica, Katie, Katina, Katrine, Katriona, Katryna, Kattrian, Katushka, Katy, Katva, Kay, Kisan, Kit, Kitti, Kitty, Kotinka, Kotryna, Yekaterina.

KATINKA (grec) Pure. Forme slave de Catherine. Dérivés : Katina, Katja, Katjuschka, Katjusja, Katrischka.

KATOU (celtique) Pure. Dérivé de Kathel.

KATRIEL (hébraïque) Couronnée par Dieu.

KAWSSAR (arabe) Prodigalité.

KAYLA (anglais) Pure. Variante de Katherine. Kayla s'est bien implanté aux États-Unis, au point de figurer au palmarès des dix premiers prénoms alors qu'il était inconnu dix ans auparavant. Sans doute atteindra-t-il l'Europe d'ici peu ? Dérivés : Keal, Kaelee, Kaelene, Kaeleigh, Kaeli, Kaelie, Kaelin, Kaely, Kaila, Kailan, Kailee, Kaileen, Kailene, Kailey, Kailin, Kailynne, Kala, Kalee, Kaleigh, Kalen, Kaley, Kalie, Kalin, Kayn, Kayana, Kayanna, Kaye, Kaylan, Kaylea, Kayleen, Kayleigh, Kaylene, Kayley, Kayli, Kaylle.

KAZÉMA (arabe) Prend sur elle.

KEARA (irlandais) Sombre.

Dérivés : Keira, Kiara, Kiera, Kierra.

KEITA (anglais) Forêt. Féminin de Keith.

KEKO (japonais) Respectueuse.

KELDA (scandinave) Fontaine ou source. Dérivé : Kilde.

KELDAY (anglais) *Définition inconnue.*

KELILA (hébraïque) Couronne. Dérivés : Kailie, Kaille, Kalia, Kayla, Kayle, Kyle, Kylia.

KELLY (irlandais) Guerrière. Kelly a connu diverses fortunes au cours des cent dernières années. D'abord nom de famille, puis prénom masculin, il est aujourd'hui presque exclusivement féminin. Il est en vogue dans les pays anglo-saxons depuis les années 1970, et semble vouloir s'implanter en France. Dérivés : Kealey, Kealy, Keeley, Keelie, Keellie, Keely, Keighley, Keiley, Keilly, Keily, Kellee, Kelley, Kellia, Kellie, Kellina, Kellisa.

KELSEY (anglais) Île. Kelsey est à l'origine un prénom masculin, mais sa version féminine a séduit les futurs parents de la fin des années 1980 dans les pays anglosaxons. Dérivés : Kelcey, Kelci, Kelcie, Kelcy, Kellsie, Kelsa, Kelsea, Kelsee, Kelseigh, Kelsi, Kelsie, Kelsy.

KELULA (yiddish) Petite fiancée.

KEMILA (arabe) Perfection.

KENDALL (anglais) Vallée de la tente du fleuve. Nom de famille. Dérivés : Kendal, Kendel, Kendell.

KENDRA (anglais) Ce prénom est sans doute un composé de Kenneth et de Sandra. Il est particulièrement courant dans les familles afro-américaines, sans raison apparente. Il est arrivé aux États-Unis dans les années 1940. On pensait qu'il venait de Grande-Bretagne. La présomption se révéla fausse puisqu'il ne fit son apparition dans ce pays que dans les années 1965-1970. Le mystère reste donc entier. Dérivés : Kena, Kenadrea, Kendria, Kenna, Kindra, Kinna, Kyndra.

KENTON (anglais) Nom géographique.

KENYA (hébraïque) Pays du même nom.

KENZA (arabe) Richesses.

KENZIE (écossais) Légère.

KEREM (hébraïque) Verger.

KEREN (hébraïque) Corne. Dérivés : Kerrin, Keryn.

KERENSA (cornouaillais) Amour. Dérivés : Karensa, Kerenza.

KERIDWEN (gallois) Poésie blanche.

KERRY (irlandais) Comté d'Irlande. Ce prénom a longtemps été très populaire dans ce pays, mais ses nombreuses variantes ont fini par l'emporter et on ne l'emploie plus guère dans sa forme originelle. Tout comme Kelly, il était autrefois réservé aux garçons. Dérivés : Kera, Keree, Keri, Keriana, Keriann, Kerianna, Kerianne, Kerra, Kerrey, Kerrianne, Kerrie.

KESHET (hébraïque) Arc-en-ciel.

KESSEM (hébraïque) Magique.

KETIFA (hébraïque) Cueillir. Dérivé : Ketipah.

KETINA (hébraïque) Fille.

KETTY (grec) Chaste. Dérivé : Kitty.

KETURAH (hébraïque) Parfum. Dérivé : Ketura.

KETZIA (hébraïque) Écorce d'un arbre. Dérivés : Kasia, Ketzi, Ketziah, Kezi, Kezia, Keziah, Kissie, Kizzie, Kizzy.

KEVINA (irlandais) Jolie. Féminin de Kevin. Dérivés : Keva, Kevia, Kevyn.

KEYNE (gallois) Belle et blanche.

KHADIJA (arabe) Première femme du Prophète.

KHADQAH (arabe) Honorable.

KHALIDA (arabe) Pour toujours. Dérivés : Kaleeda, Khalidah.

KHALILA (arabe) Bonne amie. Dérivé : Khalilah.

KHALISSA (arabe) Sincérité.

KHERA (arabe) Bonté.

KIARA (irlandais) Noire. Dérivés : Ciarra, Cieara, Keara, Kiera.

KIKI (espagnol) Diminutif d'Enriqueta, Henriette en français.

KILEY (gaélique) Séduisante. Dérivé : Kilee.

KIMBERLY (anglais) Prairie du roi. Au début du XXᵉ siècle, aux États-Unis, Kimberly était un prénom masculin assez courant. Ce nom est celui d'une ville d'Afrique du Sud, théâtre de batailles, et pour les commémorer de nombreux parents donnèrent ce nom à leurs enfants. Kimberly commença à devenir un prénom mixte dans les années 1940 et se classa parmi les noms les plus populaires de 1960 à 1970. Aujourd'hui, il semble décliner aussi bien en Grande-Bretagne qu'aux États-Unis. En revanche, il apparaît en France et se place en bonne position parmi les prénoms d'origine étangère. Dérivés : Kim, Kimba, Kimba Lee, Kimball, Kimber, Kimberlea, Kimberlee, Kemberlei, Kimberleigh, Kimberley, Kimberli, Kimberlie, Kimberlyn, Kimbley, Kimmi, Kimmie, Kymberlee.

KIMIKO (japonais) Préférée.

KINEBURGE (germanique) Château.

KINESWIDE (germanique) Forêt.

KINETA (grec) Dynamique.

KINNERET (hébraïque) Harpe.

KINNIE (celtique) Belle.

KINSEY (anglais) Membre de la famille.

KIRA (bulgare) Trône. Dérivés : Kiran, Kirania, Kiri, Kirra.

KIRBY (anglais) Ferme près d'une église.

KIRIAH (hébraïque) Village. Dérivés : Kiria, Kirya.

KIRSTEN (grec) Messie. Féminin scandinave de Christian. Dérivés : Keerstin, Kersten, Kersti, Kerstie, Kerstin, Kiersten, Kierstin, Kirsta, Kirsti, Kirstie, Kirstin, Kirstine, Kirsty, Kirstyn, Kirstynn, Krstin.

KISA (russe) Chaton. Dérivés : Keesa, Kysa.

KISKA (russe) Pure.

KITRA (hébraïque) Guirlande de fleurs.

KIZZY (hébraïque) Cannelle. Dérivés : Kissie, Kissy, Kizzie.

KLARI (latin) Claire. Forme scandinave de Claire. Dérivés : Klaarttje, Klarieke.

KLAUDIA (latin) Boiteuse. Forme germanique de Claude. Dérivé : Claudia.

KLERVI (celtique) Clé. Dérivé : Klervia.

KLIO (grec) Célèbre.

KOHINOOR (arabe) Lumière.

KOLINA (suédois) Pure.

KORA (grec) Jeune fille. Dérivés : Cora, Corabel, Corabella, Corabelle, Corabellita, Corake, Coralyn, Corella, Coretta, Corey, Cori, Corie,

Corilla, Corinna, Corinne, Corissa, Corlene, Corri, Corrie, Corrin, Corrissa, Corry, Cory, Coryn, Coryna, Corynn, Korabell, Koree, Koreen, Korella, Korenda, Korette, Korey, Korie, Korilla, Korissa, Korri, Korrie, Korrina, Korry, Kory, Korynna, Koryssa.

KORDELIA (latin) Charmante.

KORINA (anglais) Demoiselle. Korina est un prénom anglais qui existe en Grande-Bretagne et aux États-Unis depuis le milieu du XIXe siècle mais qui n'a jamais vraiment fait parler de lui. Dérivés : Korinna, Korinne, Korrina.

KOSTYA (russe) Loyale.

KOULM (latin) Colombe. Forme féminine celtique de Colomban. Dérivés : Koulma, Koulmenn, Koulmez.

KOUNOUZ (arabe) Richesses.

KOUPAIA (grec) Gloire.

KRISTEN (grec) Messie. Version féminine anglaise de Christian. Plus original que Christine, et moins que Kirsten, ce prénom a connu une vogue de popularité aux États-Unis dans les années 1960, mais ce sont surtout ses variantes avec un ou plusieurs y qui sont appréciées aujourd'hui. Dérivés : Krista, Kristan, Kristin, Kristina, Kristine, Kristyn, Kristyna, Krysta, Krystyna.

KUNIGONDE (germanique) Vaillante au combat. Forme scandinave de Cunégonde.

KVETA (tchèque) Fleur. Dé-

rivés : Kvetka, Kvetuse, Kve-
tuska.

KWASSAR (arabe) Profu-
sion.

KYLA (hébraïque) Cou-
ronne.

KYLE (écossais) Bande de
terre. Masculin très prisé
dans les années 1990, ce
prénom est en train de devenir également féminin.

KYLIE (australien, des abori-
gènes) Boomerang. Dérivés :
Kye, Kylea, Kylene.

KYRA (grec) Dame. Dérivés :
Keera, Keira, Kira, Kyrene,
Kyria.

KYRIE (irlandais) Sombre.

LABBA (arabe) Lionne.

LABHAOISE (irlandais) Brave au combat.

LABIBA (arabe) Intelligente.

LACME (germanique) Terre illustre. Forme féminine de Lambert. Dérivés : Labériane, Lamia, Lamberta, Lamberte, Lammie.

LADA (grec) Vaillante.

LADONNA (italien) Dame. Forme américaine de Donna.

LADY (anglais) Titre de noblesse.

LAËL (hébraïque) Venant de Dieu.

LAELIA (latin) Celle qui adoucit. Dérivés : Laéliane, Laélie, Laëlle.

LAETITIA (latin) Joie. Dérivés : Leda, Leta, Leticia, Letisha, Letizia, Lettitia, Letycia.

LAETITIA Leitis, Letish, Létitia, Lettice, Lettie, Lett, Lezana.

LAFIFA (arabe) Amie.

LAÏG (celtique) Grande.

LAINA (anglais) Route.

LAINE (grec) Éclat du soleil. Variante anglaise d'Hélène. Dérivés : Lainey, Lane, Layne.

LAJUANA (américain) Dérivé de Juana.

LAKEISCHA (américain) Dérivé d'Aïcha.

LALA (tchèque) Tulipe.

LALAGE (grec) Bavarde. Dérivés : Lallie, Lally.

LALLIE (grec) Intelligible.

LAMIA (arabe) Belle.

LAMIS (arabe) Douce.

LAMYA (arabe) Lèvres rouge sombre. Dérivé : Lama.

LANA (anglais) Rocher. Variante d'Alanna. Lana Turner, dont le vrai prénom était Julia, est certainement la seule Lana universellement connue. Dérivés : Lanae, Lanice, Lanna, Lannette, Lana, Lanaé, Léda, Lenchen, Lenka, Lenke, Léno, Lenuschka, Lenussya, Lenuta, Lenya.

LANDELINE (germanique) Douce terre.

LANI (hawaïen) Ciel.

LANTHA (grec) Fleur pourpre. Dérivés : Lanthe, Lanthia, Lanthna.

LAQUEENA (américain) Dérivé de Reine.

LARA (anglais) Célèbre. La popularité de *La Chanson de Lara* du film *Le Docteur Jivago* semble avoir été la seule raison de cet afflux massif de Lara nées après 1965. Cette mode n'a duré qu'un temps et Larissa lui est maintenant préféré. Dérivés : Laralaine, Laramea, Lari, Larina, Larinda, Larita.

LAREINA (espagnol) La reine. Dérivés : LaRayne, Lareine, Larena, Larraine.

LARHONDA (américain) Dérivé de Rhonda.

LARISSA (grec) Heureuse. Dérivés : Laresa, Laressa, Larisa, Laryssa.

LARK (anglais) Alouette.

LASHANDA (américain) Dérivé de Jeanne. Dérivé : Lashauna.

LASSARINA (irlandais) Flamme. Dérivés : Lasrina, Lassera.

LASSIE (anglais) Jeune fille.

LATANYA (américain) Dérivé de Tania.

LATASCHA (américain) Dérivé de Tascha.

LATAVIA (arabe) Plaisante.

LATESCHA (américain) Dérivé de Laetitia. Dérivé : Latischa.

LATIFA (arabe) Tendre, gentille. Dérivés : Latefa, Latefah, Latifah.

LATONE (latin) Dans la mythologie romaine, Latone est la mère de Diane et d'Apollon. Dérivés : Latonia, Leto.

LATONYA (américain) Dérivé de Tonya.

LATOYA (américain) Dérivé de Toya.

LATRICIA (américain) Dérivé de Patricia.

LAUDINE (latin) Louange. Dérivé : Laudie.

LAUDOMIA (italien) Que la maison soit glorifiée.

LAUFEIA (scandinave) Île verte. Dérivé : Laufey.

LAUMARA (latin) Qui rend grâce.

LAURE (latin) Laurier. Ce prénom originaire d'Italie date environ du XIVe siècle. Son orthographe a évolué puisque de Lora, il est devenu Laura, Laure en français. Laura a été à son apogée dans les années 1980, Laure a été plus discrète, mais plus tenace. Laurie semble aujourd'hui avoir la préférence. Dérivés : Larett, Laural, Laureenan, Laurel, Lauren, Laurena, Laurène, Laureta, Lauretta, Laurette, Laurie, Laurine, Lauryn, Lora, Loren, Lorena, Loret, Loreta, Loretta, Lorette, Lori, Lorin, Lorita, Lorrie, Lorrin, Lorry, Lale, Laora, Laura, Lauranna, Laurane, Laureen, Laureleen, Laurélie, Laureline, Laurelle, Lauria, Lauriane, Laurina, Laurisa, Laury, Lavra, Lavria, Lavrissa, Llora, Lora, Loralee, Loralie, Lorantza, Loredana, Lorella, Lorelle, , Lorène, Lorentina, Lorenza, Loretta, Loriane, Lorie, Lorine, Lorinda, Loritta, Lorna, Lowri.

LAURENCE (latin) Laurier. Féminin de Laurent. Déri-

vés : Laurentine, Lawrence, Lawry, Loenço, Laurencia, Laurentia, Laurenzia, Lorentina, Lorenza

LAVEDA (latin) Fraîchement lavée. Dérivés : Lavella, Lavelle.

LAVENA (celtique) Gaie.

LAVINIA (latin) Femme de la Rome antique. Dérivés : Lavena, Lavenia, Lavina, Laviner, Lavinie, Levina, Levinia.

LAVONNA (américain) Dérivé de Vonna.

LAWAHIZ (arabe) Jeter un regard.

LAWANDA (américain) Dérivé de Wanda.

LAZIZA (arabe) Aimée.
Le Livre de bord des prénoms.

LÉA (hébraïque) Fatiguée. En France, ce prénom était

au top de l'état civil dans les années 1990. Lia, sa version biblique, dans la Genèse, était très courante dans l'Angleterre puritaine du XVIe siècle. Dérivés : Leah, Leia, Leigha, Liah.

LEANDRA (grec) Femme-lion. Forme féminine de Léandre. Dérivé : Leodora.

LEANNA (gaélique) Vigne vierge en fleur. Dérivés : Leana, Leane, Leann, Leanne, Lee Ann, Lee Anne, Leeann, Leeanne, Leiannna, Leigh Ann, Leighann, Leighanne, Liana, Liane, Lianne.

LÉANORE (grec) Éclat du soleil. Variante anglaise d'Hélène. Dérivés : Leanor, Leanora, Lenor, Lenora, Lenorah, Lenore, Leonara, Leonora, Leonore.

LECIA (latin) Diminitif d'Alice ou de Félicia. Dérivés : Lecy, Lisha, Lishia.

LEDAH (hébraïque) Naissance. Dérivés : Leda, Leida, Leta, Leyda, Lida, Lidha, Lyda.

LEE (anglais) Plaine.

LEEBA (hébraïque) Cœur.

LEELOU (celte) Clairière lumineuse.

LEFNA (estonien) Lumière.

LEIGH (anglais) Prairie. Écrit Lee, ce prénom est plus fréquemment attribué aux garçons qu'aux filles, mais Leigh est en train de le rattraper. Dérivé : Lee.

LEILA (arabe) Nuit. Dérivés : Laila, Layla, Leela, Leelah, Leilah, Leilia, Lela, Lelah, Leila, Leyla, Lilha, Lilo.

LEILANI (polynésien) Enfant du ciel.

LEILI (hébraïque) Nuit. Dérivés : Laili, Lailie, Laylie, Leilie.

LEIMONI (polynésien) Perles.

LEINANI (hawaïen) Fleur du paradis.

LELIE (grec) Qui parle. Dérivés : Lélia, Léliane

LELLA (arabe) Dame.

LEMUELA (hébraïque) Vouée à Dieu. Féminin de Lemuel.

LENA (grec) Éclat du soleil. Variante slave d'Hélène. Dérivés : Lenah, Lene, Leni, Lenia, Lina, Linah, Line, Lénaïc, Lénaïg

LENIS (latin) Douce, soyeuse.

LENKA (tchèque) Lumière.

LENNA (germanique) Force du lion. Dérivés : Lenda, Lennah.

LENORA (grec) Rayon de soleil.

LEOCADIE (grec) Des îles Leucades. Dérivé : Léokadia.

LEODA (germanique) Du peuple. Dérivé : Leota.

LEOLANI (polynésien) Voix céleste.

LÉONARDE (germanique) Rugissement du lion. Dérivés : Lenda, Léonarda.

LÉONE (latin) Lionne. Version féminine de Léon, très en vogue dans les années 1900. Dérivés : Léoine, Léoline, Léona, Léonanie, Léonette, Leonia, Léonice, Léonie, Léonine, Leonissa, Léontine.

LÉONILLE (latin) Lionne. Forme Dérivée de Léone, Léonelle, Léonilda, Léonilde

LEONOR (grec) Pitié.

LEONOR Dérivés : Lénor, Lénora, Lénore, Léonora,

Léonore, Léora, Léounoro, Liénor, Liénora.

LÉOPOLDINE (germanique) Peuple courageux. Féminin de Léopold. Dérivés : Leopolda, Leopoldina.

LEORA (grec) Lumière. Dérivés : Leorah, Leorit, Lior, Liora, Liorah, Liorit.

LERA (celtique) Noble et forte.

LESLIE (écossais) Basse terre. Leslie possède une longue histoire. Il fut d'abord nom de famille dans un poème de Robert Burns et s'écrivait alors Lesley. Puis, des parents le choisirent comme prénom pour leur fils et changèrent son orthographe en Leslie. Devenu également féminin, il conserva ses deux orthographes jusque dans les an-

nées 1940. Aujourd'hui, il concerne presque essentiellement les petites filles. Dérivés : Leslea, Leslee, Lesley, Lesli, Lesly, Lezlee, Lezley, Lezli, Lezlie.

LETA (latin) Heureuse. Dérivé : Lida.

LETHA (grec) Amnésie.

LETTY (latin) Gaieté.

LEVANA (hébraïque) Blanche. Dérivés : Leva, Levania, Levanit, Levanna, Livana, Livna, Livnat, Livona.

LEVENEZ (celtique) Enjouée

LEVIA (hébraïque) Liée. Féminin de Lévi.

LEVIAH (hébraïque) La lionne de Dieu. Dérivé : Levai.

LEVINA (latin) Éclair.

LEVONA (hébraïque) Encens. Dérivé : Levonat.

LEWANA (hébraïque) La

lune. Dérivés : Lewanna, Liva.

LEXA (grec) Protectrice des hommes. Version féminine tchèque d'Alexandre. Lexa acquiert, sur les traces d'Alexia, une certaine popularité. Dérivés : Lexane, Lexia, Lexie, Lexina, Lexine, Lexiane, Lexie, Lexina, Lexine

LEYA (espagnol) La loi.

LEZIG (celtique) Grande.

LEZOU (celtique) Chaleureuse.

LIA (hébraïque) Fatiguée.

LIANE (hébraïque) Diminutif de Liliane.

LIBE (hébraïque) Amour. Dérivés : Liva, Libbe, Lebbeh, Libi, Libke, Libkeh, Lipke, Lipkeh.

LIBENA (tchèque) Amour. Dérivés : Liba, Libenka, Li-buse, Libuska, Luba.

LIBERATE (latin) Libérée. Dérivé : Libérata.

LIBERTY (anglais) Liberté.

LICHA (espagnol) Noblesse.

LICZENN (celte) Pure.

LID (celtique) Perle.

LIDA (slave) Aimée de tous. Dérivés : Lidah, Lyda.

LIDWINA (germanique) Douce amie. Forme scandinave de Ludivine.

LIEBHILD (germanique) Victoire.

LIEBTRAUD (germanique) Forte.

LIÉNOR (grec) Compassion. Dérivé d'Éléonore.

LIESL (germanique) Diminutif d'Élisabeth. Dérivés : Liezl, Liesa, Liese, Liesel, Liezel, Lisel, Lisl, Lisle.

LIFTHRASIR (scandinave) Celle qui veut la vie.

LILAC (anglais) Lilas.

LILIANE (latin) Lys et Anne. Dérivés : Lileana, Lilian, Lilianna, Lilias, Lilika, Lillia, Lillianne, Lillyan, Lillyanna, Lilyan.

LILIANE Dérivés : Lilia, Liliana, Lilias, Lilika, Lilik, Lilja, Lillian,

LILITH (arabe) Démon de la nuit. Peu de gens connaissent l'histoire de ce curieux prénom. Lilith est la première femme d'Adam avant qu'il rencontre Ève. Selon la légende, Lilith qui n'appréciait pas de devoir obéir à un homme le quitta et se changea en démon. Dérivé : Lillis.

LILY (latin) Lys. Dérivés : Lili, Lilia, Lilie, Lilli, Lillie, Lillye, Lilye.

LIMONE (italien) Citron.

LINA (arabe) Palmier.

LINDA (espagnol) Jolie. Très répandu dans les années 1950-1970 en Espagne et au Portugal, au point de supplanter Marie, Linda n'est presque plus employé aujourd'hui. Dérivés : Lin, Linday, Linde Lindee, Lindi, Lindie, Lindy, Linn, Lyn, Lynada, Lynadie, Lynda, Lynde, Lyndy, Lynn, Lynnda.

LINDEN (anglais) Tilleul.

LINDSAY (anglais) Ile plantée de tilleuls. En Amérique, Lindsay et ses diverses autres formes se classaient parmi les dix prénoms les plus attribués dans les années 1980. Dérivés : Lindsaye, Lindsey, Lindsi, Lindsie, Lindsy, Linsay, Linsey, Linzey, Lyndsay, Lyndsey, Lynsay, Lynsey.

LINE (germanique) Noble. Diminutif d'Adeline. Dérivé : Lina, Linette, Lynn, Lynette.

LINETTE (irlandais) Idole. Dérivés : Lanette, Linet, Linetta, Linnet, Linnetta, Linnette, Lynetta, Lynette, Lynnet, Lynnette.

LINIT (hébraïque) Détendue.

LINNEA (scandinave) Limettier. Dérivés : Linea, Lynnea.

LIOBA (germanique) Aimée.

LIOBA Dérivés : Liobé, Liouba, Liubbe, Louba, Luba, Lubava.

LIORAH (hébraïque) Ma lumière.

LIORITH (hébraïque) Ma petite lumière.

LIRIT (hébraïque) Lyrique.

LISANDRA (grec) Libératrice. Dérivés : Lissandra, Lizandra, Lizan, Lizanne, Lysandra.

LISE (hébraïque) Dieu est promesse. Variante d'Élisabeth. Dérivés : Leesa, Leeza, Leisa, Liesa, Liese, Lisa, Lisanne, Liseta, Lisetta, Lisette, Lison, Lissa, Lissette, Liza, Lizana, Lizanne, Lizette, Lis, Lisabe, Lisabeu, Lisbeth, Lise, Lisel, Liselore, Liselotte, Lisenka, Liseto, Lisettina, Lisiane, Lìsidh, Lisken, Lisl, Lisle, Lissie, Lisveta, Litsa, Liz, Liza, Lizina, Lizza, Lizzie.

LITAL (hébraïque) Rosée.

LIV (scandinave) Protection.

LIVIA (latin) Diminutif d'Olivia. Dérivé : Livie.

LIVIYA (hébraïque) Lionne. Dérivé : Leviya.

LIVNA (hébraïque) Blanche. Dérivé : Livni.

LIVONA (hébraïque) Épice.

Dérivés : Livia, Liviya.

LOANA (celte) Lumière. Dérivé : Loane.

LOFN (scandinave) Déesse de la mythologie nordique.

LOIS (anglais) Soldat célèbre. Version féminine de Louis.

LOKELANI (hawaïen) Petite rose rouge.

LOLA (espagnol) Tristesse. Diminutif anglais de Dolores. Dérivés : Loleta, Loletta, Lolita.

LOLLY (latin) Laurier. Variante anglaise de Laura.

LOMANE (celtique) Pensée de lumière.

LOMENIE (hébraïque) Pensée. Dérivé : Loménie.

LONI (germanique) Prête pour le combat. Forme féminine anglaise d'Alphonse. Dérivés : Lona, Lonee,

Lonie, Lonna, Lonnie.

LOPEÏZA (basque) Louve.

LOREDANA (latin) Laurier.

LORELEI (germanique) Prénom de la littérature. Dérivés : Loralee, Loralie, Loralyn, Lorilee, Lura, Lurette, Lurleen, Lurlene, Lurline.

LORNA (écossais) Région d'Écosse.

LORRAINE (français) Nom d'une province.

LOTTA (suédois) Femme. Dérivés : Lotie, Lotte, Lottey, Lotti, Lottie, Lotty.

LOTUS (grec) Lotus.

LOU (germanique) Guerrière.

LOUANNE (germanique et hébraïque) Prénom composé de Louise et d'Anne. Dérivés : Louanna, Luanna, Luanne.

LOUBEBA (arabe) Tendre.

LOUBNA (arabe) Benjoin.
LOUDIERNE (celte) Grande lumière.
LOUELLA (germanique) Glorieuse combattante. Forme Dérivée de Louise.
LOUISE (germanique) Combattante glorieuse. Féminin de Louis. Grand classique, Louise a connu son apogée au début du siècle, puis après une longue absence, elle est réapparue dans les années 1980, accompagnée d'Éloïse et de Lou.
Dérivés : Aloise, Aloysia, Éloïse, Lou, Louisa, Louisiane, Louiza, Luisa, Luise, Laoise, Lavaoise, Lilidh, Lilka, Lilla, Lillah, Lìosag, Lìosaidh, Loïesa, Lodoiska, Loïez, Loeïza, Loïsa, Loïza, Louella, Louisette, Louison, Lovie, Loviis, Lovisa, Lovise,

Loysa, Lucwika, Luighseach, Luigia, Luigina, Luissig, Luixa.
LOURDES (Français) Référence à Notre Dame de Lourdes. Dérivé : Lorda.
LOVE (anglais) Amour. Dérivés : Lovey, Lovi, Lovie.
LUBOMILA (Slave) Bien aimée. Dérivés : Lubena, Lubka, Lubinka.
LUBORNIRA (tchèque) Grand amour. Dérivés : Luba, Lubena, Lubina, Lubinka, Lubka, Luboska.
LUCA (italien) Féminin de Luc.
LUCERNE (latin) Lampe. Dérivé : Lucerna.
LUCIE (latin) Lumière. Forme féminine de Luc. Ce prénom, très évocateur des jeunes filles du XIXᵉ siècle, est l'un des préférés des an-

nées 1990. Dérivés : Luce, Lucia, Luciana, Lucienne, Lucile, Lucille, Lucinda, Leccia, Louka, Loukania, Loukiana, Loukina, Lucette, Luchina, Lucija, Lucilla, Lucy, Lucza, Lukene, Lukeza, Luxia, Luz.

LUCITA (latin) Lumière. Forme espagnole de Lucie.

LUCKY (anglais) Chanceuse. Dérivés : Luckie, Luckye.

LUCRECE (latin) Famille de la Rome antique. Dérivés : Lucrecia, Lucreecia, Lucretia, Lucrezia.

LUDIVICA (germanique) Illustre soldat.

LUDIVINE (germanique) Douce amie. Dérivés : Ledwine, Lidwina, Lidwine.

LUDMILLA (tchèque) Celle qui aime le peuple. Dérivés : Lidka, Lidmila, Lidunka, Li-duse, Liduska, Ludmila, Luduna, Lyudmila.

LUDOVICA (germanique) Brave au combat. Forme féminine de Ludovic. Dérivés : Lodovica, Ludovika, Ludovique, Ludowica, Ludowika, Ludviga, Ludwiga, Ludwika.

LUIGHSEACH (irlandais) *Définition inconnue.*

LUJAYN (arabe) Argent, le métal.

LULITA (latin) Souffrance.

LUNA (latin) Déesse romaine de la Lune. Dérivés : Lunetta, Lunette, Lunnetta.

LUPITA (celte) Lionne.

LURA (anglais) *Définition inconnue.*

LURLEEN (germanique) Nom géographique. Dérivés : Lura, Lurette, Lurlene, Lurline.

LUZ (espagnol) Lumière.

MAAHA (hébraïque) Meurtrie. Maaha est le prénom de l'une des petites-filles du roi David.

MAALI (arabe) Grandeur.

MAAYANA (hébraïque) Source.

MAB (irlandais, gaélique) Joie. La reine Mab est une fée des légendes irlandaises.

MABEL (latin) Qu'on peut aimer. Version féminine d'Aimable.

MABROUKA (arabe) Chanceuse.

MACARENA (espagnol) En référence à la Vierge de Séville.

MACARIE (grec) Bienheureuse. Dérivés : Macaria, Macra, Macrina.

MACHA (hébraïque) Goutte de mer. Forme slave de Marie.

MACIA (polonais) Audacieuse.

MACKENZIE (irlandais) Fille du chef avisé.

MADANIA (arabe) Bien élevée.

MADELEINE (hébraïque) Qui vient de Magdala. Dérivés : Madalen, Maddly, Madeline, Madelle, Madelon, Mado, Magda, Magdala, Magdaleine, Magdeleine,

Magguy, Leeken, Leenken, Madailéin, Madalena, Madaleno, Maddy, Madelou, Madle, Madlen, Madlenka, Madline, Madly, Maïalen, Maighdlin, Makelina, Matleena, Matxalen.

MADENN (celte) Bonne. Dérivés : Madena, Madez.

MADIHA (arabe) Digne d'éloges. Dérivés : Madilah, Madihah.

MADISON (anglais) Nom de famille.

MADONNA (latin) Madame.

MADRE (espagnol) Mère.

MAE (hébraïque) Mer.

MAEBH (irlandais) Joie.

MAËLLE (celte) Princesse. Féminin de Maël.

MAELLE Dérivés : Maë, Maëla, Maëlaig, Maëlane, Maëlenn, Maëlie, Maëlig, Maëline, Maëlis, Maëlys, Maewenn.

MAENA (grec) Lune.

MAEVA (tahitien) Bienvenue.

MAEVE (irlandais) Délicate.

MAFALDA (espagnol) Forme espagnole de Mathilde.

MAGALI (latin) Perle. Forme provençale de Marguerite.

MAGDALENA (hébraïque) Femme de la région de Magdalena, au Moyen-Orient. Forme originelle de Madeleine. Dérivés : Magdala, Magdalen, Magdalene, Magda, Magdalaine, Magdaleine, Magdelaine, Magdeleine, Magdelina, Magdelone, Magdi, Magdolna, Maggelina, Maggeline, Maggeltsje.

MAGGE (grec) Perle.

MAGGUY (hébraïque) Originaire de Magdala. Diminutif

de Madeleine.

MAGNHILD (scandinave) Grand combat.

MAGNILDA (germanique) Vainqueur à la guerre.

MAGNOLIA (latin) Fleur du même nom.

MAGUELONNE (latin) Perle. Forme Dérivée de Marguerite.

MAHA (arabe) Grands yeux.

MAHALA (hébraïque) Tendresse. Dérivés : Mahalah, Mahalia, Mahaliah, Mahalla, Mahelia, Mehalia.

MAHANA (Polynésie) Soleil.

MAHASIN (arabe) Bonne.

MAHATS (basque) Raisin.

MAHAULT (germanique) Force au combat. Forme médiévale de Mathilde. Dérivé : Mechtilde.

MAHBOUDA (arabe) Désirée.

MAHDIA (arabe) Guide.

MAHDIYA (arabe) Accompagnée.

MAHEA (hawaïen) Lueur de la lune.

MAHEESA (anglais) Le dieu hindou Siva. Dérivés : Mahesa, Mahisa.

MAHINA (polynésien) Lune.

MAHIRA (arabe) Habile.

MAHIRA (hébraïque) Rapide. Dérivé : Mahera.

MAHJOUBA (arabe) Protégée du mauvais sort.

MAÏ (celtique) Mer.

MAI (japonais) Lumineuse.

MAIA (grec) Mère. Nymphe de la mythologie.

MAIDER (basque) Diminutif de Marie-Belle.

MAINHILD (germanique) Combat.

MAIRA (anglais) Jeune fille. Dérivés : Maidie, Mayda,

Mairig, Mairin, Mairwen, Maïtana, Maïtane, Manioussa, Manka, Mari, Marica, Marichka, Marieken, Marija, Marika, Marikel, Mariona, Marioun, Mariquita, Marisa, Mariska, Marisol , Marit , Marita, Maritxu, Maritza, Mari, Marj, Marja, Marjatta, Marjo, Marjukka, Marju, Maroussia, Marsha, Marusca, Maruska, Marusya, Marysa, Maryse, Marysi, Masha, Mashenka, Masheva, May, Mayra, Mia, Mies, Mietje, Mietta, Mirai, Miren, Mirena, Mirena, Mirentxu, Mirja, Mirjam, Mirjami, Mitsi, Mitzi, Mitzie, Mitzy, Miureall, Moussia, Moyra, Muire, Muiread, Muriel, Myra.

MAISIE (latin) Perle. Diminutif écossais de Marguerite. Dérivés : Maisey, Maisy, Maizie.

MAISSIM (arabe) Beauté.

MAÏTÉ (basque) Forme contractée de Marie-Thérèse.

MAITILDE (germanique) Combat.

MAÏWEN (Breton) Contraction de Marie et de Gwenn.

MAÏXA (basque) Contraction de Marie et de Jeanne.

MAIZA (arabe) Pleine de discernement.

MAJ (latin) Perle. Forme scandinave de Marguerite. Dérivé : Maja.

MAJDA (arabe) Qui a bon caractère.

MAJESTA (latin) Majesté.

MAJIDA (arabe) Noble.

MAJIDAH (arabe) Magnifique. Dérivé : Maiida.

MAKA (hawaïen) Préférée.

MAKANA (hawaïen) Cadeau.

MAKEDA (hébraïque) Bol.

MALAMHIN (écossais) Front lisse.

MALAOLANA (hawaïen) Espoir.

MALDA (arabe) Affectueuse.

MALIHA (arabe) Belle.

MALIKA (arabe) Ange.

MALKAH (hébraïque) Reine. Dérivés : Malcah, Malka, Malkia, Malkiah, Malkie, Malkit, Malkiya.

MALKIN (germanique) Jeune guerrière.

MALKOSHA (hébraïque) Dernière pluie.

MALLORY (celtique) Gage lumineux. Forme Dérivée de Malo. Ce prénom mixte a, en principe, une orthographe différente selon le sexe de l'enfant : Mallory pour les filles, Mallaury

pour les garçons.

MALONZA (anglais) Région de Grande-Bretagne.

MALVINA (latin) Mauve. Dérivés : Malva, Malvane, Malvy, Mauve, Melva, Melvena, Melvina.

MANAL (arabe) Accomplie.

MANAR (arabe) Phare.

MANAVA (polynésien) Bonjour.

MANDY (latin) Adorée. Dérivés : Manda, Mandie.

MANFREDA (germanique) Pacifiste.

MANGENA (arabe) Chanson. Dérivé : Mangina.

MANNAÏC (Breton) Contraction de Marie et Annick.

MANOA (polynésien) petite lagon.

MANON (hébraïque) Goutte de mer. Forme provençale de Marie. Ce prénom enchanteur, évocateur du ciel bleu, de la lavande et des cigales a été un grand favori des années 1990 en France.

MANOUA (arabe) But.

MANSOURA (arabe) Victorieuse.

MANUELA (hébraïque) Dieu est parmi nous. Féminin espagnol d'Emmanuel. Dérivé : Manuelita.

MANUITI (polynésien) Petit oiseau.

MANUTEA (polynésien) Oiseau blanc.

MANYA (hébraïque) Diminutif russe de Marie.

MAODANNA (celtique) Enflammée.

MAPELA (polynésien) Aimable.

MARA (hébraïque) Amère. Dérivé : Marah.

MARABEL (anglais) Belle Marie. Dérivés : Marabelle, Marable, Marbella.

MARAM (arabe) Désir.

MARAMA (polynésien) Clair de lune.

MARANIA (polynésien) Beauté.

MARCELLE (latin) Marteau. Féminin de Marcel. Dérivés : Marcelia, Marcella, Marcelline, Marcena, Marcène, Mairsil, Mairsil, Marcela, Marcellie, Marchita, Marchitta, Markele, Markoussia, Marquita, Marsailí, Marscha, Marzella, Marzhin

MARCIA (latin) Marteau. Variante féminine de Marc. Dérivés : Marcey, Marci, Marcie, Marcina, Marcy, Marsha, Marciane, Marcie, Marcille, Marcy

MARELDA (germanique) Vaillante jeune guerrière.

Dérivé : Marilda.

MARELLA (anglais) Combinaison de Marie et d'Elle. Dérivé : Marelle.

MARESHA (hébraïque) Colline.

MARETTA (anglais) Audacieuse. Dérivé : Marette.

MARGALIDE (latin) Perle. Forme bretonne de Marguerite. Dérivés : Marc'haïd, Marc'halid, Marc'harid, Margaine.

MARGANIT (hébraïque) Fleur.

MARGEA (hébraïque) Paix.

MARGERIE (latin) Perle. Dérivés : Margeret

MARGOT (latin) Perle. Diminutif de Marguerite. La reine Margot, épouse du futur Henri IV, se rendit célèbre par sa beauté, son intelligence et ses aventures amoureuses.

MARGOT Dérivés : Margaux, Margotton.

MARGUERITE (latin) Perle. Marguerite est un prénom dont l'existence remonte au IIIe siècle avec la première sainte Marguerite. Sa traduction anglaise, Margaret, fut, elle, si populaire en Écosse qu'elle devint en quelque sorte le prénom féminin national écossais, notoriété qui se propagea à l'Angleterre et aux États-Unis. Aujourd'hui, Marguerite revient, à la suite de Margot. Dérivés : Greeta, Greetja, Grere, Gret, Greta, Gretal, Gretchen, Gretel, Gretha, Grethel, Gretje, Gretl, Gretta, Groer, Maggi, Maggie, Maggy, Mair, Maire, Mairi, Mairona, Margara, Maaret, Madge, Magod, Magaid, Magalide, Magari, Maidie, Maighrea, Mairea, Mairearad, Mairona, Makereta, Mankalita, Marete, Margaïd, Margod, Margaine, Margaït, Margaite, Margalith, Margane, Marganne, Margaret, Margareta , Margarete, Margaretha, Margarida, Margaride, Margarido, Marged, Margerita, Märget, Margherita, Margie, Margit, Margita, Margo, Margod, Margrethe, Margriet, Margrieta, Margriete, Margrit, Marguarida, Marguerita, Markarid, Markarid, Markarit, Markéta, Marketta, Meta, MetteMargareta, Margarethe, Margarett, Margaretta, Margarette, Margarita, Margarite, Marge, Margeret, Margerey, Margery, Margrett, Marguerette, Marj, Marjorie, Meagan,

Meaghan, Meaghen, Meg, Megan, Megen, Meggi, Meggie, Meggy, Meghan, Meghann, Peg, Pegeen, Pegg, Peggey, Peggi, Peggie, Peggy, Reet, Reeta, Reita, Rheeta, Riet, Rieta, Ritta.

MARGUERITE Dérivés :

MARIA (hébraïque) Variante espagnole et italienne de Marie. Dérivés : Marea, Mariah, Marya.

MARIAM (arabe) Chaste.

MARIANNE (hébraïque) Goutte de mer. Variante de Marie. Dérivés : Marian, Mariana, Marianka, Marianna, Marianneke, Mariannick, Marianni, Marjaana, Marjan, Marjane.

MARICARA (latin) Amère. Dérivés : Marice, Marieca, Marise.

MARIE (hébraïque) Goutte

d'eau. La Vierge Marie. Au Moyen Âge, il était interdit de donner ce prénom à un enfant, simple mortel, sous peine d'être condamné pour hérésie. Premier prénom dans tous les pays de tradition catholique, il a été un temps, dans les années 1950, très populaire dans les pays anglophones mais a vite décliné au point de n'être pratiquement plus utilisé. En revanche, en France, il est l'un des plus attribués depuis 1980. Parmi les Marie célèbres, on peut citer Marie Curie, Maria Callas, Mary Pickford et Mary Poppins. Dérivés : Maaike, Maarika, Maari, Macha, Mae, Maeja, Maeke, Maïa, Maïana, Maija, Maioun, Maïka, Màileag, Maïlen, Màil, Maire, Màireag, Mairenn, Màiri, Maha, Maïa, Maiquita, Maïté, Manon, Maree, Marella, Marelle, Mari, Maria, Mariale, Marianne, Marieke, Marieke, Mariel, Mariela, Mariele, Mariella, Marielle, Marielle, Marielle, Mariette, Mariette, Marijke, Marike, Mariola, Marion, Marioutchka, Marise, Maritie, Maritza, Maritza, Marlène, Marline, Marlise, Marpessa, Mary, Mary, Maryk, Maryvonne, Maura, Maureen, Milène, Minnie, Mira, Mirabelle, Miranda, Mireille, Moira, Moll, Moll, Mollee, Molley, Molli, Mollie, Molly, Mora, Moria, Moyra, Muire, Muriel, Mylène, Myriam, Myriem.

MARIELLE (hébraïque) Goutte de mer. Variante de

Marie. Marielle a été lancé en France par Marielle Goitschel, championne olympique de ski.

MARIEM (arabe) Vierge Marie.

MARIGOLD (anglais) Le souci, la fleur.

MARILYN (anglais) Combinaison de Mary et de Lynn. Marilyn Monroe fut bien sûr l'emblème le plus célèbre de ce prénom. Dérivés : Maralin, Maralynn, Marelyn, Marilee, Marilin, Marilynne, Marralynn, Marrilin, Marrilyn, Marylin, Marylyn.

MARINE (latin) Marin. Ce prénom très « nature » a bénéficié de la vague écologique pour aborder l'état civil dont il fut l'un des fleurons dans les années 1980. Dérivés : Marena, Marina, Marinda, Marinna, Marna, Marinella, Marinelle, Marinette.

MARION (hébraïque) Goutte de mer. Dérivé de Marie très en vogue depuis les années 1980.

MARIS (latin) Étoile de la mer. De nombreuses personnes pensent que Maris et ses diverses formes possèdent la même origine que Marie ; Maris vient du latin *stella maris* qu'on peut traduire par étoile de la mer. Peu répandu en Europe, il est très populaire aux États-Unis depuis 1920 ainsi que ses variantes, comme Marissa, dont la vogue commença dans les années 1950. Aujourd'hui, il bénéficie d'un réel succès. Dérivés : Marieca, Marisa,

Marise, Marish, Marisha, Marissa, Marisse, Meris, Merisa, Merissa.

MARISA (hébraïque) Sommet. Dérivé : Maresha.

MARISOL (espagnol) Soleil implacable.

MARJOLAINE (latin) Fleur.

MARJORIE (latin) Perle. Forme américaine de Marguerite.

MARKETA (latin) Perle. Forme tchèque de Marguerite.

MARLÈNE (hébraïque et grec)' Contraction anglaise de Marie et d'Hélène. On ne peut évoquer ce prénom sans penser à Marlène Dietrich. Dérivés : Marla, Marlaina, Marlaine, Marlana, Marlane, Marlayne, Marlea, Marlee, Marleen, Marleina, Marlena, Marley, Marlie, Marlina, Marlinda, Marline, Marlyn.

MARLO (anglais) Nom de famille. Dérivé : Marlow.

MARMARA (grec) Pétillante. Dérivé : Marmee.

MARNI (hébraïque) Se réjouir. Dérivés : Marna, Marne, Marney, Marnia, Marnie, Marnina, Merina.

MAROHA (arabe) Gaie.

MARONA (hébraïque) Troupeau de moutons.

MAROULA (grec) Audacieuse.

MARSHA (grec) Du Dieu Mars.

MARTHE (hébraïque) Maîtresse de maison. Marthe, comme Berthe, a une connotation vieillotte et évoque davantage une grand-mère qu'une petite fille. Mais aux États-Unis, il fait partie de ces noms délaissés qui refont surface. Il est même considéré comme très chic. L'avenir nous dira si la France lui réserve le même accueil. Dérivés : Macia, Marit, Marite, Marlet, Mart, Marta, Martell, Marth, Martha, Marthena, Marti, Martie, Martina, Martita, Martus, Martuska, Marty, Martyne, Martynne, Masia, Matti, Mattie, Marfa, Marfenia, Marfoucha, Martje, Martta, Matje

MARTINE (latin) Guerrière. Féminin de Martin. Ce prénom fut un grand classique des années 1950. Dérivé : Martina, Maartina, Maartje, Martinka, Martinu, Martixa

MARUSCHKA (hébraïque) Mer.

MARWA (arabe) Roc.

MARYAMT (arabe) Tristesse.

MARYVONNE (hébraïque) Goutte de mer. Composé de Marie et d'Yvonne, ce prénom fut très populaire en Bretagne.

MASSA (arabe) Diamant.

MATANA (hébraïque) Cadeau.

MATHILDE (germanique) Guerrière. Mathilde est un prénom qui allie la force et la douceur. Il est actuellement très apprécié. Dérivés : Maddi, Maddie, Maddy, Mat, Matelda, Mathilda, Matilde, Mattie, Matty, Matusha, Matylda, Maud, Maude, Machteld, Machtild, Maitilde, Matildo, Matthildur, Mattilda, Matyida, Mechte, Mechtel, Mechtild, Tila, Tilda, Tildie, Tildy, Tilli, Tillie, Tilly, Tylda.

MATHURINE (latin) Mûre. Féminin de Mathurin.

MATTEA (hébraïque) Don de Dieu. Féminin de Matthieu. Dérivés : Mathea, Mathia, Matthea, Matthia, Mattia.

MAUD (germanique) Guerrière. Forme Dérivée de Mathilde.

MAURA (grec) Noire.

MAURANE (latin) Maure. Maurane a la même origine qu'Amaury et que Maurice.

MAUREEN (hébraïque) Variante irlandaise de Marie. Maureen est un prénom typiquement irlandais mais présent dans tous les autres pays de langue anglaise, Grande-Bretagne et États-Unis compris. Maureen O'Hara fut l'une des plus célèbres Maureen et il semble, curieusement d'ailleurs, que son départ des plateaux de cinéma précipita le déclin de ce prénom. Dérivés : Maurene, Maurine, Moreen, Morreen, Moureen.

MAURICETTE (latin) Maure. Féminin de Maurice.

MAWAHIB (arabe) Don de Dieu.

MAWHA (arabe) Beauté du visage.

MAWIA (arabe) Éclat.

MAWIYAH (arabe) Vie.

MAXENCE (latin) La plus grande. Ce prénom mixte est plus généralement porté par des garçons.

MAXIMILIENNE (latin) La plus grande. Version féminine de Maximilien. Dérivés : Maxeen, Maxene, Maxi, Maxie, Maxima, Maximina, Maxina.

MAYA (hébraïque) Source.

MAYLIS (hébraïque) Goutte de mer. Forme Dérivée de Marie qui remporte un grand succès depuis peu.

MAYSA (arabe) Démarche altière. Dérivé : Maisah.

MAZAL (hébraïque) Destin.

MAZARINE (français) Du nom de famille de Mazarin.

MAZHEVA (celtique) Dieu donne.

MAZHIRA (hébraïque) Luisante.

MAZOUZA (arabe) Respectée.

MEAD (anglais) Prairie. Dérivé : Meade.

MEADHBH (irlandais) Grande joie.

MEARA (irlandais) Gaie.

MEBARKA (arabe) Comblée.

MEBROUKA (arabe) Bienvenue.

MECA (espagnol) Douce.

MECHBORA (arabe) Généreuse.

MECHIRA (arabe) Tendre.

MECHOLA (hébraïque) Danser. Dérivé : Mahola.

MECHTHILD (germanique) Force.

MECISLAVA (tchèque) Épée glorieuse. Dérivés : Mecina, Mecka.

MÉDÉE (grec) Chef. Magicienne de la mythologie grecque.

MEDEÏNA (arabe) Dévote.

MEDINA (arabe) Ville d'Arabie Séoudite.

MEDJA (arabe) Glorieuse.

MEDORA (anglais) Présent de sa mère.

MEGA (espagnol) Gentille.

MÉGANE (latin) Perle. Forme dérivée de Marguerite. Mégane a eu un grand succès dans les années 1990, mais elle tend à disparaître.

MEGDOUDA (arabe) Elégante.

MEHDIA (arabe) Inspirée.

MEHIRA (hébraïque) Rapide.

MÉHITABEL (hébraïque) Ayant la faveur de Dieu. Dérivé : Méhétabel.

MEÏMONA (arabe) Chanceuse. Dérivés : Maïmona, Meïmouna.

MEIRA (hébraïque) Lumière. Dérivés : Meiri, Meirit, Meora, Meorah.

MEIRONA (hébraïque) Agneau. Dérivé : Merona.

MEISSA (arabe) Belle jeune fille.

MEL (portugais) Miel.

MÉLANIE (grec) De couleur noire. Dérivés : Malania, Malena, Malenka, Melachka, Mélania, Mélanio, Méléna, Mélinda, Méloney, Mel, Mela, Melaine, Melana, Melane, Melani, Melaniya, Melanka, Melany, Melanya, Melashka, Melesya, Melenia, Mélisande, Melka, Mellanie, Mellie, Melloney, Mellony, Melly, Meloni, Melonie, Melony, Mélusine, Milena, Milya.

MELANIE Dérivés :

MELANTHA (grec) Fleur sombre.

MELBA (anglais) Variante de Melbourne, la ville d'Australie. Dérivés : Mellba, Mellva, Melva.

MELCIA (polonais) Ambitieuse.

MELHA (arabe) Bénédiction.

MELIA (latin) Miel.

MELIHA (arabe) Aimable.

MÉLINDA (latin) Miel. Dérivés : Malina, Maldinda, Malinde, Mallie, Mally, Mel, Meleana, Melina, Melinde, Meline, Mellinda, Melynda, Mindi, Mindie, Mindy.

MELIOCHA (latin) Adversaire.

MELIONWEN (celtique) Violette.

MELIORA (latin) Meilleure.

MÉLISANDE (latin) De couleur noire. Dérivé de Mélanie.

MÉLISSA (grec) Abeille. Mélissa est un prénom qui remonte à l'Antiquité puisque c'est le nom d'une nymphe qui prit soin de Zeus lorsqu'il était bébé. Signalons qu'il est très bien classé outre-Atlantique et qu'il devrait encore progresser. Dérivés : Melisa, Mélisande, Melisandra, Mélissandre, Melisse, Mellisa, Mellissa.

MELITA (grec) Miel. Dérivés : Malita, Meleta, Melitta.

MELLE (latin) Miel. Dérivés : Mélissa.

MELLIE (grec) Noire.

MÉLODIE (grec) Chant. Dérivés : Melodee, Melodey, Melodia, Melodice.

MELORA (latin) Perfectionnement.

MELOSA (espagnol) Doucereuse.

MÉLUSINE (latin) Noire. Dérivé de Mélanie. Mélusine est le nom d'une fée des romans de chevalerie du Moyen Âge.

MELWYN (celtique) Miel blanc. Dérivés : Malvina, Melva, Melvena.

MEMA (espagnol) Travailleuse.

MENA (hollandais) Force.

Dérivé : Menna.

MENAL (arabe) Présent.

MENAWRA (arabe) Illuminée.

MENEHOULD (germanique) Forte gloire.

MENIA (scandinave) Personnage de la mythologie. Dérivé : Menja.

MENNA (arabe) Désir.

MENORA (hébraïque) Chandelier. Dérivé : Menorah.

MENOUBA (arabe) Proche de Dieu.

MENWA (arabe) Désirée.

MEONAH (hébraïque) Maison. Dérivé : Meona.

MER (celtique) Perle.

MERAB (hébraïque) Fertile.

MERAV (hébraïque) Révolte. Dérivé : Merad.

MERCÉDÈS (espagnol) Pitié. Ce prénom fait penser bien évidemment à une célèbre

voiture, mais Mercédès fait référence à Maria de las Mercedes, une jeune fille catalane qui fonda un ordre religieux.

Dérivés : Merced, Mercede.

MERCIA (anglais) Ancien royaume britannique.

MERCY (anglais) Pitié.

Dérivés : Mercey, Merci, Mercia, Mercie, Mersey.

MEREDITH (gallois) Grand chef. Dérivés : Meredithe, Merideth, Meridith, Merridith.

MERENUI (polynésien) Louange aux dieux.

MERI (finnois) Océan. Dérivé : Meriata.

MERIEL (gaélique) Mers scintillantes. Dérivés : Merial, Meriol, Merrill.

MERIEM (grec) Chaste.

MERIMA (hébraïque) Soulever. Dérivé : Meroma.

MERRY (anglais) Heureuse. Dérivés : Meri, Merri, Merrie, Merrilee, Merrily.

MERYL (anglais) Scintillante comme la mer. La popularité de l'actrice Meryl Streep explique certainement le succès de ce prénom dans les années 1980. Dérivés : Merill, Merrall, Merrel, Merrell, Merrill, Meryle, Meryll.

MERZAKA (arabe) Qui apporte le bonheur.

MESSAOUDA (arabe) Chanceuse.

MESSIKA (arabe) Intelligente.

MESSINA (latin) Milieu.

MET (celtique) Volonté.

METGE (grec) Perle.

MEVENA (celtique) En forme. Dérivés : Mevenez, Méwena, Méwenez.

MEWAHA (arabe) Éclat.

MEYA (arabe) Chatte.

MIA (latin) Aimée. Diminutif d'Amata, forme italienne d'Aimée.

MICHAËLA (hébraïque) Qui est à l'image de Dieu. Variante féminine de Michaël. Dérivés : Makaela, Mica, Micaela, Michaella, Michal, Michala, Mickaula, Micki, Mickie, Micky, Mikal, Mikella, Mikelle, Mychaela, Micaela, Mikaëla, Mikhaëla, Mikhaïlina.

MICHÈLE (hébraïque) Qui est comme Dieu. Forme féminine de Michel. Ce prénom a eu un beau succès dans les années 1950, sans atteindre celui de son masculin. La chanson des Beatles l'a un peu relancé dans les années 1970, mais il a disparu complètement aujourd'hui. Dérivés : Micheline, Michelle.

MICHELE Dérivés : Migueka, Miguela, Miguelita, Mihaela, Mihela, Mikal, Mikalina, Mikana, Mikela, Mikélé, Mikella, Mikelle, Miquella

MICHIKO (japonais) Fille de la beauté.

MIKI (japonais) Arbre.

MILA (slave) Aimée par le peuple.

MILADA (tchèque) Mon amour. Dérivé : Mila.

MILAGROS (espagnol) Miracles. Dérivés : Mila, Milagritos, Miligrosa.

MILCAH (héb.) Conseiller. Dérivés : Milca, Milka, Milkah.

MILDRED (anglais) Douce force. Dérivé : Mildrid.

MILENA (Slave) Bien aimée.

Dérivés : Milana, Milanka, Milona, Miluska

MILENA (tchèque) Grâce. Dérivés : Milada, Miladena, Miladka, Milana, Milanka, Milenka, Milka, Miluse, Miluska, Mlada, Mladena, Mladka, Mladuska.

MILI (hébraïque) Vertueuse.

MILICA (anglais) Travailleuse.

MILILANI (hawaïen) Caresse du soleil.

MILLICENT (germanique) Née pour le pouvoir. Millicent, abrégé en Millie, semblait être le prénom passe-partout de toutes les héroïnes de séries télévisées anglo-saxonnes. Très féminin, original tout en étant familier, il semble être en bonne voie pour figurer au palmarès des prénoms à la mode. Dérivés : Melicent, Meliscent, Mellicent, Milley, Milli.

MINA (tchèque) Enfant de la terre. Dérivés : Meena, Meniette, Mina, Minnette, Minnie.

MINERVE (latin) Déesse de la Sagesse.

MINETTA (germanique) Diminutif féminin anglais de William. Dérivés : Minette, Minna.

MINIA (arabe) Vœu.

MINNA (germanique) Volonté de protéger. Diminutif de Wilhelmina, féminin germanique de Guillaume.

MINNIE (germanique) Diminutif féminin anglais de William. Dérivés : Minni, Minny.

MIRABELLE (latin) Merveilleux. Dérivés : Mirabel, Mirabell, Mirabella.

MIRAH (arabe) Joie.

MIRANDA (latin) Admirable. Dérivés : Maranda, Meranda, Mira, Myranda, Randa, Randee, Randene, Randey, Randie, Randy.

MIRARI (basque) Miracle.

MIREILLE (hébraïque) Forme provençale de Marie. Dérivés : Mireia, Mireio, Mirella, Mireya.

MIRELLA (hébraïque) Dieu parle. Dérivés : Mireille, Mirelle, Mireya, Myrelle.

MIRI (bohémien) Ma ou mon.

MIROSLAVA (Slava) Gloire de la paix. Dérivé : Mirka.

MIROSLAVA (tchèque) Celle qui aime la gloire.

MIROSLAVA (tchèque) Grande et célèbre. Dérivés : Mirka, Miruska.

MIROSLAWA (polonais) Amoureuse de la gloire.

MIROSLAWA (polonais) Grande gloire. Dérivé : Mirka.

MISSY (anglais) Diminutif de Mélissa.

MISTY (anglais) Brume.

MITALIA (hébraïque) Rosée de Dieu.

MITSUKO (japonais) Enfant de lumière.

MITZI (hébraïque) Goutte de mer. Variante germanique de Marie. Dérivés : Mitsu, Mitzee, Mitzie, Mitzy.

MIZELA (anglais) *Définition inconnue*. Dérivés : Marzalie, Masella, Mazala, Mazella, Mazila, Mesella, Messella, Mezillah, Mizella, Mizelle, Mizelli.

MOADHA (arabe) Protégée.

MOANA (Polynésie) Océan.

MOANI (polynésien) Parfum.

MODANA (celtique) Princesse.

MODESTE (latin) Modestie. Dérivés : Modesta, Modestia, Modestina, Modestine, Modesty.

MOEATA (polynésien) Nuage endormi.

MOEAVA (polynésien) Belle endormie.

MOERANI (Polynésie) Ciel endormi.

MOHCENA (arabe) Chaste.

MOHEA (polynésien) Belle princesse.

MOHSINA (arabe) Bienfaitrice.

MOIRA (hébraïque) Goutte de mer. Forme irlandaise de Marie.

MON (celtique) Perle.

MONA (irlandais) Noble.

Dérivé : Muadnat.

MONCHA (grec) Solitaire.

MONDAY (anglais) Lundi.

MONERA (arabe) Radieuse.

MONIA (arabe) Vœux.

MONIQUE (lat.) Conseillère. Monique est un prénom des années 1940 qui n'est plus guère au goût du jour en France. Pourtant, aux États-Unis, on estime que c'est l'un des plus beaux noms français qu'on puisse donner à une petite fille. Il est aussi très populaire dans les familles afro-américaines. Dérivés : Monica, Monika.

MONTAÑA (espagnol) Montagne.

MONTSERRAT (espagnol) En référence à la Vierge de Montserrat.

MOR (écossais) Grande.

MORA (espagnol) La mûre, le fruit.

MORAN (hébraïque) Professeur. Dérivé : Moranit.

MORANA (celte) Mer. Dérivé : Moranenn.

MORASHA (hébraïque) Grande.

MORELA (polonais) Abricot.

MORENA (portugais) Brune. Dérivés : Moreen, Morella.

MORGANE (gallois) Enfant de la mer. Féminin de Morgan. Dans les légendes celtiques, Morgane était la sœur du roi Arthur. Dérivés : Morgana, Morganne, Morgen, Morigane, Morigaine.

MORIAH (hébraïque) Dieu est mon maître. Dérivés : Moria, Morice, Moriel, Morit.

MORJAN (arabe) Corail.

MORJANA (arabe) Perle de corail.

MORNA (écossais) Tendre.

MORVANA (celtique) Valorisée.

MORWEN (gallois) Jeune fille. Dérivé : Morwenna.

MORWENN (celte) Jeune fille de la mer.Dérivé : Morwenna.

MOSELLE (hébraïque) Sortie de l'eau. Version féminine de Moïse. Dérivé : Mozelle.

MOUFIDA (arabe) Bonne.

MOUJABA (arabe) Vœu.

MOULKA (arabe). Noblesse.

MOUNIA (arabe) Désir. Dérivés : Monia, Mouna.

MOUNIRA (arabe) Illumination.

MOURIDA (arabe) Qui désire Dieu.

MOYNE (irlandais) Terre plate. Dérivé : Moyna.

MUADHNAIT (irlandais) Petite fille noble. Dérivés :

Moina, Monat, Moyna.

MUGAIN (irlandais) Esclave.

MUHAYYA (arabe) Bienvenue.

MUIREALL (Ecossais) Mer blanche.

MUIREANN (irlandais) Longs cheveux. Dérivés : Muirrinn, Murainn, Murinnia.

MUIRGHEAL (irlandais) Mer brillante.

MUIRNE (irlandais) Adorée.

MUMINAH (arabe) Croyante.

MUNA (arabe) Désir.

MUNIRAH (arabe) Professeur.

MURDAG (écossais) Soldat combattant en mer. Dérivés : Murdann, Murdina.

MURIEL (hébraïque) Goutte de mer. Forme normande de Marie. Dérivés : Muirgheal, Murial, Muriell, Murielle.

MUSIDORA (grec) Cadeau des Muses.

MUSLIMAH (arabe) Celle qui est croyante.

MYFANVVY (gallois) Enfant de l'eau. Dérivés : Myff, Myvanwy.

MYLSHA (arabe) Femme.

MYRA (latin) Myre, huile parfumée. Féminin de Myron. Dérivés : Murah, Myria, Myriah.

MYRDDIN (gallois) Forteresse près de la mer.

MYRIAM (hébraïque) Goutte de mer. Forme originelle de Marie. Dérivés : Miriam, Miriama, Miryam.

MYRIEM (hébraïque) Celle qui élève. Forme arabe de Marie.

MYRNA (irlandais) Aimée. Dérivés : Mernan, Mirna, Muirna.

MYRTILLE (latin) Myrte. Dérivés : Myrta, Myrtilla, Mirtle.

NAAMA (arabe) Bonheur.

NAAMAH (hébraïque) Sucrée. Dérivés : Naama, Naamana, Naami, Naamia, Naamiah, Naamiya.

NAARAH (hébraïque) Fille. Dérivé : Naara.

NAAVAH (hébraïque) Délicieuse. Dérivé : Nava.

NABIHA (arabe) Intelligente. Dérivé : Nabihah.

NABILA (arabe) De haute naissance. Dérivés : Nabeela, Nabilah, Nabilia.

NADA (arabe) Rosée du matin. Dérivé : Neda.

NADÈGE (tchèque) Espérance. Forme française du prénom. Dérivé : Nadia.

NADEJDA (tchèque) Espérance. Forme originelle du prénom. Dérivés : Nadeja, Nadescha, Nadia, Nadiona, Nadioucha, Nadioussa, Nadja.

NADERA (arabe) Belle.

NADETTE (germanique) Ours courageux.

NADIA (russe) Espérance. Dérivés : Nada, Nadee, Nadene, Nadina, Nadiya, Nadja, Nadya, Natka.

NADIDA (arabe) Égale. Dérivé : Nadidah.

NADINE (tchèque) Espérance. Autre forme française

de Nadejda.

NADIRA (arabe) Rare. Dérivé : Naidrah, Nadra.

NADYAN (hébraïque) Étang. Dérivé : Nadian.

NADZIEJA (polonais) Espoir. Dérivés : Nadzia, Nata, Natia, Natka.

NAEMAH (arabe) Généreuse. Dérivé : Naïma.

NAEMI (hébraïque) Douce.

NAFAL (arabe) cadeau.

NAFSHIYA (hébraïque) Amitié.

NAGIDA (hébraïque) Riche. Dérivés : Nagia, Nagiah, Nagiya, Najiah, Najiya, Najiyah, Negida.

NAHARA (hébraïque) Lumière. Dérivés : Nehara, Nehora.

NAHAZA (arabe) Pureté.

NAHIDA (arabe) Dynamique.

NAIDA (grec) Naïade. Dérivés : Naiad, Nayad, Nyad.

NAÏG (celtique) Pierre.

NAILAH (arabe) Celle qui réussit. Dérivé : Naila.

NAIMA (arabe) Contente. Dérivés : Naeemah, Naimah.

NAJAH (arabe) Succès.

NAJAT (arabe) En sûreté. Dérivé : Nagat.

NAJIBA (arabe) Bien née. Dérivés : Nagiba, Nagibah, Najibah.

NAJLA (arabe) Beaux yeux. Dérivés : Nagla, Najila, Najilaa, Najilah.

NAJWA (arabe) Confier un secret. Dérivé : Nagwa.

NAN (hébraïque) Grâce.

NANCY (hébraïque) Grâce. Bien que ses origines soient hébraïques, ce prénom semble typiquement américain. Il a d'abord été apprécié en Grande-Bretagne dans les années 1930, puis a traversé l'Atlantique où il est devenu vers 1950 l'un des dix prénoms les plus attribués. Parmi les Nancy connues, citons la femme du président Reagan et la patineuse Nancy Kerrigan qui a redonné de l'éclat à ce prénom grâce à sa prestation aux jeux Olympiques de 1994. Dérivés : Nan, Nana, Nance, Nancee, Nancey, Nanci, Nancie, Nancsi, Nanette, Nann, Nanna, Nanncey, Nanncy, Nanni, Nannie, Nanny, Nanscey, Nansee, Nansey.

NANIG (celtique) Bénie et blanche.

NANVAH (hébraïque) Adorable.

NAOMI (hébraïque) Gra-cieuse. Dérivé de Noémie, ce prénom a été révélé par le mannequin Naomi Campbell. Dérivés : Naoma, Naomia, Naomie, Neoma, Noami.

NAOUAL (arabe) Faveur.

NAOURA (arabe) Lys.

NARCISSA (grec) Narcisse. Ce prénom, en France, est masculin, mais sa version anglaise Narcissa est féminine. Dérivés : Narcisse, Narkissa.

NARDA (latin) Lotion parfumée.

NARELLE (australien) *Définition inconnue*.

NARILLA (anglais, bohémien) *Définition inconnue*. Dérivé : Narrila.

NASPA (hébraïque) Miracle de Dieu. Dérivés : Nasia, Nasya.

NASRIA (arabe) Victorieux.

NASRIN (arabe) Rose. Dérivé : Nasreen.

NASSIMA (arabe) Vie.

NASSIRA (arabe) Soutien.

NASTASSIA (grec) Renaissance.

NASYA (hébraïque) Miracle divin. Dérivé : Nasia.

NATACHA (latin) Jour de naissance. Forme slave du prénom Nathalie.

NATANIAH (hébraïque) Don de Dieu. Forme féminine de Nathan. Dérivés : Natania, Nataniela, Nataniella, Natanielle, Natanya, Nathania, Nathaniella, Nathanielle, Netana, Netanela, Netania, Netaniah, Netaniela, Netanielle, Netanya, Nethania, Nathaniah, Netina.

NATASHA (grec) Renaissance. Prénom cosmopolite

que l'actrice Nastassja Kinsky symbolise à merveille. Dérivés : Nastasia, Nastassia, Nastassja, Nastassya, Nastasya, Natashia, Tashi, Tashia, Tassis, Tassa, Tassie.

NATHALIE (latin) Jour de naissance. Prénom courant, Nathalie est connu un peu partout dans le monde, même dans les pays de langue anglaise où il change toutefois d'orthographe pour devenir Natalie. Ce prénom a connu un immense succès, jamais égalé, dans les années 1960. Parmi les Nathalie connues, notons Nathalie Baye et Nathalie Wood ainsi que la Nathalie de la chanson de Gilbert Bécaud.

Dérivés : Natala, Natalee,

Natalene, Natalia, Natalie, Natalina, Nataline, Natalka, Natalya, Natelie, Nathalia.

NATHITFA (arabe) Pure. Dérivé : Nathifa.

NATIVIDAD (espagnol) Nativité, Noël.

NATKA (russe) Promesse.

NATOLIA (grec) Naissance du jour.

NATSUKO (japonais) Enfant de l'été.

NATTIE (latin) Née.

NAVIT (hébraïque) Belle. Dérivés : Naavah, Nava, Navice.

NAWAL (arabe) Cadeau.

NAZIHA (arabe) Loyale.

NAZIRA (arabe) Égale. Dérivé : Nazirah.

NEALA (irlandais) Championne. Neil au féminin. Dérivés : Nealie, Nealy, Neeli, Neelie, Neely, Neila, Neile, Neilla, Neille.

NECHAMA (hébraïque) Réconfort. Dérivés : Nachmi, Necha, Neche, Nehama.

NECHIDA (arabe) Illustre.

NECHONA (hébraïque) Appropriée.

NECI (latin) En feu.

NEDA (tchèque) Née un dimanche. Dérivés : Nedda, Neddie, Nedi.

NEDAVIAH (hébraïque) Dieu est charitable. Dérivés : Nedavia, Nedavya, Nediva.

NEIMA (hébraïque) Mélodie.

NEITH (égyptien) Déesse du Foyer. Dérivé : Neit.

NEJDA (arabe) Aide.

NEJMA (arabe) Harmonieuse.

NELKA (polonais) Pierre ou forteresse. Dérivé : Nela.

NELLIG (celtique) Agnelle.

NELLY (grec) Éclat du soleil.

Nelly est un diminutif d'Hélène, dont la forme Nell est plus courante dans les pays anglo-saxons. Dérivés : Nell, Nella, Nelley, Nelli, Nellie.

NEMRA (arabe) Panthère.

NENET (égyptien) Déesse.

NENOGA (celtique) Élevée.

NEOLA (grec) Jeune fille. Dérivé : Neolah.

NEORA (hébraïque) Clarté. Dérivés : Néhira, Néhorith.

NEPA (arabe) Reculer.

NERA (hébraïque) Lumière. Dérivés : Neria, Neriah, Neriya.

NÉRÉIDE (grec) Divinité de la Mer. Dérivés : Nerice, Nerida, Nerina, Nerine, Nerisse, Neryssa, Rissa.

NERISSA (grec) Escargot de mer. Dérivés : Nerisa, Nerise.

NERTHUS (scandinave) Déesse de la mythologie.

NERYS (gallois) Seigneur.

NESIAH (hébraïque) Miracle de Dieu. Dérivés : Nesia, Nesian, Nesya, Nisia, Nisiah, Nisva.

NESRINE (arabe) Églantine.

NEST (gallois) Pure. Dérivé : Nesta.

NETIA (hébraïque) Plante.

NETTIE (anglais) À l'origine, suffixe pour les prénoms féminins se terminant par ette ou etta. Dérivés : Neta, Netta, Nettia, Netty.

NEVA (espagnol) Neige.

NEVADA (anglais) État des États-Unis. Tout comme Montana, Nevada devient très prisé pour les petites américaines.

NEVIAH (hébraïque) Celle qui voit l'avenir. Dérivé : Nevia.

NEZA (slave) Agneau. Dérivé : Neysa.

NEZIG (celtique) Ciel.

NIAMH (irlandais) Brillante.

NIBAL (arabe) Flèche.

NICOLE (grec) Peuple victorieux. Féminin de Nicolas. Prénom vedette des années 1940, Nicole a disparu alors que son masculin Nicolas montait en flèche. Aujourd'hui, Coline, anagramme de Nicole, apparaît discrètement à l'état civil. Dérivés : Coline, Nichol, Nichola, Nicholle, Nicki, Nickola, Nickole, Nicola, Nicoleen, Nicolene, Nicoletta, Nicolette, Nicolina, Nicoline, Nicolla, Nicolle, Nikki, Nikola, Nikoletta, Nikolette.

NIEMA (arabe) Bienfait.

NIKÉ (grec) Déesse de la Victoire.

NIKITA (grec) Victoire du peuple. Forme slave de Nicolas, en principe masculin, mais qui est, depuis peu, tout comme Sacha, attribué aussi à des petites filles.

NILDA (grec) Lionceau.

NILI (hébraïque) Acronyme signifiant « La gloire d'Israël ne se repentira pas. »

NILMAH (arabe) Bénédiction. Dérivé : Nimat.

NILSINE (scandinave) Victoire du peuple.

NINA (espagnol) Petite fille ; (babylonien) Du dieu Ninos. Nina est un prénom qui a plusieurs milliers d'années. Dans la mythologie babylonienne, Nina était la déesse de la Mer et chez les Incas, Nina était une divinité qui veillait sur le feu. Dérivés : Neena, Nine, Ninelle, Ninet,

Nineta, Ninete, Ninetta, Ninette, Ninita, Ninnette, Ninotchka, Nynette.

NINNOG (celtique) Élévation.

NIOBÉ (grec) Reine légendaire de la mythologie. Fougère.

NIREL (hébraïque) Champ cultivé.

NISSA (hébraïque) Inspecter, examiner. Dérivé : Nisa.

NITSA (grec) Jeune fille radieuse.

NIVA (hébraïque) Conversation. Dérivé : Neva.

NIXIE (german.) Nymphe des eaux.

NIZANA (hébraïque) Bourgeon. Dérivés : Nitza, Nitzana, Zana.

NOA (hébraïque) Mouvante.

NOADIA (hébraïque) Celle qui connaît Dieu.

NOAL (celtique) Nom du lieu.

NOËLLE (hébraïque) Celle qui console. Noëlle est souvent le second prénom de petites filles nées dans les jours précédant ou suivant la fête de la Nativité. Dérivés : Noëlla, Noëllia, Noëllie, Novela, Novelenn.

NOÉMIE (hébraïque) Gracieuse.

NOGA (hébraïque) Lumière du matin.

NOIRIN (irlandais) Digne lumière.

NOLA (anglais) Blanches épaules. Dérivés : Nolah, Nolana.

NOLETA (latin) À contrecœur. Dérivé : Nolita.

NOLWENN (celt.) Agneau blanc. Prénom mixte à forte dominance féminine très en vogue en Europe.

NONNA (latin) Nonne. Dérivés : Nonah, Noni, Nonie, Nonna, Nonnah.

NORA (grec) Lumière. Dérivé : Norah.

NORBERTA (germanique) L'homme célèbre qui vient du Nord. Féminin de Norbert.

NOREEN (grec) Lumière. Variante anglaise de Nora. Lumière. Dérivés : Noreena, Norene, Norina, Norine.

NORELL (scandinave) Celle qui vient du Nord. Dérivés : Narelle, Norelle.

NORIANE (grec) Compassion. Variante d'Éléonore. Dérivé : Norine.

NORIG (celtique) Honorée.

NORMA (latin) Modèle. Dérivé : Normah.

NORNA (scandinave) Destin.

NORRIS (anglais) Nom de famille.

NOUARA (arabe) Clarté. Dérivé : Nour.

NOUELA (celtique) Dieu est Dieu.

NOULA (grec) Grâce. Dérivé : Nourah.

NOURA (arabe) Lumière. Dérivé : Nourah.

NOURELHOUDA (arabe) Bénédiction divine.

NOVA (latin) Nouvelle. Dérivé : Novah.

NOVELLA (espagnol) Nouvelle petite chose.

NOVIA (espagnol) Fiancée.

NUDAR (arabe) Dorée.

NUHA (arabe) Élégante.

NUMA (arabe) Belle.

NUR (arabe) Illuminer. Dérivés : Nura, Nuri, Nurya.

OANEL (celtique) Chaste. Forme celtique d'Agnès. Dérivé : Oanelle.

OANEZ (celtique) Agneau.

OBÉDIENCE (anglais) Loyauté.

OBÉLIA (grec) Aiguille.

OCÉANE (grec) Du dieu des Mers et des Fleuves. Dérivés : Occia, Oceana, Oceania.

OCELLA (grec) Océan.

OCTAVIE (latin) Huitième. Ce prénom de l'Antiquité, évocateur des films « péplums » relatant la décadence de Rome, a toujours été assez rare. Dérivés : Octavia, Ottavia.

ODDRUN (scandinave) Point. Dérivés : Oda, Odd, Oddr.

ODDVEIG (scandinave) Femme armée d'une lance.

ODEDA (hébraïque) Puissant.

ODEL (germanique) Richesse.

ODELIA (hébraïque) Loué soit Dieu. Dérivé : Odeleya.

ODERA (hébraïque) Charrue.

ODESSA (grec) Long voyage.

ODETTE (germanique) Richesse. Ce prénom en vogue au début du XXᵉ siècle a complètement disparu aujourd'hui, comme ses compagnes Ginette, Yvette, Georgette.

ODHARNAIT (irlandais) Vert. Dérivés : Orna, Ornat.

ODIANE (germanique) Richesse. Variante d'Odette.

ODILE (germanique) Richesse. Dérivés : Oda, Odeela, Odela, Odele, Odelia, Odelinda, Odell, Odella, Odelle, Odelyn, Odila, Odilia.

ODIYA (hébraïque) Chanson de Dieu.

OFRA (hébraïque) Faon.

OHELA (hébraïque) Tente.

OHNICIO (irlandais) Honneur.

OKI (japonais) Mer.

OKTAWJA (polonais) Huitième.

OLA (polonais) Protecteur des hommes ; (scandinave) Relique des ancêtres. Dérivés : Olesia, Olesya.

OLAUG (scandinave) Respect des ancêtres.

OLDRISKA (tchèque) Souverain prospère. Dérivés : Olda, Oldra, Oldrina, Olina, Oluse.

OLEDA (anglais) Noble. Dérivés : Oleta, Olethea.

OLENA (russe) Lumière éclatante. Dérivé : Olenya.

OLESIA (russe) Protecteur de l'humanité.

OLEYA (arabe) Illustre.

OLGA (russe) Sainte. Olga est un prénom très courant dans les pays d'Europe de l'Est. Dérivés : Elga, Ola, Olenka, Olesya, Olia, Olina, Olka, Olli, Olly, Olunka, Oluska, Olva, Olya, Olyusha.

OLIACHA (germanique) Félicité.

OLINDA (latin) Parfumée.

OLIVIA (latin) L'olivier. Bien que ses racines soient italiennes, Olivia dégage une distinction et un charme britannique sans doute grâce à l'actrice Olivia de Havilland et dans un autre style, à la chanteuse australienne Olivia Newton Jones. C'est aussi un personnage de la pièce de Shakespeare, *La Nuit des rois*. Dérivés : Lioa, Lioia, Liovie, Liv, Olia, Oliva, Olive, Olivette, Olivine, Ollie, Olva.

OLVYEN (gallois) Empreintes de pas blanches.

OLWEN (gallois) Traces de pas blanches. Dérivés : Olwenn, Olwin, Olwyn, Olwyne.

OLYMPE (grec) Du mont Olympe, l'endroit où vivaient les dieux de la mythologie grecque. Dérivés : Olimpia, Olympia, Olympya, Pia.

OMA (arabe) Chef.

OMBELINE (latin) Ombrelle.

OMEGA (grec) La dernière lettre de l'alphabet grec.

OMEIMA (arabe) Grâce.

OMNIA (arabe) Désir.

ONA (lithuanien) Grâce.

ONDINE (latin) Petite vague. Dérivés : Ondina, Ondyne, Undina, Undine.

ONDREA (tchèque) Femme violente.

ONELLA (grec) Lumière.

ONENN (celtique) Frêne blanc. Dérivés : Onnenna, Oona.

ONORA (latin) Honneur. Dérivés : Onoria, Onorine.

OONA (irlandais) Unité. Dérivés : Oonagh, Oonah.

OPALE (sanskrit) Pierre précieuse. Les noms de pierre étaient très à la mode au début du siècle mais à présent, si on note une légère reprise de Rubis et de Jade, Opale ne semble pas faire beaucoup d'adeptes. Dérivés : Opal, Opalina, Opaline.

OPHÉLIE (grec) Aide. Ce prénom d'une héroïne de Shakespeare a connu un succès très bref dans les années 1990, pour disparaître presque complètement quelques années plus tard. Dérivés : Ofelia, Ophelia.

OPHIRA (hébraïque) Or, le métal. Dérivé : Ofira.

OPHRA (hébraïque) Faon. Dérivés : Ofrat, Ofrit, Ophra, Ophrah, Ophrat, Ophrit, Orpa, Orpha, Orphy.

ORA (latin) Prière. Dérivé : Orra.

ORAH (hébraïque) Lumière. Dérivés : Ora, Orali, Orit, Orlee, Orli, Orlice, Orly.

ORANGE (anglais) Orange. Dérivé : Orangetta.

OREGAN (celtique) Bien née.

ORELA (latin) Révélation.

ORFHLAITH (irlandais) Dame dorée. Dérivés : Orflatth, Oria, Oriana, Oriane, Orianna, Orla, Orlagh, Orlaith, Orlann, Orlene.

ORIANA (latin) Oranger.

ORIANE (latin) Dorée. Dérivés : Auriane, Oraine, Oralia, Orania, Orelda, Orelle, Oriana.

ORIOLE (anglais) Oiseau. Dérivés : Auriel, Orella, Oriel, Oriola.

ORITHNA (grec) Dans la

mythologie, fille du roi d'Athènes.

ORLENDA (russe) Aigle femelle. Dérivé : Orlinda.

ORNA (hébraïque) Lumière en mouvement.

ORNICE (hébraïque) Pin. Dérivés : Orna, Ornit.

ORPA (hébraïque) Celle qui tourne le dos.

ORQUIDEA (espagnol) Orchidée.

ORSA (latin) Ourse. Dérivés : Orsala, Orsaline, Orsel, Orselina, Orseline, Orsola.

ORTHIA (grec) Droite.

ORTHILD (german.) Combat.

ORTOLANA (latin) Jardin.

ORYA (russe) Paix. Dérivé : Oryna.

OSANNA (hébraïque) Propice.

OSYTH (anglais) *Définition inconnue*.

OTILIE (tchèque) Prospère.

OTTAVIA (latin) Huitième.

OTTHILD (germanique) Vainqueur au combat. Dérivés : Ottila, Ottilia, Otillie, Otylia.

OTYLIA (polonais) Richesse.

OTZARA (hébraïque) Prospérité. Dérivé : Ozara.

OUADIA (arabe) Douceur.

OUAFA (arabe) Attachement.

OUASSILA (arabe) Qui désire Dieu.

OUIDA (anglais) Brave soldat.

OURANIA (grec) Divine.

OWENA (gallois) Bien née. Féminin d'Owen.

OXANA (grec) Accueillante.

OZERA (hébraïque) Secours.

PACA (latin) Française. Diminutif espagnol de Françoise.

PADERNEZ (celtique) Paternel.

PADGETT (grec) Sagesse. Dérivés : Padget, Paget, Pagett, Pagette.

PADRIGA (celtique) Patricienne.

PALLAS (grec) Autre nom d'Athéna, la déesse des Arts et de la Sagesse.

PALMA (espagnol) Palmier.

PALMER (anglais) Palmier. Nom de famille. Dérivés : Ilmirah, Palima, Pallimirah, Pallma, Pallmara, Pallmyra, Palma, Palmira, Palmyra.

PALMYRE (grec) Nom d'une antique cité en Syrie.

PALOMA (espagnol) Colombe. Dérivés : Palloma, Palometa, Palomita, Peloma.

PAMÉLA (anglais) Ce prénom a été inventé par le poète anglais Philip Sidney, au XVIᵉ siècle, dans *Arcadie*, puis repris au XVIIIᵉ par Samuel Richardson dans le roman *Paméla ou la vertu récompensée*. Il était déjà très populaire aux États-Unis, mais Pamela Anderson, actrice de la série télévisée *Alerte à Malibu*, a beaucoup contribué, ces dernières années, à sa popularité. Dérivés : Pam, Pamala, Pamalia, Pamalla, Pamelia, Pamelina, Pamella, Pamilia, Pamilla, Pammela, Pammi, Pammie, Pammy.

PANDORE (grec) Douée de tous les talents. Dérivés : Panda, Pandora, Pandorra, Panndora.

PANGIOTA (grec) Très sacrée.

PANPHILA (grec) Amie de tous. Dérivés : Panfila, Panfyla, Panphyla.

PANSY (anglais) Pensée, la fleur.

PANTHEA (grec) Assemblée des dieux.

PAOLA (latin) Fragile.

PAQUITA (latin) Français. Diminutif espagnol de Fran-

çoise.

PARIS (français) Capitale de la France. La mode étant aux noms géographiques, certains parents ont appelé ainsi leur petite fille car c'est là qu'elle avait été conçue.

PARTHÉNIA (grec) Virginale. Dérivés : Parthania, Parthena, Parthenie, Parthina, Parthine, Pathania, Pathena, Pathenia, Pathina.

PARTHENOPE (grec) Dans l'Antiquité, ville de l'Italie.

PASCALE (hébraïque) Passage. Féminin de Pascal. Dérivés : Pascaline, Paquette, Pasqualina, Panpoxa, Pascasie, Pascuala, Paskala, Paskasia, Paskel, Paxhalina.

PASHA (grec) Qui vient de l'océan. Dérivé : Palasha.

PASKELL (celtique) Pâques.

PATA (grec) Roche. Dérivé: Pita.

PATIA (espagnol) Feuille.

PATIENCE (anglais) Patience. Dérivé : Paciencia.

PATRICIA (latin) Noble. Féminin de Patrick. Patricia est un prénom qui remonte au XVIᵉ siècle, époque à laquelle il était très prisé des familles catholiques irlandaises. Sa diffusion se poursuivit ensuite dans tous les pays de langue anglaise, États-Unis compris, où il atteignit son apogée dans les années 1970. En France, c'est dans les années 1960 qu'il eut les meilleurs scores. Dérivés : Pat, Padraigin, Padriga, Padrigez, Patreece, Patreice, Patria, Patric, Patrica, Patricka, Patrizia, Patsy, Patti, Pattie, Patty, Tricia, Trish, Trisha.

PAULE (latin) Petite. Féminin de Paul. Dérivés : Paola, Paolina, Paula, Pauleen, Paulene, Pauletta, Paulette, Paulie, Paulina, Pauline, Paulita, Pauly, Paulyn, Pavla, Pavlina, Pavlinka, Pawlina, Pola, Polcia, Pollie, Polly.

PAULINE (latin) Petite. Cette forme Dérivée de Paule fut très en vogue dans les années 1980.

PAX (latin) Paix.

PAZ (hébraïque) Or, le métal. Dérivés : Paza, Pazia, Paziah, Pazice, Pazit, Paziya, Pazya.

PEARL (hébraïque) Perle.

PEDERNA (celtique) Paternel.

PEGGY (latin) Perle. Forme Dérivée anglaise de Marguerite.

PÉLAGIE (grec) Océan ; (polonais) Qui vit au bord de la mer. Dérivés : Pelagia, Pelegia, Pelgia, Pellagia.

PELIAH (hébraïque) Miracle de Dieu. Dérivé : Pelia.

PÉNÉLOPE (grec) Celle qui tisse. Pénélope est l'épouse d'Ulysse qui refusa de se remarier, son mari Ulysse étant absent, tant que son ouvrage ne serait pas terminé. Elle défaisait la nuit ce qu'elle avait tissé pendant la journée, et attendit ainsi pendant vingt ans son retour. Dans les pays anglophones, Pénélope est souvent abrégé en Penny, plus familier. Dérivés : Lopa, Pela, Pelcia, Pen, Penelopa, Penina, Penine, Penna, Pennelope, Penni, Penny, Pinelopi, Piptisa, Popi.

PENINAH (hébraïque) Corail. Dérivés : Peni, Penie, Penina, Penini, Peninit.

PENINIYA (hébraïque) Poule. Dérivé : Peninia.

PEONY (anglais) Pivoine.

PÉPITA (espagnol) Dieu ajoutera. Variante féminine de Pépito, diminutif de Joseph. Dérivé : Pepa.

PERACH (hébraïque) Fleur en bouton. Dérivés : Perah, Pericha, Pircha, Pirchia, Pirchit, Pirchiya, Pirha.

PERCY (latin) Lieu normand.

PERDIDA (latin) Perdue.

PERDITA (latin) Perdue.

PEREZ (celtique) Pierre.

PERFECTA (espagnol) Parfaite.

PERLE (latin) Perle. Dérivés : Pearl, Pearla, Pearle, Pearleen, Pearlena, Pearlette, Pearley, Pearline, Pearly, Perl, Perla, Perlette, Perley, Perlie, Perly.

PERRETTE (grec) Roche.

PERRINE (latin) Pierre. Féminin de Pierre.

PERSÉPHONE (grec) Déesse du Renouveau de la nature.

PERSIS (latin) De Perse. Dérivé : Persiss.

PETRA (grec) Rocher. Dérivés : Petra, Petrice, Petrina, Petrona.

PÉTRONILLE (latin) Pierre. Autre forme féminine de Pierre. Dérivés : Pernel, Pernelle, Peronel, Peronnelle, Petrina, Petronella, Petronelle, Petronia, Petronilla, Pier, Pierette.

PETULA (anglais) Effrontée. Dérivé : Petulah.

PETUNIA (anglais) Pétunia.

PHARAÏLDE (grec) Dérivé :

Fara.

PHÉBÉ (grec) Brillante. Dérivés : Pheabe, Phebe, Pheby, Phobe, Phoebe.

PHÈDRE (grec) Brillante. Dérivés : Faydra, Fedra, Phadra, Phaedra, Phedra.

PHÉODORA (grec) Cadeau de Dieu. Forme féminine de Théodore.

PHILADELPHIE (grec) Amour fraternel. Ville des États-Unis. Dérivés : Philadelphia, Philli, Phillie.

PHILANA (grec) Celle qui aime les gens.

PHILANTHIA (grec) Celle qui aime les fleurs.

PHILÉMONE (grec) Seule amie. Féminin de Philémon.

PHILIBERTE (germanique) Très illustre. Féminin de Philibert.

PHILIBERTE Dérivé : Filiberta.

PHILIPPA (grec) Qui aime les chevaux. Dérivé : Filipa

PHILIPPINE (grec) Amie des chevaux. Féminin de Philippe. Ce joli prénom remporte un succès discret mais constant depuis une dizaine d'années. Dérivés : Philipa, Philippa, Philippina, Pippa, Pippy.

PHILOMÈNE (grec) Éloquente. Dérivés : Filoma, Filomeen, Filomena, Filoumeno, Filumena.

PHOEBE (grec) Resplendissante.

PHOTINE (grec) Lumineuse. Dérivés : Fotina, Fotinia.

PHYLLIS (grec) Branche d'arbre verte. Dérivés : Philis, Phillis, Philliss, Philys, Phyllida, Phylliss.

PIA (latin) Pieuse.

PIEDAD (espagnol) Piété.

PIERRETTE (latin) Pierre. Autre version féminine de Pierre. Dérivés : Pedruxa, Peirona, Peirone, Peironne, Pekka, Perez, Peritza, Pernette, Peroline, Perona, Perotza, Perutxa, Petra, Pétrona, Pétronia, Peyronne.

PILAR (espagnol) Pilier.

PILISI (grec) Branche.

PILVI (Finlande) Nuage.

PIPER (anglais) Joueur de cornemuse.

PIRENE (grec) Fille du dieu du Fleuve, Achéloüs.

PIXIE (anglais) Minuscule.

PLACIDA (espagnol) Calme. Dérivé : Plasida.

PLEASANCE (anglais) Plaisir. Dérivés : Pleasant, Pleasants, Pleasence.

PLEZOTA (celtique) Natte.

POE (tahitien) Perle.

POEHEI (tahitien) Couronne de perles.

POEHERE (polynésien) Perle d'amour.

POEITI (polynésien) Petite perle.

POEMOANA (polynésien) Perle de l'océan.

POEMOANA (tahitien) Perle de l'océan.

POENUI (tahitien) Perle céleste.

POERANI (polynésien) Perle du ciel.

POERAVA (polynésien) Perle noir.

POERAVA (tahitien) Perle noire.

POEVAÏ (polynésien) Perle d'eau.

POLLY (anglais) Variante de Molly qui est elle-même un diminutif de Marie. Ce pré-nom typiquement britan-nique est peu connu dans les autres pays. Dérivés : Pauleigh, Pollee, Polley, Polli, Pollie, Pollyan, Pol-lyanna, Pollyanne.

POLYXENA (grec) Hospita-lière.

POMONA (latin) Pomme.

POPPY (latin) Pavot. Déri-vé : Popi.

PORTIA (latin) Famille de la Rome antique. Dérivés : Porcha, Porscha, Porsche, Porschia, Porsha.

PRECIOUS (anglais) Pré-cieuse. Dérivés : Precia, Pre-ciosa.

PREDENA (celtique) Bre-tagne.

PRIBISLAVA (tchèque) Aider à glorifier. Dérivés : Pribena, Pribka, Pribuska.

PRIMA (latin) Première. Dérivés : Primalia, Primetta, Primina, Priminia, Primula.

PRIMAVERA (italien) Printemps.

PRIMROSE (anglais) Première rose.

PRINCESS (anglais) Princesse, titre de noblesse. Dérivés : Prin, Princesa, Princessa.

PRISCILLE (latin) Ancien. Priscilla avait été très apprécié des protestants puritains aux États-Unis. Aujourd'hui, grâce à Priscilla Presley, la veuve d'Elvis, elle a une toute autre image. De rigoureuse et prude, elle est devenue élégante et séduisante. Priscille, sa version française, a eu de nombreux adeptes dans les années 1970. Dérivés : Precilla, Prescilla, Pris, Priscila, Priscilla, Priss, Prissie, Prissilla, Prissy, Prysilla.

PRISMA (grec) Prisme. Dérivé : Prusma.

PRIVELA (celtique) Princesse.

PROINNSEAS (latin) de France. Forme irlandaise de Françoise.

PROSERPINE (grec) Reine des Enfers dans la mythologie grecque.

PRUDENCE (latin) Circonspection. Dérivés : Pru, Prudencia, Prudie, Prudu, Prudy, Prue.

PRUNE (latin) Prune. Dérivé : Prunella.

PSYCHÉ (grec) Âme.

PULCHERIA (latin) Beauté.

PURIFICACION (espagnol) Purification.

QETURA (hébraïque) Encens. Dérivé : Qtourah.

QUARTILLA (latin) Quatrième.

QUBILAH (arabe) Accord.

QUEEN (anglais) Reine. Dérivés : Queena, Queenation, Queeneste, Queenette, Queenie, Queeny.

QUERIDA (espagnol) Aimée.

QUETA (espagnol) Maîtresse de maison.

QUINCI (anglais) Le domaine du cinquième fils. Dérivés : Quincie, Quincy.

QUINN (gaélique) Conseiller. Dérivé : Quincy.

QUINTIANE (latin) Cinquième. Féminin de Quentin. Dérivés : Quinelle, Quinetta, Quinette, Quintana, Quintessa, Quintinia, Quintilla, Quintinia, Quintona, Quintonice.

QUITTERIE (latin) Tranquille.

RAANANA (hébraïque) Fraîche. Dérivé : Ranana.

RABAB (arabe) Nuage pâle.

RABIAH (arabe) Brise. Dérivés : Rabi, Rabia.

RACHAV (hébraïque) Grande. Dérivé : Rahab.

RACHEL (hébraïque) Agneau. Rachel est l'un des grands prénoms bibliques. Rachel, fille de Lacan, sœur de Léa, est l'épouse de Jacob, mère de Joseph et Benjamin. Au Moyen Âge, aucun catholique n'aurait osé baptiser ainsi sa fille, car ce prénom symbolisait la religion juive. À partir de 1600, les protestants puritains l'adoptèrent largement. Il est resté courant aux États-Unis, beaucoup moins en Europe, chez les familles non juives. Dérivés : Rachael, Racheal, Rachele, Rachell, Rachelle, Rae, Raelene, Raquel, Raquela, Raquella, Raquelle.

RACHIDA (arabe) Sensée.

RADA (arabe) Chaste.

RADHIA (arabe) Satisfaite.

RADINKA (tchèque) Active.

RADMILLA (slave) Celle qui travaille pour le peuple. Dérivé : Radmila.

RADOMIRA (tchèque) Heureuse et célèbre.

RADOSLAVA (tchèque) Glorieuse et heureuse.

RADOSLAWA (polonais) Heureuse de la gloire. Dérivé : Rada.

RAE (hébraïque) Agneau. Dérivés : Raenn, Raelene, Ray, Raye, Rayette.

RAFA (arabe) Clémence. Dérivé : Rafah.

RAFIQA (arabe) Douce.

RAFYA (hébraïque) Dieu guérit. Dérivés : Rafia, Raphia.

RAGHIDA (arabe) Heureuse.

RAGNBORG (scandinave) Conseil. Dérivés : Ragna, Ramborg.

RAGNILD (germanique) Pouvoir. Dérivés : Ragnhild, Ragnhilda, Ragnhilde, Ragnilda, Ranillda, Renilda, Renilde.

RAHIFA (arabe) Délicate.

RAIDAH (arabe) Guide.

RAINBOW (anglais) Arc-en-ciel.

RAINELL (anglais) Récemment créée. Contraction de rain et de elle Dérivé : Rainelle.

RAISA (hébraïque) Rose. Dérivés : Raise, Raisel, Raissa, Raisse, Raizel, Rayzil, Razil.

RAJA (arabe) Espérance.

RAJOUA (arabe) Espoir.

RALPHINA (germanique) Louve et conseillère. Version féminine anglaise de Ralph.

RAN (japonais) Nénuphar.

RAN (scandinave) Déeese de la Mer.

RANA (espagnol) Grenouille. Dérivés : Raniyah, Ranna, Ranya.

RANDA (arabe) Arbre.

RANIA (arabe) Nantie.

RANIA (arabe) Très belle.

RANITA (hébraïque) Chant de joie. Dérivés : Ranice, Ranit, Ranite, Ranitra, Ranitta.

RANVEIG (scandinave) Maîtresse de maison. Dérivé : Ronnaug.

RAOUFA (ar.) Bienveillante.

RAPHAËLLE (hébraïque) Dieu a guéri. Dérivés : Rafaela, Rafaïla, Raphaëlla.

RAQUEL (hébraïque) Brebis.

RASHA (arabe) Gazelle.

RASHEDA (turc) Loyale. Féminin de Rashid. Dérivés : Rasheeda, Rasheedah, Rashieda, Rashidah.

RASIA (grec) Rose. Dérivés : Rasine, Rasya.

RASSILA (arabe) Pureté.

RATHNAIT (irlandais) Grâce. Dérivés : Ranait, Rath.

RAULINE (germanique) Recommandation.

RAVEN (anglais) Corbeau. Dérivé : Ravenne.

RAWA (arabe) Élégance.

RAWIYA (arabe) Raconter une histoire. Dérivés : Rawiyah, Rawya.

RAWNIE (bohémien) Dame.

RAYA (hébraïque) Amie.

RAYANA (arabe) Épanouie.

RAYMONDE (germanique) Conseil du monde. Version féminine de Raymond. Dérivés : Aimone, Aymone, Raimonde, Raimondine, Raimunda, Ramona.

RAYNA (hébraïque) Chanson de Dieu. Dérivés : Raina, Rana, Rania, Renana, Renanit, Renatio, Renatya, Renini, Rinatia, Rinatya.

RAYYA (arabe) Étancher sa soif.

RAZI (hébraïque) Secret. Dérivés : Razilee, Razili.

RAZIAH (hébraïque) Secret de Dieu. Dérivés : Razia, Raziela, Razilee, Razili, Raziya.

REA (anglais) Masculin. Dérivés : Rhia, Ria.

RÉBECCA (hébraïque) Ensemble. Dans la Bible, Rébecca était l'épouse d'Isaac et la mère de Jacob. Daphné du Maurier, des siècles plus tard, écrivit un roman appelé ainsi qui devint un célèbre film policier grâce à Alfred Hitchcock. Le roman et le film influencèrent grandement les parents des années 1940 aux États-Unis. Dérivés : Becca, Becky, Reba, Rebbecca, Rebbie, Rebeca, Rebeccah, Rebecka, Rebeckah, Rebeka, Rebekah, Rebekka, Rebekke, Rebeque,

Rebi, Reby, Reyba, Rheba.

REGAN (irlandais) Fille d'un petit souverain. Dérivé : Reagan.

RÉGINE (latin) Roi. Féminin de Régis. Dérivés : Gina, Rénilda.

REI (japonais) Grâce.

REICHANA (hébraïque) Aromatique. Dérivés : Rechana, Rehana.

REINE (latin) Reine. Dérivés : Raenah, Raina, Raine, Rainy, Rana, Rane, Rayna, Regena, Reggi, Reggie, Regi, Regie, Regiena, Regina, Reginia, Reginna, Reinette, Reyna.

REINTRAUD (germanique) Force.

REMA (arabe) Tendre.

REMAZIAH (hébraïque) Signe de Dieu. Dérivés : Remazia, Remazya.

RENA (hébraïque) Mélodie. Dérivé : Renna.

RENALDA (germanique) Conseil qui gouverne. Forme féminine de Renaud.

RENANENN (celtique) Phoque.

RENATA (latin) Deuxième naissance.

RENÉE (latin) Née à une nouvelle vie. Féminin de René. Dérivé : Renata.

RENITA (latin) Audacieuse. Dérivé : Reneeta.

RÉSÉDA (latin) Fleur du même nom.

RETHA (grec) Éloquente.

REUMA (hébraïque) Hautaine. Dérivé : Raomi.

REVAYA (hébraïque) Satisfaite. Dérivé : Revaia.

REXANA (latin) Roi et grâce. Mélange de Rex et d'Anna. Dérivés : Rexanna, Rexanne.

REZA (tchèque) Récolte. Variante de Thérèse. Dérivés : Rezin, Rezka.

REZIKA (arabe) Généreuse.

RHÉA (grec) Épouse de Cronos dans la mythologie grecque. Dérivés : Rhia, Ria.

RHIAN (gallois) Jeune fille.

RHIANNON (gallois) Déesse. Dérivés : Rheanna, Rheanne, Rhiana, Rhiann, Rhianna, Rhiannan, Rhianon, Rhuan, Riana, Rianna, Rianne, Riannon, Rianon, Riona.

RHIANVYEN (gallois) Jolie jeune fille.

RHODÉ (grec) Rose. Ce prénom d'origine biblique, mentionné dans le Nouveau Testament et dans le livre des Actes des Apôtres, fut très courant dans les familles protestantes à la fin du XIXᵉ siècle. Dérivés : Rhodante, Rhodanthe, Rhodia, Rhodie, Rhody, Roda.

RHONDA (gallois) Grande. Dérivés : Rhonnda, Ronda.

RHONWEN (gallois) Élancée. Dérivés : Ronwen, Roweena, Roweina, Rowina.

RIA (espagnol) Estuaire.

RIANE (irlandais) Féminin de Ryan.

RICHARDE (germanique) Roi puissant. Version féminine de Richard. Dérivés : Rica, Ricarda, Ricca, Richarda, Richel, Richela, Richele, Richella, Richelle, Richenda, Richenza, Ricki, Rickie, Ricky, Riki, Rikki, Rikky.

RICHILDE (germanique) Roi puissant. Forme alsacienne de Richarde.

RIDA (arabe) Contente. Dérivés : Radeya, Radeyah.

RIGBORG (scandinave) Solides fortifications.

RIGMOR (scand.) Grande bravoure.

RIHANA (arabe) Basilique.

RILLA (germanique) Courant.

RIMA (arabe) Antilope.

RIMONA (hébraïque) Grenade, le fruit.

RINA (hébraïque) Allégresse.

RINDA (scandinave) Personnage légendaire. Dérivé : Rind.

RIOGHNACH (irlandais) Reine. Dérivé : Riona.

RIQUITA (german.) Reine puissante. Forme espagnole de Richarde.

RISA (latin) Rire. Dérivés : Rise, Risha, Riza.

RISHONA (hébraïque) Initiale.

RISSA (anglais) Diminutif de Nerissa, une nymphe de la Mer.

RITA (latin) Perle. Diminutif anglais de Marguerite. Rita connut une grande popularité dans les années 1940, grâce à l'actrice Rita Hayworth. Malheureusement, cette association rend ce prénom un peu démodé. Sainte Rita est la patronne des causes perdues et on l'invoque également pour des problèmes conjugaux. Dérivés : Reeta, Reta, Rheta, Rhetta.

RITZPAH (hébraïque) Charbon. Dérivés : Ritzpa, Rizpah.

RIVA (hébraïque) Rejointe. Dérivés : Reva, Rivah.

RIVANONE (celtique) Reine.

RIVKA (hébraïque) Nœud coulant, collet. Dérivés : Rifka, Rifke, Riki, Rivai, Rivca, Rivcka, Rivi, Rivvy.

ROBERTE (germanique) Gloire qui resplendit. Féminin de Robert. Dérivés : Bobbet, Bobbett, Bobbi, Bobbie, Bobby, Robbie, Robby, Robena, Roberta, Robertha, Robertina, Robina, Robine, Robinette, Robinia, Robyn, Robyna, Rogan, Roynne.

ROCHELLE (français) Féminin de Roch.

RODA (polonais) Rose.

RODERICA (germanique) Version féminine de Roderick qui signifie souverain célèbre. Dérivés : Rica, Roderiqua, Roderique.

RODOLFA (germanique) Loup.

ROLANDE (germanique) Gloire et courage. Féminin de Roland. Démodé en France, ce prénom commence à prendre un certain essor aux États-Unis. Dérivés : Rolanda, Rollande, Rolonda, Rolonde.

ROMA (italien) Rome, capitale italienne.

ROMANE (latin) Romaine. Féminin de Roman et de Romain. Ce prénom est très en vogue en France depuis 1990. Dérivés : Romella, Romelle, Romi, Romolla, Romula, Romy.

ROMÉA (latin) Romaine. Version féminine de Roméo.

RONA (norvégien) Île au relief accidenté. Dérivés : Rhona, Roana, Ronella, Ronelle, Ronna.

RONI (hébraïque) Cette joie est mienne. Dérivés : Ronia, Ronice, Ronit, Ronli.

RONIYA (hébraïque) Joie de Dieu. Dérivés : Ronela, Ronella, Ronia.

RONNI (anglais) Conseil avisé. Féminin de Roland. Dérivés : Ronnette, Ronney, Ronnica, Ronny.

ROSALBA (latin) Rose blanche.

ROSALIE (latin) Rose et lys.

ROSALINDE (germanique) Jolie rose. Dérivés : Rosalina, Rosalind, Rosalinda, Rosaline, Rosalyn, Rosalynd, Rosalyne, Rosalynn, Roselind, Roselynn, Roslyn.

ROSAMA (arabe) Lavande.

ROSAMUNDE (germanique) Illustre.

ROSANNE (latin) Rose. Prénom composé de Rose et d'Anne. Dérivé : Rosanna.

ROSCISLAWA (polonais) Conquête glorieuse.

ROSE (latin) La rose. Les noms de fleurs sont à la mode depuis le début des années 1990 et Rose pourrait bien suivre Capucine et Marguerite dans les années à venir. Dérivés : Rosabel, Rosabell, Rosabella, Rosabelle, Rosalee, Rosaley, Rosalia, Rosalie, Rosalin, Rosella, Roselle, Rosetta, Rosette, Rosney, Rosi, Rosie, Rosita, Rosy, Ruza, Ruzean, Rusenka, Ruzsa.

ROSEMARIE (latin) Rosée de la mer. Dérivés : Rosemaree, Rosemarey, Rosemaria, Rosemary.

ROSEMONDE (germanique) Grand protecteur. Dérivés : Rosamonde, Rosamund.

ROSSALYN (écossais) Promontoire. Féminin de Ross. Dérivés : Rosslyn, Rosslynn.

ROSTISLAVA (tchèque) Celle qui s'empare de la gloire. Dérivés : Rosta, Rostina, Rostinka, Rostuska.

ROULA (grec) Audacieuse. Dérivé : Rula.

ROXANE (perse) Aurore. Roxane est le prénom de la femme d'Alexandre le Grand. Dérivés : Roxana, Roxann, Roxanna, Roxanne, Roxianne, Roxie, Roxy.

ROZENN (celtique) Rose.

RUBENA (hébraïque) Voyez c'est un fils ! Forme féminime de Ruben. Dérivés : Rebenia, Rubina, Rubine, Rubyna.

RUBERTA (german.) Gloire.

RUBIS (latin) Pierre du même nom. Tous les noms en rapport avec les bijoux ou les pierres précieuses sont à la mode et Rubis semble bien parti pour devenir le favori. À noter que ce nom était très répandu aux États-Unis à l'époque de la Guerre de Sécession. Dérivés : Rube, Rubey, Rubie, Rubye.

RUDELLE (germanique) Célèbre. Dérivé : Rudella.

RUDOLPHA (germanique) Loup.

RUFINA (latin) Rousse. Version féminine de Rufus.

RUKAN (arabe) Confiante.

RUNA (scandinave) Sciences occultes. Dérivé : Rula.

RUNHILD (germanique) Fascination.

RUQAYYA (arabe) S'élever. Dérivés : Ruquayah, Ruquayyah.

RUSALKA (tchèque) Nymphe des bois.

RUT (tchèque) Compagne dévouée.

RUTH (hébraïque) Colombe. Dans la Bible, Ruth est l'aïeule du roi David. Dérivés : Ruthe, Ruthella, Ruthelle, Rhutetta, Ruthie, Ruthina, Ruthine, Ruthy.

RUTHILD (germanique) Célèbre.

RUVONA (celtique) Romaine.

RUWAYDAH (arabe) Démarche élégante.

RYBA (tchèque) Poisson.

RYMA (arabe) Gazelle blanche.

SAADA (arabe) Bonheur.

SABAH (arabe) Matin.

SABINE (latin) Des Sabins. Dérivés : Sabina, Savina, Sebina.

SABIRA (arabe) Ténacité.

SABRA (hébraïque) Repos. Dérivés : Sabrah, Sabre, Sabree, Sabreena, Sabrena, Sabrinna, Sebra.

SABRINA (latin) Variante de Sabine.

SABRIYA (arabe) Patience. Dérivés : Sabira, Sabirah, Sabriyyah.

SACHIKO (japonais) Bonheur.

SACHIKO (japonais) Fille du bonheur.

SADHBH (irlandais) Bonté. Dérivés : Sabha, Sabia, Sadbha, Sadbhha, Saidhbha, Saidhbhin, Sive.

SADIA (arabe) Béatitude.

SADIRA (perse) Lotus.

SAFA (arabe) Pure. Dérivés : Safiyya, Safiyyah.

SAFRAN (arabe) Épice du même nom. Dérivés : Saffre, Saffron, Saffronia, Saphron.

SAGA (scandinave) Personnage légendaire.

SAGE (latin) Intelligente. Dérivés : Saige, Sayge.

SAHAR (arabe) Lever du soleil.

SAIDA (arabe) Heureuse.

SAINT (anglais) Sainte, sacrée.

SAKAE (japonais) Prospérité.

SAKINA (arabe) Paix.

SAKURA (japonais) Bonheur.

SALAMA (hébraïque) Exigé de Dieu. Dérivés : Samale, Sammala.

SALHA (arabe) Morale.

SALIDA (hébraïque) Heureuse. Dérivés : Selda, Salimah, Salma.

SALIHAH (arabe) Vertueuse.

SALIMA (arabe) À l'abri. Dérivés : Salama, Salimah, Salma, Selma.

SALLY (hébraïque) Souveraine.

SALOMÉ (hébraïque) Paix. Dérivés : Saloma, Salomey, Salomi, Salomia.

SALUS (latin) Déesse de la Santé.

SALVADORA (espagnol) Salvatrice.

SALVIA (latin) En bonne santé. Dérivés : Sallvia, Salvina.

SALWA (arabe) Réconfort.

SAMANTHA (hébraïque) Son nom est Dieu. Samantha est la version féminine de Samuel. Connu aux États-Unis depuis le XVIIᵉ siècle, ce prénom était surtout attribué à des petites filles noires. Il ne s'est vraiment popularisé que dans les années 1960 avec le feuilleton *Ma Sorcière bien-aimée*. Dérivés : Sam, Samella, Samentha, Sammantha, Samme, Sammey, Sammi, Sammie, Sammy, Semmanntha, Semantha, Si-

mantha, Symantha.
SAMAR (arabe) Conversation nocturne.
SAMARA (hébraïque) Protégee par Dieu. Dérivés : Samaria, Sammara.
SAMEH (arabe) Celle qui pardonne.
SAMETANE (germanique) Juste pensée.
SAMHAOIR (irlandais) *Définition inconnue.*
SAMIA (arabe) Compréhensive. Dérivés : Samilhah, Samira, Samirah.
SAMIRA (héb.) Conversation du soir.
SAMRA (arabe) Brune.
SAMUELA (hébraïque) Dieu a entendu. Féminin de Samuel. Dérivés : Samelle, Samuella, Samuelle.
SANA (arabe) Brillante. Dérivés : Sania, Saniyya, Sa-

niyyah.
SANCIA (latin) Sacrée. Dérivés : Sancha, Sanchai, Santsia, Sanzia.
SANDRA (grec) Celle qui protège des ennemis. Diminutif d'Alexandra. Dérivés : Sandee, Sandi, Sandie, Sandrea, Sandria, Sandrina, Sandrine, Sandy, Saundra, Sondra, Zana, Zandra, Zanna.
SANSANA (héb.) Feuille de palmier.
SANTANA (espagnol) Sainte.
SAPHIR (hébraïque) Pierre du même nom. Dérivés : Safira, Saphira, Sapir, Sapira, Sapirit, Sapphira, Sapphire, Sephira.
SARAB (arabe) Imagination.
SARAH (hébraïque) Princesse. Sarah, personnage biblique, était la femme

d'Abraham. Ce prénom fut d'abord presque exclusivement réservé aux petites filles juives, puis les protestants l'adoptèrent comme bien d'autres noms de même origine. Aujourd'hui, il est devenu un grand classique, très courant dans le monde entier, quelle que soit la religion. Dérivés : Sadee, Sadie, Sadye, Saidee, Saleena, Salena, Salina, Sallee, Salley, Sallianne, Sallie, Sally, Sallyann, Sara, Sarai, Saretta, Sarette, Sari, Sarita, Saritia, Sarra.

SARIL (turc) Eau qui coule.

SASHA (russe) Celle qui protège les hommes. Version féminine d'Alexandre. Dérivés : Sasa, Sascha.

SASKIA (latin) Française. Forme slave de Françoise.

SASONA (hébraïque) Joie.

SAVANNA (espagnol) Savane. Nom de ville. Savanna suit, aux États-Unis, la vogue des prénoms géographiques comme Montana ou Philadelphie. Dérivés : Savana, Savanah, Savannah, Savonna, Sevanna.

SAWSAN (arabe) Lys.

SCARLETT (anglais) Rouge écarlate. Ce prénom qui fut celui de l'héroïne du roman de Margaret Mitchell et du film *Autant en emporte le vent* est très évocateur d'une femme décidée, intelligente et provocatrice. Dérivés : Scarlet, Scarlette.

SEASON (latin) Saison.

SÉBASTIENNE (latin) Couronnée. Féminin de Sébastien. Dérivés : Sebastiana, Sébastiane.

SECUNDA (latin) Deuxième.

SEDA (arménien) Écho de la forêt.

SEDKA (arabe) Loyale.

SEEMA (hébraïque) Trésor. Dérivés : Seemah, Sima, Simah.

SÉGOLÈNE (germanique) Douce victoire.

SÉLÉNA (grec) Déesse de la Lune. Ce prénom mythologique se répandit en Angleterre au XVIIIᵉ siècle grâce à la comtesse Séléna Huntington. Dérivés : Celena, Celina, Celinda, Celine, Celyna, Salena, Salina, Salinah, Sela, Selene, Selina, Selind, Seline, Sena.

SELIMA (hébraïque) Paix. Dérivé : Selimah.

SELMA (arabe) Délicate.

SEMA (grec) Présage.

SEMEICHA (hébraïque) Heureuse. Dérivé : Semecha.

SÉMÉLE (latin) Mère de Bacchus dont le père était Jupiter.

SEMIHA (arabe) Généreuse.

SÉMIRAMIS (hébraïque) Paradis absolu. Dérivé : Semira.

SEMOUR (arabe) Diamant.

SENALDA (esp.) Marque, signe.

SENEA (arabe) Belle.

SENGA (écossais) Mince.

SEONA (écossais) Dieu est plein de grâce. Dérivés : Seonag, Shona.

SEOSAIMHTHIN (irlandais) Accroître.

SÉPHORA (arabe) Souveraine.

SEPTEMBER (anglais) Septembre.

SEPTIMA (latin) Septième.

SERACH (hébraïque) Abondance.

SÉRAPHINE (hébraïque) Ange. Dérivés : Sarafina, Serafina, Serafine, Seraphina, Serofina.

SÉRÉNA (latin) Sereine. Séréna est un prénom bien connu aux États-Unis puisque c'est celui d'un personnage de la très célèbre série télévisée *Ma Sorcière bien-aimée*. Dérivés : Sareen, Sarena, Sarene, Sarina, Serena, Serenah, Serenna, Serina.

SERILDA (germanique) Guerrière. Dérivés : Sarilda, Serhilda, Serhilde, Serrilda.

SERLANE (latin) Nom d'une famille romaine illustre. Féminin de Serge. Dérivés : Serlana, Sergina.

SESHETA (égyptien) Déesse des Étoiles. Dérivé : Seshat.

SETSUKO (japonais) Fille de la fidélité.

SEVASTIANE (grec) Rendre hommage.

SÉVERINE (latin) Exigeante. Féminin de Séverin. Dérivés : Sévéra, Sévéria, Séveriana, Séveriane.

SÉVILLE (espagnol) Ville d'Espagne. Dérivé : Sevilla.

SEYDA (arabe) Femme de tête.

SEZA (celtique) Francs.

SHAANANA (hébraïque) Paisible.

SHACHARIYA (hébraïque) Lever du soleil. Dérivés : Schacharia, Shacharit, Shacharita, Shaharit, Shaharita.

SHADYA (arabe) Chanteuse. Dérivés : Shadiya, Shadiyah.

SHAFIQA (arabe) Compatissante. Dérivés : Shafia, Shafiqah.

SHAFIRA (arabe) Noble. Dérivés : Sharifah, Sharufa, Sherifa, Sherifah.

SHAHIRA (arabe) Célèbre. Dérivé : Shahirah.

SHAINA (hébraïque) Belle. Dérivés : Shaine, Shanie, Shayna, Shayne.

SHALVAH (hébraïque) Paix. Dérivé : Shalviya.

SHAMIRA (hébraïque) Protectrice.

SHAMMARA (arabe) Prête pour le combat.

SHANA (hébraïque) Diminutif de Shoshana. Dérivés : Shanae, Shanay.

SHANAR (arabe) Clair de lune.

SHANNON (irlandais) Vieille. Shannon est le prénom féminin irlandais par excellence, même s'il était au départ un nom de famille. Il est apparu en tant que prénom féminin aux États-Unis, vers 1930, et en Grande-Bretagne dans les années 1950. Aujourd'hui, il est presque exclusivement réservé aux filles. Dérivés : Shana, Shann, Shanna, Shannah, Shannan, Shannen, Shannie, Shanon.

SHAPIRA (hébraïque) Bonne.

SHARAI (hébraïque) Princesse. Variante de Sarah. Dérivés : Shara, Sharayah.

SHARDA (anglais) Fugitive. Dérivés : Sade, Shardae, Sharday, Sharde.

SHARLENE (germanique) Femme. Version féminine de Charles. Dérivés : Sharleen, Sharleyne, Sharlina, Sharline, Sharlyne.

SHARMAINE (latin) D'après

le nom de famille d'une grande famille de la Rome antique. Dérivés : Sharma, Sharmain, Sharman, Sharmane, Sharmayne, Sharmian, Sharmine, Sharmyn.

SHARON (hébraïque) Petite poésie. Sharon, en vogue dans les années 1940-1960, a semblé démodé jusqu'à l'apparition sur les écrans de la belle Sharon Stone. Dérivés : Sharan, Sharen, Sharin, Sharona, Sharonda, Sharone, Sharran, Sharren, Sharron, Sharronda, Sharronne, Sharyn, Sheren, Sheron, Sherryn.

SHATA (arabe) Parfum.

SHATARA (arabe) Travailleuse.

SHAUNA (hébraïque) Dieu est bon. L'une des versions féminines anglaises de Jeanne. Dérivés : Shaunda, Shaune, Shauneen, Shaunna, Shawna, Shawnda, Shawnna.

SHAVONNE (hébraïque) Dieu est juste. Forme féminine de Jean. Dérivés : Shavon, Shavone, Shevon, Shevonne, Shivonne, Shyvon, Shyvonne.

SHAWN (hébraïque) Dieu est bon. Autre féminin de Jean. Dérivés : Sean, Shawnee, Shawni.

SHEA (hébraïque) Requête. Dérivés : Shay, Shayla, Shaylee.

SHEBA (hébraïque) Fille promise. Diminutif de Bethsabée.

SHEILA (latin) Aveugle. Forme gaélique de Cécile.

SHEINA (hébraïque) Belle. Dérivés : Shaina, Shaindel,

Shaine, Shana, Shayna, Shayndel, Sheineld, Shona, Shoni, Shonie.

SHEKEDA (hébraïque) Amandier. Dérivés : Shekedia, Shekediya.

SHELAVYA (hébraïque) Se rassembler. Dérivé : Shelavia.

SHELBY (anglais) Domaine sur une corniche. Prénom très apprécié depuis 1995 dans les pays anglo-saxons. Dérivés : Shelbee, Shelbey, Shellby.

SHELIYA (hébraïque) Mon Dieu. Dérivés : Sheli, Sheila, Shelli.

SHELLEY (anglais) Prairie sur une corniche. Dérivés : Shellee, Shelli, Shellie, Shelly.

SHERA (hébraïque) Lumière.

SHÉRAZADE (arabe) Celle qui vit dans la ville. Dérivés : Shahrazad, Shahrizad, Sheherazad.

SHERIDA (anglais) Féminin de Sheridan. Nom de famille. Dérivé : Sheridawn.

SHERIKA (arabe) Femme de l'est.

SHEVA (hébraïque) Serment.

SHIFA (hébraïque) Abondance.

SHIFRAH (hébraïque) Jolie. Dérivés : Schifra, Shifra.

SHILO (hébraïque) Lieu biblique en Israël.

SHILRA (hébraïque) Adorable. Dérivés : Schilra, Shilrah.

SHIMONA (hébraïque) Écouter. Dérivés : Simeona, Simona.

SHIMRIAH (hébraïque) Dieu

protège. Dérivés : Shimra, Shimria, Shimrit, Shimriya.

SHIRAH (hébraïque) Chanson. Dérivés : Shira, Shiri, Shirit.

SHIRLEY (anglais) Prairie lumineuse. Bien que Shirley ait été un prénom masculin apprécié des protestants puritains durant toute la première moitié du XIXe siècle, deux femmes, à cent ans d'écart environ, popularisèrent ce nom version féminine. La première fut Charlotte Brontë avec son roman *Shirley* et la seconde, la plus célèbre, l'actrice Shirley Temple. Toutefois, Shirley n'est plus à présent aussi populaire qu'il l'était autrefois en dépit de nombreuses célébrités dont Shirley MacLaine. Dérivés : Shirlean, Shirleen, Shirlene, Shirlynn, Shurly.

SHIRLI (hébraïque) Ma chanson. Dérivé : Shirlee.

SHIZKO (japonais) Fille du calme.

SHOMERA (hébraïque) Protéger. Dérivés : Shomria, Shomriah, Shomrit, Shomriya, Shomrona.

SHONA (irlandais) Dieu est bon. Variante féminine de Jean. Dérivés : Shonah, Shone.

SHOSHANA (hébraïque) Lys. Forme originelle de Suzanne. Dérivés : Shosha, Shoshanah, Shoshanna.

SHUALA (arabe) Renard.

SHUKRIYA (arabe) Remerciements. Dérivé : Shukriyyah.

SHULAMIT (hébraïque) Paisible. Dérivés : Shelomit,

Shlamit, Shula, Shulamith, Sula, Sulamith.

SIAN (hébraïque) Miséricorde de Dieu.

SIANY (irlandais) En bonne santé. Dérivés : Slaine, Slainie, Slania.

SIBYLLE (grec) Oracle. Ce prénom a été révélé il y a environ cent ans par un roman de Benjamin Disraeli intitulé *Sybil*, puis beaucoup plus près de nous et dans un tout autre genre par l'actrice Cybill Shepard. Dérivés : Sibbell, Sibel, Sibell, Sibella, Sibelle, Sibilla, Sibyll, Sibylla, Sybel, Sybella, Sybelle, Sybil, Sybill, Sybilla, Sybille, Sybyl.

SIDNEY (anglais) Clairière.

SIDONIE (hébraïque) Ville du Liban.

SIDRA (latin) Étoiles.

SIERRA (anglais) Montagne. Dérivé : Siera.

SIF (scandinave) Relation. Dérivé : Siv.

SIGFREDA (germanique) Paix victorieuse. Féminin de Sigfried. Dérivés : Sigfreida, Sigfrida, Sigfrieda, Sigfryda.

SIGISMONDE (germanique) Victoire et protection. Féminin de Sigismond.

SIGNE (norvégien) Belle. Dérivés : Signa, Signild, Signilda, Signilde.

SIGNY (scandinave) Nouvelle victoire. Dérivés : Signe, Signi.

SIGOURNEY (français) Prénom Dérivé du nom d'un village en France, Sigournais.

SIGRID (norvégien) Belle victoire. Dérivé : Siri.

SIGRUN (scandinave) Secrête victoire.

SIGYN (scandinave) Victoire.

SIHAM (arabe) Flèche.

SILA (latin) Bois.

SILENCE (anglais) Silence.

SILJA (scandinave) Aveugle.

SILVA (latin) Forêt. Dérivés : Silvaine, Silvan, Silvania, Silvanna, Silviana, Sylvana.

SIMCHA (hébraïque) Joie.

SIMONE (hébraïque) Exaucée. Féminin de Simon. Dérivé : Siméone.

SINA (irlandais) Dieu est bon. Dérivé : Sinah.

SIRENA (grec) Celle qui se fait prendre. Dérivés : Sireena, Sirene, Syrena.

SISSY (hébraïque) Diminutif d'Élisabeth, bien connu pour être le surnom d'Élisabeth de Bavière, impératrice d'Autriche. Dérivés : Sissee,

Sissey, Sissi, Sissie.

SIVANE (hébraïque) Mois de juin.

SIXTA (grec) Ténue.

SIXTEN (scandinave) Pierre de la victoire.

SIXTINE (latin) Sixième. Féminin de Sixte. Dérivé : Sixtina.

SJOFN (scandinave) Amour.

SKLAERENN (celtique) Claire.

SKYLER (hollandais) Refuge. Dérivés : Schuyler, Skye.

SNOWDROP (anglais) Perceneige.

SOAZIG (celtique) Francs.

SOBESLAVA (tchèque) Dépasser la gloire. Dérivés : Sobena, Sobeska.

SOCORRO (espagnol) Secours.

SOFIA (arabe) La meilleure.

SOFRONIA (grec) Intelligente.

SOLANA (espagnol) Lieu ensoleillé. Dérivés : Solenne, Solina, Soline, Souline, Soulle, Zelena, Zelene, Zelia, Zelie, Zelina, Zeline.

SOLANGE (latin) Solennel.

SOLEDAD (espagnol) Solitude. Dérivé : Sola.

SOLÈNE (latin) Solennel. Dérivés : Soline, Solemna, Zélina, Zéline.

SOLVEIG (germanique) Chemin de soleil. Dérivés : Solvag, Solve, Solvig.

SONIA (grec) Sagesse. Forme slave de Sophie. Dérivés : Sonja, Sonya.

SOPHIE (grec) Sagesse. Sophie et ses multiples variantes sont populaires dans le monde entier, y compris dans les pays de langue anglaise. Classique, indémodable, mélodieux, distingué, Sophie a toutes les qualités. La comtesse de Ségur, qui s'appelait Sophie Rostopchine, au XIXe siècle, Sophia Loren, le roman *Le Choix de Sophie* ont été les muses de ce prénom. Dérivés : Fieke, Saphia, Sofi, Sofia, Soficita, Sofka, Sofya, Sophey, Sophy, Zofe, Zofia, Zofie, Zofka, Zosha, Zosia.

SOPHRONIA (grec) Sensible, prudente. Dérivés : Soffrona, Sofronia.

SORAYA (perse) Prospérité.

SORCHA (irlandais) Claire.

SOREKA (hébraïque) Vigne vierge.

SORIN (arabe) Etoile du matin.

SORREL (anglais) Oseille. Dérivés : Sorrell, Sorrelle.

SOUAD (arabe) Chance.

SOUHA (arabe) Étoile de la petite ourse.

SOULÉIMA (arabe) De Salomon.

SPERANZA (italien) Espérance.

SPRING (anglais) Printemps.

STACY (grec) Résurrection. Diminutif d'Anastasie. Dérivés : Stace, Stacee, Stacey, Staci, Stacia, Stacie, Stasee, Stasia.

STANISLAVA (tchèque) Gouvernement glorieux. Dérivés : Stana, Stanuska, Stinicka.

STAR (anglais) Étoile.

STARLING (anglais) Étourneau.

STELLA (latin) Étoile. Diminutif d'Estella.

STEPANA (tchèque) Couronne.

STÉPHANIE (grec) Couronnée. Féminin de Stéphane. Stéphanie a eu le même succès que son masculin, et ses dérivés sont tout aussi appréciés. Parmi les Stéphanie célèbres, citons la princesse Stéphanie de Monaco et le joueuse de tennis Steffie Graff. Aux États-Unis, il fait partie aujourd'hui des vingt-cinq prénoms féminins les plus attribués. Dérivés : Stefania, Stefanie, Steffi, Stepania, Stepanie, Stephana, Stephanine, Stephannie, Stephena, Stephene, Stepheney, Stephenie, Stephine, Stephne, Stephney, Stevana, Stevena, Stevey, Stevi, Stevie, Tiffany, Tiphaine.

STEREN (celtique) Étoile.

STOCKARD (anglais) Nom

de famille.

STORM (anglais) Tempête. Dérivés : Stormi, Stormie, Stormy.

SUE (hébraïque) Lys.

SUHAD (arabe) Insomnie. Dérivés : Suhair, Suhar, Suhayr.

SUHAILAH (arabe) Douce.

SUKEY (hébraïque) Lys. Diminutif anglais de Suzanne. Dérivés : Suke, Sukee, Suki, Sukie, Suky.

SULA (islandais) Grand oiseau.

SULEIKA (arabe) Enjôleuse.

SULWEN (gallois) Soleil éclatant. Dérivé : Sulwyn.

SUMMER (anglais) Été. Dérivés : Somer, Sommer.

SUNNIVA (scandinave) Cadeau du soleil. Dérivés : Synnova, Synnove.

SUNSHINE (anglais) Soleil.

Dérivés : Sunni, Sunnie, Sunita, Sunny.

SUZANNE (hébraïque) Lys. Suzanne est un prénom biblique, classique, connu même dans les pays anglophones où on l'utilise principalement comme second prénom. Notons que certaines de ses jolies variantes plaisent aussi beaucoup. Dérivés : Sannerl, Siusan, Susan, Susann, Susanna, Susannah, Susetta, Susette, Susi, Susie, Suzy, Suzan, Suzane, Suzanna, Suzannah, Suzetta, Suzette, Suzi, Suzie, Suzon, Suzy, Zsa Zsa, Zusa, Zuza.

SVANHILD (scandinave) Cygne de combat.

SVANNT (scand.) Mince.

SVEA (scand.) Royaume.

SVETLANA (russe) Étoile.

Dérivés : Svetla, Svetlanka, Svetluse, Svetluska.

SWANN (scand.) Cygne. Dérivé : Swannie.

SYLVAINE (latin) De la forêt. Féminin de Sylvain.

SYLVIE (latin) De la forêt. Dérivés : Silvana, Silvia, Silviane, Silvie, Sylva, Sylvana, Sylvanna, Sylvia, Sylvie.

SYMPHORIENNE (grec) Celle qui porte. Féminin de Symphorien.

SYREETA (arabe) Compagne.

TABATHA (anglais) Gazelle. Autre personnage de la fameuse série *Ma Sorcière bien-aimée*. Ce feuilleton qui avait déjà fait connaître outre-Atlantique Samantha et Séréna a fait entrer Tabatha dans la culture populaire. La vogue d'ailleurs se poursuit près de trente ans après. Dérivés : Tabbitha, Tabitha, Tabby, Tabetha, Tabo-

tha, Tabytha.

TABINA (arabe) Disciple de Mahomet.

TACEY (anglais) Tranquille. Dérivés : Tace, Tacita.

TACHA (latin) Née.

TAFFY (gallois) Aimée.

TAGHRID (arabe) Oiseau qui chante.

TAHIRA (arabe) Pure. Dérivé : Tahirah.

TAHIYYA (arabe) Bienvenue. Dérivé : Tahiyyah.

TAHNEE (anglais) Petite.

TAKAKO (japonais) Noble.

TAKARA (japonais) Trésor.

TAKIA (arabe) Croyante.

TAKUHI (arménien) Reine. Dérivé : Takoohi.

TALAL (hébraïque) Rosée. Dérivé : Talila.

TALIA (hébraïque) Rosée. Dérivés : Talie, Talley, Tallie, Tally, Talora, Talya, Thalie,

Thalya.

TALIBA (arabe) Celle qui cherche la connaissance. Dérivé : Talibah.

TALITHA (anglais) Fille. Dérivés : Taleetha, Taletha, Talicia, Talisha, Talita.

TALLIS (anglais) Forêt.

TALMA (hébraïque) Colline.

TALWYN (celtique) Front blanc.

TALYA (hébraïque) Agneau. Dérivé : Talia.

TAMAH (hébraïque) Merveille. Dérivé : Tama.

TAMARA (hébraïque) Palmier. Ce prénom d'origine juive est très répandu dans les pays d'Europe de l'Est. Dérivés : Tama, Tamah, Tamar, Tamarah, Tamarra, Tamera, Tami, Tamma, Tammara, Tammee, Tammera, Tammey, Tammie, Tammy, Tamor, Tamour, Tamra, Thamar, Thamara, Thamarra.

TAMASINE (anglais) Jumelle. Féminin de Thomas. Dérivés : Tamasin, Tamsin, Tamsyn, Tamzen, Tamzin.

TAMIKO (japonais) Enfant du peuple.

TANI (japonais) Vallée.

TANIA (hébraïque) Don de Dieu.

TANITH (irlandais) Domaine. Dérivés : Tanita, Tanitha.

TANSY (grec) Immortalité.

TAQIYYA (arabe) Dévotion. Dérivés : Takiyah, Takiyya, Takiyyah, Taqiyyah.

TARA (irlandais) Colline. Pour beaucoup, ce nom évoque le domaine du film *Autant en emporte le vent*. Une impression qui doit être largement partagée, à en juger par le grand nombre de petites Tara aux États-Unis et en Grande-Bretagne. Dérivés : Tarha, Taran, Tareena, Tarena, Tarin, Tarina, Tarra, Tarrah, Tarren, Tarryn, Taryn, Taryna, Teamhair, Temair, Teryn.

TARUB (arabe) Gaie.

TASHA (russe) Nativité, Noël. Diminutif de Natacha. Dérivés : Tashina, Tashka, Tasia.

TASMINE (anglais) Jumelle. Forme féminine de Thomas. Dérivé : Tasmin.

TATE (scandinave) Pétillante. Dérivé : Tatum.

TATIANA (russe) Ancien roi slave. Féminin de Tatius. Dérivés : Latonya, Tahnya, Tana, Tania, Tanis, Tanka, Tannia, Tannis, Tarnia, Tarny, Tata, Tatanna, Tatyana, Tatyanna, Tonia, Tonya, Tonyah.

TAWNIE (anglais) Enfant. Dérivé : Tawny.

TAYLOR (anglais) Tailleur. Dérivés : Tailor, Talor, Tayler.

TEAGAN (anglais) Jolie. Dérivés : Tegan, Teige.

TEAMHAIR (irlandais) Colline.

TEGVYEN (gallois) Jolie jeune fille.

TEHANI (tahitien) Chérie.

TELERI (gallois) Front clair.

TELMA (hébraïque) Sillon. Dérivés : Talma, Talmi, Talmit.

TEMIRA (hébraïque) Grande. Dérivés : Temora, Timora.

TEMPÉRANCE (latin) Tempérance.

TENUVAH (héb.) Fruits et légumes. Dérivé : Tenuva.

TEPUROTU (tahitien) Belle

femme.

TÉRENCIA (latin) Nom d'une illustre famille romaine de l'Antiquité. Féminin de Térence. Dérivés : Tereena, Terenia, Terina, Terrena, Terrina, Teryna.

TERRA (latin) La terre. Dérivés : Tera, Terah, Terrah.

TERTIA (latin) Troisième. Dérivé : Tersia.

TESHUAH (hébraïque) Sursis. Dérivés : Teshua, Teshura.

TESSA (polonais) Aimée par Dieu. Dérivés : Tess, Tessia, Tessie.

THADDEA (grec) Brave. Version féminine de Thaddée. Dérivés : Thada, Thadda.

THAIS (grec) Bandeau. Dérivés : Tess, Tessa.

THALASSA (grec) Mer.

THALEIA (grec) Fleurie. Dérivé : Thalia, Thalie.

THANA (arabe) Action de grâce.

THÉA (grec) Déesse. Ce féminin de Théo apparaît depuis quelques mois à l'état civil.

THEDA (grec) Don de Dieu.

THEIA (grec) Divine. Dérivé : Thia.

THEKIA (grec) Dieu célèbre.

THEKLA (grec) Réputation divine. Dérivés : Tecla, Tekla, Thecla.

THELMA (grec) Volonté. Dérivé : Telma.

THÉODORA (grec) Don de Dieu. Féminin de Théodore. Théodora fut impératrice d'Orient au IXᵉ siècle ; elle eut une grande réputation de sagesse, et son prénom est courant dans les familles orthodoxes. Dérivés : Dora,

Dorothée, Doriane, Dorine, Fédora, Fédoussia, Fiodora, Fjodora, Teodora, Theadora, Theda, Theodosia.

THEONE (grec) Divine. Dérivés : Theona, Theoni, Théonie.

THÉOPHANIE (grec) Apparence de Dieu. Féminin de Théophane. Dérivé : Théophania.

THEOPHILA (grec) Aimée par Dieu. Dérivé : Theofila.

THÉOXANE (grec) Dieu étranger. Dérivés : Théoxana, Théoxania.

THÉRÈSE (grec) Chasse. Sainte Thérèse d'Avila, au XVIe siècle, sainte Thérèse de Lisieux, au XIXe siècle, et Mère Térésa ont illustré ce prénom. S'il apparaît démodé aujourd'hui, ses dérivés Tess et Tessa continuent à séduire les futurs parents. Dérivés : Terasa, Teree, Teresa, Terese, Teresia, Teresina, Teresita, Teressa, Teri, Terie, Terise, Terrasa, Terresa, Terresia, Terri, Terrie, Terrise, Terry, Terrya, Tersa, Terza, Tess, Tessa, Tessie, Tessy, Theresa, Theressa, Thereza, Thersa, Thersea.

THETA (grec) Lettre de l'alphabet grec.

THÉTIS (grec) La mère d'Achille.

THIRZA (hébraïque) Plaisante. Dérivés : Thyrza, Tirza, Tirzah.

THOMASINE (hébraïque) Jumelle. Féminin de Thomas. Dérivés : Thomasa, Thomasena, Thomasina, Toma, Tomasina, Tomasine, Tommi.

THORA (scandinave) Combat de Thor. Dérivés : Thordia, Thordis, Thyra, Tyra.

THURAYYA (arabe) Étoile. Dérivés : Surayya, Surayyah, Thuraia, Thuraypa, Thurayyah.

TIA (espagnol) Tante. Dérivés : Tiana, Tianna.

TIARA (espagnol) Tiare. Dérivé : Tiera.

TIARE (tahitien) Fleur.

TIAREHAU (tahitien) Fleur de paix.

TIBERIA (latin) Tibre. Dérivés : Tibbie, Tibby.

TIERNAN (anglais) Seigneur. Dérivé : Tierney.

TIFARA (hébraïque) Fête. Dérivés : Tiferet, Tifhara.

TIFFANY (grec) Apparition de Dieu. Version moderne de ThÉophania. Ce nom qui remonte à la Grèce antique était attribué aux petites filles nées le six janvier, jour de l'Épiphanie. Tiffany, prénom essentiellement anglais, a connu une période de gloire, jusque dans les années 1980, particulièrement auprès des parents noirs américains, puis il a commencé à décliner, lancé sans doute par le roman et le film *Diamants sur canapé*, joué par Audrey Hepburn. Dérivés : Tifani, Tiff, Tiffaneyn, Tiffani, Tiffanie, Tiffiney, Tiffni, Tiffney, Tiffy.

TIGRIS (irlandais) Tigre.

TIMNA (hébraïque) Charmante.

TIMOTHÉA (grec) Celle qui craint Dieu. Féminin de Timothée. Dérivés : Timaula, Timi, Timie, Timmi, Timmie.

TINA (celtique) Pure.

TIPHAINE (grec) Apparition de Dieu.

TIPHANIE (grec) Épiphanie.

TIRA (hébraïque) Campement.

TIRION (gallois) Gentille.

TIRZA (hébraïque) Gentillesse. Dérivés : Thirza, Tirza, Tirzha.

TISH (anglais) Bonheur. Variante de Laetitia. Dérivé : Tisha.

TITANIA (grec) Géante. Dérivé : Tita.

TIVONA (hébraïque) Celle qui aime la nature.

TOBY (hébraïque) Dieu est bon. Forme féminime de Tobie. Dérivés : Tobe, Tobee, Tobey, Tobi.

TOIREASA (irlandais) Force. Dérivé : Treise.

TOMAZJA (polonais) Jumeau.

TOPAZE (latin) Pierre du même nom.

TOPSY (anglais) Hunier. Dérivés : Toppsy, Topsey, Topsie.

TORBORG (scandinave) Vestibule de Thor. Dérivés : Thorborg, Torbjorg.

TORDIS (scand.) Épouse de Thor.

TOVA (scandinave) Magnifique Thor. Dérivés : Tove, Turid.

TOVAH (héb.) Agréable. Dérivés : Tova, Tovat, Tovéla, Tovit.

TRACY (grec) Chasse. Variante anglaise de Thérèse. Tracy fut l'un des prénoms mixtes les plus prisés aux États-Unis dans les années 1960. Il est aujourd'hui victime d'une certaine désaffection. Dérivés : Trace, Tracee, Tracey, Traci, Tracie.

TRAVA (tchèque) Herbe.

TRAVIATA (italien) La femme qui erre.

TREVA (anglais) Domaine au bord de la mer. Féminin de Trevor. Dérivé : Trevina.

TRICIA (anglais) Noble. Diminutif de Patricia. Dérivés : Treasha, Trichia, Trish, Trisha.

TRIFIN (celtique) *Définition inconnue.*

TRILBY (anglais) Nom de la littérature datant de l'époque victoriene.

TRINIDAD (espagnol) Fidèle.

TRINITY (anglais) Trinité. Dérivés : Trini, Trinita.

TRISTA (latin) Triste. Dérivés : Tristan, Tristen, Tristin, Tristina, Tristyn.

TRIXIE (latin) Celle qui apporte la joie. Diminutif anglais de Béatrix, forme sophistiquée de Béatrice. Dérivés : Trix, Trixi, Trixy.

TRUDIE (germanique) Fidèle.

TRUDY (germanique) Loyale.

TRYPHENA (grec) Délicatesse. Dérivés : Triphena, Tryphana, Thryphene, Thryphenia, Thryphina.

TSIFIRA (hébraïque) Couronne.

TSILLA (hébraïque) Ombre. Dérivés : Cilla, Tsilli.

TSIPORA (hébraïque) Oiselle. Dérivé : Séphora.

TSUKIYO (japonais) Nuit.

TUALA (celtique) Valeur.

TUESDAY (anglais) Mardi.

TUNVEL (celtique) Princesse.

TYLER (anglais) Nom de famille.

TYRA (scandinave) Combat de Thor.

TZADIKA (héb.) Loyale. Dérivé : Zadika.

TZAFRA (hébraïque) Matin. Dérivés : Tzefira, Zafra, Zefira.

TZAHALA (hébraïque) Heureuse. Dérivé : Zahala.

TZEIRA (hébraïque) Jeune.

TZEMICHA (hébraïque) En fleur. Dérivé : Zemicha.

TZEVIYA (hébraïque) Gazelle. Dérivés : Civia, Tzevai, Tzivia, Tzivya, Zibiah, Zivia.

TZIGANE (hongrois) Bohémienne. Dérivés : Tsigana, Tsigane.

TZILA (hébraïque) Obscurité. Dérivés : Tzili, Zila, Zili.

TZINA (hébraïque) Refuge. Dérivé : Zina.

TZIYA (hébraïque) Espérance. Dérivés : Tzipia, Zipia.

TZIYONA (hébraïque) Colline. Dérivés : Zeona, Ziona.

TZOFI (hébraïque) Éclaireur. Dérivés : Tzofia, Tzofit, Tzofiya, Zofi, Zofia, Zofit.

TZURIYA (hébraïque) Dieu est puissant. Dérivés : Tzuria, Zuria.

UBALDA (germanique) Brave.

UDELE (anglais) Riche. Dérivés : Uda, Udella, Udelle.

UDIYA (hébraïque) Feu de Dieu. Dérivés : Udia, Uriela, Uriella.

ULA (irlandais) Joyau de l'océan.

ULIMA (arabe) Sage. Dérivé : Ullima.

ULPHIE (german.) Louve.

ULRICA (germanique) Pouvoir du loup.

ULRIKA (scandinave) Noble souveraine. Dérivé : Ulla.

ULTIMA (latin) Dernière. Dérivé : Ultimah.

ULVA (germanique) Louve.

UMAYMA (arabe) Petite mère.

UM-KALTHUM (arabe) Mère d'un enfant joufflu. Dérivé : Um-Kalsum.

UMM (arabe) Mère.

UMNIYA (arabe) Désir.

UNA (irlandais) Agneau ; (latin) Un.

UNITY (anglais) Unité. Dérivé : Unita.

UNN (scandinave) Amour.

URANIE (grec) Paradis. Muse de l'astronomie. Dérivés : Uranai, Urainia, Uraniya, Uranya.

URANJA (polonais) Muse de

l'astronomie.

URBANA (latin) Citadine. Dérivé : Urbanna.

URIELL (celtique) Ange.

URIT (hébraïque) Brillance.

URSULE (latin) Ourse. Dérivés : Ursala, Ursella, Ursola, Ursula, Ursulina, Ursuline.

USHRIYA (hébraïque) Bénédiction de Dieu. Dérivé : Ushria.

UTE (germanique) Fortune.

VAHINE (tahitien) Femme.

VAIATA (tahitien) Eau des nuages.

VAIHERE (tahitien) Amour pour toujours.

VAINUI (tahitien) Grande pour l'éternité.

VAITIARE (tahitien) Fleurs pour l'éternité.

VALA (germanique) Choisie.

VALDA (norvégien) Souveraine. Dérivés : Valida, Velda, Vellda.

VALENTINE (latin) En bonne santé. Dérivés : Valence, Valencia, Valentia, Valentina, Valenzia, Vialaka.

VALÉRIANE (latin) Plante du même nom.

VALÉRIE (latin) Courageuse. Très populaire à l'époque romaine et dans les années 1970, il est peu utilisé aujourd'hui. Parmi les Valérie célèbres, on peut citer, Valérie Mairesse et Valérie Kapriski. Dérivés : Val, Valaree, Valary, Valaria, Valrie, Vale, Valerre, Valeria, Valeriana, Vallarie, Valleree, Vallerie, Valli, Vallie, Vally.

VALESKA (polonais) Grande souveraine.

VALONIA (latin) Vallée peu profonde.

VALORA (latin) Courageuse.

Dérivés : Valoria, Valorie, Valory, Valorya.

VANDA (tchèque) Variante de Wanda. Nom de tribu. Dérivé : Vandah.

VANECIA (anglais) Venise, la ville d'Italie. Dérivés : Vanetia, Vanicia, Venecia, Venetia, Venzia, Venice, Venise, Veniz.

VANESSA (grec) Papillon. Ce prénom a connu ses heures de gloire dans les années 1980. Dérivés : Vanesa, Vanesse, Vania, Vanna, Vannessa, Venesa, Venessa.

VANETTA (anglais) Nouvellement créée.

VANJA (scandinave) Dieu est bon.

VANORA (gallois) Vague blanche.

VARDA (hébraïque) Rose. Dérivés : Vardia, Vardice, Vardina, Vardis, Vardit.

VASHTI (perse) Belle.

VEDETTE (italien) Sentinelle. Dérivé : Vedetta.

VEGA (arabe) Chute ; (scandinave) Étoile.

VEIA (celtique) Forte et ardente. Féminin de Hervé. Dérivé : Véïg.

VELESLAVA (tch.) Grande gloire. Dérivés : Vela, Velina, Velika, Vekla, Veluska.

VELIKA (slave) Grande. Dérivé : Velia.

VELMA (anglais) Créée récemment. Dérivé : Vellma.

VENAÏG (celtique) Ciel.

VENETTA (anglais) Nouvelle création. Dérivés : Veneta, Venette.

VÉNUS (latin) Déesse romaine de l'Amour. Dérivés : Venise, Vennice, Venusa, Venusina.

VERA (slave) Foi. Grand classique dans les pays d'Europe de l'Est, ce prénom fut très en vogue durant les Années Folles, en Grande-Bretagne comme aux États-Unis. Dérivés : Veera, Veira, Verasha, Viera.

VERBENA (latin) Plantes sacrées. Dérivés : Verbeena, Verbina.

VERDAD (espagnol) Vérité.

VERENA (latin) Vraie. Dérivés : Vereena, Verene, Verina, Verine, Veruchka, Veruschka, Verushka, Veryna.

VERITY (latin) Vérité. Dérivés : Verita, Veritie.

VERNA (latin) Printemps. Dérivés : Vernetta, Vernie, Vernita, Virna.

VÉRONIQUE (grec) Celle qui apporte la victoire. Dérivés : Bérénice, Veranique, Vernice, Veron, Verona, Verone, Veronice, Veronicka, Veronika, Veronike, Veroniqua.

VESPERA (latin) Étoile du soir.

VESTA (latin) Déesse du Foyer. Dérivés : Vessy, Vest.

VEVINA (irlandais) Gentille femme.

VICA (hongrois) Vie.

VICTOIRE (latin) Victoire. Victoire est un prénom qui fut très employé durant l'Antiquité. Il sommeilla ensuite jusqu'à l'avènement de la reine Victoria, au XIXᵉ siècle. Il connut alors en Angleterre une nouvelle période de faveur dans les années 1940 et resta dès lors assez répandu. Si, dans les années 1960-1970, la tendance était à ses divers diminutifs, de nos jours c'est le prénom originel qui est à la mode. En France, Victoire a supplanté Victoria. Dérivés : Torey, Tori, Toria, Torie, Torrey, Torri, Torrie, Torrye, Tory, Vicki, Vickie, Vicky, Victoriana, Victorina, Victorine, Victory, Vikki, Vikky, Vitoria, Vittoria.

VIDA (hébraïque) Aimée. Dérivés : Veda, Veeda, Veida, Vidette, Vieda, Vita, Vitia.

VIDONIA (portugais) Cep de vigne. Dérivés : Veedonia, Vidonya.

VIGDIS (norvégien) Déesse de la Guerre. Dérivé : Vigdess.

VIGILIA (latin) Vigilante.

VILMA (russe) Variante de Wilma.

VINA (espagnol) Vigne. Dérivés : Veina, Venia.

VINCIANE (latin) Conquérante. Féminin de Vincent. Dérivés : Vincenta, Vincentena, Vinentina, Vincentine, Vincetta, Vinia, Vinnie.

VIOLA (scandinave) Violette.

VIOLETTE (latin) Violette. Dérivés : Viola, Violaine, Violet, Violetta, Yolande.

VIRGINIE (latin) Vierge. Dérivés : Vegenia, Vergie, Virgy, Virginai, Virgena, Virgene, Virginia.

VIRIDIANA (latin) Verte. Dérivés : Virdis, Virida, Viridia.

VIRTUE (latin) Vertu.

VITALIE (latin) Vie. Dérivés : Veeta, Vita, Vitel, Vitella.

VIVIANE (latin) Ardente. Ce prénom était connu dès le Moyen Âge, car Viviane est une fée enchanteresse des romans de la Table Ronde, mais il n'a jamais été très courant. C'est Vivian Leigh, aux États-Unis, qui a fait connaître ce prénom dans les années 1940. Dérivés : Viv, Viva, Viveca, Vivecka, Viveka, Vivia, Viviana, Vivianna, Vivianne, Vivie, Vivienne.

VLADIMIRA (tchèque) Souveraine célèbre. Variante de Vladmira.

VLADISLAVA (tchèque) Glorieuse souveraine. Dérivés : Ladislava, Valeska.

VONA (celtique) Perle.

VONDRA (tchèque) Amour d'une femme.

VONNIE (grec) Triompher.

VORSILA (tchèque) Petite ourse.

WAFA (arabe) Loyale. Dérivés : Wafiyya, Wafiyyah.

WAJA (arabe) Noble. Dérivés : Waglha, Wagihlah, Wajiha, Wajihah.

WALBERTE (germanique) Gouverne.

WALBURGE (germanique) Puissante protection. Dérivés : Walberga, Walburga, Wallburga.

WALDA (germanique) Souveraine. Version féminine de Waldo. Dérivés : Wallda, Welda, Wellda.

WALENTYA (polonais) En bonne santé.

WALIDA (arabe) Nouveauné. Dérivé : Walidah.

WALKER (anglais) Nom de famille. Dérivé : Wallker.

WALLIS (anglais) Celle qui vient du pays de Galles. Féminin de Wallace. Dérivés : Wallie, Walliss, Wally, Wallys.

WANDA (germanique) Vagabonde. Dérivés : Wandi, Wandie, Wandis, Wonda, Wonnda.

WARDA (germanique) Gardienne. Féminin de Ward. Dérivés : Wardia, Wardine.

WATTAN (arabe) Patrie.

WENDY (anglais) Ce prénom apparut pour la première fois dans le roman *Peter Pan* dont elle était l'une des héroïnes. Il est assez apprécié en France. Dérivés : Wenda, Wendee, Wendey, Wendi, Wendie, Wendye, Windy.

WHITLEY (anglais) Champ blanc.

WHITNEY (anglais) Île blanche. Ce prénom qui à l'origine était masculin est bien vite devenu, au début des années 1990, un prénom féminin grâce à la chanteuse Whitney Houston. Dérivés : Whitnee, Whitnie, Whitny, Whittney.

WIDAD (arabe) Amour.

WILDA (anglais) Saule. Dérivés : Willda, Wylda.

WILFREDA (anglais) Volonté paisible. Féminin de Wilfrid.

WILHELMINE (germanique) Volonté et protection. Version féminine de William. Dérivés : Wiletta, Wilette, Wilhelmina, Willa, Willamina, Williamina.

WILLOW (anglais) Saule.

WILMA (germanique) Volonté et protection. Variante féminine de William. Dérivés : Wilmette, Wilmina, Wylma.

WILONA (anglais) Désirée.

WINIFRED (gallois) Paix sacrée. Winifred, prénom délicat et puissant, fut à la mode du XIXe au début du XXe siècle en Angleterre et en Écosse. Aujourd'hui, il fait la conquête des américains qui en apprécient sa douceur. Dérivés : Gwenfrewi, Win, Winifre, Winifride, Winfryde, Winne, Winni, Winnie, Winny, Wyn,

Wynn.

WINOLA (germanique) Amie charmante.

WINONA (anglais) Gagnante.

WINTER (anglais) Hiver.

WISDOM (anglais) Sagesse.

WISIA (polonais) Victorieuse.

WIVINE (germanique) Forêt accueillante.

WLADYSLAWA (polonais) Souveraine glorieuse.

WREN (anglais) Roitelet.

WYNN (gallois) Blonde, blanche. Dérivés : Winne, Wynne.

parler d'elle, avec Xavière Tiberi. Dérivés : Xaviera, Xavyera.

XÉNIA (grec) Étrangère. Dérivés : Xeenia, Xena.

XYLIA (grec) Forêt. Dérivés : Xyla, Xylina, Xylona.

XANDRA (grec) Protectrice. Diminutif espagnol d'Alexandra.

XANTHE (grec) Jaune. Dérivés : Xantha, Xanthia.

XANTHIPPE (grec) Épouse de Socrate.

XAVIÈRE (basque) Nouvelle maison. Féminin de Xavier. Xavier était un saint du XVIe siècle et la forme féminine de ce nom commence à faire

YAARA (hébraïque) Gâteau de miel. Dérivés : Yaari, Yaarit, Yara.

YACHNE (hébraïque) Dieu est bon. Dérivé : Yachna.

YAËL (hébraïque) Antilope. Dérivés : Jael, Yaala, Yaalat, Yaella, Yaëlle, Yaguel.

YAFFA (hébraïque) Belle.

YAKIRA (hébraïque) Chère. Dérivés : Yekara, Yekarah.

YAMINA (arabe) Morale, droite. Dérivés : Yaminah, Yemina.

YAMITH (hébraïque) Petite mer.

YANNA (celtique) Dieu est miséricorde.

YARDENA (hébraïque) Descendre. Dérivé : Jardena.

YARDENIYA (hébraïque) Jardin de Dieu. Dérivés : Jardenia, Yardenia.

YARINA (russe) Paix. Dérivé : Yaryna.

YARKONA (hébraïque) Verte.

YARMILLA (slave) Vendeuse au marché.

YASMINE (arabe) Fleur. Bien que ce prénom qui vient du mot jasmin ne soit pas encore très populaire, il a un bel avenir devant lui, car il est original et bon nombre de futurs parents

s'y intéresseront forcément. Dérivés : Jasmina, Jasmine, Yasmeen, Yasmeena, Yasmena, Yasmene, Yasmin, Yasmina.

YASU (japonais) Calme.

YEHOSHEVA (hébraïque) Promesse de Dieu.

YEHUDIT (hébraïque) Dieu sera loué. Dérivés : Yudi, Yudit, Yudita, Yuta, Yutke.

YELENA (russe) Variante d'Hélène. Dérivé : Yalena.

YEMINA (hébraïque) Forte. Dérivé : Yemena.

YENTA (hébraïque) Maîtresse de maison. Dérivés : Yente, Yentel, Yentele, Yentil.

YESENIA (arabe) Fleur. Dérivés : Yecenia, Yesnia, Yessenia.

YETTA (anglais) Maîtresse de maison. Diminutif fémi-nin d'Henri. Dérivé : Yette.

YEVA (russe) Vie. Dérivé : Yevka.

YIESHA (arabe) Femme.

YOKO (japonais) Enfant du soleil.

YOLANDE (latin) Violette. Ce nom, illustré par une sainte espagnole et une princesse polonaise du XIIIe siècle, n'a jamais été courant en Europe. En revanche, sa version américaine Yolanda a longtemps été appréciée des familles noires.
Dérivés : Eolanda, Eolande, Iolanda, Iolande, Yalanda, Yalinda, Yalonda, Yola, Yoland, Yolanda, Yolane, Yolette, Yoli, Yolonda, Yulanda

YONA (hébraïque) Colombe.

YONINA (hébraïque) Colombe. Dérivés : Yona, Yonah, Yoninah, Yonit, Yonita.

YOSHEVED (hébraïque) Gloire de Dieu. Dérivés : Yochebed, Yokéved.

YOSHI (japonais) Meilleure.

YOUNA (celtique) If. Forme bretonne de Yvette.

YOURIA (grec) Paysanne.

YOVELA (hébraïque) Réjouissance.

YSEUT (irlandais) Belle. Dérivés : Iseult, Isolda, Isolde, Ysenit, Ysolet.

YUKO (japonais) Grâce.

YULA (latin) Jeune. Variante russe de Julie. Dérivés : Yulenka, Yuliya, Yulya.

YUSRA (arabe) Riche. Dérivés : Yusrivva, Yusrivvah.

YVETTE (celtique) If. Forme féminine de Yves. Dérivés : Erwanna, Erwanne, Yvaine, Yveline.

YVONNE (celtique) If. Autre forme féminine de Yves. Dérivés : Ivana, Vonnette, Vonnie, Yonen, Yonna.

ZADA (arabe) Chanceuse. Dérivés : Zaida, Zayda.

ZAFINA (arabe) Triomphante.

ZAFIRA (arabe) Succès. Dérivé : Zafirah.

ZAHARA (hébraïque) Brillance. Dérivés : Zahari, Zaharit.

ZAHAVA (hébraïque) Dorée. Dérivé : Zahavha.

ZAHIRA (arabe) Brillante. Dérivés : Zaheera, Zahirah.

ZAHRA (arabe) En fleur. Dérivés : Zahara, Zahirah, Zahrah, Zara, Zuhra.

ZAHREH (perse) Bonheur.

ZAIDA (arabe) Grâce.

ZAÏG (celtique) Illustre.

ZAÏNE (arabe) Enjolivement.

ZAIRA (italien) Princesse. Dérivé : Zarah, Zaria, Zayeera.

ZAKAH (arabe) Pure. Dérivés : Zaka, Zakia, Zakiah.

ZANETA (polonais) Dieu est bon.

ZARA (hébraïque) Aurore. Ce prénom est celui de la fille de la princesse Anne d'Angleterre. Dérivés : Zarah, Zaria.

ZARIFA (arabe) Gracieuse.

ZARITA (hébraïque) Princesse. Variante espagnole de

Sarah.

ZAYIT (hébraïque) Olive.

ZAYNAB (arabe) Plante. Dérivé : Zainab.

ZAZA (hébraïque) Action. Dérivé : Zazu.

ZBYHNEVA (tchèque) Se débarrasser de sa colère. Dérivés : Zbyha, Zbysa.

ZDELSLAVA (tchèque) La gloire est là. Dérivés : Zdevsa, Zdevska, Zdisa, Zdiska, Zdislava.

ZDENKA (tchèque) Dérivés : Zdena, Zdenicka, Zdenika, Zdenina, Zdenuska.

ZEA (latin) Graine. Dérivé : Zia.

ZEFFA (portugais) Rose.

ZEFIRYN (polonais) Déesse du Vent d'ouest.

ZEHARA (hébraïque) Lumière. Dérivé : Zehorit.

ZEHAVA (hébraïque) Or. Dérivés : Zahava, Zehovit, Zehuva, Zehuvit.

ZEHIA (arabe) Radieuse.

ZEHIRA (hébraïque) Prudente.

ZEINA (arabe) Belle.

ZEL (perse) Cymbale.

ZELDA (grec) Sixième lettre de l'alphabet.

ZELENKA (tchèque) Fraîche.

ZELLA (germanique) Hostile.

ZELMA (germanique) Casque divin.

ZEMIRA (hébraïque) Chanson.

ZEMORAH (héb.) Branche d'arbre. Dérivé : Zemora.

ZENAIDA (grec) Palombe.

ZENAIDE (grec) Cadeau de Zeus.

ZENANA (héb.) Femme. Dérivé : Zena, Zenia.

ZENDA (hébraïque) Sacrée.

ZÉNOBIE (grec) Force de Zeus. Zénobie était le nom d'une reine de la Rome antique du IIIᵉ siècle avant J.-C.

ZÉPHYRE (grec) Vent d'ouest. Dérivés : Zefir, Zephira, Zephyra.

ZERA (hébraïque) Semences.

ZERALDINA (polonais) Souveraine à la lance.

ZERDALI (turc) Abricot sauvage.

ZERLINDA (hébraïque) Belle aurore. Dérivé : Zerlina.

ZERREN (anglais) Fleur.

ZETTA (hébraïque) Olive. Dérivés : Zeta, Zetana.

ZEVIDA (hébraïque) Cadeau. Drivé : Zevuda.

ZEYNEP (turc) Ornement.

ZIGANA (hongrois) Bohémienne.

ZILLA (hébraïque) Ombre. Dérivés : Zilah, Zillah, Zylla.

ZILPAH (hébraïque) Dignité. Zilpah, dans la Genèse, est la maîtresse de Jacob. Ce prénom fut assez courant il y a de nombreuses années aux États-Unis. Dérivés : Zillpha, Zilpha, Zulpha, Zylpha.

ZIMRIAH (hébraïque) Chansons. Dérivés : Zimira, Zimriya.

ZINA (anglais) Hospitalière. Dérivé : Zena.

ZINNIA (anglais) Plante du même nom. Dérivés : Ziania, Zinnya, Zinya.

ZIRAH (hébraïque) Colisée. Dérivé : Zira.

ZITA (grec) Sixième lettre de l'alphabet. Sainte Zita est la patronne des employés de maison. Dérivé : Zitella.

ZÉNOBIE (grec) Force de Zeus. Zénobie était le nom d'une reine de la Rome antique du IIIe siècle avant J.-C.

ZÉPHYRE (grec) Vent d'ouest. Dérivés : Zefir, Zephira, Zephyra.

ZERA (hébraïque) Semences.

ZERALDINA (polonais) Souveraine à la lance.

ZERDALI (turc) Abricot sauvage.

ZERLINDA (hébraïque) Belle aurore. Dérivé : Zerlina.

ZERREN (anglais) Fleur.

ZETTA (hébraïque) Olive. Dérivés : Zeta, Zetana.

ZEVIDA (hébraïque) Cadeau. Drivé : Zevuda.

ZEYNEP (turc) Ornement.

ZIGANA (hongrois) Bohémienne.

ZILLA (hébraïque) Ombre. Dérivés : Zilah, Zillah, Zylla.

ZILPAH (hébraïque) Dignité. Zilpah, dans la Genèse, est la maîtresse de Jacob. Ce prénom fut assez courant il y a de nombreuses années aux États-Unis. Dérivés : Zillpha, Zilpha, Zulpha, Zylpha.

ZIMRIAH (hébraïque) Chansons. Dérivés : Zimira, Zimriya.

ZINA (anglais) Hospitalière. Dérivé : Zena.

ZINNIA (anglais) Plante du même nom. Dérivés : Ziania, Zinnya, Zinya.

ZIRAH (hébraïque) Colisée. Dérivé : Zira.

ZITA (grec) Sixième lettre de l'alphabet. Sainte Zita est la patronne des employés de maison. Dérivé : Zitella.

ZITOMIRA (tchèque) Vivre dans la gloire. Derivés : Zitka, Zituse.

ZIVA (hébraïque) Brillante. Dérivés : Zeeva, Ziv.

ZIVANKA (tchèque) Vivante. Dérivés : Zivka, Zivuse, Zivuska.

ZLATA (tchèque) Dorée. Dérivés : Zlatina, Zlatinka, Zlatka, Zlatuna, Zlatunka, Zlatuse, Zlatuska.

ZOCHA (polonais) Sagesse.

ZOÉ (grec) Vie. La première Zoé fut une martyre du IIIe siècle avant J.-C. qui a été sanctifiée. Ce prénom revient à la mode après une longue absence. Dérivés : Zoey, Zoie.

ZOHA (arabe) Joie.

ZOHERET (hébraïque) Celle qui brille.

ZOLA (latin) Lopin de terre.

ZONIA (anglais) *Définition inconnue.*

ZORA (slave) Aube. Dérivés : Zara, Zorah, Zorra, Zorrah.

ZORINA (slave) Dorée. Dérivé : Zorana.

ZUBA (anglais) *Définition inconnue.*

ZUBAIDA (arabe) Le souci, la fleur. Dérivés : Zabida, Zbeïda, Zoubida, Zubeda.

ZULEIKA (arabe) Brillante.

ZULEMA (hébraïque) Paix. Dérivé : Zulima.

ZUZANA (tchèque) Rose.

ZYTKA (polonais) Rose.